Mathieu Delbriguet

COLLECTION FOLIO

Homère

Odyssée

Préface
de Paul Claudel

Traduction
de Victor Bérard

Introduction et notes
de Jean Bérard

Gallimard

SUR L' « ODYSSÉE »[1]

*Toute grande entreprise poétique naît et s'arrange autour de la touche-mère. J'entends par là ce foyer lumineux dans la peinture classique qui commande autour de soi le concert des valeurs, des lignes et des volumes, et je pense aussi à cette étincelle séminale de la conception qui met en branle toute la construction de l'être vivant. Le poète seul a le secret de cet instant sacré, où la piqûre essentielle vient soudain introduire au travers d'un monde en nous suspendu de souvenirs, d'intentions et de pensées, la sollicitation d'une forme. C'est là ce que je nomme l'âme de l'œuvre, et l'art du réalisateur à quoi ne saurait suppléer aucune habileté, mais c'est un dieu qui le guide, est de trouver pour elle la position indispensable. Cette position dans les deux grands poèmes homériques, et c'est une des raisons, outre le génie, qui me font croire à l'unicité de la main ouvrière, elle est aménagée de manière à lui conférer ce que j'appelle le maximum d'efficacité rétroactive: dans l'*Iliade*, c'est la mort de Patrocle au XVII*e *chant, dans l'*Odyssée *la trouvaille se place au XXIII*e*. A la résonance tout à coup de cette note magistrale, tout le poème se coordonne. Tous les événements, tous les thèmes locaux ont pris direction, rapport, équi-*

libre, tous les dessous s'éveillent et se justifient, tout se met à chanter à la fois, tout le champ poétique à la fois jusqu'à ses suprêmes limites subit l'enchantement de cette voix nue, dans la concaténation des syllabes accélérées, qui le soutire vers le dénouement.

*La racine de l'*Odyssée*, c'est un olivier.*

Cet olivier, Homère, j'en suis sûr, l'a rencontré dans un de ses voyages, et pourquoi pas à Ithaque même? Quel bel arbre! Aussi fier, aussi pur, aussi radieux, j'allais dire presque aussi saint, dans la force de sa fibre tendue, que l'un de ces êtres parfaits, de ces irréprochables plants humains, dont l'art hellène a perpétué au milieu de nous le témoignage. On parle d'un marin qui jette l'ancre, dit le poète, et moi, je vois ici un être vivant qui est capable de m'enraciner pour à jamais avec lui à ce coin de propriété. De quelle intensité il est attaché à ce qu'il aime et quelle éloquence de ce feuillage d'argent dans la lumière à parler de ses racines! Arbre sacré, enfant de Zeus, médiateur entre la substance et l'azur, ah! je le sens! désormais ce n'est plus à une autre industrie que la tienne que je demanderai cette grâce qui est l'huile! Ah! si les dieux m'avaient accordé une autre épouse que celle-ci invisible, la Muse, en qui m'est dénié tout ce qui fait la vie des autres hommes, c'est à ton fût, immortel, que je voudrais amarrer la couche nuptiale. De tes branches je ferais mon toit et j'en enclorais l'ombre par un mur. Nul dans ce sanctuaire dont tu es l'âme ne serait admis à pénétrer que moi seul et celle que j'aurais choisie. Et si le sort, un jour, pèlerin d'un rêve inextricable, ne refusait pas au bâton de l'aveugle ce qu'il accorda à la rame du navigateur, c'est là que m'attendrait, inviolablement fidèle entre les prétendants à l'époux, Pénélope, ma patrie!

Mais pourquoi me plaindre? A défaut de la fidèle qui

m'attend n'ai-je point l'assidue qui m'accompagne, jamais lasse de conseil et de protection ? C'est toi que je veux dire, enfant du père, olivier spirituel, Sagesse au regard changeant, ceci que l'on appelle Athéna !

Cet Homère qui vient d'achever l'Iliade, encore frémissant de l'immense entreprise, plein de héros et de dieux, et de combats, avec Ilion dans sa mémoire qui n'en aura jamais fini de brûler, qu'est-ce qu'il va faire maintenant de tout ce personnel inemployé, de tous ces récits entrecroisés dont, depuis bien des mois, il s'est fait l'avide écho et qui, peu à peu, se sont mis à chanter tout seuls dans sa tête ? Le ressac, le contrecoup, l'égarement de tous ces acteurs licenciés qui n'arrivent plus à retrouver le port natal et que le pays abandonné se refuse à réintégrer. C'est Ajax, à son roc accroché, vomissant la foudre et le blasphème, c'est Agamemnon que sa femme attend, l'épée à la main, pour l'égorger comme un porc, c'est Ménélas à tout un rivage bordé de veuves et d'orphelins ramenant Hélène. « Et pourtant, dit Homère, moi, l'éternel vagabond, je sais qu'il y a un retour possible, un vrai retour, l'aventure immense du vrai retour à réussir. Il y a là-bas, pour moi, quelque part, profondément enracinés en un lieu irremplaçable, est-ce une femme ? est-ce un olivier ? une source d'huile, le secret sacramentel, l'exclusion du monde entier au profit de ceci que j'ai enfin réussi à récupérer entre mes bras. Errant, persistante, lequel a le plus de peine à rejoindre l'autre ? O patrie ! ce n'était rien pour moi de t'étreindre avant que de t'avoir méritée ! Ce n'était pas trop de ces vingt ans d'absence et de tribulations, et de tous ces inutiles camarades à dépouiller, quoi encore ? les Lotophages, les Lestrygons, et ces monstres qui ne se servent pas d'autre chose que de leurs yeux pour voir et de ces deux amères déesses à l'extrémité du monde, *et cette exploration qu'il m'a fallu conduire jusqu'aux rivages de la mort, et de ces troupeaux fabuleux que l'on m'a donnés à égorger dans le soleil couchant, pour qu'enfin, seul, nu, meurtri, je me réveille sur un sol farouche pour demander à ce pâtre compatissant qui me recueille : « Ce lieu où je suis, étranger, c'est Ithaque ? Et n'est-ce pas ici qu'un certain Ulysse, jadis, fut l'époux d'une certaine Pénélope ? »*

Le moment est venu qu'Athéna prenne le commandement. Les deux cordes à la fois s'éveillent dans le cœur du héros qu'est devenu le poète, celle de l'arc et celle de la lyre.

Car le maître est rentré chez lui et les siens ne l'ont pas reconnu. Mais si fait ! Il y a eu tout de même ce pauvre vieux chien, avant de mourir, qui agite la queue ! Et puis il y a eu, longs comme les bêtes et les arbres à rester les mêmes, ces serviteurs de l'héritage, le porcher et le bouvier. Il y a eu la nourrice qui, sur la jambe de l'Errant, reconnaît la cicatrice antique. Il y a ce fils inconnu qui apparaît silencieusement entre les bras de son père et tous deux se baisent sur la bouche. Au milieu de l'insolent vacarme des prétendants, le danger s'est introduit sous la forme de ce mendiant en loques, insoucieux des coups, qui regarde sans rien dire. Les plus sages d'entre ces étourdis apprennent de cet œil fixé sur eux qu'il y a quelque chose de plus redoutable que la haine, c'est la patience.

Et puis l'heure est venue. Le maître a ordonné tout bas de fermer toutes les portes. Le soir tombe et l'orage se met à gronder. Les cent huit condamnés à mort serrés l'un contre l'autre à la table du festin, ils se sont mis à rire ! Et c'est à ce moment que le premier éclair, d'un seul coup, les a photographiés. Ils rient et la viande se met à saigner toute vivante entre leurs dents, un incoercible éclat de rire comme un sanglot les heurte l'un contre l'autre. Soudain, avec un cri aigu, Athéna, sous la forme d'un oiseau noir, à tire-d'aile traverse la haute salle, et elle ne s'est pas plus tôt là-bas perchée sur son chevron que, simultané cette fois avec le tonnerre, le second éclair, pareil à l'épouvantable déploiement de l'égide, a rempli cette antichambre de la mort. Le voici qui se dresse maintenant, hors de ses haillons, les armes à la main, il se dresse de toute sa hauteur, le hideux inconnu, ah! il n'y a plus moyen d'échapper! « C'est moi! Je suis Ulysse! »

La lumière du jour est revenue et la salle, en bas, est remplie de ces cadavres entassés, maculés de vomissures et de sang, pareille à la cale d'un bateau qui revient de la pêche aux thons. Télémaque regarde son père... Mais non, il faut d'abord refaire l'ordre dans la maison. Qu'on enlève ces cadavres, c'est à quoi seront employées ces servantes infidèles qui se sont souillées avec l'occupant. Qu'on nettoie tout soigneusement avec l'eau et le sable, et la brosse et le soufre! Maintenant Pénélope peut venir.

Les douze servantes, sous la galerie, on les voit suspendues à la même corde, comme les pièces de gibier après la chasse. Leurs pieds se sont agités un faible moment.

Pénélope est là, debout, les yeux baissés. Il fait nuit. Ulysse non plus ne dit rien. Et tout à coup le voilà qui s'est mis à sangloter.

Demain, après une longue nuit employée à tout apprendre et à tout raconter, ce sera le vieux père à qui il s'agira de démontrer que le pire n'est pas toujours sûr. Et puis il y a cette Athéna de qui le moment est venu de prendre congé. C'était bon, ce quelqu'un de divin avec nous qui ne cesse de nous accompagner. Socrate, plus tard, aura ce qu'il appelle son démon. « Mais moi, dit

Ulysse, j'ai choisi pour amie la Sagesse. C est ceue fille du Dieu éternel avec moi qui ne cesse de m'accompagner. »

Paul Claudel.
9 juillet 1947.

INTRODUCTION

I. LA COMPOSITION DE L'*Odyssée*

Tandis que l'*Iliade* a pour sujet un des grands épisodes de la Guerre de Troie proprement dite, l'*Odyssée* raconte l'un des « Retours », des *Nostoi* des héros achéens après le sac d'Ilion, le plus célèbre de tous, le Retour de ce fils de Laërte qui dix ans durant erra sur des mers inconnues avant de retrouver son Ithaque natale, de cet Odysseus, comme il se nommait en grec, d'Ulysse comme nous l'appelons en français d'après son nom latin.

De multiples problèmes sont posés par la composition de l'*Odyssée*. A plus d'un égard, ils sont les mêmes que les problèmes posés par la composition de l'*Iliade*, mais sur d'autres points ils en diffèrent sensiblement.

Telle qu'elle nous a été transmise par les manuscrits du Moyen Age, eux-mêmes copiés sur des manuscrits plus anciens, l'*Odyssée* comme l'*Iliade* est divisée en vingt-quatre tranches que les anciens Grecs appelaient Rhapsodies et désignaient par les vingt-quatre lettres de leur alphabet, et que nous appelons aujourd'hui chants. Entre ces vingt-quatre chants, le récit se répartit de la manière suivante :

Chant I. — Invocation à la Muse. Les dieux, réunis

en assemblée sur l'Olympe, décident le retour d'Ulysse retenu depuis sept ans par Calypso dans son île. A l'issue de cette assemblée, la déesse Athéna vient à Ithaque sous les traits du Taphien Mentès, pour exhorter Télémaque à agir contre les prétendants qui, croyant Ulysse mort, veulent forcer Pénélope à choisir parmi eux un nouvel époux et mangent impudemment ses biens.

Chant II. — Ayant réuni l'assemblée du peuple à Ithaque, pour se plaindre devant elle de la conduite des prétendants, Télémaque décide d'aller chez Nestor et chez Ménélas s'enquérir de son père absent depuis vingt ans.

Chant III. — Télémaque arrive à Pylos, chez Nestor qui ne peut le renseigner sur le sort de son père.

Chant IV. — Télémaque arrive à Lacédémone, où Ménélas lui raconte sa propre aventure, cependant qu'à Ithaque les prétendants dressent une embuscade pour tuer Télémaque à son retour.

Chant V. — Dans une nouvelle assemblée qu'ils tiennent sur l'Olympe, les dieux chargent Hermès de signifier à Calypso qu'elle renvoie Ulysse dans sa patrie ; Ulysse part sur un radeau qu'il a construit ; mais le dieu Posidon soulève une tempête qui jette Ulysse sur la terre des Phéaciens.

Chant VI. — Sur le conseil d'Athéna, Nausicaa, la fille du roi de Phéacie Alkinoos, conduit ses femmes au fleuve pour laver son linge près de l'endroit où Ulysse épuisé de fatigue s'est endormi. Ulysse s'étant éveillé l'implore et l'accompagne jusqu'à la ville des Phéaciens.

Chant VII. — Ulysse arrive au palais d'Alkinoos. Sans révéler son nom, il raconte comment il a été jeté sur la terre des Phéaciens.

Chant VIII. — Alkinoos avise aux moyens de reconduire Ulysse chez lui. Il donne festin et jeux en son honneur. Son aède chante les amours d'Arès et d'Aphrodite. Alkinoos presse Ulysse de dire son nom et de raconter son histoire.

Chant IX. — Comme le lui a demandé Alkinoos, Ulysse dit son nom et commence son récit en racontant ce qui lui est arrivé au pays des Kikones et des Lotophages, puis chez le Cyclope.

Chant X. — Ulysse raconte ensuite ses aventures au pays des Lestrygons et chez Circé.

Chant XI. — Puis il dit comment il alla jusqu'à l'entrée de l'autre monde pour consulter le devin Tirésias.

Chant XII. — Il raconte enfin son retour chez Circé, son passage devant les îles des Sirènes, puis entre Charybde et Skylla, son séjour dans l'île du Soleil, son naufrage et son arrivée chez Calypso.

Chant XIII. — Un navire phéacien reconduit Ulysse à Ithaque, où la déesse Athéna vient le conseiller sur la manière de se débarrasser des prétendants.

Chant XIV. — Habillé en mendiant, Ulysse se rend chez le porcher Eumée, qui lui est resté fidèle ; mais il a soin de ne pas se faire reconnaître.

Chant XV. — Télémaque revient de Lacédémone à Ithaque, où, grâce aux conseils d'Athéna, il échappe à l'embuscade que lui ont tendue les prétendants.

Chant XVI. — Chez Eumée, où il vient avant de s'en retourner à la ville, Télémaque trouve son père, qui se fait reconnaître de lui ; le père et le fils se concertent sur les moyens de se venger des prétendants.

Chant XVII. — Ulysse, toujours habillé en mendiant, arrive à son palais, où son vieux chien Argos le reconnaît et meurt. L'un des prétendants, Antinoos, l'insulte.

Chant XVIII. — Les prétendants, pour se divertir, mettent Ulysse aux prises avec un autre mendiant, Iros ; il en vient aisément à bout, mais doit subir d'autres outrages.

Chant XIX. — Pénélope questionne Ulysse sans savoir encore qui il est, mais sa vieille nourrice, Euryclée, le reconnaît ; à sa demande, elle lui garde le secret.

Chant XX. — Festin des prétendants qui insistent auprès de Pénélope pour qu'elle fasse parmi eux le choix d'un nouvel époux.

Chant XXI. — Pénélope ayant promis d'épouser celui qui serait capable de tendre l'arc d'Ulysse et de tirer une flèche à travers douze haches, les prétendants s'y essaient en vain ; Ulysse obtient de Télémaque de faire l'essai à son tour, et il réussit.

Chant XXII. — Quittant ses haillons, Ulysse se fait reconnaître des prétendants et les massacre.

Chant XXIII. — Pénélope, qui dormait dans sa chambre durant le massacre, descend dans la grand-salle et reconnaît à son tour Ulysse.

Chant XXIV. — Les âmes des prétendants descendent aux enfers, Ulysse va chez son père Laërte et grâce à l'intervention d'Athéna se réconcilie avec ses sujets.

A la différence de la division en douze livres de l'*Énéide*, due à son auteur même, Victor Bérard pense que la répartition en vingt-quatre chants de l'*Odyssée* comme de l'*Iliade* est bien postérieure à leur composition. Ne figurant pas encore sur tel papyrus égyptien du IIIe siècle avant J.-C. qui nous a livré un fragment des poèmes homériques, elle fut apparemment l'œuvre des grammairiens de l'époque alexandrine et ne s'imposa qu'après le IIIe siècle avant J.-C. Des titres qui nous ont été transmis par les Anciens pour l'*Odyssée* comme pour l'*Iliade* à raison d'un ou de plusieurs par chant paraissent conserver la trace d'une plus ancienne division de l'*Odyssée* comme de l'*Iliade* en épisodes. Le nombre même de ces titres, différent du nombre des chants, et, pour l'*Iliade*, un passage d'Hérodote (II, 116), montrent que ces épisodes ne coïncidaient pas exactement avec les chants.

D'autre part, le texte de l'*Odyssée* comme celui de l'*Iliade*, tel qu'il nous a été transmis par les copistes du Moyen Age, n'offre d'un manuscrit à l'autre que des variantes de détail, entre lesquelles il est parfois assez facile de choisir, mais qui, parfois aussi, laissent subsister des difficultés. Il n'en va pas de même des papyrus égyptiens qui nous donnent des états du texte des poèmes homériques tel qu'il se présentait à l'époque alexandrine, et dont les plus anciens remontent au IIIe et au IIe siècle avant J.-C. Ils contiennent maints vers supplémentaires qui ne figuraient plus dans nos manuscrits du Moyen Age. Ainsi un papyrus d'Oxyrhynchos (no 412) nous apprend que Julius Africanus connaissait une *Odyssée* où, entre les vers 49 et 51 de notre chant XI, se lisaient une trentaine de vers qui portent toutes les marques d'une addition tardive et ne figurent dans aucun de nos manuscrits du Moyen Age.

Les signes critiques — des broches ou « obels » — qui nous ont été transmis en marge par certains manuscrits et les commentaires antiques que nous font connaître les scholies, nous apprennent que tels vers ou groupes de vers étaient tenus pour suspects par certains grammairiens de l'époque alexandrine, soit qu'ils les aient considérés comme des insertions, c'est-à-dire comme des vers authentiquement homériques, mais inutilement répétés en dehors de leur place primitive, soit qu'ils les aient regardés comme des interpolations, c'est-à-dire comme des vers inauthentiques ajoutés au texte plus ancien. Les insertions se détachent toujours aisément du contexte. Pour ce qui est des interpolations, parfois beaucoup plus longues, il en est qui peuvent semblablement s'exciser sans peine, leurs limites exactes étant souvent marquées par la reprise d'une même expression [1]. La fin de l'*Odyssée* notamment depuis le vers 296 du chant XXIII, que les critiques alexandrins, Aristophane de Byzance et Aristarque, tenaient pour le dernier de l'*Odyssée* véritable, se détache sans difficulté. Mais il est d'autres additions dont l'ablation ne va pas sans arrachement, et obligent à poser le problème de l'économie même et de la genèse de notre *Odyssée* actuelle.

Ce problème de structure est plus complexe pour l'*Odyssée* que pour l'*Iliade* et se présente de manière différente.

Il suffit de lire un résumé de l'*Odyssée* pour y reconnaître trois parties bien distinctes, dont, en gros, les limites paraissent à première vue assez faciles à retrouver :

1° Les aventures de Télémaque durant son voyage à Pylos et à Lacédémone, dans les quatre premiers chants ;

2° Les aventures d'Ulysse dans la mer du Couchant, jusqu'à son arrivée à Ithaque, du début du chant V au milieu du chant XIII ;

3° Sa lutte contre les prétendants, du milieu du chant XIII à la fin du chant XXIV.

Parmi les titres qui nous ont été transmis pour les différents chants, Victor Bérard a relevé qu'il en est deux, le *Voyage de Télémaque* et les *Récits chez Alkinoos* qui, à la différence des autres, se présentent comme des titres non d'épisodes, mais de groupes d'épisodes correspondant à la première et à la seconde partie de l'*Odyssée*, cependant que le sujet de la troisième paraît avoir été la *Vengeance d'Ulysse*.

Mais, quand on l'examine de manière plus attentive, la délimitation de ces trois parties s'avère moins simple. Le *Voyage de Télémaque* ne se termine pas à la fin du chant IV. Il s'achève en notre chant XV, qui l'insère dans la *Vengeance d'Ulysse*.

D'autre part, le chant I et le chant V, dans notre *Odyssée* actuelle, commencent tous deux par une assemblée des dieux qui deux fois de suite décident le retour d'Ulysse retenu par Calypso dans son île, doublet d'autant plus choquant que la première de ces deux assemblées tourne court. L'*Invocation* et l'*Assemblée des Dieux* du chant I, en effet, qui annoncent clairement le récit des lointaines aventures d'Ulysse et de son retour, nous laissent en suspens jusqu'à ce qu'un second conciliabule des Immortels, au début du chant V, renouvelle maladroitement la décision déjà prise ; et, de manière inattendue aux vers 88-117 du chant I, la déesse Athéna annonce soudain son intention d'aller exhorter Télémaque à Ithaque, pour introduire ainsi le récit du voyage de Télémaque.

Enfin, lorsqu'on examine le développement dans le temps de chacune de ces trois parties de l'*Odyssée*, on relève des contradictions chronologiques. Télémaque, au chant II, a annoncé que son voyage durerait peu, et au chant IV, le lendemain même de son arrivée chez Ménélas, il prépare son retour immédiat à Ithaque. Au lieu de cela, nous le voyons s'attarder à

Lacédémone : un mois plus tard il s'y trouve encore, bien que depuis longtemps il n'ait plus rien à y faire, et il faut une intervention d'Athéna pour qu'il songe à se remettre en route. Pendant tout ce mois, son équipage bénévole l'attend patiemment sur la plage de Pylos, pendant que de leur côté, avec non moins de patience, les prétendants embusqués sur l'îlot d'Astéris guettent son retour. Il apparaît que le voyage de Télémaque dut ainsi être prolongé au-delà de toute vraisemblance pour qu'Ulysse et son fils arrivent en même temps à Ithaque.

Il faut ajouter que d'un groupe d'épisodes à l'autre on relève aussi d'autres différences ou contradictions. Ainsi, dans le *Voyage de Télémaque*, les fonctions d'intendante sont remplies par la vieille nourrice Euryclée, cependant que dans la *Vengeance d'Ulysse* c'est une autre servante, Eurynomé, qui est présentée comme étant l'intendante. De plus, il a paru à Victor Bérard qu'à l'intérieur de chacun des trois groupes primitifs, les épisodes avaient une longueur très sensiblement égale, mais que cette longueur différait d'un groupe à l'autre.

Un examen attentif de ces données a conduit Victor Bérard aux conclusions suivantes. Des trois parties de l'*Odyssée*, la plus ancienne, qui est aussi la plus belle et est restée la plus célèbre, est non pas la première, mais la seconde, celle qui a pour sujet les aventures lointaines d'Ulysse dans la mer du Couchant. L'*Invocation* et *Assemblée des Dieux* du chant I devaient être le début de ce premier groupe d'épisodes dont ils sont l'introduction naturelle. Le *Voyage de Télémaque* se présente comme un second groupe composé d'abord de manière indépendante cependant que le troisième ensemble, la *Vengeance d'Ulysse*, est la suite naturelle des *Récits chez Alkinoos*, et aussi du *Voyage de Télémaque*.

Ces trois groupes d'épisodes ont été ensuite fondus, plus ou moins habilement, en un seul ensemble ; et c'est alors qu'un doublet de la première assemblée des dieux, laissée en tête du tout, devint nécessaire au début du chant V, cependant que le *Voyage de Télémaque* était suturé, en notre actuel chant XV, aux *Récits chez Alkinoos* et à la *Vengeance d'Ulysse*.

Des additions vinrent, d'autre part, grossir les épisodes ou groupes d'épisodes primitifs.

De l'*Odyssée* telle que, divisée en vingt-quatre chants, elle nous a été transmise par les manuscrits du Moyen Age, l'économie générale, selon Victor Bérard, est donc la suivante :

1° Lorsque les groupes primitifs d'épisodes furent fondus en un seul poème, le chant I fut composé pour servir d'ouverture à l'*Odyssée* tout entière, à partir d'éléments empruntés aux *Récits chez Alkinoos* et au *Voyage de Télémaque*.

2° Le *Voyage de Télémaque* comprenant quatre épisodes : *L'Assemblée d'Ithaque*, *A Pylos*, *A Lacédémone*, et *Le Retour de Télémaque*, occupe les chants II-IV, et au chant XV se raccorde à la *Vengeance d'Ulysse*.

3° Les *Récits chez Alkinoos*, du début du chant V au milieu du chant XIII, comprennent onze épisodes primitifs : *L'Antre de Calypso*, *Le Radeau d'Ulysse*, *L'Arrivée chez les Phéaciens*, *L'Entrée chez Alkinoos*, *Kikones et Lotophages*, *le Cyclope*, *Éole et Lestrygons*, *Circé*, *L'Évocation des Morts*, *Sirènes*, *Charybde et Skylla*, *Les Vaches du Soleil*. Deux autres scènes s'y ajoutèrent par la suite : *La Fête phéacienne* et *La Descente aux Enfers*.

4° Du vers 185 du chant XIII au vers 296 du chant XXIII, La *Vengeance d'Ulysse* comprend neuf épisodes primitifs : *L'Arrivée d'Ulysse en Ithaque, La Conversation chez Eumée, Aux Champs, Fils et Père, A la Ville, Le Bain de Pieds, Le Jeu de l'Arc, Le Massacre des Prétendants, Mari et Femme* ; auxquels s'ajoute un épisode interpolé : *Le Pugilat.*

5° Enfin la dernière partie du chant XXIII depuis le vers 297 et tout le chant XXIV furent tardivement ajoutés à l'ensemble pour servir de Finale aux trois groupes d'épisodes fusionnés en un seul poème, et faire la suture avec la *Télégonie* qu'Eugammon de Cyrène composa au VIe siècle pour être la suite de l'*Odyssée.*

Dans la prose rythmée de sa traduction, Victor Bérard n'a pas seulement cherché à garder autant que faire se peut la couleur comme la cadence même du texte grec. Afin de donner aux lecteurs d'aujourd'hui une idée plus exacte de ce que furent d'abord les épisodes de l'*Odyssée* pour les auditeurs devant qui ils furent récités et mimés, il n'a pas seulement pris soin d'indiquer encore le nom des interlocuteurs à chaque changement de personnage, comme on les trouve mar qués dans tel papyrus antique. Il a tenu auss' à dis tinguer les parties qui lui paraissaient les plus anciennes des passages qui lui semblaient au contraire suspects d'être des additions ou des remaniements plus récents Les passages qu'il tenait pour bâtards, pour des inter polations, ont été mis par lui entre crochets carrés [ ] Les vers qu'il considérait comme des insertions, c'est à-dire comme des vers authentiquement homériques mais à tort répétés hors de leur place, ont été rejetés au bas des pages. Enfin Victor Bérard s'est efforcé de découvrir les limites des épisodes primitifs, et il a marqué ces limites dans sa traduction, restituant les titres de ces épisodes en ce qui lui semblait leur place [1].

Tenter de retrouver sous l'*Odyssée* actuelle ce que furent les épisodes et groupes d'épisodes primitifs est assurément tâche fort ardue, car les éléments originaux ne se sont pas conservés intacts : ils ont subi des additions, des retouches ou même des altérations profondes lors de leur fusion en un seul ensemble. De ce fait, toute tentative de restitution ne peut éviter une part de conjecture. Il faut accepter cette part de conjecture si l'on veut approcher la création première.

Où et par qui, quand et comment furent composés puis fondus en un seul ensemble les éléments primitifs de l'*Odyssée*?

En ce qui concerne le lieu de leur composition, deux vers du poème (III, 171 et XV, 404), qui nous montrent l'île de Psara à l'ouest de Chios et celle de Syra au-delà de Délos vers le couchant, supposent un spectateur placé quelque part sur la côte ou dans une île de l'Ionie asiatique. C'est bien là que la tradition faisait naître et vivre Homère. Cette tradition, de ce fait, paraît, pour l'*Odyssée*, confirmée.

Le problème de l'auteur ou des auteurs de l'*Odyssée* a suscité et suscite encore de brûlantes polémiques. En faveur de l'unité d'auteur des trois groupes primitifs d'épisodes de l'*Odyssée*, certains critiques ont fait valoir que dans les plus beaux passages de chacun de ces groupes, comme aussi dans les plus grandes scènes de l'*Iliade*, on trouve la marque d'un exceptionnel génie, de qualité si particulière, que rien ne lui ressemble dans la littérature grecque. Étant donné que ce génie si particulier se retrouve dans la dernière entrevue d'Ulysse et de Nausicaa, aux vers 457-468 de ce chant VIII qui se présente cependant comme une addition, on peut même penser que certaines additions et peut-être le premier travail de fusion des trois groupes primitifs d'épisodes sont attribuables à cet auteur unique de si grand génie. Si au contraire on considère surtout les différences qui existent d'un groupe d'épisodes à l'autre, on est conduit à estimer qu'ils ne peuvent avoir été l'œuvre d'un même auteur. C'est en ce dernier sens que, pour sa part, Victor Bérard a proposé de résoudre le problème, en raison de l'inégale beauté, des différences de facture, des désaccords ou même des contradictions qu'il s'est attaché à relever d'un groupe à l'autre.

Un fait certain est, en tout cas, que l'*Odyssée*, telle qu'elle se présente aujourd'hui à nous, contient des éléments d'époques différentes.

Ainsi la légende du périple d'Ulysse dans la mer du Couchant, comme nous verrons, et, semble-t-il, le récit même de ce périple, doivent être antérieurs aux premières navigations eubéennes dans les mers italiennes au début du VIIIe siècle. La fin du chant XXIII et le chant XXIV qui ont pour objet de raccorder la *Télégonie* d'Eugammon de Cyrène à l'*Odyssée* semblent, en revanche, ne pas être antérieurs au VIe siècle.

Quant à la manière dont l'*Odyssée* se constitua, elle s'explique par le caractère même de l'épos homérique, qui fut primitivement une littérature orale, destinée à être récitée et mimée, non à être lue. De là vient le caractère formulaire de la langue qui facilitait la composition par le Poète et réduisait l'effort de mémoire pour le récitant. De là, aussi, la forme de dialogue que prend tout le poème jusque dans le récit même qu'Ulysse fait de ses aventures. Dans cet épos, seuls les épisodes qui constituaient des unités de récitation, ou des suites restreintes d'épisodes, qui pouvaient être déclamés d'affilée par l'aède, étaient pour le Poète comme pour les auditoires une réalité ; ces suites d'épisodes, ces épisodes mêmes, gardaient de ce fait une certaine indépendance et une certaine souplesse. Telles sont les conditions dans lesquelles a dû être créée par un aède de grand génie une première suite d'épisodes qui racontaient le lointain périple d'Ulysse dans la mer du Couchant. Une autre chaîne d'épisodes, et puis une autre, celle du *Voyage de Télémaque* et celle de la *Vengeance d'Ulysse* durent être de même composées par la suite, la *Vengeance* pour être la continuation des deux premières, le *Voyage* de façon plus indépendante. L'idée d'un seul ensemble embrassant le tout ne semble avoir été conçue qu'après la composition des deux premiers groupes d'épisodes. Alors seulement s'opéra le travail de fusion en un seul poème. Mais longtemps encore après cette fusion des additions furent faites, des retouches furent apportées, des vers furent répétés hors de leur place. A partir du moment où l'usage de l'écriture alphabétique se fut répandu en Grèce, les éditions se multiplièrent ; la plupart des cités dans tout le monde grec, de Chypre jusqu'à Marseille, eurent leur édition officielle, et toutes ces éditions rivalisaient pour paraître la plus complète, c'est-à-dire pour donner à leurs lecteurs le plus grand nombre de vers. De l'une à l'autre de ces éditions des variantes subsistèrent jusqu'au moment où, à l'époque alexandrine, aux IIIe-IIe siècles avant notre ère, le texte de notre *Odyssée* se fixa dans sa forme définitive.

Mais ni les vicissitudes, ni les remaniements, ni les

additions, ni les retouches n'ont pu oblitérer les beautés premières de ces chaînes d'épisodes qui se classent parmi les cimes absolues des littératures humaines et, après tant de siècles, forcent encore notre admiration. Car est-il possible de ne pas s'étonner de tant de maîtrise et de mesure dans la mise en scène, d'une telle aisance dans le dialogue, d'une telle force dans le pathétique, de tant de délicatesse et de puissance tout à la fois ?

Pour les Grecs de l'époque classique, les poèmes homériques étaient le livre national par excellence, une sorte de Bible où chaque petit Hellène apprenait ses lettres, et trouvait des exemples de courage comme d'intelligence. Bien plus, ils en vinrent à être regardés par la plupart d'entre eux comme la source de toute sagesse et même de toute science. Aujourd'hui encore historiens, archéologues, linguistes y découvrent une abondante matière à recherches. Mais l'homme cultivé lui-même, « l'honnête homme » au sens du XVIIe siècle, trouve aussi à leur lecture son agrément et son profit — dans l'*Odyssée* surtout, si variée, si riche, si humaine et à tant d'égards si proche de nous.

L'*Odyssée* a formé, a charmé plus de cent générations d'hommes. Combien n'en charmera-t-elle pas encore ?

II. LE PÉRIPLE D'ULYSSE

La première partie de l'*Odyssée*, de même que la dernière, se déroule tout entière dans un monde bien connu des Grecs de l'époque classique comme déjà des Achéens de l'âge héroïque. D'Ithaque, Télémaque se rend dans le Péloponnèse, à Pylos d'abord, chez

Nestor, puis à Lacédémone, chez Ménélas. La *Vengeance d'Ulysse*, depuis le moment où un navire phéacien a ramené le héros dans son île natale, se déroule à Ithaque. Les pays du Levant, tels que l'Égypte ou la Phénicie, dont il y est occasionnellement question comme en d'autres parties des poèmes homériques, n'ont jamais pu passer pour être imaginaires, non plus que les autres cantons de l'Hellade ou la Troade elle-même. Sans doute, certains problèmes géographiques se posent-ils pour le *Voyage de Télémaque* comme pour la *Vengeance d'Ulysse*, en ce qui concerne notamment la localisation exacte de la Pylos de Nestor sur la côte occidentale du Péloponnèse ou même en ce qui touche le royaume d'Ulysse. Mais comme nous le verrons (p. 31 et p. 32) les divergences possibles ne mettent pas en question la réalité des lieux.

En revanche, lorsque Ulysse, s'en revenant de Troie vers Ithaque avec sa flottille de douze navires, a doublé le cap Malée, extrême pointe du Péloponnèse, il est entraîné par un vent de tempête dans le grand inconnu de la mer du Couchant, vers des rivages peuplés de monstres et de dieux, au-delà de cette limite du monde achéen de l'âge héroïque que marquaient vers l'ouest Ithaque et le royaume d'Ulysse.

Ces mers lointaines que sillonne le héros d'endurance, ces terres de merveille et d'épouvante qu'il visite dix ans durant, ne sont-ils pas des pays de rêve, forgés par l'imagination populaire ou la fantaisie du Poète ?

Pour le lointain périple d'Ulysse dans la mer du Couchant tel qu'il est raconté du début du chant V au milieu du chant XIII de l'*Odyssée*, non plus que pour la guerre de Troie elle-même, les anciens Grecs de l'époque classique ne pensaient pas d'ordinaire qu'il pût s'agir d'inventions. Au ve siècle comme déjà plus tôt, du temps d'Hésiode, à l'époque archaïque, ils considéraient qu'il s'agissait de pays, transfigurés assurément par la légende, mais bien réels, donc identifiables, qui devaient être cherchés dans le bassin central et occidental de la Méditerranée.

A partir du début du VIIIe siècle, dès que les marins grecs commencèrent à fréquenter régulièrement les mers italiennes et y fondèrent une série de colonies bientôt glorieuses, telles que Cumes, Syracuse, Sybaris, Tarente, ils cherchèrent, de fait, à identifier les escales d'Ulysse dans la mer du Couchant. C'est ainsi que le nom de Circœon fut donné par eux au promontoire qui s'appelle aujourd'hui encore Monte Circeo, et celui d'îles Éoliennes, à l'actuel archipel des Lipari.

Lorsque, à l'époque d'Auguste, Virgile, dans son *Énéide*, situait le pays du Cyclope sur la côte orientale de la Sicile, au pied de l'Etna, il ne faisait que reprendre pour son compte une opinion généralement admise de son temps et déjà connue quatre siècles plus tôt de Thucydide.

Dans ces identifications, toutefois, les anciens Grecs ne furent pas toujours heureux, ni même seulement d'accord. S'ils avaient justement reconnu en Polyphème un volcan, la côte orientale de la Sicile, malgré l'Etna, ne répond en aucune manière aux descriptions du chant IX de l'*Odyssée*. Quant au pays de Calypso, sa localisation était discutée et les Anciens ne savaient où le chercher.

Le problème du périple d'Ulysse dans la mer du Couchant a été repris et entièrement renouvelé, de nos jours, par Victor Bérard, qui a consacré une partie de sa vie à l'étude de la géographie des *Récits chez Alkinoos* [1].

Par un patient labeur, en examinant de manière attentive les indications fournies par l'*Odyssée* elle-même et en les confrontant avec celles que nos *Instructions nautiques* donnent encore aux marins d'aujourd'hui sur la configuration des côtes méditerranéennes, en allant comparer sur place tels paysages actuels avec les descriptions odysséennes, en utilisant enfin les indications de la tradition antique, Victor Bérard s'est efforcé d'identifier de manière aussi précise et sûre que possible chacune des escales d'Ulysse dans la mer du Couchant.

En Djerba, au sud de la Tunisie actuelle, il a reconnu, à la suite des Anciens, l'île des Lotophages, où d'abord Ulysse est jeté avec sa flotte lorsque la tempête l'entraîne vers des mers inconnues. Il a localisé la terre des Cyclopes, non pas au pied de l'Etna comme le proposaient les Anciens, mais en un autre pays de volcans, dans les Champs Phlégréens, sur le golfe de Naples. Il a identifié l'île d'Éole avec Stromboli, dans cet archipel des Lipari qui conservèrent durant toute l'antiquité classique le nom d'îles Éoliennes. A Porto Pozzo, sur la côte sarde des bouches de Bonifacio, il a cherché le port des géants lestrygons, d'où Ulysse ne peut sauver que son seul navire. Au Monte Circeo, qui depuis l'antiquité jusqu'à nos jours a gardé en son nom le souvenir de la terrible magicienne, à mi-chemin entre l'embouchure du Tibre et le golfe de Naples, il a localisé le port et la haute demeure de Circé. Il a situé l'oracle des Morts, consulté par Ulysse au chant XI, près du lac Averne, sur le golfe de Naples, où un oracle des Morts subsista jusqu'aux temps classiques. Il a cherché le repaire des redoutables Sirènes un peu plus au sud, au large de la presqu'île de Sorrente, en trois îlots qui conservèrent jusqu'à l'époque romaine le nom de Sirénuses. Il a reconnu le rocher de Skylla et le gouffre de Charybde de part et d'autre du détroit de Messine ; l'île du Soleil, l'île aux trois pointes, dans la Sicile, et les Planktes dans les deux rochers qui servent encore aujourd'hui d'amers aux navigateurs dans le détroit qui sépare Vulcano de Lipari. Sur la côte africaine du détroit de Gibraltar enfin, au pied même de l'antique mont Atlas, il a retrouvé, telle qu'elle est décrite au chant V de l'*Odyssée*, la grotte aux quatre sources de la divine fille d'Atlas, Calypso, que les Anciens avaient cherchée sans jamais la trouver, en d'autres parages de la Méditerranée. Quant à la Schérie des Phéaciens, sur laquelle régnait Alkinoos, il a proposé de l'identifier, comme les Anciens pensaient déjà qu'il convenait de le faire, avec l'île qui s'appela plus tard Corcyre et que nous nommons aujourd'hui Corfou [1].

Pour l'identification de toutes ces escales, une démonstration également probante ne saurait être faite, parce que les descriptions odysséennes ne sont pas toutes également riches et détaillées, et que, de plus, la part de la transfiguration poétique a pu être plus ou moins grande. Mais, dans l'ensemble, il est, semble-t-il, exclu que les descriptions odysséennes ne reposent pas sur des connaissances géographiques réelles. Ainsi l'immense plaine des Marais Pontins et la grande lagune aux eaux dormantes qu'un étroit chenal permettait d'utiliser comme havre, au pied du Monte Circeo, sont un paysage trop caractéristique pour avoir été inventé ; et une concordance fortuite qui tiendrait du miracle est d'autant plus impossible à admettre qu'il faudrait supposer un faisceau de semblables concordances miraculeuses. Comment surtout expliquer autrement que par un savoir précis la véracité de détails aussi extraordinaires que les quatre sources de la grotte de Calypso, fille d'Atlas, qui ont pu être retrouvées de nos jours par Victor Bérard, jaillissant côte à côte de la roche, au pied même de l'antique mont Atlas ?

Dans ces conditions comment les connaissances géographiques indubitables qu'impliquent les descriptions odysséennes dans les *Récits chez Alkinoos* sont-elles parvenues au Poète, et quelle en est l'origine la plus lointaine ?

Un fait est certain, c'est que ces connaissances géographiques ne sauraient venir d'une expérience directe et personnelle du Poète. En effet, à côté de détails qui ne peuvent pas avoir été inventés et être de pures coïncidences, on relève dans la partie centrale de l'*Odyssée* quelques erreurs de perspective qui seraient incompréhensibles si le Poète avait vu de ses yeux les pays qu'il décrit, mais qui s'expliquent s'il n'en eut qu'une connaissance indirecte. Ainsi, entre les Sirènes qui hantaient la côte italienne au sud du golfe de Naples d'une part, Charybde et Skylla qu'il faut localiser au détroit de Messine, d'autre part, le récit odysséen implique que la distance est considérablement plus brève qu'elle n'est en réalité ; et pourtant l'une et l'autre identification ne sauraient pas plus faire de doute aujourd'hui qu'elles n'en faisaient pour les Anciens ; elles sont même devenues plus certaines encore depuis que nous savons que la plage aux ossements des Sirènes, elle-même, n'est pas une fiction poétique [1]. Semblablement le Poète ne paraît pas se faire une idée bien exacte de la distance qui sépare le pays des Lotophages du pays des Cyclopes, non plus inversement que de la proximité du pays des Cyclopes et de l'oracle des Morts. De même encore le nom de Thrinakié ou « île du Trident » répond mal à la configuration de la Sicile, qui est bien une île à trois pointes, mais que les anciens Grecs de l'époque classique appelaient plus exactement Trinacria, ou « île du Triangle » : le Poète semble l'avoir imaginée comme une péninsule dardant trois caps vers la mer à la façon du Péloponnèse ou de la Chalcidique.

Ces erreurs, il est vrai, ne sont pas propres au lointain périple d'Ulysse. On les retrouve dans la description d'Ithaque elle-même. Cette Ithaque, cependant, ne saurait être tenue pour imaginaire. Les Ports Jumeaux où les prétendants s'en vont dresser leur embuscade à Télémaque ne se trouvent pas dans l'îlot même d'Astéris, l'actuel Dascalio, comme l'indique le texte odysséen si on ne le corrige pas ; ils sont sur la côte qui lui fait face. Dans ce cas comme dans les précédents, ces erreurs supposent que le Poète n'a connu les lieux dont il parlait que par des descriptions incomplètes ou obscures qu'il a inexactement interprétées.

Aussi bien, s'il est vrai que l'*Odyssée*, comme certains de ses vers, nous l'avons vu, paraissent l'impliquer, a été composée dans quelque ville ou île de l'Ionie asiatique, est-il naturel que son auteur n'ait pas été luimême jusqu'à Ithaque, et d'autre part, si l'on s'en tient à la date que nous donne Hérodote pour la vie d'Homère, l'*Odyssée* comme l'*Iliade* a dû être composée avant le moment où, au début du VIIIe siècle, la route des mers italiennes fut retrouvée par les marins eubéens, pionniers de la colonisation grecque de l'Italie méridionale et de la Sicile, et surtout bien avant le moment où, vers la fin du VIIe siècle, le Samien Colaeos, puis les Phocéens, commencèrent à fréquenter les parages du détroit de Gibraltar. Les traditions dont s'est inspiré l'auteur des *Récits chez Alkinoos*, en tout cas, sont manifestement bien antérieures à l'une et l'autre de ces deux découvertes maritimes du VIIIe et du VIIe siècle. Car un récit tel que celui des merveilleuses aventures d'Ulysse dans la mer du Couchant, implique qu'il parle de pays encore pleins de mystère pour le Poète lui-même comme pour ses auditeurs. Pour autant que nous en pouvons juger, Hésiode déjà, qui vécut, semble-t-il, vers la fin du VIIIe siècle, eut de l'Italie ou de la Sicile une connaissance tout autre. Au demeurant, une indication plus décisive nous vient des identifications mêmes que proposèrent les anciens Grecs pour les escales d'Ulysse en son lointain périple lorsque les mers italiennes et le bassin occidental de la Méditerranée furent régulièrement fréquentés par leurs marins et leurs marchands ; car leurs erreurs et, mieux encore, leurs incertitudes et leurs contradictions, excluent formellement que le Poète ait tiré ses connaissances de l'exploration des mers italiennes par les Eubéens au début du VIIIe siècle ou des mers espagnoles par les Samiens et Phocéens à la fin du VIIe. Il est possible, vraisemblable même, que l'*Odyssée* ait suscité ces navigations des VIIIe et VIIe siècles dans la moitié occidentale de la Méditerranée ; mais, contrairement à ce qu'on a pu imaginer, elle ne saurait avoir été inspirée par elles.

Il faut donc chercher plus haut l'origine des connaissances géographiques dont on trouve la trace dans la partie centrale de l'*Odyssée*.

Le géographe grec Strabon, qui vivait au temps d'Auguste, croyait que le Poète tenait des Phéniciens ses connaissances, en ce qui concerne l'Ibérie en particulier (Strabon, III, 2, 13-14). Partant de cette tradition, Victor Bérard, dans ses *Phéniciens et l'Odyssée*, a longuement développé cette thèse, en relevant tous les indices en ce sens qui sont fournis par un examen attentif du poème odysséen lui-même, et notamment par l'étude des noms de lieux.

Sous le nom de Phéniciens, les anciens Grecs désignaient le peuple sémitique qui occupait la côte syrienne au nord de la Palestine actuelle et dont les principales villes furent Byblos, Sidon et Tyr. De bonne heure, ces Phéniciens, dont la Bible parle en mainte occasion, eurent des navires ; ils restèrent seuls à exercer le métier de routiers des mers dans les eaux levantines après le déclin de la marine et de la civilisation mycéniennes au XIIe siècle. Tyr fut alors la plus grande de leurs villes. Dès le début du premier millénaire avant J.-C., sinon dès la fin du second, ils sillonnèrent la Méditerranée centrale et occidentale. Utique, sur la côte africaine, non loin du site de la future Carthage, passait pour avoir été fondée par les Tyriens dès la fin du XIIe siècle, au même moment que Gadès, l'actuelle Cadix, sur la côte de l'Ibérie. Du IXe au VII siècle, ces marins phéniciens eurent un rôle important dans la renaissance de l'époque archaïque grecque ; et c'est alors, vers la fin du IXe siècle, qu'ils fondèrent Carthage.

Victor Bérard a mis en lumière le fait que la plupart

des aventures lointaines d'Ulysse ont pour théâtre l'un des détroits de la Méditerranée centrale ou occidentale. Les Lotophages habitent sur le détroit qui sépare Djerba de la côte africaine ; et les Lestrygons sur celui qui sépare la Sardaigne de la Corse. Charybde et Skylla défendent l'entrée du détroit de Messine cependant que Calypso est la gardienne du détroit de Gibraltar. De fait, au vers 259 du chant XII, Ulysse est présenté comme un grand « chercheur de passes » dans les mers inconnues.

De tout temps les navigateurs ont eu leurs livres de mer, périples, portulans ou instructions nautiques, dont l'objet fut de décrire les côtes, leurs havres et leurs passes. Les Phéniciens eurent les leurs, dont le périple du Carthaginois Hannon, au ve siècle, nous a conservé un exemple tardif. N'est-ce pas par le canal de quelque périple phénicien ou de quelque poème déjà tiré de ce périple, que l'auteur des *Récits chez Alkinoos* eut connaissance des mers lointaines où il conduit son héros ? C'est ce que Victor Bérard a été amené à supposer.

Peut-on remonter plus haut encore et savoir si, sous la légende du lointain périple d'Ulysse comme sous celle de la Guerre de Troie, la trace d'un substrat historique peut être retrouvée ? De récentes découvertes archéologiques effectuées depuis la mort de Victor Bérard sont venues confirmer sa thèse quant à la géographie des *Récits chez Alkinoos* et permettent aujourd'hui de résoudre ce problème. Des vases mycéniens, en effet, appartenant pour la plupart aux XIVe-XIIIe siècles, ont été retrouvés dans des nécropoles ou des établissements indigènes de la Sicile et de l'Italie méridionale. A Thapsos, notamment, un peu au nord de Syracuse, ils sont trop nombreux — plus de vingt — pour être parvenus là fortuitement. Mais aucun des premiers vases mycéniens trouvés en Italie et en Sicile n'avait été mis au jour en l'une des escales d'Ulysse, ni en aucun centre de légendes ; on pouvait donc hésiter à mettre ce fait archéologique en rapport avec les traditions légendaires. Depuis 1949 l'hésitation n'est plus possible, car des tessons mycéniens ont été découverts dans les îles Éoliennes, c'est-à-dire dans celle des escales d'Ulysse qui était le plus sûrement identifiée dès l'antiquité. A Lipari même, on a trouvé ces tessons dans une stratification continue qui va de l'époque néolithique jusqu'à l'époque classique, et on les a mis au jour dans une couche de beaucoup antérieure à celle où apparaissent, au début du VIe siècle, les vases importés par les colonisateurs grecs de l'époque historique. On ne peut donc plus douter aujourd'hui, croyons-nous, qu'il n'y ait eu des contacts dès l'époque mycénienne entre les Achéens de l'âge héroïque et le bassin occidental de la Méditerranée et, qui plus est, que ces contacts ne soient à l'origine de la légende d'Ulysse dans la mer du Couchant et des autres légendes parallèles [1].

La légende d'Ulysse dans la mer du Couchant, en effet, n'est pas isolée dans la mythologie grecque. Héraclès, Jason, Minos y étaient venus, disait la légende, avant Ulysse ; et, en même temps que lui, Diomède, Philoctète, Idoménée, Épeios, Ménesthée, sans compter Énée et d'autres Troyens, passaient pour être venus mourir ou fonder des villes jusque sur les côtes d'Italie ou d'Ibérie. Ces légendes moins fameuses ne sont attestées d'ordinaire qu'à époque assez tardive. Elles ne sont pas, pour autant, dépourvues de signification. Par ailleurs, de nombreuses traditions se rapportent à de très anciens mouvements de population en Méditerranée, du Levant vers le Couchant, ou réciproquement ; et certaines populations de l'Italie étaient regardées comme originaires du bassin égéen : ainsi les ancêtres des Étrusques étaient considérés comme parents des Pélasges, c'est-à-dire des Préhellènes, et comme venus de Lydie s'établir en Italie centrale à l'Age des Héros. Depuis que les découvertes archéologiques ont attesté des contacts entre les pays égéens et les mers italiennes dès l'époque mycénienne au moins, ces traditions ne peuvent plus être tenues pour de pures fables.

Or, quand on étudie la généalogie des monstres, des peuples merveilleux des dieux et des déesses qui assaillent ou accueillent Ulysse dans son long périple à travers la mer du Couchant, on remarque qu'ils appartiennent pour la plupart au plus ancien monde mythique de la Grèce. L'*Iliade* a pour sujet la croisade des Achéens contre les Préhellènes qui conservaient à Troie le principal bastion de leur résistance. Dans l'*Odyssée* le lointain périple d'Ulysse ne nous montre-t-il pas le plus rusé des héros achéens s'en allant dans la mer du Couchant visiter ceux de ces Préhellènes qui y avaient cherché refuge lors de l'établissement des premiers Hellènes en Grèce, et ces Préhellènes des mers occidentales ne sont-ils pas à l'origine des monstrueux ou divins personnages des *Récits chez Alkinoos* ?

Est-il besoin d'ajouter que dans la création des *Récits chez Alkinoos*, comme dans celle des autres parties des poèmes homériques, la transfiguration poétique et l'utilisation de très vieux thèmes humains chers à tous les folklores ont eu aussi leur part.

On ne saurait non plus méconnaître l'influence que n'ont pu manquer d'exercer sur les poèmes homériques les littératures plus anciennes de l'Orient méditerranéen. Si l'existence d'une littérature phénicienne, constituée dès le XIVe siècle avant J.-C., commence seulement à nous être révélée par les tablettes de terre cuite découvertes à Ras-Shamra, site de l'antique Ugarit, dans la partie nord de la côte syro-palestinienne, nous connaissons depuis plus longtemps les contes égyptiens qui tantôt relataient quelque lointain et merveilleux voyage, et tantôt se plaisaient à quelque histoire de magie comparable à celle de Protée au chant IV de l'*Odyssée*. Depuis longtemps, de même, nous connaissons certaines œuvres des littératures mésopotamiennes : les voyages de la déesse Ishtar, l'épopée du héros Gilgamesh, célèbre dans tous les pays du Levant et qui fut traduite en plusieurs langues.

Naturellement aussi, il faut faire sa large part au génie propre d'un très grand poète, car si l'auteur des *Récits chez Alkinoos* n'a certainement pas inventé la légende d'Ulysse, si cette légende, même, devait être trop familière à tous ses auditeurs pour qu'il pût la modeler à sa guise, toute la mise en œuvre et la présentation sont, sans aucun doute, son fait.

III. LE ROYAUME ET LE PALAIS D'ULYSSE

La localisation du royaume d'Ulysse à l'intérieur du monde achéen de l'âge héroïque ne saurait être discutée. Ce royaume qui était fort petit et pauvre en regard de ceux d'un Agamemnon ou d'un Nestor, était situé par la tradition antique unanime dans les îles de la mer Ionienne qui bordent la côte occidentale de Grèce immédiatement au nord de l'entrée du golfe de Corinthe. L'*Odyssée* elle-même ne permet aucun doute à ce sujet. Un problème se pose, en revanche, dès que, dans ce petit archipel, on veut identifier chacune des quatre îles qui dans l'*Odyssée* constituent ce royaume d'Ulysse : Zacynthe, Samé, Doulichion, et Ithaque enfin, la capitale. Deux d'entre elles portaient encore dans l'antiquité, aux temps classiques, leurs noms homériques : Zacynthe, l'actuelle Zante, et Ithaque, l'actuelle Thiaki. Si l'accord de nos jours se fait sans peine sur la première, le cas de la seconde a été discuté depuis que l'archéologue allemand Dörpfeld proposa de reconnaître l'Ithaque homérique en l'actuelle Leucade et la Samé de l'*Odyssée* en l'actuelle Thiaki, en supposant, tout gratuitement d'ailleurs, qu'il y eut entre l'Age des Héros et les temps classiques un double transfert de nom. La thèse de Dörpfeld, en vérité, est bien difficile à soutenir et, pour l'Ithaque homérique pas plus que pour Zacynthe, on ne saurait douter qu'elle ne soit la petite île encore appelée de ce nom aux temps classiques. Sa configuration comme sa position même, ainsi que l'a montré Victor Bérard, répondent aux indications du Poète et les fouilles entreprises par l'École anglaise d'Athènes, de leur côté, ont été probantes [1] ; Samé la Haute, aussi appelée Samos dans l'*Odyssée*, doit, puisqu'elle était voisine d'Ithaque, être identifiée avec l'île qui aux temps classiques s'appelait Képhallénie et qui porte aujourd'hui le nom de Céphalonie. L'étendue de cette île explique que le nom de Képhalléniens serve à plusieurs reprises dans les poèmes homériques à désigner les sujets d'Ulysse. Pour Doulichion, en revanche, le problème reste plus difficile ; dans l'antiquité, le géographe Strabon l'identifiait avec l'îlot encore appelé de son temps Dolicha, l'actuel Makri, dans le groupe des Échinades, à l'est d'Ithaque. Victor Bérard a proposé de reconnaître plutôt cette « île longue » en l'actuelle Méganisi, un peu au nord d'Ithaque, que Strabon, au contraire, identifiait avec Taphos.

A Ithaque, l'emplacement de la ville de l'âge héroïque doit être cherché, non dans la partie centrale de l'île où elle se trouvait à l'époque classique, mais dans sa partie Nord, en arrière du petit port, aujourd'hui encore appelé Port-Polis, c'est-à-dire Port de la Ville, sur le canal qui sépare Thiaki de Céphalonie.

En cet endroit, de curieuses découvertes ont été faites par les archéologues anglais dans une grotte naturelle qui s'ouvrait au niveau de la mer. Là, non loin de l'emplacement présumé d'un stade, des dédicaces aux déesses Athéna et Héra ont été mises au jour ainsi qu'une inscription votive à Ulysse qui atteste que le héros fut en cet endroit l'objet d'un culte jusqu'à l'époque romaine. Enfin, un grand nombre de trépieds de bronze d'époque différente y ont été trouvés, qui sont apparemment les prix gagnés aux jeux que célébraient les gens d'Ithaque en l'honneur d'Ulysse et consacrés par les vainqueurs en cette grotte-sanctuaire. De fait, une inscription découverte à Magnésie du Méandre en Asie Mineure nous apprend qu'à l'époque classique ces jeux se célébraient encore à Ithaque et qu'il y existait un sanctuaire d'Ulysse.

Sur les pentes en arrière de Port-Polis quelques vestiges préhistoriques allant jusqu'à l'époque mycénienne ont été mis au jour par les fouilles anglaises sur le site probable de la ville de l'âge héroïque. Un peu plus au nord-est, à Pélikata, elles ont dégagé les vestiges d'une enceinte cyclopéenne grossière, où l'on est tenté de reconnaître le palais d'Ulysse.

Les ruines de Pélikata sont trop informes pour qu'il soit possible d'en reconnaître le plan et, au demeurant, il faut songer que, même si elles s'étaient mieux conservées, elles seraient, selon toute vraisemblance, d'un bien faible secours pour celui qui veut imaginer le palais d'Ulysse tel qu'il est présenté dans l'*Odyssée*, car le palais mycénien de Pélikata était sans aucun doute depuis longtemps à l'état de ruine lorsque l'*Odyssée* fut composée en un tout autre point du monde grec, quelque part en Ionie asiatique.

Mais, à la lumière de ce que les fouilles de Mycènes ou de Tirynthe nous ont appris sur les palais de l'âge héroïque, il est possible de se faire une idée assez précise du palais d'Ulysse tel qu'il nous est présenté dans l'*Odyssée* et, par là même aussi, des manoirs de Nestor, de Ménélas ou d'Alkinoos dont la disposition, en ce qui concerne leur grand-salle, notamment, n'est guère différente.

Les indications qui nous sont données par l'*Odyssée* sur le palais d'Ulysse sont en effet fort détaillées et cohérentes [1]. Le Poète nous parle d'une enceinte, percée d'un grand portail ; d'une cour d'honneur avec un autel de Zeus et un petit pavillon rond ; d'une salle de bains ; d'une chambre où Télémaque se retire pour la nuit ; des appartements privés du maître de maison ; d'un escalier qui conduit à l'étage où Pénélope a sa chambre depuis le départ d'Ulysse ; d'un magasin ou trésor ; enfin et surtout d'une grand-salle, précédée d'une avant-pièce où la coutume était, la nuit venue, de dresser un lit pour les hôtes de passage.

De ce palais, la grand-salle constituait la « réception », comme nous dirions aujourd'hui ; et, pour cette raison, nous voyons s'y dérouler la plupart des scènes qui ont leur théâtre dans le palais. En son centre, entre quatre colonnes qui supportaient le toit, un foyer rond permettait de l'éclairer la nuit et de la chauffer en hiver. La fumée s'échappait par une lanterne ménagée dans le toit au-dessus du foyer. Les convives, dans les festins, prenaient place dans des fauteuils adossés aux murs tout autour de la salle ; chacun avait devant lui une petite table individuelle. En sa qualité de maître de maison, Télémaque, en revanche, avait son siège et sa table à part, près du foyer central probablement.

Telle est la salle dans laquelle il faut se représenter le festin des prétendants et le massacre. Un plan du palais d'Ulysse comme celui que nous présentons (planche 5, p. 49) ne peut être, évidemment, qu'un schéma, et un schéma imaginaire. Mais il permettra au lecteur de replacer l'action dans son cadre de réalités.

De ce cadre de réalités, en effet, dont la topographie et l'archéologie permettent aujourd'hui de tenter la restitution, *Iliade* et *Odyssée* ne sauraient être détachées, Victor Bérard à juste raison l'a souvent répété, si on veut essayer de les bien comprendre.

Jean Bérard.

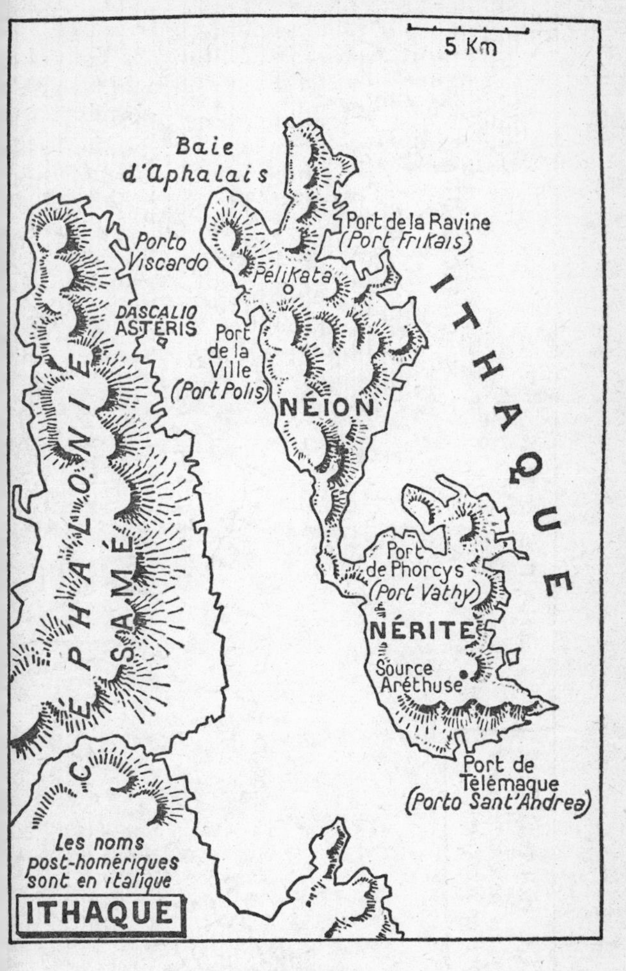
5 Km
Baie
d'Aphalais
Porto
Viscardo
Port de la Ravine
(Port Frikais)
Pélikata
DASCALIO
ASTÉRIS
Port
de la
Ville
(Port Polis)
NÉION
ITHAQUE
CÉPHALONIE
SAMÉ
Port
de Phorcys
(Port Vathy)
NÉRITE
Source
Aréthuse
Port de
Télémaque
(Porto Sant'Andrea)
Les noms
post-homériques
sont en italique
ITHAQUE

1. Ithaque.

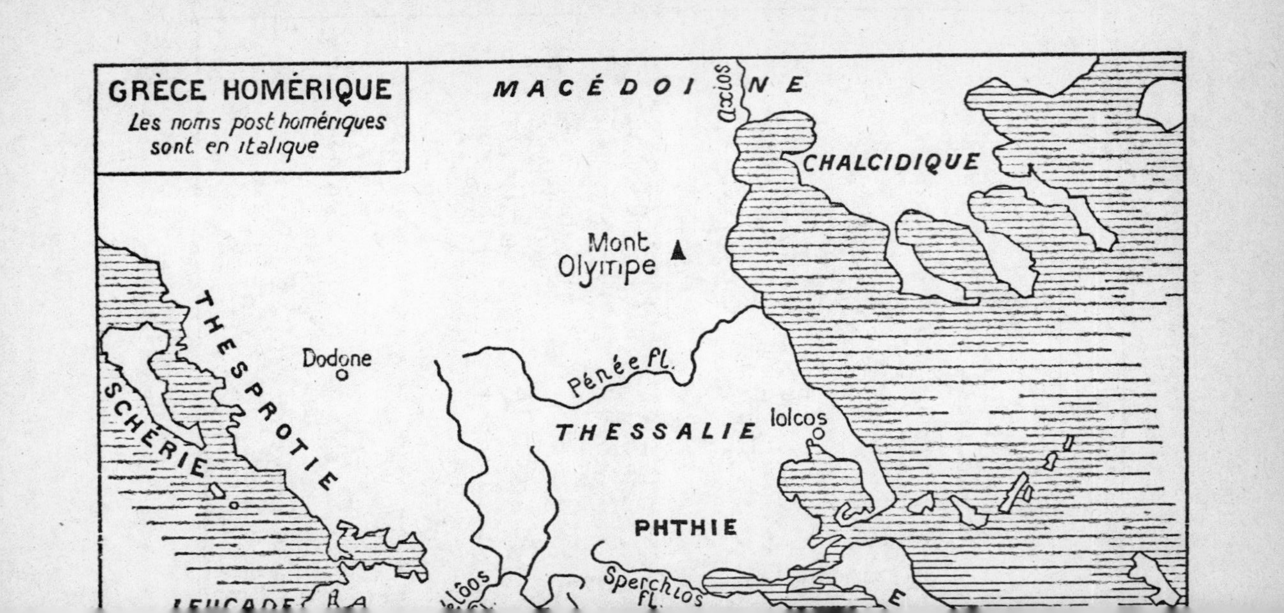
GRÈCE HOMÉRIQUE
Les noms post homériques sont en italique
MACÉDOINE
Axios
CHALCIDIQUE
Mont Olympe
THESPROTIE
Dodone
Pénée fl.
SCHÉRIE
THESSALIE
Iolcos
PHTHIE
Sperchios fl.

Thèbes
Golfe de Corinthe
ÉGIALE
SAMÉ
Athènes
Corinthe
Salamine
ÉLIDE
ARCADIE
ZACYNTHE
Mycènes
ARGOLIDE
Orchomène
Épidaure
ÉGINE
Cap Pheia
Tirynthe
TRIPHYLIE
Alphée
Tégée
Trézène
Pylos (des Sables)
Phères
MESSÉNIE
LACONIE
Lacédémone
Pylos (de Messénie)
Cap Malée
50 Km
CYTHÈRE

2. La Grèce.

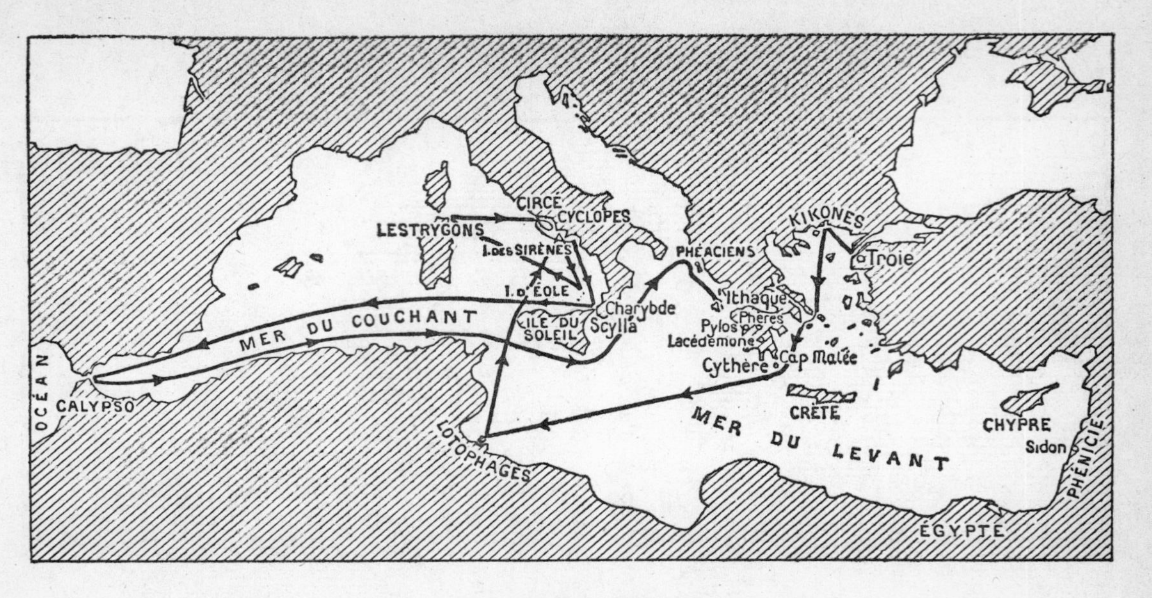

3. Le Périple d'Ulysse,
d'après Victor Bérard

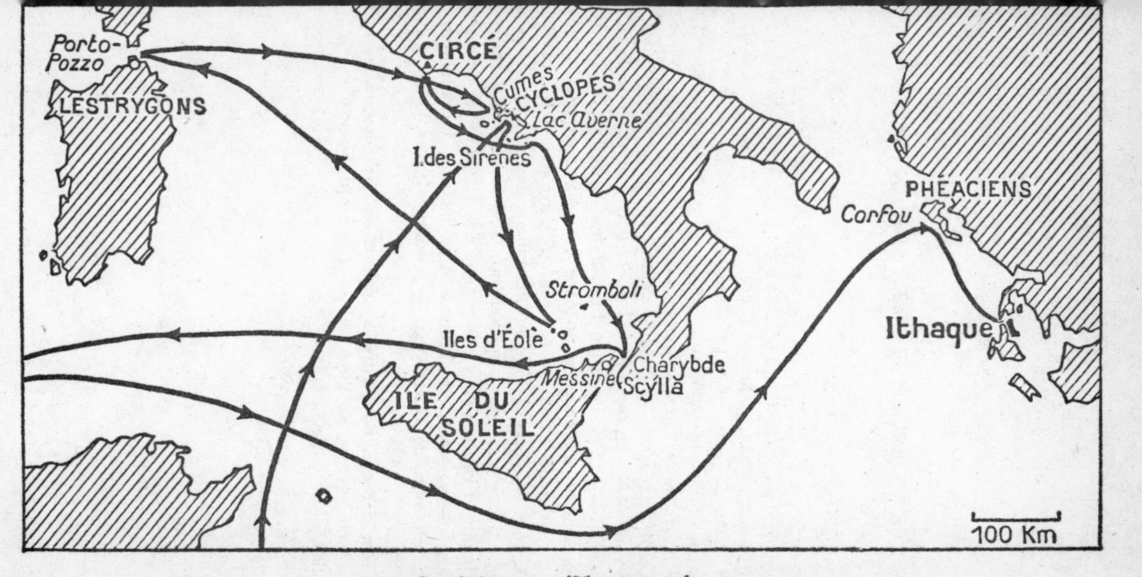

4. Le Périple d'Ulysse, détail,
d'après Victor Bérard.

NOTICE EXPLICATIVE DE LA FIGURE CI-CONTRE

a : enceinte (ἕρκος). — *b* : chemin conduisant au palais. — *c* : entrée de la cour avec portique à colonnes (αἴθουσα αὐλῆς, πρόθυρον, πρόθυρα, pl. n.). — *d* : grande cour d'honneur (αὐλή). — *e* : autel de Zeus. — *f* : pavillon rond (θόλος). — *g* : vestibule du mégaron (πρόδομος, αἴθουσα, exceptionnellement πρόθυρον). — *h* : grande porte d'entrée du mégaron. — *i* : mégaron (μέγαρον). — *j* : foyer central entre quatre colonnes (ἐσχάρη). — *k* : cratère servant au mélange du vin et de l'eau (κρητήρ). — *l* : petite porte du mégaron (ὀρσοθύρη). — *m* : porte donnant accès au couloir (ὁδὸς ἐς λαύρην, στόμα λαύρης). — *n* : salle de bains. — *o* : couloir (λαύρη). — *p* : trésor (θάλαμος). — *q* : porte donnant accès aux appartements privés. — *r* : petite cour des appartements privés. — *s* : chambre conjugale d'Ulysse. — *t* : logement des servantes et dépendances. — *u* : escalier conduisant à la chambre de Pénélope. — *v* : chambre de Télémaque. — *w* : dépendances.

Place des convives dans le mégaron : 1 : Télémaque. — 2 : Antinoos. — 3 : Eurymaque. — 4 : Amphinomos. — 31 : Liodès.

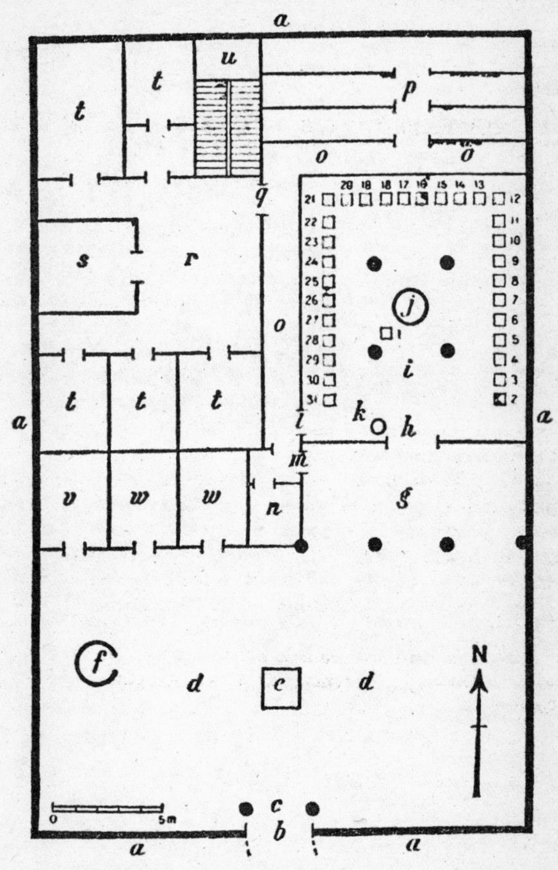

5. Schéma imaginaire du palais d'Ulysse, d'après l'*Odyssée*.

Odyssée

AVERTISSEMENT

Pour les raisons que nous avons exposées plus haut (p. 16) Victor Bérard a tenté de rétablir dans l'*Odyssée* une division en épisodes et en groupes d'épisodes plus ancienne que la division en vingt-quatre chants. Nous publions ici sa traduction telle que lui-même l'a présentée, en ne donnant l'indication des chants qu'au début du paragraphe où chacun d'eux commence.

Les passages considérés par Victor Bérard comme des interpolations (voir ci-dessus p. 22 sont mis entre crochets carrés [ ] ; et les passages tenus par lui pour des insertions (voir ci-dessus p. 22) sont relégués au bas des pages.

OUVERTURE [1]

INVOCATION

(*CHANT I.*) C'est l'Homme aux mille tours [2], Muse, qu'il faut me dire, Celui qui tant erra quand, de Troade, il eut pillé la ville sainte, Celui qui visita les cités de tant d'hommes et connut leur esprit, Celui qui, sur les mers, passa par tant d'angoisses, en luttant pour survivre et ramener ses gens. Hélas! même à ce prix, tout son désir ne put sauver son équipage : ils ne durent la mort qu'à leur propre sottise, ces fous qui, du Soleil, avaient mangé les bœufs ; c'est lui, le Fils d'En Haut, qui raya de leur vie la journée du retour [3].

Viens, ô fille de Zeus, nous dire, à nous aussi [4], quelqu'un de ces exploits.

L'ASSEMBLÉE DES DIEUX [5]

Ils étaient au logis, tous les autres héros, tous ceux qui, de la mort, avaient sauvé leurs têtes : ils avaient réchappé de la guerre et des flots [6]. Il ne restait que lui à toujours désirer le retour et sa femme, car une nymphe auguste le retenait captif au creux de ses cavernes,

Calypso, qui brûlait, cette toute divine, de l'avoir pour époux.

Même quand vint l'année du cycle révolu, où les dieux lui filaient le retour au logis, même dans son Ithaque et dans les bras des siens, il n'allait pas trouver la fin de ses épreuves. Tous les dieux le plaignaient, sauf un seul, Posidon, dont la haine traquait cet Ulysse divin jusqu'à son arrivée à la terre natale.

Or le dieu s'en alla chez les Nègres [1] lointains, les Nègres répartis au bout du genre humain, dans leur double domaine, les uns vers le couchant, les autres vers l'aurore : devant leur hécatombe de taureaux et d'agneaux, il vivait dans la joie, installé au festin. Mais tous les autres dieux tenaient leur assemblée dans le manoir de Zeus [2] : devant eux, le seigneur de l'Olympe venait de prendre la parole. Or le Père des dieux et des hommes pensait à l'éminent Égisthe, immolé par Oreste, ce fils d'Agamemnon dont tous chantaient la gloire.

Plein de ce souvenir, Zeus dit aux Immortels :

ZEUS. - Ah! misère!... Écoutez les mortels mettre en cause les dieux! C'est de nous, disent-ils, que leur viennent les maux, quand eux, en vérité, par leur propre sottise, aggravent les malheurs assignés par le sort. Tel encor cet Égisthe! pour aggraver le sort, il voulut épouser la femme de l'Atride et tuer le héros sitôt qu'il rentrerait. La mort était sur lui : il le savait ; nous-même, nous l'avions averti et, par l'envoi d'Hermès, le guetteur rayonnant [3], nous l'avions détourné de courtiser l'épouse et de tuer le roi, ou l'Atride en son fils trouverait un vengeur, quand Oreste grandi regretterait sa terre. Hermès, bon conseiller, parla suivant nos ordres. Mais rien ne put fléchir les sentiments d'Égisthe. Maintenant, d'un seul coup, il vient de tout payer [1]!

Athéna, la déesse aux yeux pers, répliqua :

ATHÉNA. – Fils de Cronos, mon père, suprême Majesté, celui-là n'est tombé que d'une mort trop juste, et meure comme lui qui voudrait l'imiter! Mais moi, si j'ai le cœur brisé, c'est pour Ulysse [2], pour ce sage, accablé du sort, qui, loin des siens, continue de souffrir dans une île aux deux rives. Sur ce nombril des mers [3], en cette terre aux arbres, habite une déesse, une fille d'Atlas, cet esprit malfaisant, qui connaît, de la mer entière, les abîmes et qui veille, à lui seul, sur les hautes colonnes qui gardent, écarté de la terre, le ciel [4]. Sa fille tient captif le malheureux qui pleure. Sans cesse, en litanies de douceurs amoureuses, elle veut lui verser l'oubli de son Ithaque. Mais lui, qui ne voudrait que voir monter un jour les fumées de sa terre, il appelle la mort!... Ton cœur, roi de l'Olympe, est-il donc insensible ? Ne fut-il pas un temps qu'Ulysse et ses offrandes, dans la plaine de Troie, près des vaisseaux d'Argos, trouvaient grâce à tes yeux? Aujourd'hui, pourquoi donc ce même Ulysse, ô dieu, t'est-il tant odieux [5] ?

Zeus, l'assembleur des nues, lui fit cette réponse :

ZEUS. – Quel mot s'est échappé de l'enclos de tes dents [6], ma fille? Eh! comment donc oublierais-je jamais cet Ulysse divin qui, sur tous les mortels, l'emporte et par l'esprit et par les sacrifices qu'il fit toujours aux dieux, maîtres des champs du ciel? Mais non! c'est Posidon, le maître de la terre [7]! Sa colère s'acharne à venger le Cyclope, le divin Polyphème, dont la force régnait sur les autres Cyclopes et qu'Ulysse aveugla : pour mère, il avait eu la nymphe Thoossa, la fille de Phorkys, un des dieux-conseillers de la mer inféconde, et c'est à Posidon qu'au creux de ses cavernes, elle s'était donnée. De ce jour, Posidon, l'Ébranleur de la terre, sans mettre Ulysse à mort, l'éloigne de son île... Mais allons! tous ici, décrétons son retour! cherchons-en les moyens! Posidon n'aura plus qu'à brider sa colère, ne pouvant tenir tête à tous les Immortels, ni lutter, à lui seul, contre leur volonté.

Athéna, la déesse aux yeux pers, répliqua :

ATHÉNA. – Fils de Cronos, mon père, suprême Majesté, si, des dieux bienheureux, c'est maintenant l'avis que le tant sage Ulysse en sa maison revienne, envoyons, sans tarder, jusqu'à l'île océane [1], Hermès, le rayonnant porteur de tes messages, et qu'en toute vitesse, il aille révéler à la Nymphe bouclée le décret sans appel sur le retour d'Ulysse et lui dise comment ce grand cœur doit rentrer [2]! Moi-même, dans Ithaque, allant trouver son fils et l'animant encor, je veux lui mettre au cœur l'envie de convoquer à l'agora les Achéens aux longs cheveux [3] et de signifier un mot aux prétendants qui lui tuent, chaque jour, ses troupes de moutons et ses vaches cornues à la démarche torse. Puis je l'emmène à Sparte, à la Pylos des Sables [4], s'informer, s'il se peut, du retour de son père et s'acquérir aussi bon renom chez les hommes.

A ces mots, la déesse attacha sous ses pieds ses plus belles sandales [a] [5] et s'en vint, en plongeant des cimes de l'Olympe, prendre terre en Ithaque, sous le porche d'Ulysse. Sur le seuil de la cour, lance de bronze en

a. Vers 97-101 : divines et dorées, qui la portent sur l'onde et la terre sans bornes, vite comme le vent, saisit sa forte lance à la pointe de bronze, cette solide lance, et de taille et de poids, qui couche les héros par rangées quand se fâche la Fille du Dieu-Fort.

main, elle semblait un hôte : on aurait dit Mentès, le doge de Taphos [1].

C'est là qu'elle trouva les fougueux prétendants [2]. Ils jouaient aux jetons, assis, devant les portes, sur les cuirs des taureaux abattus de leurs mains, tandis que des hérauts et des servants-coureurs leur mélangeaient le vin et l'eau dans les cratères [3], ou lavaient, de l'éponge aux mille trous, les tables, qu'ils dressaient pour chacun, ou tranchaient force viandes.

Bien avant tous les autres, quelqu'un vit la déesse, et ce fut Télémaque au visage de dieu ; car il était assis parmi les prétendants, mais l'âme désolée : il voyait en son cœur son père, le héros!... s'il pouvait revenir [a], reprendre en main sa charge, régner sur sa maison! Télémaque rêvait, mêlé aux prétendants. Mais il vit Athéna et s'en fut droit au porche : il avait de l'humeur qu'un hôte fût resté debout devant sa porte [4]!

Près d'elle, il s'arrêta, lui saisit la main droite, prit la lance de bronze et lui dit, élevant la voix, ces mots ailés :

TÉLÉMAQUE. – Salut! Chez nous, mon hôte, on saura t'accueillir ; tu dîneras d'abord, après tu nous diras le besoin qui t'amène.

Il dit et la guidait. Athéna le suivait. Quand ils furent entrés dans la haute demeure, il s'en alla dresser la lance qu'il portait au râtelier luisant de la grande colonne, où déjà se dressaient en nombre d'autres lances du valeureux Ulysse [5] ; puis, toujours conduisant la déesse, il la fit asseoir en un fauteuil qu'il couvrit d'un linon [b] ; pour lui-même, il ne prit qu'un siège de

a. Vers 116 : de tous ces prétendants quelle chasse il ferait à travers le manoir!

b. Vers 131 : un beau meuble ouvragé, avec un marchepied.

couleur, loin de ces prétendants, dont l'abord insolent et l'ennuyeux vacarme auraient pu dégoûter son hôte du festin [a].

Vint une chambrière, qui, portant une aiguière en or et du plus beau, leur donnait à laver sur un bassin d'argent et dressait devant eux une table polie. Vint la digne intendante : elle apportait le pain et le mit devant eux [b]. Puis le maître-tranchant, portant haut ses plateaux de viandes assorties, les présenta et leur donna des coupes d'or. Un héraut s'empressait pour leur verser à boire.

On vit alors entrer les fougueux prétendants : en ligne, ils prenaient place aux sièges et fauteuils ; les hérauts leur donnaient à laver sur les mains ; les femmes entassaient le pain dans les corbeilles [c] ; puis vers les parts de choix préparées et servies, chacun tendit les mains.

LES CONSEILS D'ATHÉNA

Quand on eut satisfait la soif et l'appétit, le cœur des prétendants n'eut plus d'autre désir que le chant et la danse, ces atours du festin. Un héraut avait mis la plus belle cithare aux mains de Phémios, qui chantait devant eux, mais bien à contrecœur.

Comme, après un prélude, l'aède, débutant, chantait à belle voix [1], Télémaque, pour n'être entendu d'aucun autre, dit en penchant le front vers la Vierge aux yeux pers :

a. Vers 135 : il voulait lui parler de l'absent, de son père.
b. Vers 140 : et leur fit les honneurs de toutes ses réserves.
c. Vers 148 . la jeunesse remplit jusqu'au bord les cratères.

TÉLÉMAQUE. - Mon cher hôte, m'en voudras-tu de mes paroles? Regarde-moi ces gens : voilà tout leur souci, le chant et la cithare! Ce leur est si commode! ils vivent chez autrui, mangeant impunément les vivres d'un héros, dont les os blanchissant, pourrissant à la pluie, jonchent quelque rivage ou roulent sous le flot. Ah! si, dans son Ithaque, ils le voyaient rentrer, comme ils donneraient, tous, pour des pieds plus légers, les trésors les plus lourds et d'étoffes et d'or! Mais voilà qu'il est mort, et de mort misérable! et je n'ai plus d'espoir quel que soit en ce monde l'homme qui me viendrait annoncer son retour!... La journée du retour!... non! pour lui, c'en est fait! Mais voyons, réponds-moi sans feinte, point par point : quel est ton nom, ton peuple, et ta ville, et ta race [a]? arrives-tu chez nous pour la première fois? ou plutôt n'es-tu pas un hôte de mon père? tant d'autres ont jadis fréquenté la maison, et lui-même, il était si grand coureur de gens!

Athéna, la déesse aux yeux pers, répliqua :

ATHÉNA. - Oui! je vais là-dessus te répondre sans feinte. Je me nomme Mentès ; j'ai l'honneur d'être fils du sage Anchialos, et je commande à nos bons rameurs de Taphos. Je viens de débarquer, tu vois : j'ai mon navire, et j'ai mon équipage ; sur les vagues vineuses, je vais à Témésa, chez les gens d'autre langue, troquer mon fret de fer luisant contre du bronze : mon navire est mouillé loin de la ville, [1] aux champs, sous les bois du Neion, au port de la Ravine. Du temps le plus lointain, nous sommes l'un pour l'autre, et nous nous en

a. Vers 171-174 : quel est donc le vaisseau qui chez nous t'apporta? comment les gens de mer t'ont-ils mis en Ithaque? avaient-ils un pays de qui se réclamer? car ce n'est pas à pied que tu nous viens, je pense [2]... Dis-moi tout net encor ; j'ai besoin de savoir.

vantons, des hôtes de famille. Interroge plutôt le vieux héros Laërte à ton premier voyage ; car on me dit qu'en ville, il ne vient plus jamais, qu'il vit aux champs, dans la retraite et le chagrin, qu'une vieille lui sert le manger et le boire, quand ses membres sont las d'avoir traîné longtemps sur son coteau de vignes... Moi, si je suis ici, c'est que l'on m'avait dit ton père revenu.

» Mais je vois que les dieux lui barrent le chemin. Ce n'est pas qu'il soit mort, notre divin Ulysse! Il est encore au monde et vivant, mais captif, au bout des mers, qui sait? dans une île aux deux rives, aux mains de quelque peuple intraitable et sauvage qui le retient de force. Veux-tu la prophétie qu'un dieu me jette au cœur et qui s'accomplira? Je ne suis ni devin ni savant en présages ; mais avant qu'il soit peu, Ulysse reverra le pays de ses pères ; quand il serait lié d'une chaîne de fer, il saura revenir : il a tant de ressources!... Mais, à ton tour, dis-moi sans feinte, point par point : c'est d'Ulysse, de Lui, que vraiment tu naquis?... Quoi! déjà ce grand fils!... C'est frappant en effet : sa tête, ses beaux yeux! comme tu lui ressembles!... Car nous allions ainsi, bien souvent, l'un chez l'autre, avant qu'il s'embarquât vers le pays de Troie, avec les chefs d'Argos, au creux de leurs vaisseaux. Mais depuis ce jour-là, je ne vis plus Ulysse, il ne m'a plus revu. »

Posément, Télémaque la regarda et dit :

TÉLÉMAQUE. - Oui, mon hôte, je vais te répondre sans feinte. Que je sois bien son fils?... ma mère me le dit : moi, je n'en sais pas plus ; à quel signe un enfant reconnaît-il son père?... Ah! que ne suis-je né de quelque heureux mortel, qui, sur ses biens, aurait attendu la vieillesse! Mais le plus malheureux des humains, des mortels, voilà, dit-on, mon père, puisque tu veux savoir.

Athéna, la déesse aux yeux pers, répliqua :

ATHÉNA. - Ne crois pas que les dieux aient refusé leur signe à cette descendance, quand c'est un pareil fils qu'enfanta Pénélope... Mais à ton tour, dis-moi sans feinte, point par point : pourquoi donc ce festin? et pourquoi cette foule? qu'en avais-tu besoin? dîner rendu par toi? banquet de mariage? Il est clair qu'il ne peut s'agir ici d'écot. Mais je dis qu'attablés sous ton toit, ces gens-là passent toute insolence : devant pareil scandale, à première rencontre, est-il homme de tact qui ne fût indigné?

Posément, Télémaque la regarda et dit :

TÉLÉMAQUE. - Puisque tu veux savoir, mon hôte, et m'interroges, il se peut qu'autrefois, ce logis ait connu l'opulence et la règle..., au temps où le héros vivait en son pays!... Aujourd'hui, quel revers, par le décret des dieux qui nous veulent du mal puisqu'ils l'ont fait le plus invisible des hommes! Ah! sa mort, oui! sa mort me serait moins cruelle, si je savais qu'il eût péri avec ses gens, au pays des Troyens [a]; car, des Panachéens, il aurait eu sa tombe, et quelle grande gloire il léguait à son fils! Mais, tu vois, les Harpyies [1] l'ont enlevé sans gloire; il est parti dans l'invisible et l'inconnu, ne me laissant que la douleur et les sanglots. Et, quand je me lamente, ce n'est plus seulement son destin que je pleure : les dieux m'ont préparé d'autres soucis funestes. Tous les chefs, tant qu'ils sont, qui règnent sur nos Iles, Doulichion, Samé, Zante la forestière, et tous les tyranneaux des monts de notre Ithaque [2],

a. Vers 238 : ou, la guerre finie, dans les bras de ses proches.

tous courtisent ma mère et mangent ma maison. Elle, sans repousser un hymen qu'elle abhorre, n'ose pas en finir. Vois-les, à belles dents, dévorer mon avoir ; on les verra bientôt me déchirer moi-même.

Athéna répondit d'un ton plein de colère :

ATHÉNA. - Oh! misère!... combien cette absence d'Ulysse te met dans la détresse! comme ses mains sauraient mater leur impudence! Je le vois aujourd'hui rentrer en ce logis, debout au premier seuil, casque au front, bouclier et deux piques en mains, tel qu'en notre maison, buvant, plein de gaieté, il m'apparut jadis pour la première fois, à son retour d'Éphyre [1]. Là-bas aussi, un jour, à bord de son croiseur [2], Ulysse était allé demander à Ilos, le fils de Merméros, l'homicide poison, dont il voulait tremper le bronze de ses flèches. L'autre avait refusé, alléguant le respect des dieux toujours vivants. Mon père aimait si fort le tien qu'il l'en munit... Tel qu'alors je le vis, qu'il rentre, cet Ulysse, parler aux prétendants! tous auront la vie courte et des noces amères. Mais laissons tout cela sur les genoux des dieux : ce manoir verra-t-il son retour, sa vengeance, ou leur impunité?... Je t'engage à chercher comment tu renverras d'ici les prétendants. Il faut me bien comprendre et peser mes paroles : convoque dès demain l'assemblée achéenne ; dis-leur ton mot à tous, en attestant les dieux ; sommes-les de rentrer, chacun sur son domaine!... Ta mère, si son cœur la pousse au mariage, s'en ira chez son père [3] : il a dans son logis de quoi la recevoir [a]... Toi, j'ai bien réflé-

[a]. Vers 277-278 : je vois ici des gens pour défrayer la noce et fournir tous cadeaux qu'au père on doit mener pour obtenir sa fille.

chi ; écoute mon conseil : équipe le meilleur des bateaux à vingt rames et va-t'en aux nouvelles ; sur ton père, depuis si longtemps disparu, interroge les gens ou recueille de Zeus l'une de ces rumeurs qui remplissent le monde. Va d'abord t'enquérir chez le divin Nestor, à Pylos, puis à Sparte, chez le blond Ménélas : c'est le dernier rentré de tous les Achéens à la cotte de bronze [1]... Si là-bas on t'apprend que ton père survit et qu'il va revenir, attends encor l'année, bien que tu sois à bout. Mais si c'était sa mort, sa disparition, tu reviendrais tout droit à la terre natale, pour lui dresser sa tombe avec tous les honneurs funèbres qu'on lui doit, et puis tu donnerais ta mère à un époux. Ces devoirs accomplis, achevés, tu verras en ton cœur et ton âme comment dans ton manoir tuer les prétendants par la ruse ou la force. Laisse les jeux d'enfants : ce n'est plus de ton âge. Écoute le renom que, chez tous les humains, eut le divin Oreste, du jour que, filial vengeur, il eut tué ce cauteleux Égisthe qui lui avait tué le plus noble des pères ! Toi, mon cher, bel et grand comme je te vois là, sois vaillant pour qu'un jour quelque arrière-neveu parle aussi bien de toi... Mais je dois m'en aller, redescendre au croiseur ; mon équipage attend et sans doute maugrée : à part toi, réfléchis et pèse mes paroles.

Posément, Télémaque la regarda et dit :

TÉLÉMAQUE. - Je reconnais, mon hôte, en toutes tes paroles, les pensers d'un ami, d'un père pour son fils : je n'en oublierai rien. Mais voyons, reste encore, si pressé que tu sois ! Je t'offrirai le bain, des divertissements et, pour rentrer à bord l'âme toute joyeuse, quelque cadeau de prix, quelque beau souvenir qui te reste de moi, comme on doit s'en donner entre hôtes quand on s'aime.

Athéna, la déesse aux yeux pers, répliqua :

ATHÉNA. - Non! ne me garde pas! je brûle de partir. Le cadeau, que ton cœur t'incite à me donner, je reviendrai le prendre et l'emporter chez moi, et ce beau souvenir, que tu m'auras choisi, te revaudra de moi quelque digne réponse.

S'éloignant à ces mots, l'Athéna aux yeux pers, comme un oiseau de mer, disparut dans l'espace. Au cœur de Télémaque, elle avait éveillé l'énergie et l'audace, en ravivant encor la pensée de son père... En son âme, il comprit et, le cœur étonné, il reconnut le dieu.

LE FESTIN DES PRÉTENDANTS

Cet émule des dieux s'en revenait en hâte auprès des prétendants. Devant eux, le plus grand des aèdes chantait : en silence, ils étaient assis à l'écouter ; il chantait le retour de Troie et les misères que, sur les Achéens, Pallas avait versées [1]. Or, la fille d'Icare, la plus sage des femmes, Pénélope, du haut de l'étage, entendait le récit inspiré.

Descendant de sa chambre par le haut escalier et, pour n'être pas seule, ayant pris avec elle deux de ses chambrières, voici qu'elle arriva devant les prétendants, cette femme divine, et, debout au montant de l'épaisse embrasure, ramenant sur ses joues ses voiles éclatants, tandis qu'à ses côtés, veillaient les chambrières, elle dit, en pleurant, à l'aède divin :

PÉNÉLOPE. - Phémios, tu connais, pour charmer

les humains, bien d'autres aventures dans la geste des dieux et des héros que vont célébrant les aèdes... Chante-leur-en quelqu'une et qu'on boive en silence! Mais ne continue pas ce récit de malheur, dont toujours, en mon sein, mon cœur est torturé. Sur moi, il est si lourd, le deuil intolérable! quelle tête je pleure, sans pouvoir oublier le héros dont la gloire court à travers l'Hellade et plane sur Argos!

Posément, Télémaque la regarda et dit :

TÉLÉMAQUE. - Tu refuses, ma mère, à l'aède fidèle le droit de nous charmer au gré de son esprit? Qu'y peuvent les aèdes? C'est Zeus qui, pouvant tout, donne aux pauvres humains ce qu'il veut pour chacun. N'en veuillons pas à Phémios de nous chanter la triste destinée des héros danaens[1] : le succès va toujours, devant un auditoire, au chant le plus nouveau. Prends donc sur tes pensées et ton cœur de l'entendre. Ulysse, tu le sais, ne fut pas seul à perdre la journée du retour; en Troade, combien d'autres ont succombé[a]!

Pénélope, étonnée, rentra dans la maison, le cœur rempli des mots si sages de son fils, et lorsque, à son étage, elle fut remontée avec ses chambrières, elle pleurait encor Ulysse, son époux, à l'heure où la déesse aux yeux pers, Athéna, lui jeta sur les yeux le plus doux des sommeils.

Les prétendants criaient dans l'ombre de la salle et n'avaient tous qu'un vœu : être couchés près d'elle.

Télémaque reprit posément la parole :

a. Vers 356-359 : va! rentre à la maison et reprends tes travaux, ta toile, ta quenouille; ordonne à tes servantes de se remettre à l'œuvre; le discours, c'est à nous, les hommes, qu'il revient, mais à moi tout d'abord, qui suis maître céans.

Télémaque. - Prétendants de ma mère, à l'audace effrénée, ne songeons maintenant qu'aux plaisirs du festin ; trêve de cris! mieux vaut écouter cet aède ; il est tel que sa voix l'égale aux Immortels! Mais dès l'aube, demain, je veux qu'à l'agora nous allions tous siéger ; je vous signifierai tout franchement un mot : c'est de vider ma salle ; arrangez-vous ensemble pour banqueter ailleurs et, tour à tour, chez vous ne manger que vos biens! ou si vous estimez meilleur et plus commode de venir tous, sans risques, ruiner un seul homme, pillez ses vivres! moi, j'élèverai mon cri aux dieux toujours vivants et nous verrons si Zeus vous paiera de vos œuvres : puissiez-vous sans vengeurs tomber en ce manoir!

Il dit. Tous s'étonnaient, les dents plantées aux lèvres, que Télémaque osât leur parler de si haut!

Alors Antinoos, un des fils d'Eupithès :

Antinoos. - Ah! ces dieux, Télémaque! ils t'enseignent déjà les prêches d'agora et l'audace en paroles! Mais toi, régner sur cette Ithaque entre-deux-mers!... que le fils de Cronos t'épargne ce pouvoir que s'est transmis ta race!

Posément, Télémaque le regarda et dit :

Télémaque. - Écoute, Antinoos! tu peux trouver mauvais ce que je vais te dire ; mais cette royauté, si Zeus me la donnait, je suis prêt à la prendre!... Tu penses que régner est le pire des sorts?... Régner n'est pas un mal, crois-moi ; tout aussitôt, c'est la maison fournie et l'homme mieux prisé. Mais de rois, notre Ithaque entre-deux-mers foisonne : parmi nos Achéens, jeunes gens et vieillards, qu'un autre soit élu, si vraiment il est mort notre divin Ulysse ; du moins sur ma maison, c'est moi qui régnerai et sur les serviteurs que le divin Ulysse m'acquit en ses croisières.

Eurymaque, un des fils de Polybe, intervint :

EURYMAQUE. - Télémaque, laissons sur les genoux des dieux le choix de l'Achéen qui doit régner en cette Ithaque entre-deux-mers. Mais pour tes biens, prends-les et règne en ton manoir : qui viendrait t'expulser, usurper tes domaines, tant qu'il subsistera dans l'île un habitant? Moi, je voudrais, mon bon, te parler de ton hôte : d'où te venait cet homme? a-t-il quelque pays de qui se réclamer?... a-t-il ici ou là famille et héritage?... venait-il annoncer le retour de ton père? venait-il seulement pour ses propres affaires?... Comme il s'est envolé, comme il a disparu, sans nous avoir laissé le temps de le connaître! pourtant il n'avait pas figure de vilain.

Posément, Télémaque le regarda et dit :

TÉLÉMAQUE. - Eurymaque, je sais que c'en est bien fini du retour de mon père ; quel qu'en soit le porteur, j'écarte la nouvelle, pas plus qu'on ne me voit le souci des oracles, quand ma mère au manoir fait venir un devin et veut l'interroger. Cet homme est de Taphos, il se nomme Mentès ; hôte de ma famille, il est fils, et s'en vante, du sage Anchialos ; il règne sur Taphos et sur ses bons rameurs.

Télémaque parlait ainsi, bien que son cœur eût déjà reconnu la déesse immortelle...

Les autres s'étaient mis, pour attendre le soir, aux plaisirs de la danse et des chansons joyeuses. Sous les ombres du soir, ils s'ébattaient encor ; enfin chacun rentra chez soi pour se coucher.

C'est dans la cour d'honneur qu'était bâtie la chambre où dormait Télémaque, une très haute pièce en place dégagée. C'est là qu'il fut au lit, l'esprit plein de projets, et, devant lui, marchait pour lui porter les torches, la vieille aux soins aimants, Euryclée, fille d'Ops le fils de Pisénor. Toute jeune autrefois, Laërte, de ses biens, l'avait payée vingt bœufs [1] ; il l'avait, au manoir, honorée à l'égal de sa fidèle épouse, mais s'était refusé les plaisirs de son lit, pour ne pas s'attirer les scènes conjugales. C'est elle qui, devant Télémaque, portait les torches allumées : aucune des servantes ne l'aimait autant qu'elle ; tout petit, il avait été son nourrisson. Quand il eut, de la chambre aux solides murailles, ouvert les deux battants, il s'assit sur le lit, tira sa fine robe [2], la jeta sur les bras de cette vieille femme aux solides conseils, et la vieille, pliant avec grand soin la robe, la pendit au crochet, près du lit ajouré ; puis, sortant de la chambre, elle tira la porte par le corbeau d'argent et fit jouer la barre, en tendant la courroie.

C'est là qu'enveloppé de la plus fine laine, Télémaque rêva pendant toute la nuit au voyage que lui conseillait Athéna.

LE VOYAGE DE TÉLÉMAQUE

L'ASSEMBLÉE D'ITHAQUE[1]

(CHANT II.) Dans son berceau de brume, à peine avait paru l'Aurore aux doigts de roses, que le cher fils d'Ulysse passait ses vêtements et, s'élançant du lit, mettait son glaive à pointe autour de son épaule, chaussait ses pieds luisants de ses belles sandales et sortait de sa chambre : on l'eût pris, à le voir, pour un des Immortels.

Aussitôt il donna aux crieurs, ses hérauts, l'ordre de convoquer à l'agora les Achéens aux longs cheveux. Hérauts de convoquer et guerriers d'accourir. Quand, le peuple accouru, l'assemblée fut complète, Télémaque vers l'agora se mit en route. Il avait à la main une lance de bronze et, pour n'être pas seul, avait pris avec lui deux de ses lévriers. Athéna le parait d'une grâce céleste. Vers lui, quand il entra, tous les yeux se tournèrent et, pour le faire asseoir au siège de son père, les doyens firent place.

Ce fut Égyptios[2] qui, le premier, parla, un héros chargé d'ans, qui savait mille choses. Or, le divin Ulysse, au creux de ses vaisseaux, lui avait emmené vers Troie la poulinière un fils, cet Antiphos à la vaillante lance, qu'au fond de sa caverne, le Cyclope sauvage tua le dernier soir pour s'en faire un souper. Trois garçons lui restaient dont l'un passait ses jours avec les prétendants ; c'était Eurynomos ; les deux derniers géraient les biens de la famille ; mais rien ne pouvait faire oublier l'autre fils à ce père affligé et toujours gémissant.

C'est en pleurant sur lui qu'il prit la parole :

ÉGYPTIOS. - Gens d'Ithaque, écoutez ! j'ai deux mots à vous dire. Jamais nous n'avons eu assemblée ni conseil, du jour que s'embarqua notre divin Ulysse au creux de ses vaisseaux. Nous voici convoqués : par qui ?... en quelle urgence !... de l'armée qui revient, un de nos jeunes gens ou l'un de nos doyens a-t-il à nous donner quelque sûre nouvelle, dont il ait la primeur ? est-ce un autre intérêt du peuple dont il veut discourir et débattre ?... Je dis qu'il eut raison : il a fait œuvre bonne ; que Zeus à ses desseins donne l'heureux succès !

Il dit et son souhait ravit le fils d'Ulysse : sans plus rester assis, résolu de parler, il s'avança dans le milieu de l'agora ; debout, il prit le sceptre [1], que lui mettait en main le héraut Pisénor, l'homme aux sages conseils, et, dès les premiers mots, s'adressant au vieillard :

TÉLÉMAQUE. - Vieillard, il n'est pas loin, celui que tu demandes, et tu vas le connaître. Je vous ai convoqués, tant je suis dans la peine. De l'armée qui revient, je n'ai pas de nouvelle [a], et ce n'est pas non plus un intérêt du peuple dont ici je voudrais discourir et débattre : c'est ma propre détresse et le double malheur tombé sur ma maison. Je n'ai pas seulement perdu mon noble père, votre roi de jadis, qui fut, pour

a. Vers 43 : certaine à vous donner et dont j'aie la primeur.

tous ici, le père le plus doux. Voici bien pire encore pour la prompte ruine de toute ma maison et de mes derniers vivres.

» Je vois ici des gens, de nos gens les plus nobles, dont les chers fils s'acharnent à poursuivre ma mère, malgré tous ses refus. Quelle peur ils lui font de rentrer chez son père Icare, en ce manoir, où, fixant les cadeaux, il donnerait sa fille, selon son choix, à lui, selon ses vœux, à elle! C'est chez mon père, à moi, qu'ils passent leurs journées à m'immoler bœufs et moutons et chèvres grasses, à boire, en leurs festins, mon vin aux sombres feux, et l'on gâche, et c'est fait du meilleur de mon bien, et pas un homme ici de la valeur d'Ulysse pour défendre mon toit! Je ne suis pas encore en âge de lutter : serai-je, par la suite, à jamais incapable et novice en courage?... Pourtant, je lutterais, si j'avais les moyens ; car il est survenu des faits intolérables qui, dans le déshonneur, font crouler ma maison. Fâchez-vous donc, vous autres! ne rougirez-vous pas devant tous nos voisins, les peuples d'alentour? Ah! des dieux indignés, craignez que le courroux ne fasse retomber sur vos têtes ces crimes!... Mais, je vous en conjure par le Zeus de l'Olympe et par cette Thémis qui convoque ou dissout les assemblées du peuple, c'est assez, mes amis! et qu'on me laisse seul à ronger mon chagrin! A moins que, par hasard, mon noble père Ulysse ait haï, maltraité les Achéens guêtrés [1] et que, pour me payer en sévices, vos haines lâchent sur moi ces gens... Comme il me vaudrait mieux que ce fût vous, du moins, vous tous, qui me mangiez richesses et troupeaux. Car de vos mangeries, j'aurais tôt le paiement : par la ville, j'irais vous harceler de plaintes, vous réclamer mes biens, tant et tant qu'il faudrait que tout me fût rendu. Mais qui me revaudra les maux dont aujourd'hui vous m'emplissez le cœur ? »

Il dit et, de courroux, jeta le sceptre à terre. Ses pleurs avaient jailli. Pris de pitié, le peuple entier restait muet. Des autres prétendants, personne n'eût osé répondre à Télémaque en paroles amères.

Le seul Antinoos lui vint dire en réponse :

ANTINOOS. - Quel discours, Télémaque! ah! prêcheur d'agora à la tète emportée!... tu viens nous insulter!... tu veux nous attacher un infâme renom!... La cause de tes maux, est-ce les prétendants?... ou ta mère qui, pour la fourbe, est sans rivale?... Voilà déjà trois ans, en voici bientôt quatre, qu'elle va, se jouant du cœur des Achéens, donnant à tous l'espoir, envoyant à chacun promesses et messages, quand elle a dans l'esprit de tout autres projets! Tu sais l'une des ruses qu'avait ourdies son cœur. Elle avait au manoir dressé son grand métier [1] et, feignant d'y tisser un immense linon, nous disait au passage : « Mes jeunes prétendants, je sais bien qu'il n'est plus, cet Ulysse divin! mais, malgré vos désirs de hâter cet hymen, permettez que j'achève : tout ce fil resterait inutile et perdu. C'est pour ensevelir notre seigneur Laërte : quand la Parque de mort viendra tout de son long le coucher au trépas, quel serait contre moi le cri des Achéennes, si cet homme opulent gisait là sans suaire! » Elle disait et nous, à son gré, faisions taire la fougue de nos cœurs. Sur cette immense toile, elle passait les jours. La nuit, elle venait aux torches la défaire. Trois années, son secret dupa les Achéens. Quand vint la quatrième [2], à ce printemps dernier, nous fûmes avertis par l'une de ses femmes, l'une de ses complices. Alors on la surprit juste en train d'effiler la toile sous l'apprêt et si, bon gré, mal gré, elle dut en finir, c'est que nous l'y forçâmes. Mais toi, des prétendants écoute une réponse qui renseigne ton cœur et qui renseigne aussi tout le peuple achéen. Renvoie d'ici ta mère et dis-lui d'épouser celui qui lui plaira et que voudra son père. Mais à toujours traîner les fils des Achéens, à se fier aux dons qu'Athéna lui prodigue [a], à sa fourbe dont rien n'a jamais approché dans nos récits d'antan d'Achéennes bouclées, ces Alcmène, Tyro, Mycène couronnée [1], dont pas une n'avait l'esprit de Pénélope, il est pourtant un point qu'elle a mal calculé : c'est qu'on te mangera ton avoir et tes vivres tant qu'elle gardera les pensées qu'en son cœur, les dieux mettent encore. Pour elle, grand renom ! pour toi, grande ruine !... Non ! jamais nous n'irons sur nos biens ni ailleurs, avant que, d'un époux, elle même ait fait choix parmi nos Achéens.

Posément, Télémaque le regarda et dit :

TÉLÉMAQUE. - Antinoos, comment chasser de ma maison, contre sa volonté, celle qui me donna le jour et me nourrit ? Si mon père est absent, est-il vivant ou mort ?... et quelle perte encor de rembourser Icare [2], si c'est moi, de mon chef, qui lui renvoie ma mère !... Car, de son père aussi, me viendraient bien des maux, et, de la part des dieux, combien de maux encor, quand ma mère chassée, au seuil de la maison, appellerait sur moi les tristes Érinnyes. Non ! le courroux du ciel est trop lourd à porter [b] !... Mais vous, si votre cœur redoute encore les dieux, allons ! videz ma salle ; en-

a. Vers 117 : à son art merveilleux, aux vertus de son cœur.
b. Vers 136-137 : au seuil de la maison : j'aurais à redouter le châtiment des hommes ; jamais je ne dirai cette parole-là !

semble arrangez-vous pour banqueter ailleurs et chez vous, tour à tour, manger vos propres biens ! ou si vous estimez meilleur et plus commode de venir tous, sans risque, ruiner un seul homme, pillez ses vivres, moi, j'élèverai mon cri aux dieux toujours vivants, et nous verrons si Zeus vous paiera de vos œuvres : puissiez-vous, sans vengeurs, tomber en ce manoir !

Télémaque parlait. Deux aigles, qu'envoyait le Zeus à la grand-voix, arrivaient en plongeant du haut de la montagne. D'abord, au fil du vent, ils allaient devant eux et, volant côte à côte, planaient à grandes ailes. Mais bientôt, dominant les cris de l'agora, ils tournèrent sur place, à coups d'aile pressés, et leurs regards, pointés sur les têtes de tous, semblaient darder la mort ; puis, se griffant la face et le col de leurs serres, ils filèrent à droite, au-dessus des maisons et de la ville haute. Les yeux de tous suivaient le terrible présage.

Les cœurs se demandaient quelle en serait la suite. Alors pour leur parler, un héros se leva, le vieil Halithersès, un des fils de Mastor. Des hommes de son temps, nul n'était plus habile à savoir les oiseaux et prédire le sort.

C'est pour le bien de tous qu'il prenait la parole :

HALITHERSÈS. – Gens d'Ithaque, écoutez ! j'ai deux mots à vous dire. Mais c'est aux prétendants surtout que je m'adresse : sur eux, je vois venir la houle du désastre. Ce n'est plus pour longtemps, sachez-le bien, qu'Ulysse est séparé des siens ; il est tout près déjà, plantant à cette bande et le meurtre et la mort, et bien d'autres encore pâtiront parmi nous, qui vivons aujourd'hui en cette aire d'Ithaque... Pendant qu'il en est temps, songeons à les brider ! qu'ils se brident eux-mêmes ! dans leur propre intérêt, c'est le meilleur parti. Car je ne prédis pas en novice : voilà si longtemps que je sais !... C'est moi qui vous le dis : voici que tout arrive suivant ce que jadis je lui prédis, à lui, lorsque, les Argiens partant pour Ilion, il partit avec eux, cet Ulysse avisé ! Je lui prédis alors tous les maux à souffrir et tous ses gens à perdre, pour ne rentrer chez lui que la vingtième année et méconnu de tous. Aujourd'hui tout s'achève.

Eurymaque, un des fils de Polybe, intervint :

EURYMAQUE. – Vieillard, rentre chez toi !... Va prédire en famille ! et tâche de songer aux risques de tes proches ! Mes prophéties, à moi, valent cent fois les tiennes. Des oiseaux ?... que de vols sous les feux du soleil ! sont-ce tous des présages ?... Tu nous parles d'Ulysse : il est mort loin d'ici !... et que n'as-tu sombré en cette compagnie ! tu te tairais enfin, l'interprète des dieux ; tu n'exciterais plus Télémaque en sa rage. Va voir à la maison s'il t'a fait son cadeau ! Mais, moi, je te préviens et tu verras la chose : si ta vieille sagesse, ta docte fausseté excitent le jeune homme et le font intraitable, c'est à lui tout d'abord qu'il en cuira le plus : pour réussir, il peut compter sur ces oiseaux ! Et toi aussi, vieillard, par une bonne amende, nous briserons ton cœur : payer, cruel chagrin !... A mon tour, devant tous, je veux donner un bon conseil à Télémaque : c'est qu'il renvoie sa mère au manoir paternel. Je vois ici des gens pour défrayer la noce et fournir tous cadeaux qu'au père on doit mener pour obtenir sa fille... C'est alors seulement que nos fils d'Achaïe quitteront, croyez-m'en, l'irritante poursuite. Nous ne craignons personne, et pas plus Télémaque avec tous ses discours que toi-même, bon vieux, avec tes prophéties, dont nul de nous n'a cure... Tu parles dans le vide et ne fais que le rendre encor plus odieux. Ses biens seront toujours mangés à la malheure, et de paiement, jamais! tant qu'elle traînera les vœux des Achéens à ce jeu de l'hymen, où, déçus chaque jour, nous luttons pour sa gloire, négligeant de chercher ailleurs le beau parti.

Posément, Télémaque le regarda et dit :

TÉLÉMAQUE. – Eurymaque et vous tous, illustres prétendants, sur ce premier sujet n'attendez plus de moi prières ni harangues ; c'est fini maintenant : les dieux sont informés, et le peuple achéen! Mais, voyons, donnez-moi un croiseur et vingt hommes pour m'emmener en un voyage au long des côtes : mon projet est d'aller à la Pylos des Sables, à Sparte, m'enquérir du retour de mon père et, sur sa longue absence, interroger les gens ou recueillir de Zeus l'une de ces rumeurs qui remplissent le monde. Si là-bas j'apprenais que mon père survit et qu'il va revenir, j'attendrais une année, bien que je sois à bout ; mais si c'était sa mort, sa disparition, je reviendrais tout droit à la terre natale lui dresser une tombe avec tous les honneurs funèbres qu'on lui doit, et puis je donnerais ma mère à un époux.

A ces mots, il s'assit, et Mentor se leva, Mentor, le compagnon que l'éminent Ulysse, au jour de son départ, avait chargé du soin de toute sa maison [a].

C'est pour le bien de tous qu'il prenait la parole :

MENTOR. – Gens d'Ithaque, écoutez! J'ai deux mots à vous dire. A quoi sert d'être sage, accommodant et doux, lorsque l'on tient le sceptre, et de n'avoir jamais l'injustice en son cœur? Vivent les mauvais rois et

a. Vers 227 : pour aider le Vieillard et tout garder en place.

leurs actes impies! Car est-il souvenir de ce divin Ulysse chez ceux qu'il gouvernait en père des plus doux?... Oh! je ne m'en prends pas aux fougueux prétendants, ni à leurs coups de force, à leurs trames mauvaises ; car eux, ils jouent leurs têtes, quand, forçant et pillant la demeure d'Ulysse, ils pensent que jamais il ne doit revenir. C'est pour l'heure au restant du peuple que j'en ai, à vous tous que je vois rester silencieux, sans un mot pour brider ces quelques prétendants, quand vous êtes le nombre.

Un des fils d'Événor, Léocrite, intervint :

LÉOCRITE. – Mentor, mauvaise langue et tête sans raison! Voilà un bel appel au peuple contre nous! Tu voudrais nous brider! Même en étant le nombre, on trouve dur de guerroyer pour un repas. Tu sais bien que si même, en personne, il rentrait, ton Ulysse d'Ithaque, et si, trouvant à table, en son propre manoir, ces braves prétendants, il lui prenait envie de faire maison nette, ce pourrait n'être pas toute joie pour sa femme, qui se languit si fort de le voir revenir : ce qu'il trouverait là, c'est une mort piteuse, quand encore il aurait tout le nombre à sa suite... Tes discours sont folies!... Mais allons! Achéens, dispersez-vous! rentrez, chacun, sur vos domaines! Pour le mettre en chemin, Télémaque a Mentor, ou bien Halithersès, ou quelque autre des vieux compagnons de son père. Mais c'est ici, je crois, que sans bouger d'Ithaque, il aura les nouvelles... Non! ce voyage-là, jamais, au grand jamais, il ne doit l'accomplir!

A ces mots, brusquement il leva la séance et le peuple s'en fut, chacun en son logis.

Les prétendants rentraient chez le divin Ulysse, Télémaque, à l'écart, s'en allait sur la grève et, se lavant les mains dans la frange d'écume, il priait Athéna [1] :

TÉLÉMAQUE. – Écoute, ô toi, le dieu, qui vins hier chez nous! Tu m'as dit de voguer dans la brume des mers pour aller m'enquérir du retour de mon père et de sa longue absence. Mais tout cela, les Achéens me l'interdisent, les prétendants surtout, ces tyrans de malheur.

Comme il priait, il vit s'avancer Athéna. De Mentor [2], elle avait et l'allure et la voix.

Elle prit la parole et dit ces mots ailés :

ATHÉNA. – Télémaque, en ta vie tu seras brave et sage [3], si la belle énergie de ton père est en toi! Ah! quel homme c'était pour aller jusqu'au bout et de l'œuvre et des dires!... Il faut que ce voyage ait ses fruits et s'achève. Ni Lui ni Pénélope ne seraient tes parents, si je doutais que tu remplisses tes desseins : il est si peu d'enfants à égaler leurs pères ; pour tant qui peuvent moins, combien peu peuvent plus! Mais je vois qu'en ta vie, tu seras brave et sage : la prudence d'Ulysse est tout entière en toi ; espérons que tu vas accomplir cette tâche. Laisse les prétendants comploter, combiner : ils n'écoutent, ces fous, ni raison ni justice ; ils ne voient pas la mort, la Parque ténébreuse, qui, tous en un seul jour, vient les ensevelir! Va donc! que rien n'entrave ton projet de voyage. Tu sais le compagnon que ton père eut en moi : je t'équipe un croiseur et te suis en personne. Retourne te montrer chez toi aux prétendants ; fais préparer les vivres : que tout soit enfermé, le vin en des amphores, en des sacs de gros cuir la farine qui rend le nerf à l'équipage. Quant aux rameurs, c'est moi qui te vais, dans le peuple, lever des volontaires ; j'aurai tôt fait et notre Ithaque entre-deux-mers a des vaisseaux en nombre : quand, des neufs et des vieux, j'aurai fait la revue, nous armons le meilleur et nous prenons le large!

Quand la fille de Zeus eut parlé, Télémaque obéit, sans tarder, à cette voix divine. Il revint au manoir, l'âme toute troublée, et trouva dans la cour les fougueux prétendants, qui flambaient les cochons et dépouillaient les chèvres.

Antinoos riant vint droit à Télémaque, et, lui prenant la main, lui dit et déclara :

ANTINOOS. – Quel prêcheur d'agora à la tête emportée!... Télémaque, voyons! laisse là tes projets et tes propos méchants! Comme aux jours d'autrefois, reviens manger et boire ; les Achéens feront tout ce que tu désires : on te donne un navire et des rameurs de choix ; tu vas pouvoir voler vers la bonne Pylos pour entendre parler de ton illustre père.

Posément, Télémaque le regarda et dit :

TÉLÉMAQUE. – Antinoos, merci! subir vos insolences, me taire en vos festins, jouir et paresser! Ne vous suffit-il pas d'avoir, ô prétendants, pillé dans mon domaine et le gros et le choix, tant que j'étais enfant?... Maintenant, j'ai grandi!... J'entends autour de moi des mots qui me renseignent!... et j'ai grandi de cœur!.. Je veux tout essayer pour déchaîner sur vous les déesses mauvaises, soit que j'aille à Pylos, soit que je reste ici, en ce pays d'Ithaque. Je ferai ce voyage, et non sans résultat ; c'est moi qui vous l'annonce. Je trouverai passeur, faute d'avoir à moi le navire et les hommes que votre bon plaisir vient de me refuser.

Il dit et s'arracha des mains d'Antinoos [a]. Les autres le raillaient, l'insultaient en paroles.

a. Vers 322 : prestement et pendant qu'à travers le manoir, les prétendants couraient préparer le festin.

L'un de ces jeunes fats s'en allait répétant [1] :

LE CHŒUR. – Gare au meurtre que nous médite Télémaque ! Il va chercher une aide à la Pylos des Sables, peut-être même à Sparte : il en brûle d'envie. Il pourrait bien pousser jusqu'à la grasse Éphyre [2] et nous en rapporter quelques poisons rongeurs : une dose au cratère, et nous voilà tous morts !

Un autre jeune fat s'en allait répétant :

LE CHŒUR. – Peut-on savoir jamais ? s'il partait, lui aussi, au creux de son vaisseau ; si loin des siens aussi, il allait, comme Ulysse, se perdre à l'aventure : il nous vaudrait encore un surcroît de besogne ; c'est alors tous ses biens qui viendraient au partage, quand on aurait donné les maisons à sa mère pour habiter avec celui qui l'aurait prise.

C'est ainsi qu'ils parlaient ; mais déjà Télémaque descendait l'escalier du trésor paternel. En ce vaste cellier, sous sa haute charpente, l'or et le bronze en tas, et les tissus en coffres, et les réserves d'huile, dont l'odeur embaumait, reposaient près des jarres alignées et dressées au long de la muraille [3] : un vieux vin de liqueur, un breuvage de dieu sans une goutte d'eau, était là pour le jour qu'Ulysse rentrerait après tant de souffrances ; les portes de bois plein aux solides jointures étaient sous double barre, et, les nuits et les jours, une dame intendante, Euryclée, fille d'Ops le fils de Pisénor, veillait, l'esprit au guet [4].

Quand il l'eut fait entrer, Télémaque lui dit :

TÉLÉMAQUE. – Allons, nourrice, il faut me mettre en des amphores de ton vin le plus doux, du plus fameux après celui que tu conserves pour Lui, le malheureux, si jamais il rentrait [a]. Emplis-moi douze amphores et les coiffe bien toutes. En de bons sacs de cuir, verse-moi vingt mesures de farine moulue ; je ne veux que la fleur. Garde-moi le secret ; que tout se trouve en tas quand, ce soir, je viendrai moi-même l'enlever, à l'heure où, regagnant son étage, ma mère songe enfin au sommeil... Je veux aller à Sparte, à la Pylos des Sables, m'enquérir, s'il se peut, du retour de mon père.

Il dit ; mais la nourrice Euryclée fit un cri et, parmi les sanglots, lui dit ces mots ailés :

EURYCLÉE. – Pourquoi, mon cher enfant, pourquoi te mettre en tête une pareille idée ? Tu veux courir le monde alors que nous n'avons plus que toi, mon chéri ! Car notre Ulysse est mort, ce rejeton des dieux !... loin du pays natal, en terres inconnues !... Aussitôt qu'ils sauront ton départ, ils te vont dresser pour le retour quelque embûche mortelle, et voilà tous ces biens qui seront leur partage. Reste sur ton avoir : il n'en faut pas bouger. Tu n'as rien à gagner sur les mers infécondes que souffrance et naufrages.

Posément, Télémaque la regarda et dit :

TÉLÉMAQUE. – Nourrice, ne crains rien ! sans un dieu, cette idée ne me fût pas venue. Mais jure de n'en pas souffler mot à ma mère, avant que soient passés quelque onze ou douze jours [1]..., à moins que me cherchant et qu'apprenant ma fuite, elle n'aille en pleurant lacérer ses beaux traits.

Sitôt qu'il eut parlé, la vieille lui prêta le grand serment des dieux et, quand elle eut juré et scellé le

a. Vers 352 : ce rejeton des dieux, Ulysse, réchappé de la mort et des Parques.

serment, elle fut transvaser le vin en des amphores et verser la farine en de bons sacs de cuir, tandis que Télémaque avait, en la grand-salle, rejoint les prétendants. Cependant Athéna, la déesse aux yeux pers, poursuivait ses desseins : sous les traits de Mentor, elle courait la ville, arrêtait ses rameurs et leur donnait le mot pour que, le soir, on s'assemblât près du croiseur ; un fils de Phronios, l'illustre Noémon, lui prêta de grand cœur le vaisseau demandé.

Le soleil se couchait, et c'était l'heure où l'ombre emplit toutes les rues : Athéna vint tirer le croiseur à la mer, mit à bord les agrès, que doivent emporter sur leurs bancs les navires, et s'en fut le mouiller à la bouche du port [1]. Là, s'était réuni tout le brave équipage : la déesse eut un mot pour animer chacun [a]. Chez le divin Ulysse, elle revint alors verser aux prétendants le plus doux des sommeils ; la main de ces buveurs trompés lâcha les coupes ; sans plus rester assis, pour s'en aller dormir en ville, ils se levèrent, car déjà le sommeil tombait sur leurs paupières. La déesse aux yeux pers appela Télémaque et, le faisant sortir du grand corps de logis :

ATHÉNA [b]. – Télémaque, il est temps! l'équipage guêtré est aux bancs et n'attend pour pousser que ton ordre. En route! il ne faut plus différer le départ.

En parlant, Athéna le menait au plus court : il suivait la déesse et marchait sur ses traces [c]. A la grève, on trouva les gars aux longs cheveux.

Sa Force et Sainteté Télémaque leur dit :

a. Vers 393 : cependant Athéna, la déesse aux yeux pers, poursuivait ses desseins.
b. Vers 401 : elle reprit l'allure et la voix de Mentor.
c. Vers 407 : descendus au croiseur, ils atteignirent la mer.

TÉLÉMAQUE. – Par ici, mes amis ! allons chercher les vivres ! Tout est prêt ; au manoir, ils sont mis en un tas. Ma mère ne sait rien, ni les autres servantes ; une seule a le mot.

Il dit, montrant la route, et ses gens le suivirent. Ils revinrent, portant leurs charges qu'ils posèrent sous les bancs du navire, aux endroits que leur indiquait le fils d'Ulysse. Télémaque embarqua. Toujours le conduisant, Athéna fut s'asseoir sur le gaillard de poupe. Il prit place auprès d'elle. Les amarres larguées, les hommes embarqués, quand chacun à son banc fut assis, Athéna, la déesse aux yeux pers, leur envoya la brise, un droit Zéphir chantant sur les vagues vineuses. Télémaque empressé commanda la manœuvre ; les hommes, de répondre à son empressement. On dressa le sapin du mât qui fut planté au trou de la coursie. On raidit les étais, et la drisse de cuir hissa les voiles blanches [1]. La brise alors s'en vint taper en pleine toile, et le vaisseau partit dans les bouillons du flot qui sifflait sous l'étrave [a]...

Au long du noir croiseur, quand on eut, pour la mer, saisi tous les agrès, on dressa, pleins de vin jusqu'aux bords, les cratères, pour boire aux Immortels, aux dieux d'éternité, et, plus qu'à tous les autres, à la fille de Zeus, à la Vierge aux yeux pers.

A PYLOS [2]

Pendant toute la nuit, et même après l'aurore, le navire fit route.

a. Vers 429 : et le vaisseau, courant sur le flot, faisait route.

(CHANT III.) Quand le soleil levant monta du lac splendide [1] pour éclairer les dieux au firmament de bronze, ainsi que les mortels sur notre terre aux blés, Pylos leur apparut, la ville de Nélée aux solides murailles [2]. Sur la plage, on offrait de noirs taureaux sans tache, en l'honneur de Celui qui ébranle le sol, du dieu coiffé d'azur [3]. Sur neuf rangées de bancs, siégeaient les Pyliens, cinq cents hommes par rang, neuf taureaux devant chaque. Ils avaient mis la dent aux premières grillades et faisaient, pour le dieu, brûler les os des cuisses, lorsque le fin croiseur accosta droit du large. L'équipage envoya et releva les voiles, puis, en ramant, poussa vers la cale et prit terre.

Télémaque à son tour débarqua du vaisseau. Athéna lui montrait la route et, la première, Athéna, la déesse aux yeux pers, lui disait :

ATHÉNA. – Télémaque, à présent, tu ne dois plus avoir la moindre fausse honte. Il s'agit de ton père. Tu n'as franchi la mer qu'afin de t'enquérir du sort qu'il a subi, du pays qui le cache. Donc, va droit à Nestor, le dresseur de chevaux, et sachons la pensée qu'il enferme en son cœur [a] !

Posément, Télémaque la regarda et dit :

TÉLÉMAQUE. – Mentor, tu veux que j'aille et que, moi, je l'aborde ? L'habileté des mots, tu sais, n'est pas mon fait ! et c'est le rouge au front qu'un homme de mon âge interroge un ancien.

Athéna, la déesse aux yeux pers, répliqua :

ATHÉNA. – Mais des mots, Télémaque, il t'en viendra du cœur, et quelque bon génie te soufflera le reste ;

a. Vers 19-20 : il faut lui demander de te parler sans feinte ; ne crains pas de mensonge ; il est toute sagesse.

car les dieux, que je sache, ne t'ont pas empêché de naître et de grandir.

En parlant, Athéna le menait au plus court ; il suivait la déesse et marchait sur ses traces, vers la sainte assemblée des guerriers de Pylos, jusqu'aux bancs où Nestor siégeait avec ses fils : ses hommes, tout autour, préparaient le festin, qui rôtissant des viandes, qui en embrochant d'autres.

Sitôt qu'on aperçut les étrangers, la foule s'en vint de toutes parts et, mains tendues, les invitait à prendre place.

Mais ce fut Pisistrate [1], un des fils de Nestor, qui, devançant les autres, vint leur prendre la main. Dans les douces toisons, sur les sables de mer, il leur fit à tous deux une place au festin, entre son père et Thrasymède, un de ses frères, puis, leur servant leurs parts des premières grillades et leur versant du vin dans une coupe d'or, il vint en faire hommage à la fille du Zeus à l'égide, Athéna :

PISISTRATE. – Étranger, prie d'abord Posidon notre roi ; car c'est à son festin qu'ici vous arrivez. Fais les libations ; prie comme il est d'usage ; tu donneras ensuite à ton ami la coupe, pour qu'il offre à son tour de ce doux vin de miel ; il doit prier aussi les Immortels, je pense : tout homme n'a-t-il pas même besoin des dieux ? Mais il est ton cadet ; il semble de mon âge ; à toi donc, en premier, je tends la coupe d'or.

Il dit et lui remit en main la double coupe [2]. La déesse, agréant l'hommage de ce juste [a], se hâta d'adresser une longue prière à leur roi Posidon :

ATHÉNA. – Écoute, ô Posidon, le maître de la terre,

a. Vers 53 : qu'il lui eût en premier tendu la coupe d'or.

et ne refuse pas, lorsque nous t'en prions, d'accomplir nos projets! A Nestor, à ses fils, donne avant tout la gloire! Accorde ensuite à tout ce peuple de Pylos quelque grâce en retour de sa noble hécatombe! Accorde-nous enfin, à Télémaque et moi, de remplir le dessein qui nous a fait venir sur notre noir croiseur!

Après cette prière, qu'elle-même exauçait, la déesse remit, aux mains du fils d'Ulysse, la belle double coupe et, comme elle, à son tour, Télémaque pria ; puis, on tira du feu les grosses viandes cuites ; on y trancha les parts, et l'on fut à la joie de ce festin superbe.

Quand on eut satisfait la soif et l'appétit, le vieux maître des chars, Nestor, prit la parole :

NESTOR. – S'il est bien un moment d'interroger des hôtes pour en savoir les noms, c'est quand ils ont joui des plaisirs de la table. Mes hôtes, votre nom? d'où nous arrivez-vous sur les routes des ondes?... faites-vous le commerce?... n'êtes-vous que pirates qui, follement, courez et croisez sur les flots, et, risquant votre vie, vous en allez piller les côtes étrangères [1]?

Posément, Télémaque le regarda et dit, plein d'un nouveau courage (Athéna lui mettait au cœur la hardiesse d'interroger Nestor sur l'absent, sur son père [a]) :

TÉLÉMAQUE. – Nestor, fils de Nélée, l'honneur de l'Achaïe, puisque tu veux savoir d'où nous sommes, je vais tout au long vous le dire. Nous arrivons d'Ithaque, au pied du mont Neion ; c'est d'une affaire à moi que je viens te parler, ce n'est pas de mon peuple. Je vais de par le monde, cherchant quelques échos du renom de mon père, de ce divin Ulysse, le héros d'endurance, qu'au pays des Troyens, tu pus voir, me

a. Vers 78 : et d'acquérir aussi bon renom chez les hommes.

dit-on, combattre à tes côtés et renverser leur ville. De tous ceux qui sont morts là-bas en combattant, nous savons où chacun trouva la mort funeste. Mais lui! Zeus a caché jusqu'au bruit de sa mort : nul ne peut préciser comment il succomba, si ce fut au rivage, accablé d'ennemis, ou si ce fut en mer, sous les flots d'Amphitrite. C'est pourquoi tu me vois ici à tes genoux ; voudrais-tu me parler de cette mort funeste?... l'as-tu vue de tes yeux?... en sais-tu quelque chose de l'un de nos errants? c'est le plus malheureux qui soit né d'une femme... Ne mets ni tes égards ni ta compassion à m'adoucir les choses. Mais dis-moi point par point ce que tes yeux ont vu [a].

Le vieux maître des chars, Nestor, lui répondit :

NESTOR. – Ah! mon ami, tu viens d'évoquer la misère qu'au pays de là-bas, nous avons endurée, et l'obstination de nos fils d'Achaïe, et tant d'embarquements dans la brume des mers pour croiser et piller au premier mot d'Achille, et tant de longs combats pour assaillir la grand-ville du roi Priam! Là-bas ont succombé les meilleurs de nos gens. Oui! c'est là-bas que gît Ajax, cet autre Arès! là-bas que gît Achille! là-bas que gît Patrocle, un dieu par la sagesse à l'heure du conseil!... et là-bas gît aussi mon fils, mon intrépide et robuste Antiloque, le roi de nos coureurs et de nos combattants!... Car nous avons connu ces maux et combien d'autres! Quel homme, avant sa mort, aurait jamais le temps de les raconter tous?

a. Vers 98-101 : aussi je t'en conjure par tout ce que mon père cet Ulysse vaillant, a pu dire, entreprendre et, suivant sa promesse, réussir pour ta cause, au pays des Troyens, au temps de vos épreuves, à vous, gens d'Achaïe! L'heure est enfin venue pour moi qu'il t'en souvienne ; dis-moi la vérité!

» Tu pourrais demeurer chez moi cinq ans, six ans à me faire conter ce qu'ont souffert là-bas nos divins Achéens : avant de tout savoir, tu rentrerais, lassé, au pays de tes pères. Neuf ans, sans desserrer notre cercle d'embûches, nous leur avons cousu pièce à pièce les maux : neuf ans, avant que Zeus nous quittât le succès!... Devant ton père, alors, le plus ingénieux se déclarait vaincu ; il l'emportait sur tous, en ruses infinies, cet Ulysse divin... Ton père!... tu serais vraiment son fils?... à Lui?... Mais ta vue me confond!... Mêmes mots..., même tact! comment peut-on, si jeune, à ce point refléter le langage d'un père?... Moi, tout ce temps là-bas, jamais je n'eus avec cet Ulysse divin le moindre différend. Assemblée ou conseil, quand nous tenions séance avec les Argiens, nous avions même cœur, même esprit, mêmes vœux : le plein succès de tous.

» Quand sur sa butte, enfin, nous eûmes saccagé la ville de Priam [a], c'est Zeus qui, dans son cœur, nous médita pour lors un funeste retour : parmi nos gens d'Argos, il en était si peu de sensés et de justes! combien allaient trouver le malheur et la mort sous le courroux fatal de la Vierge aux yeux pers! Voulant mettre la brouille entre les deux Atrides, la Fille du Dieu fort leur fit en coup de tête, au coucher du soleil, convoquer l'assemblée de tous les Achéens et l'on vit arriver, à cette heure insolite, nos fils de l'Achaïe titubants sous le vin. Les deux frères, alors, de dire et de redire les raisons qu'ils avaient de convoquer le peuple. Ménélas soutenait que tous les Achéens ne devaient plus songer qu'au retour sur le dos de la plaine marine. Agamem-

a. Vers 131 : et que, montés à bord, un dieu nous dispersa.

non était d'un avis tout contraire : il voulait retenir le peuple et célébrer de saintes hécatombes pour fléchir d'Athéna le terrible courroux. L'enfant! il se flattait d'apaiser la déesse [1]! fait-on virer au doigt l'esprit des Éternels?... Les deux rois, échangeant des ripostes pénibles, s'affrontent et, debout, avec des cris d'enfer, nos Achéens guêtrés en deux camps se partagent; quand on va se coucher, c'est pour rêver la nuit aux haines réciproques : Zeus nous mettait déjà sous le faix du malheur!

» Aussi, quand dès l'aurore nous tirons nos vaisseaux à la vague divine pour y charger nos biens et nos sveltes [2] captives, la moitié de nos gens s'obstine à demeurer près du pasteur du peuple, l'Atride Agamemnon. Nous, de l'autre parti, nous embarquons, poussons, et notre flotte court à travers le grand gouffre, sur la mer dont un dieu avait couché les flots. Nous gagnons Ténédos. Là, dans un sacrifice, nous demandons au ciel de rentrer au pays. Mais Zeus ne voulait pas encore de ce retour. Sa colère à nouveau déchaîne le fléau d'une seconde brouille. Les uns virent de bord sur leurs doubles gaillards : leur chef, le sage Ulysse aux fertiles pensées, les ramène apaiser l'Atride Agamemnon. Mais, ayant rallié mon escadre complète, je fuis, voyant les maux qu'un dieu nous préparait, et le fils de Tydée, cet autre Arès, entraîne aussi ses équipages, et le blond Ménélas vient plus tard nous rejoindre.

» Il nous trouve à Lesbos, hésitant à passer, sinon par le grand tour : irions-nous, par le haut des roches de Chios, en les tenant à gauche, doubler l'île Psara?... sous Chios, irions-nous côtoyer le Mimas avec ses coups de vent?... Nous demandions aux dieux de nous montrer un signe. Il nous vient, et fort clair, nous disant de couper vers l'Eubée par le large, si nous voulons sortir au plus tôt du danger. Et comme un bon vent frais se lève et s'établit, notre flotte s'élance aux chemins des poissons si vite, que, la nuit, nous touchons au Géreste. Là, c'est à Posidon que, pour avoir franchi ce long ruban de mer, nous offrons sans compter les cuisses de taureaux. Le quatrième jour nous met aux bords d'Argos, où le fils de Tydée, le dresseur de chevaux Diomède, et ses gens halent leurs fins croiseurs ; moi, je rentre à Pylos, sans voir tomber la brise que, depuis le départ, un dieu faisait souffler. C'est ainsi, cher enfant, que je revins chez moi. Je n'ai rien vu de plus : des autres Achéens, lesquels ont échappé et lesquels ont péri ? je n'en sais pas grand-chose. Les nouvelles, pourtant, que j'ai pu recueillir en ce manoir tranquille, je veux te les donner, et sans rien t'en cacher : car ce n'est que justice.

» C'est un retour heureux qu'eurent les Myrmidons : ces furieux lanciers revinrent, m'a-t-on dit, avec le noble fils du magnanime Achille... Philoctète, le fils illustre de Pœas, eut autant de bonheur. De même, Idoménée a reconduit en Crète tous ceux de son armée que la guerre épargna : la mer n'en prit aucun. Pour l'Atride! si loin que vous viviez du monde, vous savez comme nous qu'il revint et qu'Égisthe lui avait préparé une mort lamentable. Mais le jour du paiement douloureux est venu : qu'il est bon de laisser après sa mort un fils! Car, filial vengeur, celui-là sut punir ce cauteleux Égisthe qui lui avait tué le plus noble des pères. Toi, mon cher, bel et grand comme je te vois là, sois vaillant pour qu'un jour quelque arrière-neveu parle aussi bien de toi! »

Posément, Télémaque le regarda et dit :

Télémaque. – Nestor, fils de Nélée, l'honneur de l'Achaïe, oui, celui-là, vraiment, eut sa pleine vengeance, et le monde achéen ira chantant sa gloire jusqu'aux âges futurs. Ah! si de tels moyens, les dieux m'avaient armé, comme ils paieraient leur violence et mes chagrins, ces prétendants sans frein qui conspirent ma perte! Les dieux ne nous ont pas filé pareil bonheur, à moi ni à mon père ; pour l'heure, il me faut tout supporter jusqu'au bout.

Le vieux maître des chars, Nestor, lui répondit :

Nestor. – Ami, puisque tu viens d'évoquer cette affaire, on dit que les nombreux prétendants de ta mère usurpent ton manoir et conspirent ta perte ; c'est de plein gré, dis-moi, que tu portes le joug? ou dans ton peuple, as-tu la haine d'un parti, qui suit la voix d'un dieu?... pour punir leur excès, qui sait le jour qu'enfin ton père rentrera, seul ou par le secours de tous les Achéens?... Si la Vierge aux yeux pers te pouvait donc aimer comme elle aimait Ulysse et veillait sur sa gloire, au pays des Troyens, aux temps de nos épreuves, à nous, gens d'Achaïe!... Non! jamais je ne vis aux côtés d'un mortel veiller l'amour des dieux autant qu'à ses côtés la visible assistance de Pallas Athéna!... Ah! si, d'un pareil cœur, elle prenait ta cause, combien parmi ces gens quitteraient la poursuite!

Posément, Télémaque le regarda et dit :

Télémaque. – Vieillard, je ne crois pas que ton vœu s'accomplisse : quels grands mots tu dis là! j'en ai comme un vertige! Oh! non! pareil bonheur passerait mon espoir, quand les dieux le voudraient.

Athéna, la déesse aux yeux pers, intervint :

Athéna. – Quel mot s'est échappé de l'enclos de tes dents? Oh! Télémaque! un dieu sauve aisément son homme, aussitôt qu'il le veut, et même du plus loin! Pour moi, le choix est fait : tous les maux à souffrir avant d'être rentré et de voir au logis la journée du retour, plutôt qu'aller tout droit tomber à mon foyer, comme tomba l'Atride dans le piège tendu par Égisthe et sa femme!... Il est vrai que la mort est notre lot commun et que même les dieux ne peuvent l'écarter de l'homme qu'ils chérissent, quand la Parque de mort s'en vient tout de son long le coucher au trépas.

Posément, Télémaque la regarda et dit :

Télémaque. – Mentor, n'en parlons plus, malgré notre chagrin. Pour lui, c'en est fini du retour, et le lot, qu'il eut des Immortels, c'est la mort, désormais, la Parque ténébreuse. Mais d'un autre sujet je voudrais m'enquérir : interrogeons Nestor; personne des humains n'est plus juste ni sage, il a régné déjà sur trois âges, dit-on, si bien qu'il m'apparaît plutôt comme un des dieux.

» Nestor, fils de Nélée, dis-moi la vérité : comment donc est tombé ce puissant de la terre, l'Atride Agamemnon? où était Ménélas? quelle ruse de mort avait imaginée le cauteleux Égisthe, pour tuer un héros qui le valait cent fois?... Ménélas n'était pas en Argos d'Achaïe?... il courait par le monde?... et c'est pourquoi l'autre eut l'audace de son crime? »

Le vieux maître des chars, Nestor, lui répondit :

Nestor. – Oui, mon fils, tu sauras toute la vérité; mais je vois que, déjà, toi-même, tu devines ce qui fût advenu si ce blond Ménélas, quand il revint de Troie, avait encor trouvé au manoir de l'Atride Égisthe survivant ; à son cadavre même, il n'aurait pas donné la terre pour tombeau ; dans les champs, hors des murs, les chiens et les oiseaux l'eussent déchiqueté, et pas une Achéenne n'eût osé le pleurer ; son crime était trop grand!... Donc, nous étions là-bas, entassant les exploits, tandis que, bien tranquille, au fond de son Argos, en ses prés d'élevage, cet Égisthe enjôlait la femme de l'Atride. Elle, au commencement, repoussait l'œuvre infâme : divine Clytemnestre! elle n'avait au cœur qu'honnêtes sentiments et, près d'elle, restait l'aède que l'Atride, à son départ vers Troie, avait tant adjuré de veiller sur sa femme! Mais vint l'heure où le sort lui jeta le lacet et la mit sous le joug : Égisthe prit l'aède ; sur un îlot désert, il le laissa en proie et pâture aux oiseaux. Ce qu'il voulait, alors, elle aussi le voulut : il l'emmena chez lui. Que de cuisseaux brûlés aux saints autels des dieux! que d'ors, de broderies suspendus en offrandes, pour célébrer l'exploit dont jamais, en son cœur, il n'avait eu l'espoir!... Nous revenions de Troie, en voguant de conserve, l'Atride Ménélas et moi, toujours intimes. Nous touchions au Sounion, au cap sacré d'Athènes, quand Phoebos Apollon, de ses plus douces flèches [1], vint frapper le pilote de Ménélas, Phrontis, et ce fils d'Onétor mourut en pleine vogue, la barre entre les mains : il n'avait pas d'égal dans tout le genre humain pour mener un navire à travers les bourrasques.

» Ménélas, en dépit de sa hâte, voulut ensevelir son homme : il fit relâche et lui rendit tous les honneurs. Puis il se rembarqua sur les vagues vineuses et s'en vint d'une course, au creux de ses vaisseaux, jusque sous la falaise abrupte du Malée. C'est alors que le Zeus à la grand-voix les mit en funeste chemin. Il lâcha sur leur dos les rafales sifflantes ; le flot géant dressa ses montagnes gonflées ; de la flotte coupée, le gros fut entraîné chez les Cydoniens, qui vivent sur les bords du Jardanos crétois. Dans la brume des mers, aux confins de Gortyne, il est un rocher nu, qui tombe sur le flot ; le Notos contre lui jette ses grandes houles, qui le prennent en flanc du côté de Phaestos, et ce caillou tient tête à cette vague énorme : c'est là qu'atterrissant, les hommes à grand-peine évitèrent la mort ; mais le ressac sur les écueils brisa les coques.

» Il restait cinq vaisseaux à la proue azurée qu'en Égypte, le vent et la vague poussèrent. Pendant que Ménélas, pour faire son plein d'or et de provisions, croisait et cabotait chez ces gens d'autre langue, Égisthe à son foyer lui préparait le deuil : l'Atride fut tué ; le peuple, mis au joug ; l'autre régna sept ans sur tout l'or de Mycènes. Mais la huitième année, survint pour son malheur notre Oreste divin [a], et comme, après le meurtre, ayant enseveli cette mère odieuse et ce poltron d'Égisthe, il offrait le repas funèbre aux Argiens, le même jour, ce bon crieur de Ménélas ramena ses vaisseaux bondés à pleine charge [b]... Mais toi, suis mon conseil : jusque chez Ménélas, je t'invite à te rendre. C'est lui qui, le dernier, est rentré du dehors, d'un monde où l'on n'a pas grand espoir du retour, quand une fois les vents vous y ont égaré ; c'est si loin dans la mer qu'on ne sait pas d'oiseaux qui,

a. Vers 307-308 : il revenait d'Athènes et, filial vengeur, il surprit et tua ce cauteleux Égisthe, qui lui avait tué le plus noble des pères.

b. Vers 313-316 : aussi, vois-tu, mon cher, il ne faut pas quitter trop longtemps ta demeure en laissant ton avoir et ton propre manoir aux mains de tels bandits ; ils vont tout te manger, se partager tes biens, tandis que tu perdras ton temps à ce voyage...

dans la même année, refassent le voyage : ah! le gouffre terrible!... Va donc chez Ménélas : prends ton vaisseau, tes gens... Préfères-tu la route? j'ai mon char, mes chevaux, et n'ai-je pas des fils qui sauront te conduire chez le blond Ménélas, à Sparte la divine. En personne, prie-le de te parler sans feinte ; ne crains pas de mensonge ; il est toute sagesse! »

Comme Nestor parlait, le soleil se coucha ; le crépuscule vint. Athéna, la déesse aux yeux pers, dit alors :

ATHENA. – Vieillard, de point en point, nous voilà renseignés. Maintenant, détachez les langues des victimes ; mélangez-nous du vin pour prier Posidon et tous les Immortels ; puis songeons au sommeil ; c'est l'heure : la lumière au noroît disparaît ; même aux festins des dieux, il faut savoir quitter la table et s'en aller.

A peine avait parlé cette fille de Zeus que tous obéissaient. Les hérauts leur donnaient, sur les mains, à laver. La jeunesse emplissait, jusqu'aux bords, les cratères. La coupe de chacun fut remplie pour l'offrande ; on jeta dans le feu les langues des victimes, pour les libations aux dieux, on se leva et, l'offrande achevée, on but tout son content.

Comme alors Athéna, ainsi que Télémaque au visage de dieu, parlait de retourner au creux de leur vaisseau, Nestor avec des mots pressants les arrêta :

NESTOR. – Que Zeus et tous les dieux m'épargnent cet affront! Vous voulez me quitter et rentrer au croiseur? Me croyez-vous alors si démuni, si pauvre, que je n'aie au logis ni draps ni couvertures pour me coucher moi-même et pour coucher mes hôtes autrement qu'à la dure?... Non! non! j'ai de bons draps, et j'ai des couvertures, et ce n'est pas le fils de ce héros d'Ulysse qui s'en ira coucher à bord, sur son gaillard, tant que je vivrai, moi, ou qu'après moi, des fils garderont mon manoir pour héberger les hôtes qui viennent sous mon toit.

Athéna, la déesse aux yeux pers, répliqua :

ATHÉNA. – Tu dis bien, vieil ami! Télémaque aurait tort de ne pas t'obéir ; c'est de beaucoup le mieux qu'il aille, sur tes pas, dormir en ton manoir, tandis qu'au noir vaisseau, j'irai calmer nos gens et leur donner les ordres : j'ai l'honneur d'être à bord l'homme d'âge, et le seul, et c'est pure amitié si ce jeune équipage a suivi jusqu'ici le vaillant Télémaque ; ils sont tous de son âge. Permets donc que, ce soir, je retourne dormir au flanc du noir vaisseau. Dès l'aurore, demain, je voudrais m'en aller chez les vaillants Kaukones [1], toucher une créance, qui n'est pas d'aujourd'hui et qui n'est pas de peu. Mais toi, prends cet ami ; quand il sera chez toi, envoie-le sur ton char avec l'un de tes fils, auquel tu donneras les plus vites et les plus forts de tes trotteurs.

A ces mots, l'Athéna aux yeux pers disparut, changée en une orfraie. Le trouble s'empara de tous les Achéens. Étonné d'avoir vu de ses yeux le prodige, Nestor avait saisi la main de Télémaque et lui disait tout droit :

NESTOR. – J'ai confiance, ami : tu seras brave et fort, puisque, si jeune encore, les dieux à tes côtés viennent pour te conduire. Car c'est un habitant des manoirs de l'Olympe, et nul autre sans doute que la fille de Zeus, la déesse de gloire, cette Tritogénie [2] qui, pour ton noble père, montrait sa préférence sur tous les Argiens... Reine, sois-nous propice! donne-nous beau renom, à moi, à mes enfants, à ma digne compagne! je te sacrifierai une vache d'un an, une bête indomptée, dont nul n'ait encor mis au joug le large front, et je te l'offrirai, les cornes plaquées d'or.

C'est ainsi qu'il priait ; Athéna l'exauça. Mais, montrant le chemin à ses fils et ses gendres, le vieux maître des chars, Nestor, les ramenait vers sa belle demeure.

Quand ils eurent atteint les grands appartements de ce royal manoir, en ligne ils prirent place aux sièges et fauteuils. Le Vieillard, pour fêter leur venue, ordonna de mêler au cratère le plus doux de ses vins de garde, un vin d'onze ans, et lorsque, déliant la coiffe, l'intendante eut débouché la jarre et qu'il eut achevé le mélange au cratère, il fit l'offrande avec une longue prière à la fille du Zeus à l'égide, Athéna.

L'offrande terminée, on but tout son content, puis chacun s'en alla dormir en son logis. Mais, pour coucher le fils de son divin Ulysse, c'est dans l'entrée sonore [1] que, sans aller plus loin, le vieux maître des chars avait fait préparer deux cadres ajourés : auprès de Télémaque, il laissait Pisistrate, le meneur des guerriers à la vaillante lance, le dernier de ses fils qui restât au manoir sans être marié. Lui-même alla dormir au fond du haut logis, où sa femme et régente lui tenait préparés le lit et le coucher.

A LACÉDÉMONE [2]

Dans son berceau de brume, à peine avait paru l'Aurore aux doigts de roses que, s'élançant du lit, le vieux maître des chars, Nestor, vint prendre place au banc de pierres lisses qui flanquait la grand-porte. Sur ces pierres blanchies, à l'enduit toujours frais, Nélée siégeait jadis pour donner ses avis qui l'égalaient aux dieux. Mais depuis que la Parque l'avait mis à son joug et plongé dans l'Hadès, c'est l'antique Nestor, rempart de l'Achaïe, qui, le sceptre à la main, y trônait désormais.

La troupe de ses fils l'entoura ; Échéphron, Stratios et Perseus arrivaient de leurs chambres, puis avec Arétos le divin Thrasymède ; vint enfin le héros Pisistrate, en sixième ; avec lui, Télémaque au visage de dieu, que l'on mena siéger à côté du Vieillard.

Le vieux maître des chars, Nestor, prit la parole :

NESTOR. – Sans retard, chers enfants, accomplissez mon vœu : parmi les Immortels, invoquons Athéna qui vint, de sa personne, honorer l'opulent festin de notre dieu!... Allons! que l'un de vous descende dans la plaine me chercher une vache et la ramène en hâte, poussée par un bouvier! Qu'un autre, au noir vaisseau aille querir les gens du vaillant Télémaque et, les amenant tous, n'en laisse à bord que deux! Qu'un troisième aille dire au doreur Laerkès qu'il vienne plaquer l'or aux cornes de la bête!... Restez ici, vous autres, ne vous dispersez pas ; mais, dans les grands appartements, qu'on dise aux femmes de nous faire là-bas les apprêts du festin et qu'on nous donne ici des sièges et du bois et de l'eau sans souillure.

Il eut à peine dit que chacun s'empressait. On vit venir, montant de la plaine, la vache, venir aussi du fin croiseur les compagnons du vaillant Télémaque, venir le ferronnier, qui tenait dans ses mains les outils de son art, les instruments de bronze servant à battre l'or, l'enclume, le marteau, les tenailles bien faites. Athéna vint aussi jouir du sacrifice.

Nestor, le vieux meneur de chevaux, fournit l'or. L'ouvrier en plaqua les cornes de la vache, à petits coups soigneux, pour que ce bel ouvrage trouvât grâce devant les yeux de la déesse. Stratios et le divin Échéphron amenèrent la bête par les cornes. Dans un bassin à fleurs, Arétos apporta du cellier l'eau lustrale ; son autre main tenait la corbeille des orges. Debout près de la vache et prêt à la frapper, Thrasymède, à l'ardeur batailleuse, tenait une hache affilée, et Perseus avait pris le vase pour le sang.

Nestor, le vieux meneur de chevaux, répandit l'eau lustrale et les orges, puis il fit à Pallas une longue prière et, comme il prélevait quelques poils de la tête qu'il lançait dans le feu, l'assistance en priant jeta les pincées d'orge [1].

Déjà, faisant un pas, le bouillant Nestoride Thrasymède a frappé, et la hache a tranché les tendons cervicaux : la bête tombe inerte, sous les clameurs sacrées des filles et des brus et de la vieille reine. Eurydice, l'aînée des filles de Clymène. Fils et gendres alors, saisissant la victime, la lèvent au-dessus du sol aux larges voies ; le meneur des guerriers, Pisistrate, l'égorge : dans le flot du sang noir, l'âme quitte les os. On dépèce à la hâte ; selon le rite, on détache les quatre membres ; on les couvre de graisse sur l'une et l'autre face ; on empile, dessus, d'autres morceaux saignants. Nestor, les ayant mis à brûler sur les bûches, fait sa libation d'un vin aux sombres feux. La jeunesse l'entoure en tenant à la main les quintuples brochettes. Puis, les cuisseaux brûlés, on goûte des grillades et, découpant menu le reste de la bête, on le met à rôtir au bout des longues broches que l'on tient à deux mains.

Cependant Télémaque était allé au bain. La jolie Polycaste, une des Néléides, — c'était la moins âgée des filles de Nestor, — après l'avoir baigné et frotté d'huile fine, le vêtit d'une robe et d'une belle écharpe ; en quittant la baignoire, il avait l'apparence et l'allure d'un dieu. Il revint prendre siège à côté de Nestor, le pasteur de ce peuple. On retira du feu les grosses viandes cuites : on s'assit au festin et de nobles servants veillèrent à remplir de vin les coupes d'or.

Quand on eut satisfait la soif et l'appétit, le vieux maître des chars, Nestor, prit la parole :

NESTOR. – Allons! amenez-nous, mes fils, pour Télémaque nos chevaux aux longs crins ; liez-les sous le char, et qu'il se mette en route!

A peine avait-il dit ; dociles à sa voix, ses fils au joug du char liaient les deux trotteurs, et la dame intendante chargeait le pain, le vin, les mets, tout un repas de nourrissons de Zeus. Télémaque monta dans le char magnifique. A ses côtés, le Nestoride Pisistrate, le meneur des guerriers, monta et prit en mains les rênes et le fouet : un coup pour démarrer ; les chevaux, s'envolant [1] de grand cœur vers la plaine, laissèrent sur sa butte la ville de Pylos...

Le joug, sur leurs deux cous, tressauta tout le jour. Le soleil se couchait, et c'était l'heure où l'ombre emplit toutes les rues, comme on entrait à Phères [2], où le roi Dioclès, un des fils d'Orsiloque, un petit-fils d'Alphée, leur offrit pour la nuit son hospitalité.

Mais sitôt que parut, dans son berceau de brume, l'Aurore aux doigts de roses, attelant les chevaux et montant sur le char aux brillantes couleurs, ils poussaient hors du porche et de l'entrée sonore [a], vers les blés de la plaine : là, d'une seule traite, on acheva la

a Vers 494 : un coup pour démarrer : ils volaient de grand cœur.

route, tant les bêtes avaient de vitesse et de fond. (*CHANT IV.*) Le soleil se couchait, et c'était l'heure où l'ombre emplit toutes les rues quand, au creux des ravins, parut Lacédémone : poussant droit au manoir du noble Ménélas, ils trouvèrent le roi et nombre de ses proches qui, de ses deux enfants, fêtaient le double hymen en sa riche demeure. Ménélas envoyait sa fille au fils d'Achille, ce broyeur des guerriers, car les dieux maintenant achevaient cet hymen dont jadis, en Troade, Ménélas avait fait la promesse et l'accord ; les chevaux et les chars allaient donc la conduire au roi des Myrmidons en sa fameuse ville. A Sparte, pour son fils, Ménélas avait pris la fille d'Alector. Il aimait de tout cœur, quoique né d'une esclave, ce fort Mégapenthès ; car, d'Hélène, les dieux lui avaient refusé toute autre descendance après qu'elle avait eu d'abord son Hermione, aussi belle et charmante que l'Aphrodite d'or.

Donc, sous les hauts plafonds de la grande demeure, ils étaient au festin, voisins et familiers du noble Ménélas [a] ; mais les deux arrivants attendaient au portail, eux et leurs deux chevaux [b]. Or maître Étéoneus les vit, comme il sortait : c'était l'un des coureurs du noble Ménélas ; dans la salle, il rentra pour donner la nouvelle et, se tenant debout près du pasteur du peuple, il dit ces mots ailés :

ÉTÉONEUS. – Ménélas, nourrisson de Zeus, nous avons là deux héros étrangers, en qui se reconnaît la race du grand Zeus ; or, dis-moi, devons-nous dételer

a. Vers 17-19 : ne songeant qu'aux plaisirs, ils avaient pour chanter et jouer de la lyre un aède divin, tandis que deux jongleurs, qui dansaient à la voix, sautaient au milieux d'eux.

b. Vers 21 : le héros Télémaque et le fin Nestoride.

leurs trotteurs?... ou les conduire ailleurs chercher qui les accueille?

Mais le blond Ménélas, d'un ton fort indigné :

MÉNÉLAS. – Oh! fils de Boéthos, Étéoneus, jadis tu n'étais pas un sot ; voilà, comme un enfant, que tu dis des sornettes! Combien de fois, avant de rentrer au logis, n'avons-nous pas, tous deux, mangé le pain des autres? et plaise encore à Zeus que nous soyons toujours à l'abri de ces maux! Dételle leurs chevaux et cours nous amener ces hôtes au festin!

A peine avait-il dit qu'Étéoneus courant sortait de la grand-salle, appelait, emmenait d'autres servants-coureurs, dételait les chevaux qui suaient sous le joug, les attachait aux crèches de la cavalerie, leur donnait du froment mélangé d'orge blanche et, redressant le char, l'accotait sur le mur du fond tout reluisant, puis au manoir divin faisait entrer les hôtes. Leurs regards étonnés parcouraient la demeure du nourrisson de Zeus ; car, sous les hauts plafonds du noble Ménélas, c'était comme un éclat de soleil et de lune [1].

Lorsqu'ils eurent empli leurs yeux de ces merveilles, ils s'en furent au bain dans les cuves polies ; puis, baignés et frottés d'huile par les servantes, revêtus de la robe et du manteau de laine, ils revinrent auprès de Ménélas l'Atride s'asseoir en des fauteuils. Vint une chambrière qui, portant une aiguière en or et du plus beau, leur donnait à laver sur un bassin d'argent et dressait devant eux une table polie. Vint la digne intendante : elle apportait le pain et le mit devant eux [a], et le blond Ménélas les invita du geste :

a. Vers 56-58 : et leur fit les honneurs de toutes ses réserves ; puis le maître-tranchant, portant haut ses plateaux de viandes assorties, les présenta et leur donna des coupes d'or.

MÉNÉLAS. – Voici le pain : prenez, tous deux ; bon appétit! une fois restaurés, vous direz qui vous êtes! On voit bien qu'en vous deux, se poursuit une race de nourrissons de Zeus, de rois portant le sceptre ; jamais vilain n'eût engendré de pareils fils!

Il dit et leur offrit les morceaux rissolés d'un gras filet de bœuf qu'il prit à pleines mains : c'était la part d'honneur réservée pour sa table ; vers ces morceaux de choix préparés et servis, ils tendirent les mains.

Quand on eut satisfait la soif et l'appétit, Télémaque, pour n'être entendu d'aucun autre, dit en penchant le front vers le fils de Nestor :

TÉLÉMAQUE. – Vois donc, fils de Nestor, cher ami de mon cœur! sous ces plafonds sonores, vois les éclairs de l'or, de l'électron, du bronze, de l'argent, de l'ivoire!... Zeus a-t-il plus d'éclat au fond de son Olympe [a]?

Il disait ; mais le blond Ménélas entendit et, se tournant vers eux, leur dit ces mots ailés :

MÉNÉLAS. – Chers enfants, Zeus n'a pas de rival ici-bas!... Chez lui, rien n'est mortel, ni maisons ni richesses. Quant aux humains, comment savoir s'il en est un qui m'égale en richesses?... Mais qu'il m'en a coûté de maux et d'aventures, pour ramener mes vaisseaux pleins, après sept ans! aventures en Chypre, en Phénicie, dans l'Égyptos et chez les Nègres! et dans cette Libye où les agneaux ont des cornes dès leur naissance, où, du prince au berger, tout homme a son content de fromage, de viande et de laitage frais ; les bêtes tous les jours accourent à la traite, car trois fois

a. Vers 75 : quelle réunion d'indicibles merveilles! cette vue me confond!

dans l'année les brebis mettent bas... C'est pendant qu'en ces mers, j'allais à l'aventure, faisant mon plein de vivres, que l'autre surgissait de l'ombre et me tuait mon frère, ah! trahison d'une femme perdue!... Non! je n'ai plus de joie à régner sur ces biens! vos pères, quels qu'ils soient, ont dû vous le conter : que de maux j'ai soufferts, quel foyer j'ai perdu, peuplé d'êtres si chers avec une si belle et si grande opulence... Plût au ciel que, n'ayant qu'un tiers de ces richesses, j'eusse vécu chez moi et qu'ils fussent en vie, tous les héros tombés dans la plaine de Troie, si loin de notre Argos, de nos prés d'élevage! Ah! sur eux, sur eux tous, je pleure et me lamente [a]! Je sanglote parfois pour soulager mon cœur, et parfois je m'arrête : du frisson des sanglots, l'homme est si tôt lassé! Oui, sur eux tous, je pleure ; mais en cette tristesse, il est une mémoire qui m'obsède partout, au lit comme au festin, car nul des Achéens ne sut peiner pour moi comme peinait Ulysse, et d'un si bel élan! Dire qu'il n'a trouvé que souffrances au bout! Pour moi, c'est un chagrin qui jamais ne me quitte de le savoir toujours absent et d'ignorer son salut ou sa mort!... Et sur lui, comme moi, pleurent le vieux Laërte, la sage Pénélope et son fils Télémaque, qu'il dut, à peine né, laisser en sa maison.

Il disait. Télémaque, à ce nom de son père, sentait monter en lui un besoin de sanglots ; les pleurs, lui jaillissant des yeux, roulaient au sol : on parlait de son père! De son manteau de pourpre, qu'il saisit à deux mains, il se cacha les yeux [1]. Ménélas devina, mais attendit, l'esprit et le cœur hésitants : laisserait-il ce fils se réclamer d'un père? prendrait-il les devants pour

a. Vers 101 : tant et combien de fois en ce manoir tranquille!

tâcher de savoir ? Son esprit et son cœur ne savaient que résoudre. Or, voici que, sortant des parfums de sa chambre et de ses hauts lambris, Hélène survenait : on eût dit l'Artémis à la quenouille d'or. Adrasté avança une chaise ouvragée qu'Alkippé recouvrit d'un doux carreau de laine, puis Phylo déposa la corbeille d'argent, un cadeau d'Alcandra, la femme de Polybe. C'était un habitant de la Thèbes d'Égypte [1], la ville où les maisons regorgent de richesses. Tandis qu'à Ménélas, Polybe avait donné deux baignoires d'argent et deux trépieds en or, avec dix talents d'or, Hélène avait reçu d'Alcandra, son épouse, des présents merveilleux : une quenouille d'or et, montée sur roulettes, la corbeille d'argent aux lèvres de vermeil, que venait d'apporter Phylo, la chambrière, et qu'emplissait le fil dévidé du fuseau ; dessus, était couchée la quenouille, chargée de laine purpurine.

Hélène prit le siège avec le marchepied et, sans tarder, pressa son mari de demandes :

HÉLÈNE. – Ménélas, nourrisson de Zeus, peut-on savoir le nom de ces amis et de qui, pour venir chez nous, ils se réclament ?... Est-ce erreur de ma part ?... est-ce la vérité ?... J'obéis à mon cœur et je dis que mes yeux n'ont jamais rencontré pareille ressemblance ni d'homme ni de femme : cette vue me confond... C'est sûrement le fils de ce grand cœur d'Ulysse !... c'est lui !... c'est Télémaque, qu'à peine il a vu naître et qu'il dut, le héros, laisser en sa maison, quand vous tous, Achéens, pour moi, face de chienne, poussiez vers Ilion la plus hardie des guerres.

En réponse, le blond Ménélas répliqua :

MÉNÉLAS. – Je pense comme toi, ma femme : moi aussi, j'ai vu la ressemblance. Ulysse ! le voilà ! ce sont ses pieds, ses mains, l'éclair de son regard, sa tête et, sur le front, la même chevelure! Justement je venais d'évoquer sa mémoire, rappelant tous les maux que ce héros avait endurés pour ma cause, quand notre hôte, les cils chargés de grosses larmes, prit son manteau de pourpre et se cacha les yeux.

Pisistrate, le fils de Nestor, intervint :

PISISTRATE. – Ménélas, fils d'Atrée, le nourrisson de Zeus, le meneur des guerriers, c'est bien, comme tu dis, le fils de ce héros ; mais il est réservé ; admis en ta présence pour la première fois, il se fût reproché toute vaine parole, quand ta voix nous tenait sous un charme divin. Quant à moi, c'est Nestor, le vieux maître des chars, qui m'a mis en chemin pour lui servir de guide, car Télémaque avait le désir de te voir, espérant tes conseils et peut-être ton aide : quand le père est absent, tu sais combien le fils peut avoir à souffrir dans un manoir resté sans autres défenseurs!... C'est maintenant son lot en l'absence d'Ulysse et, contre le malheur, il n'a plus dans son peuple à qui se confier.

En réponse, le blond Ménélas répliqua :

MÉNÉLAS. – Oh! ciel! j'ai sous mon toit le fils de cet ami qui jadis, pour ma cause, affronta tant de luttes! Je m'étais bien promis, quand il viendrait chez moi, que nul des Achéens n'aurait meilleur accueil. Si le dieu de l'Olympe, le Zeus à la grand-voix, nous avait accordé de repasser, tous deux, la mer sur nos croiseurs, je voulais en Argos [1] lui céder une ville, lui bâtir un manoir, le transplanter d'Ithaque avec ses biens, son fils, son peuple tout entier [2] ; j'aurais vidé pour eux quelqu'une des cités qui, dans le voisinage, ont reconnu ma loi, et nous aurions ici fréquenté l'un chez l'autre, sans que rien vînt troubler notre accord et nos joies, jusqu'au jour où la mort nous eût enveloppés dans son nuage d'ombre... Il a fallu qu'un dieu, m'enviant ce bonheur, ne privât du retour que lui, le malheureux!

C'est ainsi qu'il parlait et tous sentaient monter un besoin de sanglots. On vit alors pleurer Hélène l'Argienne, cette fille de Zeus, et pleurer Télémaque, et Ménélas l'Atride! et le fils de Nestor n'eut pas les yeux sans larmes : son cœur se rappelait l'éminent Antiloque, ce frère qui tomba sous le fils glorieux de l'Aurore [1] éclatante.

Plein de ce souvenir, il dit ces mots ailés :

PISISTRATE. – Fils d'Atrée, notre vieux Nestor te proclamait le plus sage des hommes, chaque fois que ton nom revenait sur nos lèvres et que, dans son manoir, nous nous interrogions. Mais, ce soir, si tu veux, écoute mon conseil : je ne trouve aucun charme à ces pleurs après boire ; laissons venir l'Aurore ; dès qu'elle sortira de son berceau de brume, ce n'est certes pas moi qui trouverai mauvais que l'on pleure les morts, victimes du destin... C'est encore un hommage, et le dernier à rendre à ces infortunés, que les cheveux coupés et les larmes aux joues : j'ai perdu, moi aussi, un frère ; il n'était pas le moins brave en Argos. Tu dois bien le savoir : si je ne l'ai jamais ni rencontré ni vu, on m'a dit qu'entre tous, cet Antiloque était le roi de vos coureurs et de vos combattants!

En réponse, le blond Ménélas répliqua :

MÉNÉLAS. – Mon ami, tous tes mots et toute ta conduite sont d'un homme sensé : on te croirait plus vieux. Mais le fils d'un tel père ne peut parler qu'en sage!... Comme on retrouve en toi la race du héros à qui Zeus n'a jamais filé que le bonheur! Heureux en son épouse, heureux en ses enfants, le ciel donne à Nestor, pour la fin de ses jours, de vieillir sous son toit, dans le luxe, entouré des fils les plus prudents et maîtres à la lance... Mais laissons les sanglots : ce fut une surprise! revenons au festin!... qu'on nous donne à laver!... dès l'aurore, demain, nous verrons les affaires que, Télémaque et moi, nous avons à traiter!

Il dit. Asphalion, — c'était l'un des coureurs du noble Ménélas, — vint donner à laver [a].

Mais la fille de Zeus, Hélène, eut son dessein. Soudain, elle jeta une drogue au cratère où l'on puisait à boire : cette drogue, calmant la douleur, la colère, dissolvait tous les maux ; une dose au cratère empêchait tout le jour quiconque en avait bu de verser une larme, quand bien même il aurait perdu ses père et mère, quand, de ses propres yeux, il aurait devant lui vu tomber sous le bronze un frère, un fils aimé!... remède ingénieux, dont la fille de Zeus avait eu le cadeau de la femme de Thon, Polydamna d'Égypte : la glèbe en ce pays produit avec le blé mille simples divers ; les uns sont des poisons, les autres, des remèdes ; pays de médecins, les plus savants du monde, tous du sang de Paeon [1].

Dès qu'Hélène eut jeté sa drogue dans le vin et fait emplir les coupes, elle prit à nouveau la parole et leur dit :

HÉLÈNE. – Ménélas, fils d'Atrée, le nourrisson de Zeus, et vous aussi, les fils de pères glorieux, c'est Zeus qui, pouvant tout, nous donne tour à tour le bonheur et les maux. Mais ce soir, laissez-vous aller

a. Vers 218 : puis, vers les parts de choix préparées et servies, ils tendirent les mains.

en cette salle au plaisir des discours comme aux joies du festin. Écoutez mon récit : il est de circonstance.

» Je ne saurais vous dire et vous énumérer tous les exploits de cet Ulysse au cœur vaillant. Mais voici le haut fait que cet homme énergique risqua et réussit, au pays des Troyens, au temps de vos épreuves, à vous, gens d'Achaïe! Il s'était tout meurtri de coups défigurants ; il avait, sur son dos, jeté de vieilles loques ; on eût dit un valet dans la foule ennemie. Le voilà dans la [ville et dans ses larges rues : il se contrefaisait, jouait le mendiant ; ce n'était pas son rôle au camp des Achéens! En cet accoutrement, le voilà dans la] ville. Tout Troie s'y laissa prendre ; moi seule, en cet état, je l'avais reconnu et vins l'interroger. Il rusa, esquiva ; mais, quand je l'eus baigné, frotté d'huile, habillé, je lui promis avec le plus fort des serments de ne pas révéler la présence d'Ulysse, avant qu'il eût rejoint les croiseurs et les tentes ; alors il m'expliqua le plan des Achéens ; puis, de son long poignard, il fit un grand massacre en ville et retourna porter aux Argiens sa charge de nouvelles. Alors Troie retentit du cri des autres femmes. Mais, moi, c'était la joie que j'avais dans le cœur ! Déjà mes vœux changés me ramenaient ici, et combien je pleurais la folie qu'Aphrodite avait mise en mon cœur pour m'entraîner là-bas, loin du pays natal, et me faire quitter ma fille, mes devoirs d'épouse et un mari dont la mine ou l'esprit ne le cède à personne! »

En réponse, le blond Ménélas répliqua :

MÉNÉLAS. – Ah! comme en tout cela, ma femme, tu dis juste! je suis d'âge à connaître et l'esprit et le sens de bon nombre de ceux qu'on appelle héros, et j'ai couru le monde. Mais jamais de mes yeux encore je n'ai vu un homme ayant au cœur la vaillance d'Ulysse. Sachez ce qu'entreprit, ce que fit réussir l'énergie de cet homme!... Dans le cheval de bois, je nous revois assis, nous tous, les chefs d'Argos [a]. Mais alors tu survins, Hélène! en cet endroit, quelque dieu t'amenait pour fournir aux Troyens une chance de gloire ; sur tes pas, Déiphobe allait, beau comme un dieu, et, par trois fois, tu fis le tour de la machine ; tu tapais sur le creux, appelant nom par nom les chefs des Danaens, imitant pour chacun la voix de son épouse.

» Près du fils de Tydée et du divin Ulysse, assis en cette foule, je t'entendais crier, et Diomède et moi n'y pouvions plus tenir ; nous nous levions déjà ; nous voulions ou sortir ou répondre au plus vite ; Ulysse nous retint et mata notre envie. Tous les fils d'Achaïe restaient là sans souffler ; un seul était encore d'humeur à te répondre, Anticlos ; mais Ulysse lui plaqua sur la bouche ses deux robustes mains et, tenant bon, sauva ainsi toute la bande, jusqu'à l'heure où Pallas Athéna t'emmena. »

Posément, Télémaque le regarda et dit :

TÉLÉMAQUE. – Ménélas, fils d'Atrée, le nourrisson de Zeus, le meneur des guerriers, ce n'en est que plus triste! n'a-t-il pas moins subi une mort lamentable? que lui servit un cœur de fer en sa poitrine?... Mais, allons! menez-nous dormir : il est grand temps d'aller goûter au lit la douceur du sommeil!

Il parlait, et déjà Hélène l'Argienne avait dit aux servantes d'aller dresser les lits dans l'entrée et d'y mettre ses plus beaux draps de pourpre, des tapis pardessus et des feutres laineux pour les couvrir encore.

a. Vers 273 qui portions aux Troyens le meurtre et le trépas.

Les servantes, sorties, torche en main, de la salle, avaient garni les cadres.

Un héraut emmena les hôtes vers l'entrée. C'est là qu'ils se couchèrent [a], cependant que l'Atride et sa femme divine, Hélène en ses longs voiles, s'en allaient reposer au fond du haut logis.

LE RETOUR DE TÉLÉMAQUE [1]

Dans son berceau de brume, à peine avait paru l'Aurore aux doigts de roses que déjà ce vaillant crieur de Ménélas passait ses vêtements et, s'élançant du lit, mettait son glaive à pointe autour de son épaule, chaussait ses pieds luisants de ses belles sandales et sortait de sa chambre ; on l'eût pris, à le voir, pour un des Immortels.

Auprès de Télémaque, étant venu s'asseoir, il dit et déclara :

MÉNÉLAS. – Quel est donc le besoin, ô seigneur Télémaque! qui chez moi, dans ma divine Lacédémone, t'amena sur le dos de la plaine marine? C'est pour toi?... pour ton peuple? dis-moi la vérité!

Posément, Télémaque le regarda et dit :

TÉLÉMAQUE. – Ménélas, fils d'Atrée, le nourrisson de Zeus, le meneur des guerriers, je viens savoir de toi s'il est quelque rumeur sur le sort de mon père. On mange ma maison ; on m'a perdu déjà le meilleur de mon bien! oui! je vois ma demeure emplie de gens hostiles, qui chaque jour me tuent mes troupeaux de moutons et mes vaches cornues à la démarche torse :

a. Vers 303 : le héros Télémaque et le fin Nestoride.

ils courtisent ma mère et leur morgue est sans frein [a]. Aussi, je t'en conjure, par tout ce que mon père, cet Ulysse vaillant, a pu dire, entreprendre et, suivant sa promesse, réussir pour ta cause au pays des Troyens, au temps de vos épreuves, à vous, gens d'Achaïe ; l'heure est enfin venue pour moi qu'il t'en souvienne : dis-moi la vérité.

Mais le blond Ménélas, d'un ton fort indigné :

MÉNÉLAS. – Misère! ah! c'est au lit du héros de vaillance que voudraient se coucher ces hommes sans vigueur!... Quand le lion vaillant a quitté sa tanière, il se peut que la biche y vienne remiser les deux faons nouveau-nés qui la tètent encore, puis s'en aille brouter, par les pentes boisées, les combes verdoyantes! il rentre se coucher et leur donne à tous deux un destin sans douceur. C'est un pareil destin et sans plus de douceur qu'ils obtiendraient d'Ulysse, si, demain, Zeus le Père!... Athéna!... Apollon!... il pouvait revenir tel qu'aux murs de Lesbos, nous le vîmes un jour accepter le défi du fils de Philomèle et lutter avec lui et, de son bras robuste, le tomber pour la joie de tous nos Achéens! Qu'il rentre, cet Ulysse, parler aux prétendants! tous auront la vie courte et des noces amères! Mais je réponds à tes prières et demandes, sans un mot qui t'égare ou te puisse abuser : oui! tout ce que m'a dit un des Vieux de la Mer au parler prophétique, le voici sans omettre et sans changer un mot.

a. Vers 322-327 : c'est pourquoi tu me vois ici à tes genoux ; voudrais-tu me parler de sa perte funeste? l'as-tu vue de tes yeux? en sais-tu quelque chose de l'un de nos errants? c'est le plus malheureux qui soit né d'une femme... Ne mets ni tes égards ni ta compassion à m'adoucir les choses ; mais dis-moi point par point ce que tes yeux ont vu.

» C'était dans l'Égyptos d'où je voulais rentrer : les dieux m'y retenaient pour n'avoir pas rempli le vœu d'une hécatombe : les dieux tiennent rigueur des oublis de leurs droits. Il est, en cette mer des houles, un îlot qu'on appelle Pharos [1] : par-devant l'Égyptos, il est à la distance que franchit en un jour l'un de nos vaisseaux creux, quand il lui souffle en poupe une brise très fraîche. On trouve dans cette île un port avec des grèves d'où peuvent se remettre à flot les fins croiseurs, lorsqu'ils ont fait de l'eau au trou noir de l'aiguade. C'est là, depuis vingt jours, que les dieux m'arrêtaient sans que rien annonçât l'un de ces vents du large qui, prenant les vaisseaux, les mènent sur le dos de la plaine marine.

» Nos vivres s'épuisaient, et le cœur de mes hommes, quand la pitié d'un dieu s'émut et me sauva.

» Le robuste Protée, un des Vieux de la Mer, a pour fille Idothée dont je touchai le cœur. Un jour que j'errais seul, elle vint m'aborder ; j'étais loin de mes gens qui passaient leurs journées sur le pourtour de l'île à jeter aux poissons les hameçons crochus ; la faim tordait les ventres [2] !

» Debout à mes côtés, elle prend la parole :

» IDOTHÉE. – C'en est trop, étranger ! n'es-tu donc qu'un enfant ou qu'un faible d'esprit ?... ou t'abandonnes-tu toi-même et trouves-tu plaisir à tes souffrances ? Depuis combien de jours es-tu là dans cette île, captif, et sans trouver le moyen d'en sortir ! ne vois-tu pas faiblir le cœur des équipages ?

» A ces mots de la Nymphe, aussitôt je réponds :

» MÉNÉLAS. – Je ne sais pas ton nom, déesse ; mais écoute : c'est bien contre mon gré que je reste captif ; j'ai dû manquer aux dieux, maîtres des champs du ciel... Ah! dis-moi, puisque les Immortels savent tout, lequel des dieux m'entrave et me ferme la route [a].

» Je dis. Elle reprend, cette toute divine :

» IDOTHÉE. – Oui, je veux, étranger, te répondre sans feinte. En cette île, fréquente un des Vieux de la Mer : c'est l'immortel Protée, le prophète d'Égypte [1], qui connaît, de la mer entière, les abîmes ; vassal de Posidon, il est, dit-on, mon père, celui qui m'engendra... Ah! lui, si tu pouvais le prendre en embuscade!... il te dirait la route, la longueur des trajets et comment revenir sur la mer aux poissons ; si tu le désirais, il te dirait encore, ô nourrisson de Zeus, tout ce qu'en ton manoir, il a pu survenir de maux et de bonheur [b].

» A ces mots de la Nymphe, aussitôt je réponds :

» MÉNÉLAS. – Alors conseille-moi!... quelle embûche dresser à ce vieillard divin? il fuira, s'il me voit de loin ou me devine : mettre un dieu sous le joug, c'est assez malaisé pour un simple mortel.

» Je dis. Elle reprend, cette toute divine :

» IDOTHÉE [c]. – Quand le soleil, tournant là-haut, touche au zénith, on voit sortir du flot ce prophète des mers : au souffle du Zéphyr, qui rabat les frisons de sa noire perruque, il monte et va s'étendre au creux de ses cavernes ; en troupe, autour de lui, viennent dormir les phoques [2] de la Belle des Mers qui sortent de l'écume, pataugeant, exhalant l'âcre odeur des grands fonds. Je t'emmène là-bas dès la pointe de l'aube ; je vous poste et vous range ; à toi de bien choisir sur les bancs des vaisseaux trois compagnons

a. Vers 381 : et comment revenir sur la mer aux poissons.
b. Vers 393 : depuis que tu partis pour cet interminable et terrible voyage.
c. Vers 399 : oui! je veux, étranger, te répondre sans feinte.

d'élite. Mais je dois t'enseigner tous les tours du Vieillard. En parcourant leurs rangs, il va compter ses phoques ; quand il en aura fait, cinq par cinq, la revue, près d'eux il s'étendra, comme dans son troupeau d'ouailles un berger. C'est ce premier sommeil que vous devez guetter. Alors ne songez plus qu'à bien jouer des bras ; tenez-le quoi qu'il tente : il voudra s'échapper, prendra toutes les formes, se changera en tout ce qui rampe sur terre, en eau, en feu divin ; tenez-le sans mollir! donnez un tour de plus!... Mais, lorsqu'il en viendra à te vouloir parler, il reprendra les traits que vous lui avez vus en son premier sommeil ; c'est le moment, seigneur : laissez la violence, déliez le Vieillard, demandez-lui quel dieu vous crée des embarras [a].

» A ces mots, sous la mer écumante, elle plonge et je rentre aux vaisseaux échoués dans les sables. J'allais : que de pensées bouillonnaient en mon cœur! Je reviens au croiseur, je descends à la plage ; nous prenons le souper, puis, quand survient la nuit divine, nous dormons sur la grève de mer. Mais sitôt que paraît dans son berceau de brume l'Aurore aux doigts de roses [b], je repars en disant mainte prière aux dieux ; j'emmenais avec moi trois de mes compagnons, en qui je me fiais pour n'importe quel coup. La Nymphe, ayant plongé au vaste sein des ondes, en avait rapporté, pour la ruse qu'elle ourdissait contre son père, les peaux de quatre phoques, fraîchement écorchés, puis elle avait creusé dans le sable nos lits. Assise, elle attendait. Nous arrivons enfin, et nous voici près

a. Vers 424 : et comment revenir sur la mer aux poissons.
b. Vers 432 : sur le rivage, au long de cette mer immense.

d'elle. Elle nous fait coucher côte à côte et nous jette une peau sur chacun. Ce fut le plus vilain moment de l'embuscade : quelle terrible gêne ! ces phoques, nourrissons de la mer, exhalaient une mortelle odeur... Qui prendrait en son lit une bête marine ?... Mais, pour notre salut, elle avait apporté un cordial puissant : c'était de l'ambroisie [1], qu'à chacun, elle vint nous mettre sous le nez ; cette douce senteur tua l'odeur des monstres...

» Tout le matin, nous attendons ; rien ne nous lasse : les phoques en troupeau sont sortis de la mer ; en ligne, ils sont venus se coucher sur la grève. Enfin, voici midi : le Vieillard sort du flot. Quand il a retrouvé ses phoques rebondis, il les passe en revue : cinq par cinq, il les compte, et c'est nous qu'en premier, il dénombre, sans rien soupçonner de la ruse... Il se couche à son tour. Alors, avec des cris, nous nous précipitons ; toutes nos mains l'étreignent. Mais le Vieux n'oublie rien des ruses de son art. Il se change d'abord en lion à crinière, puis il devient dragon, panthère et porc géant ; il se fait eau courante et grand arbre à panache [2]. Nous, sans mollir, nous le tenons : rien ne nous lasse, et, quand il est au bout de toutes ses magies, le voici qui me parle, à moi, et m'interroge :

» PROTÉE. – De quel dieu, fils d'Atrée, suivis-tu le conseil pour me forcer ainsi et me prendre en ce piège ? Que veux-tu maintenant ?

» A ces mots de Protée, aussitôt je réponds :

» MÉNÉLAS. – Tu le sais bien, Vieillard ! pourquoi tous ces détours ? Voilà combien de jours que je suis dans cette île, captif et sans trouver le moyen d'en sortir ; déjà mon cœur faiblit... Ah ! dis-moi, puisque les Immortels savent tout, lequel des dieux m'entrave et me ferme la route [a].

» Je disais, et Protée aussitôt me répond :

» PROTÉE. – C'est Zeus! Car c'est à lui, ainsi qu'aux autres dieux, que tu devais offrir, avant de t'embarquer, des victimes de choix si, pour rentrer chez toi, tu voulais au plus court franchir la mer vineuse. Oui! c'est ta destinée de ne revoir les tiens, de n'entrer sous le toit de ta haute maison, au pays de tes pères, qu'après avoir revu les eaux de l'Égyptos qui nous viennent des dieux [1] : retourne dans le fleuve offrir aux Immortels, maîtres des champs du ciel, une sainte hécatombe ; ils t'ouvriront alors la route que tu cherches.

» Ainsi parlait le Vieux, et mon cœur éclata... Donc, il me renvoyait dans la brume des mers, à cet interminable et dangereux voyage!... dans l'Égyptos!... que faire?... Je repris la parole et lui dis en réponse :

» MÉNÉLAS. – En tout cela, Vieillard, j'accomplirai tes ordres. Mais, de nouveau, dis-moi sans feinte, point par point : tous ceux des Achéens qu'au départ de Troade, Nestor et moi avions laissés sur les vaisseaux, ont-ils tous réchappé?... en est-il que la mort enleva tristement, soit dans la traversée, soit la guerre finie, dans les bras de leurs proches?

» Je disais, et Protée aussitôt me répond :

» PROTÉE. – Fils d'Atrée, à quoi bon m'interroger ainsi? mieux vaudrait ignorer, me laisser mon secret. Avant qu'il soit longtemps, tu vas pleurer, crois-moi, quand je t'aurai tout dit, car beaucoup ont péri, si beaucoup sont restés. Mais deux chefs seulement, parmi les Achéens à la cotte de bronze, sont morts

a. Vers 470 : et comment revenir sur la mer aux poissons.

dans le retour ; — la guerre, tu l'as vue ; je ne t'en parle pas ; — un troisième survit, captif au bout des mers... Le premier, c'est Ajax ; avec lui, disparut sa flotte aux longues rames. Posidon fit d'abord échouer ses vaisseaux aux grands rocs des Gyrées [1], mais le sauva des flots ; il s'en tirait, malgré la haine d'Athéna, s'il n'eût pas proféré une parole impie et fait un fol écart : c'est en dépit des dieux qu'il échappait, dit-il, au grand gouffre des mers ! Posidon l'entendit, comme il criait si fort. Aussitôt, saisissant, de ses puissantes mains, son trident, il fendit l'une de ces Gyrées. Le bloc resta debout ; mais un pan dans la mer tomba, et c'était là qu'Ajax s'était assis pour lancer son blasphème : la vague, dans la mer immense, l'emporta [a]. Le second, c'est ton frère. Déjà hors de péril, il avait fui la Parque au creux de ses vaisseaux : il devait le salut à son auguste Héra. [Il approchait de la falaise abrupte du Malée [2] ; la bourrasque soudain le prit et l'emporta vers la mer aux poissons : quels lourds gémissements ! Pourtant, même de là, il put sembler encor assuré du retour. Les dieux changeaient le vent ; il rentrait au logis et, sur le premier cap, abordait dans les champs où Thyeste jadis avait eu sa demeure, où maintenant son fils Égisthe demeurait.] Il foulait avec joie la terre des aïeux ! il touchait, il baisait le sol de la patrie ! quels flots de chaudes larmes ! et quels regards d'amour donnés à son pays ! Mais le veilleur, du haut de la guette, le vit. Le cauteleux Égisthe avait posté cet homme : deux talents d'or étaient le salaire promis. Cet homme était donc là, qui, guettant à l'année, voulait ne pas manquer l'Atride à son passage,

a. Vers 511 : et c'est là qu'il mourut, ayant bu l'onde amère...

ni lui laisser le temps d'un exploit vigoureux. Il courut au logis pour donner la nouvelle à celui que le peuple appelait son pasteur. Tout aussitôt, Égisthe imagina l'embûche : dans la ville, il choisit vingt braves qu'il cacha près de la salle où l'on préparait le festin, puis il vint en personne, avec chevaux et chars, inviter le pasteur du peuple Agamemnon. Le traître! il l'amena : le roi ne savait pas qu'il allait à la mort ; à table, il l'abattit comme un bœuf à la crèche, et, des gens que l'Atride avait pris avec lui, pas un ne réchappa, pas un non plus des gens d'Égisthe ; dans la salle, ils furent tous tués.

» Il disait et mon cœur éclata : pour pleurer, je m'assis dans les sables ; je ne voulais plus vivre ; je ne voulais plus voir la clarté du soleil ; je pleurais, me roulais ; enfin j'usai ma peine, et le Vieux de la Mer, le prophète, reprit :

» PROTÉE. – Tu n'as plus, fils d'Atrée, de temps à perdre ainsi ; ce n'est pas en pleurant qu'on trouve le remède ; il te faut au plus vite essayer de rentrer au pays de tes pères ; tu pourras y trouver Égisthe encor vivant ou si, te prévenant, Oreste l'a tué, tu seras là, du moins, pour le festin funèbre.

» Il dit et, dans mon sein, la fougue de mon cœur renaissait, et mon âme, malgré tout mon chagrin, en eut un réconfort. Je repris la parole et dis ces mots ailés :

» MÉNÉLAS. – Pour ces deux-là, je suis fixé ; mais le troisième, celui qui vit encor, captif au bout des mers, ou s'y meurt ; je voudrais savoir, malgré ma peine.

» Je disais, et Protée aussitôt me répond :

» PROTÉE. – C'est le fils de Laërte, oui, c'est l'homme

d'Ithaque. Je l'ai vu dans une île pleurer à chaudes larmes ; la nymphe Calypso, qui le tient prisonnier, là-bas, dans son manoir, l'empêche de rentrer au pays de ses pères [a]... Quant à toi, Ménélas, ô nourrisson de Zeus, sache que le destin ne te réserve pas, d'après le sort commun, de mourir en Argos, dans tes prés d'élevage ; mais aux Champs Élysées, tout au bout de la terre, chez le blond Rhadamanthe [1], où la plus douce vie est offerte aux humains, où sans neige, sans grand hiver, toujours sans pluie, on ne sent que zéphyrs, dont les risées sifflantes montent de l'Océan pour rafraîchir les hommes [2], les dieux t'emmèneront : pour eux, l'époux d'Hélène est le gendre de Zeus.

» A ces mots, sous la mer écumante, il replonge. Je ramène aux vaisseaux mes compagnons divins. J'allais : que de pensées bouillonnaient en mon cœur! Nous rentrons à la grève et, gagnant le croiseur, nous prenons le souper, puis, quand survient la nuit divine, nous dormons sur la grève de mer. Mais sitôt que paraît dans son berceau de brume l'Aurore aux doigts de roses, je tire mes vaisseaux à la vague divine [b] ; mes gens montent à bord et vont s'asseoir aux bancs, puis, chacun en sa place, la rame bat le flot qui blanchit sous les coups. Je ramenai ma flotte aux eaux de l'Égyptos, qui nous viennent des dieux. J'y mouillai et j'y fis ma fête d'hécatombes pour calmer le courroux des dieux toujours vivants ; je fis dresser un tertre en l'honneur de mon frère, pour garder l'éternel souvenir de sa gloire ; puis, ces devoirs remplis, je partis

a. Vers 559-560 : n'ayant ni les vaisseaux à rames ni les hommes pour voguer sur le dos de la plaine marine.

b. Vers 578 : chargeant voiles et mâts dans nos coques légères.

et le vent que les dieux me donnèrent me ramena tout droit à la terre natale...

» Et maintenant tu vas rester en mon manoir onze jours, douze jours. Alors je prendrai soin de te remettre en route avec de beaux cadeaux : je t'offre trois chevaux, un char aux bois luisants, et je veux te donner ma coupe la plus belle, pour qu'en faisant aux dieux immortels ton offrande, le restant de tes jours, de moi tu te souviennes. »

Posément, Télémaque le regarda et dit :

TÉLÉMAQUE. – Atride, il ne faut pas me garder si longtemps. A rester près de toi, l'année me serait brève, sans qu'il me prît regret de mon toit ni des miens : tes récits, tous tes mots me font à les entendre un terrible plaisir. Mais, j'ai mes gens là-bas, dans la bonne Pylos [1] : ils trouvent le temps long cependant que, chez toi, tu voudrais me garder. En cadeau, si tu veux, j'accepte le bijou, mais ne puis emmener des chevaux en Ithaque ; c'est un luxe qu'ici j'aime mieux te laisser ; car ton royaume, à toi, est une vaste plaine, qui porte en abondance le trèfle, le souchet, l'épeautre, le froment et la grande orge blanche. Ithaque est sans prairies, sans places où courir : ce n'est qu'une île à chèvres!... pourtant je l'aime mieux que vos prés d'élevage!... Dans nos îles, tu sais, nous n'avons ni prairies ni pistes à chevaux : ce ne sont que talus de mer, et mon Ithaque encore plus que les autres.

Il disait ; mais le bon crieur de Ménélas, se prenant à sourire, le flattait de la main et lui disait tout droit :

MÉNÉLAS. – Ton beau sang, mon cher fils, se montre en tes paroles. Va! je te changerai mes cadeaux ; j'ai de quoi. De tous les objets d'art, qui sont en mon manoir, je m'en vais te donner le plus beau, le plus rare ; oui! je veux te donner un cratère forgé, dont la panse est d'argent, les lèvres de vermeil. C'est l'œuvre d'Héphaestos : il me vient de Sidon [1], du seigneur Phaedimos, ce roi qui m'abrita dans sa propre demeure, quand je rentrais ici ; je veux qu'il t'appartienne...

L'EMBUSCADE DES PRÉTENDANTS

Pendant qu'ils échangeaient ces paroles entre eux, les convives, rentrant chez le divin Atride, amenaient des moutons, apportaient de ce vin qui vous fait un cœur d'homme, ou du pain qu'envoyaient leurs femmes aux beaux voiles.

Or, comme ils préparaient au manoir le dîner, les prétendants, devant la grand-salle d'Ulysse, se jouaient à lancer disques et javelots sur la dure esplanade, théâtre coutumier de leur morgue insolente. Antinoos était assis près d'Eurymaque au visage de dieu ; ils étaient les deux chefs, que mettait hors de pair leur valeur éminente.

Mais Noémon survint, le fils de Phronios, qui, s'approchant d'Antinoos, lui demanda :

NOÉMON. – Antinoos, a-t-on oui ou non quelque idée du jour où Télémaque doit revenir ici, de la Pylos des Sables ?... Il a pris mon vaisseau, et j'en aurais besoin pour passer en Élide : j'ai là-bas dans la plaine douze mères-juments et leurs mulets sous elles, en âge de travail ; mais il faut les dresser ; je voudrais en aller prendre un pour le dressage.

Les autres, à ces mots, restèrent étonnés : jamais ils n'avaient cru Télémaque en voyage !... il serait à

Pylos, la ville de Nélée!... Ils le croyaient dans l'île, aux champs, près des troupeaux, ou l'hôte du Porcher[1].

Antinoos, le fils d'Eupithès, s'écria :

ANTINOOS. – Dis-moi la vérité! quand donc est-il parti? avec quel équipage? est-ce des jeunes gens recrutés dans Ithaque? ou de ses gens, à lui, et de ses tenanciers?... il en aurait le nombre!... Dis-moi tout net encor ; j'ai besoin de savoir : est-ce lui qui, de force, a pris ton noir vaisseau? ou, de bon gré, l'as-tu prêté sur sa demande?

Le fils de Phronios, Noémon, repartit :

NOÉMON. – C'est moi qui l'ai donné de moi-même : que faire, quand quelqu'un de son rang, en une telle angoisse, vient s'adresser à vous?... Il était malaisé de refuser le prêt... Quant à ses jeunes gens, c'est vraiment, après nous, l'élite de ce peuple. J'ai vu qu'il emmenait, pour commander à bord, Mentor, ou l'un des dieux qui lui ressemble en tout. Mais voici qui m'étonne : hier, au point du jour, j'ai revu le divin Mentor en notre ville, alors que, vers Pylos, il s'était embarqué.

Sur ces mots, Noémon retourna chez son père. Mais, cédant à l'humeur de leurs cœurs emportés, les deux autres faisaient asseoir les prétendants, tous jeux interrompus.

Antinoos, le fils d'Eupithès, leur parla :

ANTINOOS.[a] – Nombreux comme nous sommes, l'enfant, à lui tout seul, nous fausse compagnie, met son navire à flot et lève le meilleur équipage en ce peuple!

a. Vers 661-664 : le chagrin, la colère emplissaient jusqu'au bord son esprit noyé d'ombre, et ses yeux ressemblaient à un feu pétillant. Ah! misère! il est donc accompli ce voyage! quel exploit d'insolence! nous l'avions défendu pourtant à Télémaque!

il va nous en venir du mal, et sans tarder! ou plaise à Zeus de lui rabattre, avant qu'il soit de taille, sa vigueur! Mais allons! donnez-moi un croiseur et vingt hommes : que j'aille me poster, pour guetter son retour, dans la passe entre Ithaque et la Samé des Roches. Puisqu'il veut naviguer pour l'amour de son père, qu'il en paie le plaisir!

Il dit : tous d'applaudir et de ratifier, puis, se levant en hâte, on rentra chez Ulysse.

Ce fut presque aussitôt que Pénélope apprit les desseins qu'ils roulaient au gouffre de leurs cœurs. Car le héraut Médon s'en vint la prévenir : il savait leurs projets, se trouvant justement en dehors de la cour, lorsque, à l'intérieur, ils ourdissaient l'affaire. A travers le manoir, il s'en vint apporter la nouvelle à la reine. Comme il passait le seuil, Pénélope lui dit :

PÉNÉLOPE. – Héraut, pourquoi viens-tu? les nobles prétendants t'envoient-ils dire aux femmes de mon divin Ulysse de quitter leurs travaux, d'apprêter le festin? Sans plus me courtiser ni tramer autre chose, que n'ont-ils en ce jour le dernier des derniers de leurs repas chez nous! Chaque jour assemblés, en mangez-vous assez de vivres, en pillant mon sage Télémaque! Vos pères autrefois, quand vous étiez petits, ne vous ont donc pas dit ce que, pour vos parents, Ulysse avait été, ne faisant jamais rien, ne disant jamais rien pour abuser du peuple, comme c'est la façon des rois de sang divin qui persécutent l'un et favorisent l'autre! Ce n'est pas lui, jamais, qui fit tort à personne!... Mais votre cœur paraît à ces actes indignes et la mode n'est plus de rendre les bienfaits!

Posément, le héraut Médon lui répondit :

MÉDON. – Reine, si c'était là le plus grand de nos

maux! Mais voici bien plus grand et plus cruel encore : les prétendants méditent, — ah! que Zeus les arrête! — de tuer Télémaque à la pointe du bronze, avant qu'il rentre ici, car il s'en est allé s'informer de son père, vers la bonne Pylos et Sparte la divine.

Il disait. Et, genoux et cœur brisés, la reine restait là sans pouvoir proférer un seul mot : ses yeux s'étaient emplis de larmes et sa voix si claire défaillait.

Retrouvant la parole, elle lui répondit :

PÉNÉLOPE. – Héraut, dis-moi : pourquoi mon fils est-il parti ? quel besoin le poussait vers ces vaisseaux rapides, ces chevaux de la mer que prennent les guerriers pour courir sur les eaux ? veut-il donc que de lui, tout, jusqu'au nom, périsse ?

Posément, le héraut Médon lui répondit :

MÉDON. – Je ne sais ; quelque dieu l'aura-t-il entraîné ?... ou n'aura-t-il cédé qu'à l'élan de son cœur ?... Mais il est à Pylos : il voulait s'enquérir du retour de son père, du sort qu'il a subi.

A ces mots, il revint à travers le manoir. Mais, le cœur assombri et dévoré d'angoisse, la reine ne pouvait demeurer sur les sièges, dont la chambre était pleine. Tandis que, sur le seuil, elle venait s'asseoir, pour crier sa détresse au milieu de ce luxe, ses femmes l'entouraient de leurs gémissements [a].

Pénélope à travers ses sanglots leur disait :

PÉNÉLOPE. – Mes filles, écoutez! le maître de l'Olympe m'envoya plus de maux qu'à toutes les mortelles que le sort a fait naître et grandir avec moi! J'ai commencé par perdre un époux de vaillance, que son cœur de lion et ses mille vertus avaient fait sans

a. Vers 720 : les jeunes et les vieilles dans toute la maison.

rival parmi les Danaens [a]! Et voici maintenant le fils de mon amour que, de chez moi, sans gloire, emportent les rafales. Quand il s'est échappé, vous ne m'avez rien dit! Quoi! pas une de vous, — et vous saviez pourtant, — pas une, malheureuses! pour prendre sur son cœur de me tirer du lit quand mon enfant partait à bord du noir croiseur! Ah! si j'avais appris qu'il rêvât ce voyage, contre tout son désir il serait demeuré, ou c'est morte qu'il m'eût laissée en ce manoir!...

» Mais qu'un servant-coureur aille querir le vieux Dolios que mon père, lorsque je vins ici, a mis à mon service ; il soigne maintenant les arbres de mon clos. Je veux qu'en toute hâte, il aille chez Laërte pour tout lui raconter ; peut-être le Vieillard verra-t-il un moyen de quitter sa retraite et d'émouvoir ces gens, qui veulent supprimer sa race dans le fils de son divin Ulysse! »

Mais la bonne nourrice Euryclée intervint :

Euryclée. – Sous l'airain sans pitié, tue-moi! ou chasse-moi du manoir, chère fille! Mais je dois l'avouer : j'ai su toute l'affaire ; c'est moi qui, sur son ordre, ai fourni la farine et du vin le plus doux ; il avait exigé de moi le grand serment de ne pas t'en parler avant les douze jours, à moins que, le cherchant, tu n'apprisses sa fuite et que, pour le pleurer, on ne te vît déjà lacérer ces beaux traits... Va! baigne ton visage, prends des habits sans tache et, regagnant l'étage avec tes chambrières, prie la fille du Zeus à l'égide, Athéna : c'est elle encor qui doit le sauver du trépas... Mais pourquoi redoubler les tourments du Vieillard? Crois-moi : les

a. Vers 726 : le héros dont la gloire court à travers l'Hellade et plane sur Argos.

Bienheureux n'ont jamais eu en haine le sang d'Arkésios [1], et sa race vivra pour tenir à jamais cette haute maison et ses gras alentours.

Elle dit et calma les tourments de la reine. Ayant séché ses pleurs et baigné son visage, Pénélope, vêtue d'une robe sans tache, regagna son étage avec ses chambrières et remplit sa corbeille des orges de l'offrande, pour prier Athéna :

PÉNÉLOPE. – Fille du Zeus qui tient l'égide, Atrytonée [2], exauce ma prière! ah! si dans ce manoir Ulysse l'avisé t'a jamais fait brûler la graisse et les cuisseaux d'un bœuf ou d'un mouton, l'heure est enfin venue pour moi, qu'il t'en souvienne!... ah! sauve-moi mon fils! déjoue, des prétendants, la criminelle audace!

Elle dit et poussa les clameurs rituelles ; la déesse entendit son imprécation.

Les prétendants criaient dans l'ombre de la salle. Un de ces jeunes fats s'en allait répétant :

LE CHŒUR. – Pour le coup, c'est l'hymen que la plus courtisée des reines nous apprête, sans savoir que la mort est déjà sur son fils!

Ainsi parlaient ces gens sans comprendre l'affaire. Alors Antinoos prit la parole et dit :

ANTINOOS. – Pauvres amis, voilà de folles vanteries, dont ici ne devrait user aucun de nous : craignez que, là-dedans, on n'aille les lui dire!... Silence! et levons-nous pour remplir le dessein que tous, en votre cœur, vous avez approuvé.

A ces mots, il choisit vingt hommes des plus braves, descendit au croiseur, sur la grève de mer, et le fit tout d'abord tirer en eau profonde ; puis, dans la coque noire, on chargea mât et voiles ; aux estropes de cuir, on attacha les rames [a] et l'on s'en fut mouiller en rade et débarquer sous le cap de l'aval, pour prendre le repas en attendant le soir.

Mais Pénélope, à son étage, se couchait sans boire ni manger. Ne sentant plus la faim, la plus sage des femmes ne songeait qu'à son fils : fuirait-il le trépas, ce fils irréprochable ? tomberait-il sous ces bandits de prétendants ? Quand un gros de chasseurs accule le lion au cercle de la mort, la bête n'a pas plus d'angoisses et de craintes que n'en avait la reine, quand sur ses yeux tomba le plus doux des sommeils.

Les membres détendus, la tête renversée, Pénélope dormait. La déesse aux yeux pers eut alors son dessein : elle fit un fantôme et lui donna les traits d'Iphthimé, l'autre fille du magnanime Icare, la femme d'Eumélos qui résidait à Phères [1].

Athéna l'envoya chez le divin Ulysse, pour calmer les soupirs, les sanglots et les pleurs de cette triste et gémissante Pénélope ; dans la chambre, il entra par la courroie de barre et, debout au chevet de la reine, lui dit :

LE FANTÔME. – Pénélope, tu dors, mais le cœur ravagé. Sache bien que les dieux, dont la vie n'est que joie, ne veulent plus entendre tes pleurs et tes sanglots : ton fils doit revenir, car jamais envers eux, il n'a commis de faute.

Au plus doux du sommeil, à la porte des songes, la plus sage des femmes, Pénélope, reprit :

PÉNÉLOPE. – Pourquoi viens-tu, ma sœur ? tu n'as pas l'habitude de fréquenter ici : ta demeure est si

a. Vers 783-784 : tout le long du bordage et, les voiles hissées, les servants empressés apportaient les agrès.

loin!... Tu me dis d'oublier les maux et les alarmes qui viennent harceler mon esprit et mon cœur! J'ai commencé par perdre un époux de vaillance, que son cœur de lion et ses mille vertus avaient fait sans rival parmi les Danaens [a]! et maintenant voici qu'aux creux de son vaisseau, le fils de mon amour s'en va, pauvre petit!... que sait-il des dangers?... que sait-il des affaires? Pour lui, plus que pour l'autre encor, je me désole. Je tremble pour ses jours, je redoute un malheur, que ce soit au pays où il voulut se rendre, ou que ce soit en mer! Il a tant d'ennemis qui conspirent sa perte et veulent le tuer avant qu'il ait revu le pays de ses pères!

Mais le fantôme obscur prit la parole et dit :

LE FANTÔME. – Du courage! ton cœur doit bannir toute crainte. Il a, pour le conduire, un guide que voudraient à leurs côtés bien d'autres, car ce guide est puissant : c'est Pallas Athéna. Elle a pris en pitié ton angoisse ; c'est elle qui m'envoie t'avertir.

La plus sage des femmes, Pénélope, reprit :

PÉNÉLOPE. – Si ton être est divin, et divin, ton message, allons! de l'autre aussi, conte-moi les misères!... vit-il encore? voit-il la clarté du soleil?... est-il mort et déjà aux maisons de l'Hadès?

Mais le fantôme obscur, reprenant la parole :

LE FANTÔME. – De lui, je ne saurais te parler clairement. Est-il mort ou vivant : pourquoi parler à vide?

Il dit et, se glissant tout le long de la barre, il traversa la porte, disparut dans les airs, et la fille d'Icare, arrachée au sommeil, sentit son cœur renaître, si clair

a. Vers 816 : le héros, dont la gloire court à travers l'Hellade et plane sur Argos.

était le songe qu'elle avait vu surgir au profond de la nuit !...

... Remontés à leur bord, les prétendants voguaient sur la route des ondes et déjà, dans leurs cœurs, ils voyaient Télémaque accablé de leurs coups. Il est en pleine mer, dans la passe entre Ithaque et la Samé des Roches, un îlot de rocher, la petite Astéris devant les Ports Jumeaux avec leurs bons mouillages. C'est là que, pour guetter leur homme, ils s'embusquèrent [1].

LES RÉCITS CHEZ ALKINOOS [1]

L'ANTRE DE CALYPSO [2]

(*CHANT V.*) L'Aurore se levait de sa couche, aux côtés du glorieux Tithon [3], pour apporter le jour aux dieux et aux mortels. Les dieux prenaient séance autour du Haut-Tonnant, de Zeus, qui, sur eux tous, l'emporte par la force. Athéna leur contait les angoisses d'Ulysse, car, y pensant toujours, elle avait sur le cœur qu'il restât chez la Nymphe [4] :

ATHÉNA. – Zeus le Père! et vous tous, Éternels bienheureux! à quoi sert d'être sage, accommodant et doux, lorsque l'on tient le sceptre, et de n'avoir jamais l'injustice en son cœur? Vivent les mauvais rois et leurs actes impies! Car est-il souvenir de ce divin Ulysse chez ceux qu'il gouvernait en père des plus doux? Mais il gît dans une île, où les maux le torturent ; là-bas, en son manoir, la nymphe Calypso, de force, le retient : il ne peut revenir au pays de ses pères, n'ayant ni les vaisseaux à rames ni les hommes pour voguer sur le dos de la plaine marine... Et l'on veut lui tuer le fils de son amour, qui revient au logis car il était allé s'enquérir de son père, vers la bonne Pylos et Sparte la divine.

Zeus, l'assembleur des nues, lui fit cette réponse :

Zeus. – Quel mot s'est échappé de l'enclos de tes dents? N'est-ce pas toi qui viens de décider, ma fille, qu'Ulysse rentrerait pour châtier ces gens?... Et quant à Télémaque, à toi de le guider! n'es-tu pas assez forte? fais donc que, sain et sauf, il rentre en son Ithaque et que, sur leur vaisseau, les prétendants reviennent sans l'avoir rencontré.

A ces mots, se tournant vers son cher fils Hermès :

Zeus. – Hermès, puisque c'est toi qui portes nos messages, pars! va-t'en révéler à la Nymphe bouclée le décret sans appel sur le retour d'Ulysse et comment ce grand cœur chez lui devra rentrer! Sans le concours des dieux ni des hommes mortels, mais seul, sur un radeau de poutres assemblées, il doit, vingt jours encor, souffrir avant d'atteindre la fertile Schérie, terre des Phéaciens qui sont parents des dieux : sur un de leurs vaisseaux, c'est eux qui, l'honorant de tout cœur, comme un dieu, doivent le ramener au pays de ses pères, après l'avoir comblé d'or, de bronze et d'étoffes [a]. Car son destin, à lui, est de revoir les siens, de rentrer sous le toit de sa haute maison, au pays de ses pères.

Comme il disait, le Messager aux rayons clairs se hâta d'obéir : il noua sous ses pieds ses divines sandales, qui, brodées de bel or, le portent sur les ondes et la terre sans bornes, vite comme le vent [b], et, plongeant de l'azur, à travers la Périe [1], il tomba sur la

a. Vers 39-40 : en si grande abondance qu'Ulysse, revenu d'Ilion sans encombre, n'eût jamais rapporté pareil lot de butin.

b. Vers 47-49 : il saisit la baguette dont tour à tour il charme le regard des humains ou les tire à son gré du plus profond sommeil et, sa baguette en main, l'alerte dieu aux rayons clairs prenait son vol.

mer, puis courut sur les flots, pareil au goéland qui chasse les poissons dans les terribles creux de la mer inféconde et va mouillant dans les embruns son lourd plumage. Pareil à cet oiseau, Hermès était porté sur les vagues sans nombre.

Mais quand, au bout du monde, Hermès aborda l'île, il sortit en marchant de la mer violette, prit terre et s'en alla vers la grande caverne, dont la Nymphe bouclée avait fait sa demeure.

Il la trouva chez elle, auprès de son foyer où flambait un grand feu. On sentait du plus loin le cèdre pétillant et le thuya, dont les fumées embaumaient l'île [1]. Elle était là-dedans, chantant à belle voix et tissant au métier de sa navette d'or. Autour de la caverne, un bois avait poussé sa futaie vigoureuse : aunes et peupliers et cyprès odorants, où gîtaient les oiseaux à la large envergure, chouettes, éperviers et criardes corneilles, qui vivent dans la mer et travaillent au large.

Au rebord de la voûte, une vigne en sa force éployait ses rameaux, toute fleurie de grappes, et près l'une de l'autre, en ligne, quatre sources versaient leur onde claire, puis leurs eaux divergeaient à travers des prairies molles, où verdoyaient persil et violettes [1]. Dès l'abord en ces lieux, il n'est pas d'Immortel qui n'aurait eu les yeux charmés, l'âme ravie. Le dieu aux rayons clairs restait à contempler. Mais, lorsque, dans son cœur, il eut tout admiré, il se hâta d'entrer dans la vaste caverne et, dès qu'il apparut aux yeux de Calypso, vite il fut reconnu par la toute divine : jamais deux Immortels ne peuvent s'ignorer, quelque loin que l'un d'eux puisse habiter de l'autre.

Dans la caverne, Hermès ne trouva pas Ulysse : il

pleurait sur le cap, le héros magnanime, assis en cette place où chaque jour les larmes, les sanglots, le chagrin lui secouaient le cœur [a].

Calypso fit asseoir Hermès en un fauteuil aux glacis reluisants, et la toute divine interrogea le dieu :

CALYPSO. – Tu viens chez nous, Hermès à la baguette d'or ?... et pour quelle raison ? Je t'aime et te respecte. Mais ce n'est pas souvent qu'on te rencontre ici. Exprime ton désir : mon cœur veut l'exaucer, si je puis le remplir, s'il n'est pas impossible [b].

Ce disant, Calypso approchait une table, la chargeait d'ambroisie, puis d'un rouge nectar [1] lui faisait le mélange et, mangeant et buvant, le Messager de Zeus, le dieu aux rayons clairs se restaurait le cœur. Le repas terminé, Hermès prit la parole et lui dit en réponse :

HERMÈS. – Pourquoi je suis venu, moi, dieu, chez toi, déesse ? je m'en vais franchement te le dire : à tes ordres. C'est Zeus qui m'obligea de venir jusqu'ici contre ma volonté : qui mettrait son plaisir à courir cette immensité de l'onde amère ? et dans ton voisinage, il n'est pas une ville dont le peuple offre aux dieux, en un beau sacrifice, l'hécatombe de choix ! Mais quand le Zeus qui tient l'égide a décidé, quel moyen pour un dieu de marcher à l'encontre ou de se dérober ?... Zeus prétend qu'un héros est ici, près de toi, et le plus lamentable de tous ceux qui, sous la grand-ville de Priam, étaient allés combattre [c].

a. Vers 84 : promenant ses regards sur la mer inféconde et répandant des larmes.

b. Vers 91 : mais suis-moi tout d'abord que je t'offre les dons de l'hospitalité !

c. Vers 107 111 : neuf ans et, le dixième, ayant pillé la ville, rentrèrent au logis ; Athéna, qu'ils avaient offensée au départ, dé-

Aujourd'hui sans retard il faut le renvoyer : c'est Zeus qui te l'ordonne ; car son destin n'est pas de mourir en cette île éloigné de ses proches [a].

A ces mots, un frisson secoua Calypso ; mais élevant la voix, cette toute divine lui dit ces mots ailés :

CALYPSO. – Que vous faites pitié, dieux jaloux entre tous! ô vous qui refusez aux déesses le droit de prendre dans leur lit, au grand jour, le mortel que leur cœur a choisi pour compagnon de vie! C'est ainsi qu'autrefois, l'Aurore aux doigts de roses avait pris Orion [1] : quelle colère, ô dieux, dont la vie n'est que joie! il fallut qu'Artémis, cette chaste déesse, vînt de son trône d'or le frapper à Délos de ses plus douces flèches!... Une seconde fois, quand Iasion gagna le cœur de Démèter, la déesse bouclée lui donna, dans le champ du troisième labour, son amour et son lit [2] ; mais Zeus ne fut pas long à savoir la nouvelle! il le tua d'un coup de sa foudre livide. Aujourd'hui, c'est mon tour : vous m'enviez, ô dieux, la présence d'un homme, alors que ce mortel, c'est moi qui l'ai sauvé! Abandonné de tous, il flottait sur sa quille! de son éclair livide, Zeus avait foudroyé et fendu son croiseur en pleine mer vineuse!... son équipage entier de braves était mort. Quand la houle et le vent sur ces bords le jetèrent, c'est moi qui l'accueillis, le nourris, lui promis de le rendre immortel et jeune à tout jamais... Mais il n'est que trop vrai : lorsque le Zeus qui tient l'égide a décidé, quel moyen pour un dieu de marcher à l'encontre ou de se dérober?... Qu'il parte, puisque Zeus

chaîna la tempête et des vagues énormes ; son équipage entier de braves succomba ; mais la houle et le vent sur ces bords le jetèrent...

a. Vers 114-115 : son sort, en vérité, est de revoir les siens, de rentrer sous le toit de sa haute maison, au pays de ses pères.

l'incite à se jeter sur la mer inféconde!... Quant à le ramener, comment ferais-je, moi? je n'ai ni les vaisseaux à rames ni les hommes... Pour voguer sur le dos de la plaine marine, je ne puis lui donner que mes conseils d'amie, et lui dire, sans rien lui cacher, les moyens de rentrer sain et sauf au pays de ses pères.

Le Messager aux rayons clairs lui répondit :

HERMÈS. – Renvoie-le même ainsi ; crains le courroux de Zeus ; car sa rancune, un jour, pourrait te chercher noise.

Et, quand il eut parlé, alerte il disparut, le dieu aux rayons clairs.

La Nymphe auguste allait vers son grand cœur d'Ulysse, toute prête à céder au message de Zeus. Quand elle le trouva, il était sur le cap, toujours assis, les yeux toujours baignés de larmes, perdant la douce vie à pleurer le retour. C'est qu'il ne goûtait plus les charmes de la Nymphe! La nuit, il fallait bien qu'il rentrât auprès d'elle, au creux de ses cavernes : il n'aurait pas voulu : c'est elle qui voulait! Mais il passait les jours, assis aux rocs des grèves [a], promenant ses regards sur la mer inféconde et répandant des larmes. Debout à ses côtés, cette toute divine avait pris la parole :

CALYPSO. – Je ne veux plus qu'ici, pauvre ami! dans les larmes, tu consumes tes jours. Me voici toute prête à te congédier. Prends les outils de bronze, abats de longues poutres, unis-les pour bâtir le plancher d'un radeau!... dessus, tu planteras un gaillard en hauteur, qui puisse te porter sur la brume des mers. Moi, quand j'aurai chargé le pain, l'eau, le vin rouge et

a. Vers 157 : tout secoué de larmes, de sanglots, de chagrins.

toutes les douceurs pour t'éviter la faim, et lorsque je t'aurai fourni de vêtements, je te ferai souffler une brise d'arrière, qui te ramènera, sain et sauf, au pays..., s'il plaît aux Immortels, maîtres des champs du ciel : ils peuvent mieux que moi décider et parfaire.

Elle parlait ainsi à ce divin Ulysse. Un frisson secoua le héros d'endurance, mais, élevant la voix, il dit ces mots ailés :

ULYSSE. – Ce n'est pas mon retour, ah! c'est tout autre chose que tu rêves, déesse! lorsque, sur un radeau, tu me dis de franchir le grand gouffre des mers, ses terreurs, ses dangers, que les plus fins de nos vaisseaux, les plus rapides, n'osent pas affronter, même en ayant de Zeus la brise favorable [a].

Il dit ; mais Calypso se prenait à sourire, et la toute divine, le flattant de la main, lui déclarait tout droit :

CALYPSO. – Le brigand que tu fais! tu connais la prudence! quels mots tu sais trouver pour nous dire cela [b]! Mais rien dans mes pensées et rien dans mes conseils ne serait différent, si moi-même j'étais en si grave besoin. Mon esprit, tu le sais, n'est pas de perfidie ; ce n'est pas en mon sein qu'habite un cœur de fer ; le mien n'est que pitié.

Elle dit et déjà cette toute divine l'emmenait au plus court. Ulysse la suivait en marchant sur ses traces, et le couple, mortel et déesse, rentra sous la grotte voûtée.

a. Vers 177-179 : dussé-je te déplaire, non! je ne mettrai pas le pied sur un radeau, si tu ne consens pas à me jurer, déesse, le grand serment des dieux [1] que tu n'as contre moi aucun autre dessein pour mon mal et ma perte.

b. Vers 184-187 : soyez donc mes témoins, Terre, Voûte du Ciel, Eaux tombantes du Styx [2], — pour les dieux bienheureux c'est le plus redouté, le plus grand des serments! — non! je n'ai contre toi aucun autre dessein pour ton mal et ta perte!

Quand le héros se fut assis dans le fauteuil qu'Hermès avait quitté, la Nymphe lui servit toute la nourriture, les mets et la boisson, dont usent les humains destinés à la mort [1] ; en face du divin Ulysse, elle prit siège ; ses femmes lui donnèrent ambroisie et nectar, puis, vers les parts de choix préparées et servies, ils tendirent les mains.

Mais, après les plaisirs du manger et du boire, c'est elle qui reprit, cette toute divine :

CALYPSO. – Fils de Laërte, écoute, ô rejeton des dieux, Ulysse aux mille ruses!... C'est donc vrai qu'au logis, au pays de tes pères, tu penses à présent t'en aller?... tout de suite?... Adieu donc malgré tout!... Mais si ton cœur pouvait savoir de quels chagrins le sort doit te combler avant ton arrivée à la terre natale, c'est ici, près de moi, que tu voudrais rester pour garder ce logis et devenir un dieu, quel que soit ton désir de revoir une épouse vers laquelle tes vœux chaque jour te ramènent... Je me flatte pourtant de n'être pas moins belle de taille ni d'allure, et je n'ai jamais vu que de femme à déesse, on pût rivaliser de corps ou de visage.

Ulysse l'avisé lui fit cette réponse :

ULYSSE. – Déesse vénérée, écoute et me pardonne : je me dis tout cela!... Toute sage qu'elle est, je sais qu'auprès de toi, Pénélope serait sans grandeur ni beauté ; ce n'est qu'une mortelle, et tu ne connaîtras ni l'âge ni la mort... Et pourtant le seul vœu que chaque jour je fasse est de rentrer là-bas, de voir en mon logis la journée du retour! Si l'un des Immortels, sur les vagues vineuses, désire encore me tourmenter, je tiendrai bon : j'ai toujours là ce cœur endurant tous les maux ; j'ai déjà tant souffert, j'ai déjà tant peiné sur les flots, à la guerre!... s'il y faut un surcroît de peines, qu'il m'advienne!

Comme Ulysse parlait, le soleil se coucha ; le crépuscule vint : sous la voûte, au profond de la grotte, ils rentrèrent pour rester dans les bras l'un de l'autre à s'aimer.

LE RADEAU D'ULYSSE

De son berceau de brume, à peine était sortie l'Aurore aux doigts de roses, qu'Ulysse revêtait la robe et le manteau. La Nymphe se drapa d'un grand linon neigeux, à la grâce légère ; elle ceignit ses reins de l'orfroi le plus beau ; d'un voile retombant, elle couvrit sa tête, puis fut toute au départ de son grand cœur d'Ulysse. Tout d'abord, elle vint lui donner une hache aux deux joues affûtées, un gros outil de bronze, que mettait bien en mains un manche d'olivier aussi ferme que beau ; ensuite elle apporta une fine doloire et montra le chemin vers la pointe de l'île, où des arbres très hauts avaient poussé jadis, aunes et peupliers, sapins touchant le ciel, tous morts depuis longtemps, tous secs et, pour flotter, tous légers à souhait. Calypso lui montra cette futaie d'antan, et la toute divine regagna son logis. Mais lui, coupant ses bois sans chômer à l'ouvrage, il jetait bas vingt arbres, que sa hache équarrit et qu'en maître il plana, puis dressa au cordeau. Calypso revenait : cette toute divine apportait les tarières.

Ulysse alors perça et chevilla ses poutres, les unit l'une à l'autre au moyen de goujons et fit son bâtiment. Les longueur et largeur qu'aux plats vaisseaux de charge [1], donne le constructeur qui connaît son métier, Ulysse les donna au plancher du radeau ; puis, dressant le gaillard, il en fit le bordage de poutrelles serrées, qu'il couvrit pour finir de voliges en long; il y planta le mât emmanché de sa vergue; en poupe, il adapta la barre à gouverner; alors de claies d'osier, ayant contre la vague ceinturé le radeau, il lesta le plancher d'une charge de bois. Calypso revenait ; cette toute divine apportait les tissus dont il ferait ses voiles : en maître encore, il sut les tailler, y fixer les drisses et ralingues ; il amarra l'écoute ; enfin, sur des rouleaux, il mit le bâtiment à la vague divine.

Au bout de quatre jours, tout était terminé. Calypso, le cinquième, le renvoya de l'île : elle l'avait baigné et revêtu d'habits à la douce senteur ; elle avait mis à bord une outre de vin noir, une plus grosse d'eau et, dans un sac de cuir, les vivres pour la route, sans compter d'autres mets et nombre de douceurs ; elle avait fait souffler la plus tiède des brises, un vent de tout repos... Plein de joie, le divin Ulysse ouvrit ses voiles.

Assis près de la barre, en maître il gouvernait : sans qu'un somme jamais tombât sur ses paupières, son œil fixait les Pléiades et le Bouvier, qui se couche si tard, et l'Ourse, qu'on appelle aussi le Chariot, la seule des étoiles, qui jamais ne se plonge aux bains de l'Océan, mais tourne en même place, en guettant Orion ; l'avis de Calypso, cette toute divine, était de naviguer sur les routes du large [2], en gardant toujours l'Ourse à gauche de la main.

Dix-sept jours, il vogua sur les routes du large ; le dix-huitième enfin, les monts de Phéacie et leurs bois apparurent : la terre était tout près, bombant son bouclier sur la brume des mers.

Or, du pays des Noirs, remontait le Seigneur qui ébranle le sol [1]. Du haut du mont Solyme [2], il découvrit le large : Ulysse apparaissait voguant sur son radeau. La colère du dieu redoubla dans son cœur, et, secouant la tête, il se dit à lui-même :

POSIDON. – Ah! misère! voilà, quand j'étais chez les Noirs, que les dieux, pour Ulysse, ont changé leurs décrets. Il est près de toucher aux rives phéaciennes, où le destin l'enlève au comble des misères qui lui venaient dessus. Mais je dis qu'il me reste à lui jeter encore sa charge de malheurs!

A peine avait-il dit que, prenant son trident et rassemblant les nues, il démontait la mer, et des vents de toute aire, déchaînait les rafales ; sous la brume, il noyait le rivage et les flots ; la nuit tombait du ciel ; ensemble s'abattaient l'Euros, et le Notos, et le Zéphyr hurlant [3], et le Borée qui naît dans l'azur et qui fait rouler la grande houle.

Ulysse alors, sentant ses genoux et son cœur se dérober, gémit en son âme vaillante :

ULYSSE. – Malheureux que je suis! quel est ce dernier coup? J'ai peur que Calypso ne m'ait dit que trop vrai!... Le comble de tourments que la mer, disait-elle, me réservait avant d'atteindre la patrie, le voici qui m'advient! Ah! de quelles nuées Zeus tend les champs du ciel! il démonte la mer, où les vents de toute aire s'écrasent en bourrasques! sur ma tête, voici la mort bien assurée!... Trois fois et quatre fois heureux les Danaens, qui jadis, en servant les Atrides, tombèrent dans la plaine de Troie! Que j'aurais dû mourir, subir la destinée, le jour où, près du corps d'Achille, les Troyens faisaient pleuvoir sur moi le bronze de leurs piques! J'eusse alors obtenu ma tombe ; l'Achaïe aurait chanté ma gloire... Ah! la mort pitoyable où me prend le destin!

A peine avait-il dit qu'en volute, un grand flot le frappait : choc terrible! le radeau capota : Ulysse au loin tomba hors du plancher ; la barre échappa de ses mains, et la fureur des vents, confondus en bourrasque, cassant le mât en deux, emporta voile et vergue au loin, en pleine mer. Lui-même, il demeura longtemps enseveli, sans pouvoir remonter sous l'assaut du grand flot et le poids des habits que lui avait donnés Calypso la divine. Enfin il émergea de la vague ; sa bouche rejetait l'âcre écume dont ruisselait sa tête. Mais, tout meurtri, il ne pensa qu'à son radeau : d'un élan dans les flots, il alla le reprendre, puis s'assit au milieu pour éviter la mort et laissa les grands flots l'entraîner çà et là au gré de leurs courants... Le Borée de l'automne emporte dans la plaine les chardons emmêlés en un dense paquet. C'est ainsi que les vents poussaient à l'aventure le radeau sur l'abîme, et tantôt le Notos le jetait au Borée, tantôt c'était l'Euros qui le cédait à la poursuite du Zéphyr.

Mais Ino l'aperçut, la fille de Cadmos [1] aux chevilles bien prises, qui, jadis simple femme et douée de la voix, devint au fond des mers Leucothéa et tient son rang parmi les dieux. Elle prit en pitié l'angoisse du héros, jeté à la dérive ; sous forme de mouette, elle sortit de l'onde et, se posant au bord du radeau, vint lui dire :

INO. – Contre toi, pauvre ami, pourquoi cette fureur de l'Ébranleur du sol et les maux qu'en sa haine, te plante Posidon? Sois tranquille pourtant ; quel que soit son désir, il ne peut t'achever. Mais écoute-moi bien : tu parais plein de sens. Quitte ces vêtements ;

laisse aller ton radeau où l'emportent les vents, et te mets à la nage ; tâche, à force de bras, de toucher au rivage de cette Phéacie, où t'attend le salut. Prends ce voile divin ; tends-le sur ta poitrine ; avec lui, ne crains plus la douleur ni la mort. Mais lorsque, de tes mains, tu toucheras la rive, défais-le, jette-le dans la vague vineuse, au plus loin vers le large, et détourne la tête!

A peine elle avait dit que, lui donnant le voile, elle se replongeait dans la vague écumante, pareille à la mouette, et le flot noir couvrait cette blanche déesse. Le héros d'endurance, Ulysse le divin, restait à méditer. Il gémissait tout bas en son âme vaillante :

ULYSSE. – Malheureux que je suis! c'est un piège nouveau que me tend l'un des dieux, quand il vient m'ordonner de quitter ce radeau. Non! non! je ne veux pas lui obéir encor ; mes yeux n'ont aperçu que de trop loin la terre où le sort, disait-il, me promet le salut... Il vaut mieux faire ainsi ; c'est, je crois, le plus sage : tant que mes bois tiendront, unis par les chevilles, je vais rester dessus, endurer et souffrir ; mais sitôt que la mer brisera le plancher, je me mets à la nage ; il ne me restera rien de mieux comme espoir.

Son esprit et son cœur ne savaient que résoudre, quand l'Ébranleur du sol souleva contre lui une vague terrible, dont la voûte de mort vint lui crouler dessus... Sur la paille entassée, quand se rue la bourrasque, la meule s'éparpille aux quatre coins du champ ; c'est ainsi que la mer sema les longues poutres. Ulysse alors monta sur l'une et l'enfourcha comme un cheval de course, puis quitta les habits que lui avait donnés Calypso la divine ; sous sa poitrine, en hâte, il étendit le voile et, la tête en avant, se jetant à la mer, il ouvrit les deux mains pour se mettre à nager. Le puissant Ébranleur du sol le regardait et, hochant de la tête, se disait en son cœur :

POSIDON. – Te voilà maintenant sous ta charge de maux! va! flotte à l'aventure ; avant qu'en Phéacie, des nourrissons de Zeus t'accueillent, j'ai l'espoir de te fournir encore ton content de malheur.

Il disait et, poussant ses chevaux aux longs crins, il s'en fut vers Égées [1], et son temple fameux. Mais Pallas Athéna eut alors son dessein : barrant la route aux vents, cette fille de Zeus leur commanda à tous la trêve et le sommeil ; puis elle fit lever un alerte Borée et rabattit le flot, afin que, chez les bons rameurs de Phéacie, son Ulysse divin pût aborder et fuir la Parque et le trépas.

Durant deux jours, deux nuits, Ulysse dériva sur la vague gonflée : que de fois, en son cœur, il vit venir la mort! Quand, du troisième jour, l'Aurore aux belles boucles annonçait la venue, soudain le vent tomba ; le calme s'établit : pas un souffle ; il put voir la terre toute proche ; son regard la fouillait, du sommet d'un grand flot qui l'avait soulevé... Oh! la joie des enfants qui voient revivre un père, qu'un long mal épuisant torturait sur son lit : la cruauté d'un dieu en avait fait sa proie ; bonheur! les autres dieux l'ont tiré du péril!... C'était la même joie qu'Ulysse avait à voir la terre et la forêt. Il nageait, s'élançait pour aller prendre pied... Il n'était déjà plus qu'à portée de la voix : il perçut le ressac qui tonnait sur les roches ; la grosse mer grondait sur les sèches du bord : terrible ronflement! tout était recouvert de l'embrun des écumes, et pas de ports en vue, pas d'abri, de refuge!... rien que des caps pointant leurs rocs et leurs écueils!

Ulysse alors, sentant ses genoux et son cœur se dérober, gémit en son âme vaillante :

ULYSSE. – Malheur à moi! quand Zeus rend la terre à mes yeux, contre toute espérance, lorsque j'ai réussi à franchir cet abîme, pas une cale en vue où je puisse sortir de cette mer d'écumes! Ce n'est, au long du bord, que pointes et rochers, autour desquels mugit le flot tumultueux ; par-derrière, un à-pic de pierre dénudée ; devant, la mer sans fond ; nulle part, un endroit où planter mes deux pieds pour éviter la mort!... Que j'essaie d'aborder : un coup de mer m'enlève et va me projeter contre la roche nue ; tout élan sera vain!... Mais si je continue de longer à la nage et cherche à découvrir la pente d'une grève et des anses de mer, j'ai peur que, revenant me prendre, la bourrasque ne me jette à nouveau dans la mer aux poissons. Ah! j'aurai beau crier : heureux si l'un des dieux ne m'envoie pas du fond quelqu'un de ces grands monstres que nourrit en troupeaux la fameuse Amphitrite!... Je sais combien me hait le glorieux Seigneur qui ébranle la terre!

Son esprit et son cœur ne savaient que résoudre : un coup de mer le jette à la roche d'un cap. Il aurait eu la peau trouée, les os rompus, sans l'idee qu'Athéna, la déesse aux yeux pers, lui mit alors en tête. En un élan, de ses deux mains, il prit le roc : tout haletant, il s'y colla, laissant passer sur lui l'énorme vague. Il put tenir le coup ; mais, au retour, le flot l'assaillit, le frappa, le remporta au large... Aux suçoirs de la pieuvre, arrachée de son gîte, en grappe les graviers demeurent attachés. C'est tout pareillement qu'aux pointes de la pierre, était restée la peau de ses vaillantes mains. Le flot l'ensevelit. Là, c'en était fini du malheureux

Ulysse ; il devançait le sort, sans la claire pensée que lui mit en l'esprit l'Athéna aux yeux pers. Quand il en émergea, le bord grondait toujours ; à la nage, il longea la côte et, les regards vers la terre, il chercha la pente d'une grève et des anses de mer. Il vint ainsi, toujours nageant, devant un fleuve aux belles eaux courantes, et c'est là que l'endroit lui parut le meilleur : la plage était sans roche, abritée de tout vent [1].

Il reconnut la bouche et pria dans son âme :

ULYSSE. – Écoute-moi, seigneur, dont j'ignore le nom ! je viens à toi, que j'ai si longtemps appelé, pour fuir hors de ces flots Posidon et sa rage ! Les Immortels aussi n'ont-ils pas le respect d'un pauvre naufragé, venant, comme aujourd'hui je viens à ton courant, je viens à tes genoux, après tant d'infortunes ? Accueille en ta pitié, seigneur, le suppliant qui, de toi, se réclame !

Il dit : le dieu du fleuve suspendit son courant, laissa tomber sa barre et, rabattant la vague au-devant du héros, lui offrit le salut sur sa grève avançante. Les deux genoux d'Ulysse et ses vaillantes mains retombèrent inertes : les assauts de la vague avaient rompu son cœur ; la peau de tout son corps était tuméfiée ; la mer lui ruisselait de la bouche et du nez ; sans haleine et sans voix, il était étendu, tout près de défaillir sous l'horrible fatigue. Mais il reprit haleine ; son cœur se réveilla ; alors, de sa poitrine, il détacha le voile, qu'il lâcha dans le fleuve et la vague mêlés ; un coup de mer vint l'emporter au fil de l'eau, et tout de suite Ino dans ses mains le reçut. Mais Ulysse, sorti du fleuve, avait baisé la terre nourricière et, couché dans les joncs, il gémissait tout bas en son âme vaillante :

ULYSSE. – Malheureux que je suis ! que vais-je encore souffrir?... quel est ce dernier coup?... Si je reste à veiller sur le bord de ce fleuve, quelle nuit angoissée! et quand me saisiront le mauvais froid de l'aube et la rosée qui trempe, gare à la défaillance qui, me faisant pâmer, m'achèvera le cœur! il s'élève des eaux une si froide brise avec le petit jour!... Mais gravir le coteau vers les couverts du bois, pour me chercher un lit au profond des broussailles! une fois réchauffé, détendu, si je cède aux douceurs du sommeil, ah! je crains que, des fauves, je ne devienne alors la pâture et la proie!

Tout compté, le meilleur était d'aller au bois qui dominait le fleuve. Au sommet de la crête, il alla se glisser sous la double cépée d'un olivier greffé et d'un olivier franc qui, nés du même tronc, ne laissaient pénétrer ni les vents les plus forts ni les brumes humides [a]; jamais la pluie ne les perçait de part en part, tant leurs branches serrées les mêlaient l'un à l'autre.

Ulysse y pénétra ; à pleines mains, il s'entassa un vaste lit, car les feuilles jonchaient le sol en telle couche que deux ou trois dormeurs auraient pu s'en couvrir, même au temps où l'hiver est le plus rigoureux. A la vue de ce lit, quelle joie eut au cœur le héros d'endurance! S'allongeant dans le tas, cet Ulysse divin ramena sur son corps une brassée de feuilles... Au fond de la campagne, où l'on est sans voisins, on cache le tison sous la cendre et la braise, afin de conserver la semence du feu, qu'on n'aura plus à s'en aller chercher au loin. Sous ses feuilles Ulysse était ainsi caché, et, versant sur ses yeux le sommeil, Athéna, pour chasser au plus tôt l'épuisante fatigue, lui fermait les paupières.

a. Vers 479 : le clair soleil ne leur lançait pas ses rayons.

L'ARRIVÉE CHEZ LES PHÉACIENS [1]

(*CHANT VI.*) Or, tandis que, là-bas, le héros d'endurance, Ulysse le divin, dompté par la fatigue et le sommeil, dormait, Athéna s'en allait vers le pays et ville des gens de Phéacie. Jadis, ils habitaient Hauteville en sa plaine ; mais, près d'eux, ils avaient les Cyclopes altiers, dont ils devaient subir la force et les pillages. Aussi Nausithoos au visage de dieu les avait transplantés loin des pauvres humains et fixés en Schérie [2] : il avait entouré la ville d'un rempart, élevé les maisons, créé les sanctuaires et partagé les champs [3]. Mais depuis que la Parque l'avait mis à son joug et plongé dans l'Hadès, c'était Alkinoos, inspiré par les dieux, qui régnait sur ce peuple, et c'est en son manoir qu'Athéna s'en allait ménager le retour à son grand cœur d'Ulysse.

La déesse aux yeux pers s'en fut droit à la chambre si bellement ornée, où reposait la fille du fier Alkinoos, cette Nausicaa, dont l'air et la beauté semblaient d'une Immortelle : aux deux montants, dormaient deux de ses chambrières qu'embellissaient les Grâces ; les portes, dont les bois reluisaient, étaient closes.

Comme un souffle de vent, la déesse glissa jusqu'au lit de la vierge [a]. Elle avait pris les traits d'une amie de son âge, tendrement aimée d'elle, la fille de Dymas, le célèbre armateur. Sous cette ressemblance, Athéna, la déesse aux yeux pers, lui disait :

ATHÉNA. – Tu dors, Nausicaa !... la fille sans souci que ta mère enfanta ! Tu laisses là, sans soin, tant de

a. Vers 21 : et, debout au chevet, se mit à lui parler.

linge moiré! Ton mariage approche ; il faut que tu sois belle et que soient beaux aussi les gens de ton cortège! Voilà qui fait courir les belles renommées, pour le bonheur d'un père et d'une auguste mère!... Vite! partons laver dès que l'aube poindra, car je m'offre à te suivre pour finir au plus vite! Tu n'auras plus longtemps, je crois, à rester fille : les plus nobles d'ici, parmi nos Phéaciens dont ta race est parente, se disputent ta main... Sans attendre l'aurore, presse ton noble père de te faire apprêter la voiture et les mules pour emporter les voiles, draps moirés et ceintures. Toi-même, il te vaut mieux aller en char qu'à pied: tu sais que les lavoirs sont très loin de la ville [1].

A ces mots, l'Athéna aux yeux pers disparut, regagnant cet Olympe où l'on dit que les dieux, loin de toute secousse ont leur siège éternel : ni les vents ne le battent, ni les pluies ne l'inondent ; là-haut, jamais de neige ; mais en tout temps l'éther, déployé sans nuages, couronne le sommet d'une blanche clarté ; c'est là-haut que les dieux passent dans le bonheur et la joie tous leurs jours ; c'est là que retournait la déesse aux yeux pers, après avoir donné ses conseils à la vierge.

Mais l'Aurore, montant sur son trône, éveillait la vierge en ses beaux voiles : étonnée de son rêve, Nausicaa s'en fut, à travers le manoir, le dire à ses parents.

Elle trouva son père et sa mère au logis. Au rebord du foyer, sa mère était assise avec les chambrières, tournant sa quenouillée teinte en pourpre de mer. Son père allait sortir quand elle le croisa ; il allait retrouver les autres rois de marque : les nobles Phéaciens l'appelaient au conseil.

Debout à ses côtés, Nausicaa lui dit :

NAUSICAA. – Mon cher papa, ne veux-tu pas me faire armer [1] la voiture à roues hautes? Je voudrais emporter notre linge là-bas, pour le laver au fleuve : j'en ai tant de sali!... Toi d'abord, tu ne veux, pour aller au conseil avec les autres rois, que vêtements sans tache, et, près de toi, cinq fils vivent en ce manoir, deux qui sont mariés, et trois encor garçons, mais de belle venue! sans linge frais lavé, jamais ils ne voudraient s'en aller à la danse. C'est moi qui dois avoir le soin de tout cela.

Elle ne parlait pas des fêtes de ses noces. Le seul mot l'aurait fait rougir devant son père.

Mais, ayant deviné, le roi dit en réponse :

ALKINOOS. – Ce n'est pas moi qui veux te refuser, ma fille, ni les mules [2] ni rien. Pars! nos gens vont t'armer la voiture à roues hautes et mettre les ridelles.

A ces mots, il donna les ordres à ses gens, qui, sitôt, s'empressèrent ; on tira, on garnit la voiture légère ; les mules amenées, on les mit sous le joug et tandis que la vierge, apportant du cellier le linge aux clairs reflets, le déposait dans la voiture aux bois polis, sa mère, en un panier, ayant chargé les vivres, ajoutait d'autres mets et toutes les douceurs, puis remplissait de vin une outre en peau de chèvre.

Alors Nausicaa monta sur la voiture. Sa mère lui tendit, dans la fiole d'or, une huile bien fluide pour se frotter après le bain, elle et ses femmes. La vierge prit le fouet et les rênes luisantes. Un coup pour démarrer, et mules, s'ébrouant, de s'allonger à plein effort et d'emporter le linge et la princesse ; à pied, sans la quitter, ses femmes la suivaient.

On atteignit le fleuve aux belles eaux courantes. Les lavoirs étaient là, pleins en toute saison. Une eau claire sortait a flots de sous les roches, de quoi pouvoir blanchir le linge le plus noir [1]. Les mules dételées, on les tira du char et, les lâchant au long des cascades du fleuve, on les mit paître l'herbe à la douceur de miel. Les femmes avaient pris le linge sur le char et, le portant à bras dans les trous de l'eau sombre, rivalisaient à qui mieux mieux pour le fouler. On lava, on rinça tout ce linge sali ; on l'étendit en ligne aux endroits de la grève où le flot quelquefois venait battre le bord et lavait le gravier. On prit le bain et l'on se frotta d'huile fine, puis, tandis que le linge au clair soleil séchait, on se mit au repas sur les berges du fleuve ; une fois régalées, servantes et maîtresse dénouèrent leurs voiles pour jouer au ballon.

Nausicaa aux beaux bras blancs menait le chœur. Quand la déesse à l'arc, Artémis, court les monts, tout le long du Taygète, ou joue sur l'Érymanthe [2] parmi les sangliers et les biches légères, ses nymphes, nées du Zeus à l'égide, autour d'elle bondissent par les champs, et le cœur de Léto [3] s'épanouit à voir sa fille dont la tête et le front les dominent [4] : sans peine, on la distingue entre tant de beautés. Telle se détachait, du groupe de ses femmes, cette vierge sans maître...

Pour rentrer au logis, l'heure approchait déjà de plier le beau linge et d'atteler les mules. C'est alors qu'Athéna, la déesse aux yeux pers, voulut pour ses desseins qu'Ulysse réveillé vît la vierge charmante et fût conduit par elle au bourg des Phéaciens. Elle lançait la balle à l'une de ses femmes ; mais la balle, manquant la servante, tomba au trou d'une cascade. Et filles aussitôt de pousser les hauts cris ! et le divin Ulysse éveillé de s'asseoir ! Son esprit et son cœur ne savaient que résoudre :

ULYSSE. – Hélas ! en quel pays, auprès de quels mortels suis-je donc revenu [a] ?... qu'entends-je autour de moi ? des voix fraîches de filles [b] ?... Mais allons ! de mes yeux, il faut tâcher de voir !

Et le divin Ulysse émergea des brousailles. Sa forte main cassa dans la dense verdure un rameau bien feuillu, qu'il donnerait pour voile à sa virilité. Puis il sortit du bois. Tel un lion [1] des monts, qui compte sur sa force, s'en va, les yeux en feu, par la pluie et le vent, se jeter sur les bœufs et les moutons, ou court forcer les daims sauvages ; c'est le ventre qui parle [c]. Tel, en sa nudité, Ulysse s'avançait vers ces filles bouclées : le besoin le poussait... Quand l'horreur de ce corps tout gâté par la mer leur apparut, ce fut une fuite éperdue jusqu'aux franges des grèves. Il ne resta que la fille d'Alkinoos : Athéna lui mettait dans le cœur cette audace et ne permettait pas à ses membres la peur. Debout, elle fit tête...

Ulysse réfléchit : irait-il supplier cette fille charmante et la prendre aux genoux ?... ou, sans plus avancer, ne devait-il user que de douces prières afin de demander le chemin de la ville et de quoi se vêtir ?... Il pensa, tout compté, que mieux valait rester à l'écart et n'user que de douces prières : l'aller prendre aux genoux pouvait la courroucer. L'habile homme aussitôt trouva ces mots touchants :

ULYSSE. – Je suis à tes genoux, ô reine ! que tu sois

a. Vers 120-121 : chez un peuple sauvage, des bandits sans justice, ou des gens accueillants qui respectent les dieux.

b. Vers 123-125 : ou de nymphes, vivant à la cime des monts, à la source des fleuves, aux herbages des combes ?... ou serais-je arrivé chez des hommes qui parlent ?

c. Vers 134 : jusqu'en la ferme close attaquer le troupeau.

ou déesse ou mortelle! Déesse, chez les dieux, maîtres des champs du ciel, tu dois être Artémis, la fille du grand Zeus : la taille, la beauté et l'allure, c'est elle!... N'es-tu qu'une mortelle, habitant notre monde, trois fois heureux ton père et ton auguste mère! trois fois heureux tes frères!... comme, en leurs cœurs charmés, tu dois verser la joie, chaque fois qu'à la danse, ils voient entrer ce beau rejet de la famille!... et jusqu'au fond de l'âme, et plus que tous les autres, bienheureux le mortel dont les présents vainqueurs t'emmèneront chez lui! Mes yeux n'ont jamais vu ton pareil, homme ou femme! ton aspect me confond! A Délos autrefois, à l'autel d'Apollon, j'ai vu même beauté : le rejet d'un palmier qui montait vers le ciel [1]. Car je fus en cette île aussi, et quelle armée m'accompagnait alors sur cette route, où tant d'angoisses m'attendaient! Tout comme, en le voyant, je restai dans l'extase, car jamais fût pareil n'était monté du sol, aujourd'hui, dans l'extase, ô femme, je t'admire ; mais je tremble : j'ai peur de prendre tes genoux. Vois mon cruel chagrin! Hier, après vingt jours sur les vagues vineuses, j'échappais à la mer : vingt jours que sans arrêt, depuis l'île océane [2], les flots me rapportaient sous les coups des rafales!... Lorsque les dieux enfin m'ont jeté sur vos bords, n'est-ce pour y trouver que nouvelles souffrances? Je n'en vois plus la fin : combien de maux encore me réserve le ciel!... Ah! reine, prends pitié! c'est toi que, la première, après tant de malheurs, ici j'ai rencontrée ; je ne connais que toi parmi les habitants de cette ville et terre... Indique-moi le bourg ; donne-moi un haillon à mettre sur mon dos ; n'as-tu pas, en venant, apporté quelque housse?... Que les faveurs des dieux comblent tous tes désirs! qu'ils te donnent l'époux, un foyer, l'union des cœurs, la belle chose! Il n'est rien de meilleur, ni de plus précieux que l'accord, au foyer, de tous les sentiments entre mari et femme : grand dépit des jaloux, grande joie des amis, bonheur parfait du couple!

Mais la vierge aux bras blancs le regarda et dit :

NAUSICAA. – Tu sais bien, étranger, car tu n'as pas la mine d'un sot ni d'un vilain, que Zeus, de son Olympe, répartit le bonheur aux vilains comme aux nobles, ce qu'il veut pour chacun : s'il t'a donné ces maux, il faut bien les subir. Mais puisque te voilà en notre ville et terre, ne crains pas de manquer ni d'habits ni de rien que l'on doive accorder, en pareille rencontre, au pauvre suppliant. Vers le bourg, je serai ton guide et te dirai le nom de notre peuple... C'est à nos Phéaciens qu'est la ville et sa terre, et moi, du fier Alkinoos, je suis la fille, du roi qui tient en main la force et la puissance de cette Phéacie.

Aux servantes bouclées, donnant alors ses ordres :

NAUSICAA. – Mes filles, revenez : jusqu'où vous met en fuite la seule vue d'un homme! Avez-vous donc cru voir l'un de nos ennemis?... Il n'est pas encore né, jamais il ne naîtra, le foudre qui viendrait apporter le désastre en pays phéacien : les dieux nous aiment tant! Nous vivons à l'écart et les derniers des peuples, en cette mer des houles, si loin que nul mortel n'a commerce avec nous [1]... Vous n'avez devant vous qu'un pauvre naufragé. Puisqu'il nous est venu, il doit avoir nos soins : étrangers, mendiants, tous nous viennent de Zeus. Allons, femmes! petite aumône, grande joie [a]! de nos linges lavés, donnez à l'étranger

a. Vers 209 : donnez à l'étranger de quoi manger et boire.

une écharpe, une robe, puis, à l'abri du vent, baignez-le dans le fleuve.

Elle dit : aussitôt, s'engageant l'une l'autre, ses femmes revenaient et l'ordre fut rempli [a]. Quand Ulysse à l'abri du vent fut installé, on posa près de lui une robe, une écharpe, pour qu'il pût se vêtir, et la fiole d'or contenant l'huile claire. On l'invita au bain dans les courants du fleuve.

Mais le divin Ulysse alors dit aux servantes :

ULYSSE. – Éloignez-vous, servantes! je saurai, sans votre aide, me laver de l'écume qui couvre mes épaules et m'oindre de cette huile que, depuis si longtemps, ma peau n'a pas connue. Mais devant vous, me mettre au bain! je rougirais de me montrer tout nu à des filles bouclées.

Il dit et, s'écartant, les femmes s'en allaient informer la princesse. Quand le divin Ulysse, puisant aux eaux du fleuve, eut lavé les écumes, qui lui plaquaient les reins et le plat des épaules, quand il eut, de sa tête, essoré les humeurs de la mer inféconde et qu'il se fut plongé tout entier, frotté d'huile, il mit les vêtements que lui avait donnés cette vierge sans maître, et voici qu'Athéna, la fille du grand Zeus, le faisant apparaître et plus grand et plus fort, déroulait de son front des boucles de cheveux aux reflets d'hyacinthe [b1] ; lorsqu'il revint s'asseoir, à l'écart, sur la grève, il était rayonnant de charme et de beauté. Aussi, le contemplant, Nausicaa disait à ses filles bouclées :

a. Vers 213 : (comme avait ordonné) Nausicaa, la fille du fier Alkinoos.

b. Vers 232-235 : tel un artiste habile, instruit par Héphaestos et Pallas Athéna de toutes leurs recettes, coule en or sur argent un chef-d'œuvre de grâce : telle Athéna versait la grâce sur la tête et le buste d'Ulysse.

NAUSICAA. – Servantes aux bras blancs, laissez-moi vous le dire! Ce n'est pas sans l'accord unanime des dieux, des maîtres de l'Olympe, que, chez nos Phéaciens divins, cet homme arrive : je l'avoue, tout à l'heure, il me semblait vulgaire ; maintenant il ressemble aux dieux des champs du ciel [a]! Mes filles, portez-lui de quoi manger et boire.

Elle dit : à sa voix, les femmes empressées posaient auprès d'Ulysse de quoi manger et boire. Avidement alors, il but, puis il mangea, cet Ulysse divin : tant de jours, il était resté sans nourriture, le héros d'endurance!

Mais la vierge aux bras blancs, poursuivant son dessein, ordonnait de charger dans la belle voiture tout le linge plié, puis d'atteler les mules aux pieds de corne dure, et, montée sur le char, elle invitait Ulysse, en lui disant tout droit :

NAUSICAA. – Allons, debout, notre hôte! il faut rentrer en ville! Je m'en vais te conduire au manoir de mon père : c'est un sage et chez lui tu pourras voir, crois-moi, la fleur des Phéaciens. Mais écoute-moi bien : tu parais plein de sens. Tant que nous longerons les champs et les cultures [1], suis, avec mes servantes, les mules et le char : vous presserez le pas ; je montrerai la route. Quand nous dominerons la ville, tu verras la hauteur de son mur, et la beauté des ports ouverts à ses deux flancs, et leurs passes étroites [2], et les doubles gaillards des vaisseaux remisés sur le bord du chemin, chacun sous son abri, et, dans ce même endroit, le beau Posidon, qu'entoure l'agora avec son carrelage de blocs tirés du mont, et, près des noirs vaisseaux, les fabricants d'agrès, de voiles, de cordages, les polisseurs

a. Vers 244-245 : puissé-je à son pareil donner le nom d'époux ; s'il habitait ici! qu'il lui plût d'y rester...

de rames... Ne parle aux Phéaciens ni de carquois ni d'arc, mais de mâts, d'avirons et de ces fins navires qui les portent, joyeux, sur la mer écumante!... [Il me faut éviter leurs propos sans douceur, car il ne manque pas d'insolents dans ce peuple pour blâmer par-derrière ; il suffirait qu'un plus méchant nous rencontrât! ah! je l'entends d'ici : « Avec Nausicaa, quel est ce grand bel hôte?... où l'a-t-elle trouvé? est-ce un mari pour elle? est-ce un errant qu'elle a recueilli du naufrage? d'où peut-il bien venir? nous sommes sans voisins!... Le dieu de son attente est-il, à sa prière, venu du haut du ciel pour la prendre à jamais?... Tant mieux qu'en ses tournées, elle ait enfin trouvé au-dehors un mari! elle allait méprisant tous ceux de Phéacie qui demandaient sa main ; et pourtant elle avait et le choix et le nombre! » Voilà ce qu'on dirait : j'en porterais la honte. Moi-même, je n'aurais que blâme pour la fille ayant cette conduite : quand on a père et mère, aller à leur insu courir avec les hommes, sans attendre le jour des noces célébrées!... N'hésite pas, mon hôte ; entre dans mes raisons, si tu veux obtenir que mon père au plus tôt te fasse reconduire... [1]]

» Sur le bord du chemin, nous trouverons un bois de nobles peupliers : c'est le bois d'Athéna ; une source est dedans, une prairie l'entoure ; mon père a là son clos de vigne en plein rapport ; c'est tout près de la ville, à portée de la voix... Fais halte en cet endroit ; tu t'assiéras, le temps que, traversant la ville, nous puissions arriver au manoir de mon père. Puis, lorsque tu pourras nous croire à la maison, viens alors à la ville! demande aux Phéaciens le logis de mon père, du fier Alkinoos ; c'est facile à trouver ; le plus petit enfant te servira de guide

[; dans notre Phéacie, il n'est rien qui ressemble à ce logis d'Alkinoos, notre seigneur] ; et, sitôt à couvert en ses murs et sa cour, ne perds pas un instant : traverse la grand-salle et va droit à ma mère ; dans la lueur du feu, tu la verras assise au rebord du foyer [1], le dos à la colonne, tournant sa quenouillée teinte en pourpre de mer, — enchantement des yeux! Ses servantes sont là, assises derrière elle, tandis qu'en son fauteuil, le dos à la lueur, mon père à petits coups boit son vin comme un dieu. Passe sans t'arrêter et va jeter les bras aux genoux de ma mère [2], si tes yeux veulent voir la journée du retour [a]. »

Elle dit et, du fouet luisant, poussa les mules. En vitesse, on quitta la ravine du fleuve. Au trot parfois, parfois au grand pas relevé, Nausicaa menait sans abuser du fouet, pour que les gens à pied, Ulysse et les servantes, pussent suivre le char. Au coucher du soleil, ils longeaient le fameux bois sacré d'Athéna. C'est là que le divin Ulysse, ayant fait halte, implora sans tarder la fille du grand Zeus :

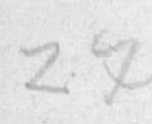

ULYSSE. – Fille du Zeus qui tient l'égide, Atrytonée [3], exauce ma prière! C'est l'heure de m'entendre, ô toi qui restas sourde aux cris de ma détresse, quand j'étais sous les coups du glorieux Seigneur qui ébranle la terre! Fais que les Phéaciens m'accueillent en ami et me soient pitoyables!

C'est ainsi qu'il priait : Athéna l'exauça [b].

a. Vers 312-315 : pour ton bonheur rapide, de si loin que tu sois ; si ma mère, en son cœur, te veut jamais du bien, tu peux avoir l'espoir de retrouver les tiens, de rentrer sous le toit de ta haute maison, au pays de tes pères.

b. Vers 329-331 : mais sans paraître encor devant lui, face à face, par respect pour son oncle, dont la fureur traquait cet Ulysse divin jusqu'à son arrivée à la terre natale.

L'ENTRÉE CHEZ ALKINOOS [1]

(*CHANT VII.*) Mais tandis que, là-bas, le héros d'endurance, Ulysse le divin, faisait cette prière, la vaillance des mules avait jusqu'à la ville emporté la princesse. Arrivée au manoir splendide de son père, elle avait arrêté le char devant le porche ; pareils aux Immortels, ses frères, l'entourant et dételant les mules, avaient pris et porté le linge à la maison. Elle gagna sa chambre, où sa vieille Épirote [2], Euryméduse, vint lui rallumer son feu : c'était sa chambrière ; sur leurs doubles gaillards, les vaisseaux autrefois l'avaient prise, en Épire ; Alkinoos, hors part, l'avait eue en cadeau, étant le souverain de cette Phéacie où, comme l'un des dieux, le peuple l'écoutait ; elle était au manoir devenue la nourrice de la vierge aux bras blancs.

Elle alluma le feu et, dans la chambre même, vint servir le souper.

Ulysse se levait et prenait à son tour le chemin de la ville ; en son tendre souci, Athéna le couvrait d'une épaisse nuée, craignant qu'il ne croisât quelque fier Phéacien qui, l'insulte à la bouche, voudrait savoir son nom. Comme il allait entrer en cette ville aimable, voici qu'à sa rencontre, Athéna s'avançait : la déesse aux yeux pers avait pris la figure d'une petite fille ; une cruche à la main, elle était devant lui, debout, et le divin Ulysse demanda :

ULYSSE. – Mon enfant, voudrais-tu me conduire au logis du seigneur qui régit ce peuple, Alkinoos ? Je suis un étranger : après bien des épreuves, j'arrive de très loin, des pays d'outre-mer et ne connais personne de tous les habitants de cette ville et terre.

Athéna, la déesse aux yeux pers, répliqua :

ATHÉNA. – Étranger, notre père! je m'en vais t'indiquer la maison que tu veux : mon honorable père habite tout auprès. Mais suis-moi sans parler ; je te montre la route ; ne regarde personne et ne demande rien. Les étrangers ici reçoivent peu d'accueil ; à qui vient du dehors, on ne fait pas grand-fête ni même d'amitiés ; nous mettons nos espoirs en nos croiseurs rapides ; car l'Ébranleur du sol a concédé le grand abîme à nos passeurs : nos vaisseaux sont plus prompts que l'aile ou la pensée.

En parlant, Athéna le menait au plus court. Il suivait la déesse et marchait sur ses traces. Invisible à ces armateurs de Phéacie [a], il allait, admirant les ports, les fins navires et, dans les agoras, la foule des héros, et, merveilleuse à voir, la ligne des hauts murs, garnis de palissades.

Quand on fut au manoir magnifique du roi, c'est Pallas Athéna, la déesse aux yeux pers, qui reprit la parole :

ATHÉNA. – Voici, pour t'obéir, étranger, notre père! la maison que tu veux : tu vas trouver nos rois, les nourrissons de Zeus, en train de banqueter. Entre donc; que ton cœur soit sans crainte ; l'audace vaut mieux en toute affaire quand on veut réussir, surtout à l'étranger.

» Va droit à la maîtresse ; elle est en la grand-salle. Son nom est Arété ; elle a reçu le jour des mêmes père et mère, qui furent les parents du roi Alkinoos [1]. [C'était Nausithoos, que l'Ébranleur du sol, Posidon,

a. Vers 40-42 : bien qu'il passât près d'eux au travers de la ville ; en son tendre souci, la déesse bouclée, la terrible Athéna l'avait enveloppé d'une brume divine.

avait engendré de Péribée, la plus belle des femmes, la plus jeune des filles du fier Eurymédon [1], qui jadis était roi des farouches Géants, mais qui causa la perte de son peuple féroce et se perdit lui-même. Aimée de Posidon, Péribée mit au jour un fils, Nausithoos, qui de nos Phéaciens fut le roi magnanime, et, de Nausithoos, deux fils sont nés, Alkinoos et Rhéxénor. Mais, sitôt marié, Rhéxénor succombait sous les traits d'Apollon, le dieu à l'arc d'argent ; il n'avait pas encore de fils ; il ne laissait qu'une fille, Arété. Son frère Alkinoos, ayant pris Arété pour femme, l'honora comme pas une au monde ne peut l'être aujourd'hui, parmi toutes les femmes qui tiennent la maison sous la loi d'un époux. Elle eut, elle a toujours le cœur et les hommages de ses enfants, du roi Alkinoos lui-même ainsi que de ses peuples. Les yeux tournés vers elle, autant que vers un dieu, on la salue d'un mot quand elle passe au bourg : elle a tant de raison, elle aussi, de noblesse! Sa bonté, même entre hommes, arrange les querelles.] Si jamais, en son cœur, elle te veut du bien, tu peux avoir l'espoir de retrouver les tiens, de rentrer sous le toit de ta haute maison, au pays de tes pères.

A ces mots, l'Athéna aux yeux pers disparut vers la mer inféconde et s'en fut, en quittant cette aimable Schérie, retrouver Marathon, les larges rues d'Athènes et, dans ses murs épais, le foyer d'Érechthée [2].

Ulysse allait entrer dans la noble demeure du roi Alkinoos; il fit halte un instant. Que de trouble en son cœur, devant le seuil de bronze! car, sous les hauts plafonds du fier Alkinoos, c'était comme un éclat de soleil et de lune [3]! Du seuil jusques au fond, deux murailles de bronze s'en allaient, déroulant leur frise d'émail bleu [4]. Des portes d'or s'ouvraient dans l'épaisse muraille : les montants, sur le seuil de bronze, étaient d'argent; sous le linteau d'argent, le corbeau était d'or, et les deux chiens du bas, que l'art le plus adroit d'Héphaestos [1] avait faits pour garder la maison du fier Alkinoos [a], étaient d'or et d'argent.

Aux murs, des deux côtés, s'adossaient les fauteuils en ligne continue, du seuil jusques au fond; sur eux, étaient jetés de fins voiles tissés par la main des servantes. C'était là que siégeaient les doges phéaciens [b].

[Des éphèbes en or, sur leurs socles de pierre, se dressaient, torche en main pour éclairer, de nuit, la salle et les convives. Des cinquante servantes qui vivent au manoir, les unes sous la meule écrasent le blé d'or, d'autres tissent la toile ou tournent la quenouille, comme tourne la feuille au haut du peuplier; des tissus en travail, l'huile en gouttant s'écoule; autant les Phéaciens sur le reste des hommes l'emportent à pousser dans les flots un croiseur, sur les femmes autant l'emportent leurs tisseuses, Athéna leur ayant accordé entre toutes la droiture du cœur et l'adresse des mains. Aux côtés de la cour, on voit un grand jardin, avec ses quatre arpents enclos dans une enceinte. C'est d'abord un verger dont les hautes ramures, poiriers et grenadiers et pommiers aux fruits d'or et puissants oliviers et figuiers domestiques, portent, sans se lasser ni s'arrêter, leurs fruits; l'hiver comme l'été, toute l'année, ils donnent; l'haleine du Zéphyr [2], qui souffle sans relâche, fait bourgeonner les uns, et les autres donner la jeune poire auprès de la poire vieillie, la pomme sur la pomme,

a. Vers 94 : et rester immortels, jeunes à tout jamais.
b. Vers 99 : mangeant, buvant, ayant toute l'année de quoi.

la grappe sur la grappe, la figue sur la figue. Plus loin, chargé de fruits, c'est un carré de vignes, dont la moitié, sans ombre, au soleil se rôtit, et déjà l'on vendange et l'on foule les grappes; mais dans l'autre moitié, les grappes encore vertes laissent tomber la fleur ou ne font que rougir. Enfin, les derniers ceps bordent les plates-bandes du plus soigné, du plus complet des potagers; vert en toute saison, il y coule deux sources; l'une est pour le jardin, qu'elle arrose en entier, et l'autre, sous le seuil de la cour, se détourne vers la haute maison, où s'en viennent à l'eau tous les gens de la ville. Tels étaient les présents magnifiques des dieux au roi Alkinoos [1].]

Or, le divin Ulysse restait à contempler. Mais lorsque, dans son cœur, le héros d'endurance eut fini d'admirer, vite il franchit le seuil, entra dans la grand-salle et trouva, coupe en main, les rois de Phéacie : doges et conseillers étaient en train de boire au Guetteur rayonnant; c'est à lui qu'en dernier, avant d'aller dormir, ils faisaient leur offrande. Sous l'épaisse nuée versée par Athéna, le héros d'endurance alla par la grand-salle, vers Arété et vers le roi Alkinoos. Comme il jetait les bras aux genoux d'Arété, cet Ulysse divin, la céleste nuée soudain se dissipa et tous, en la demeure, étonnés à la vue de cet homme, se turent. Ulysse suppliait :

ULYSSE. – Arété, qu'engendra le noble Rhéxénor! je viens à ton mari, je viens à tes genoux après bien des traverses!... je viens à tes convives!... Que le ciel vous accorde à tous de vivre heureux et de laisser un jour, chacun à vos enfants, les biens de vos manoirs et les présents d'honneur que le peuple vous offre!... Mais pour me ramener au pays de mes pères, ne tardez pas un jour : si longtemps, loin des miens, j'ai souffert tant de maux!

Il dit et, près du feu, au rebord du foyer, il s'assit dans la cendre [1], et tous restaient muets. Enfin, dans le silence, on entendit la voix du vieil Échénéos : c'était le plus âgé des héros phéaciens, le plus disert aussi; il savait tant et tant des choses d'autrefois! C'est pour le bien de tous qu'il prenait la parole :

ÉCHÉNÉOS. - Il n'est, Alkinoos, ni bon ni convenable qu'un hôte reste assis dans la cendre, par terre, au rebord du foyer. Si, tous, nous nous taisons, c'est pour te laisser dire... Relève l'étranger, fais-le s'asseoir en un fauteuil aux clous d'argent, puis ordonne aux hérauts de mélanger du vin : que nous buvions encore au brandisseur de foudre, à Zeus qui nous amène et recommande à nos respects les suppliants! et dis à l'intendante de prendre en sa réserve le souper de notre hôte!

Il dit : Sa Sainteté et Force Alkinoos eut à peine entendu, qu'il prit la main d'Ulysse, releva du foyer le rusé compagnon et, pour le faire asseoir, fit lever d'un fauteuil luisant l'un de ses fils qui siégeait près de lui; c'était Laodamas, ce fils au grand courage qu'il aimait entre tous. Vint une chambrière, qui, portant une aiguière en or, et du plus beau, lui donnait à laver sur un bassin d'argent et dressait devant lui une table polie. Vint la digne intendante; elle apportait le pain et le mit devant lui, puis lui fit les honneurs de toutes ses réserves; le héros d'endurance, Ulysse le divin, but alors et mangea.

Sa Force Alkinoos dit ensuite au héraut :

ALKINOOS. - Pontonoos, fais-nous le mélange au cratère et donne-nous du vin à tous en cette salle; je veux que nous buvions au brandisseur de foudre, à Zeus qui nous envoie et recommande à nos respects les suppliants!

Il dit : Pontonoos mêla dans le cratère d'un vin fleurant le miel et s'en fut à la ronde en verser dans les coupes. Chacun fit son offrande et l'on but son content.

Alkinoos reprit la parole et leur dit :

ALKINOOS. – Doges et conseillers de Phéacie, deux mots ; voici ce que mon cœur me dicte dans ma poitrine. Le repas est fini : qu'on rentre se coucher! Mais dès l'aube demain, invitant nos doyens en plus grand nombre encore, je veux qu'en ce manoir, on fête l'étranger ; nous offrirons aux dieux quelques belles victimes, et nous aviserons ensuite à son retour! Je voudrais que nos soins épargnent à cet hôte et chagrins et fatigues, et qu'il rentre chez lui, d'une traite, joyeux ; de si loin qu'il puisse être, il faut, dans le trajet, qu'il n'ait à endurer ni malheur ni souffrances, jusqu'au débarquement à la terre natale. Là, nous le laisserons subir la destinée qu'ont mise à leur fuseau les tristes Filandières, à l'heure où, de sa mère, il a reçu le jour... Mais peut-être est-ce un dieu, qui nous descend du ciel pour un nouveau dessein que les dieux ont sur nous : ne les vîmes-nous pas, cent fois dans le passé, à nos yeux apparaître? Quand nous faisons pour eux nos fêtes d'hécatombes, ils viennent au festin s'asseoir à nos côtés, aux mêmes bancs que nous ; sur le chemin désert, s'ils croisent l'un des nôtres, ils ne se cachent point : nous sommes de leur sang, tout comme les Cyclopes ou comme les tribus sauvages des Géants.

Ulysse l'avisé lui fit cette réponse :

ULYSSE. – Ne garde pas, Alkinoos, cette pensée.

Je n'ai rien de commun, ni l'être ni la forme, avec les Immortels, maîtres des champs du ciel; je ne suis qu'un mortel et, s'il est un humain que vous voyez traîner la pire des misères, c'est à lui que pourraient m'égaler mes souffrances, et c'est encor de moi que vous pourriez entendre les malheurs les plus grands, car j'ai pâti de tout sous le courroux des dieux! [Mais laissez que je soupe, en dépit de ma peine!... Est-il rien de plus chien que ce ventre odieux? toujours il nous excite et toujours nous oblige à ne pas l'oublier, même au plus fort de nos chagrins, de nos angoisses! Quand j'ai le deuil au cœur, il veut manger et boire; il commande et je dois oublier tous mes maux : il réclame son plein!... [1]] Mais vous, sans plus tarder, dès que poindra l'aurore, rendez un malheureux à sa terre natale! Que je pâtisse encor, que je perde le jour; mais que je la revoie [a]!

Il dit : tous d'applaudir et d'émettre le vœu qu'on ramenât cet hôte qui savait si bien dire!

Quand on eut fait l'offrande et bu tout son content, chacun, pour se coucher, regagna son logis.

Près du divin Ulysse, assis dans la grand-salle, restaient Alkinoos au visage de dieu et la reine Arété; les servantes rangeaient les couverts du repas... C'est la reine aux bras blancs qui rouvrit l'entretien; car en voyant l'écharpe et la robe d'Ulysse, elle avait reconnu les fins habits tissés par elle et par ses femmes. Elle éleva la voix et dit ces mots ailés :

Arété. – Ce que je veux d'abord te demander, mon hôte, c'est ton nom et ton peuple?... et qui donc

a. Vers 225 : mes serviteurs, mes biens, mon manoir aux grands toits.

t'a donné les habits que voilà ?... ne nous disais-tu pas que tu nous arrivais après naufrage en mer ?

Ulysse l'avisé lui fit cette réponse :

ULYSSE. – Comment pourrais-je, ô reine, exposer tout au long les maux dont m'ont comblé les dieux, maîtres du ciel ? Pourtant, puisque tu veux savoir et m'interroges, je m'en vais te répondre : loin d'ici, dans la mer, gît une île océane, qu'habite Calypso, la déesse bouclée à la terrible ruse ! [Personne des mortels ni des dieux ne fréquente cette fille d'Atlas ; pour mon malheur, un dieu me mit à son foyer. J'étais seul, puisque Zeus, de sa foudre livide, en pleine mer vineuse, avait frappé et mis en pièces mon croiseur. Mon équipage entier de braves était mort ; j'avais noué mes bras à la quille de mon navire aux deux gaillards ; j'avais flotté neuf jours ; le dixième, les dieux m'avaient, à la nuit noire, jeté chez Calypso, la terrible déesse, en son île océane.] Cette fille d'Atlas m'accueillit, m'entoura de soins et d'amitié, me nourrit, me promit de me rendre immortel et jeune à tout jamais ; mais, au fond de mon cœur, je refusai toujours. Je restai là sept ans, sans bouger, sans cesser de tremper de mes larmes les vêtements divins qu'elle m'avait donnés. Lorsque s'ouvrit le cours de la huitième année, c'est elle qui, soudain, soit par l'ordre de Zeus, soit qu'eût changé son cœur, me pressa de partir. Alors, sur un radeau de poutres assemblées, elle me mit en mer, après m'avoir comblé de pain et de vin doux et m'avoir revêtu de divines étoffes. Elle me fit souffler la plus tiède des brises, un vent de tout repos. Je voguai dix-sept jours sur les routes du large : le dix-huitième enfin, j'aperçus votre terre, ses monts et ses forêts ; j'avais la joie au cœur !...

Mais, dans mon triste sort, je devais rencontrer encor tant de misères que l'Ébranleur du sol allait me susciter! jetant sur moi les vents pour me fermer la route, Posidon souleva une mer infernale. J'eus beau gémir, crier! la vague m'enleva du radeau; la rafale en dispersa les poutres; je me mis à la nage et, sur le grand abîme, je m'ouvris le chemin, tant qu'enfin, à vos bords, le vent qui me portait et les flots me jetèrent... J'allais y prendre pied quand, de toute sa force, en un lieu sans douceur, la vague me lança contre la grande roche... Puis la mer me reprit; je dus nager encor jusqu'à l'entrée du fleuve, et c'est là que l'endroit me parut le meilleur, car sous l'abri du vent, la grève était sans roches. J'y tombai, défaillant. Mais, voyant arriver la nuit, l'heure divine, je sortis de ces eaux que vous donnent les dieux, et je m'en fus dormir en haut, sous les broussailles, dans un lit de feuillée, où le ciel me plongea en un sommeil sans fin. Durant toute la nuit, en dépit de l'angoisse, et le soleil levé, et jusqu'au plein midi, je dormis sous mes feuilles; ce doux sommeil ne me quitta qu'au jour penchant; c'est alors que je vis ta fille et ses servantes qui jouaient sur la grève; elle semblait une déesse au milieu d'elles. Je l'implorai : qu'elle eut de raison, de noblesse! je n'osais, de son âge, espérer cet accueil : trop souvent, la jeunesse a la tête si folle!... Mais elle me donna tout ce qu'il me fallait, du vin aux sombres feux, du pain, un bain au fleuve, les habits que voilà... Telle est la vérité que, malgré ma tristesse, je tenais à te dire.

Ce fut Alkinoos qui lui dit en réponse :

ALKINOOS. – Mon hôte ! notre enfant n'oublia qu'un devoir : ses femmes étaient là ; pourquoi ne pas t'avoir conduit jusque chez nous ?... C'est elle qu'en premier, tu avais implorée.

Ulysse l'avisé lui fit cette réponse :

ULYSSE. – En tout cela, seigneur, ta fille est sans reproche ; ne va pas la blâmer. Elle m'avait offert d'accompagner ses femmes ; c'est moi qui refusai. J'avais peur, j'avais honte : à ma vue, si ton cœur allait se courroucer !... en ce monde, la jalousie est chose humaine.

Ce fut Alkinoos qui lui dit en réponse :

ALKINOOS. – Non, mon hôte ! mon cœur n'a jamais accueilli de si vaines colères ! En tout, je fais passer la justice d'abord... Quand je te vois si beau et pensant comme moi, je voudrais, Zeus le père ! Athéna ! Apollon !... je voudrais te donner ma fille et te garder avec le nom de gendre [1]... Si tu voulais rester, tu recevrais de moi et maison et richesses... Mais si tu veux partir, nous garde Zeus le père que nul des Phéaciens, malgré toi, te retienne ! Je fixe dès ce soir le jour de ton départ ; sache-le : c'est demain [2]. Sous le joug du sommeil quand tu seras couché, nos rameurs s'en iront par le calme te mettre en ta patrie, chez toi, plus loin si tu préfères, [même beaucoup plus loin que cette île d'Eubée que nos gens qui l'ont vue disent au bout des mers ; quand le blond Rhadamanthe [3] fut emmené par eux visiter Tityos, l'un des fils de la Terre, ils allèrent là-bas et revinrent chez nous, faisant du même jour ce trajet sans fatigue... Toi-même jugeras s'il est meilleurs navires ou rameurs plus adroits à soulever l'écume].

Il dit et, plein de joie, le héros d'endurance se mettait à prier. Il parlait et disait, cet Ulysse divin :

ULYSSE. – Permets, ô Zeus le père ! qu'Alkinoos

achève tout ce qu'il vient de dire! que son renom, à lui, vole éternellement sur la terre au froment! et que je rentre, moi, au pays de mes pères!

Pendant qu'ils échangeaient ces paroles entre eux, Arété aux bras blancs avait dit aux servantes d'aller dresser un lit dans l'entrée et d'y mettre ses plus beaux draps de pourpre, des tapis par-dessus et des feutres laineux pour les couvrir encor. Les servantes, sorties, torche en main, de la salle, avaient diligemment garni les bois du cadre.

Voici qu'elles rentraient pour inviter Ulysse :

LE CHŒUR. – Notre hôte, lève-toi!... et viens! le lit est prêt.

A ces mots, combien douce au héros d'endurance fut la pensée du lit! Il s'en fut, ce divin Ulysse, reposer sur le cadre ajouré, dans l'entrée résonnante, tandis qu'Alkinoos était allé dormir au fond du grand logis, où sa femme et régente lui tenait préparés le lit et le coucher.

[RÉCEPTION PHÉACIENNE] [1]
KIKONES ET LOTOPHAGES

(CHANT VIII.) Dans son berceau de brume, aussitôt qu'apparut l'Aurore aux doigts de roses, Sa Force et Sainteté le roi Alkinoos s'élança de son lit, et le pilleur de Troie, le rejeton des dieux, Ulysse se leva. Sa Force et Sainteté leur montra le chemin pour gagner l'agora voisine des vaisseaux. Une fois arrivés, ils prirent siège ensemble sur les pierres polies. Mais Pallas Athéna s'en allait par la ville, sous les traits d'un héraut du sage Alkinoos [a]. Elle arrêtait chacun et lui donnait l'avis :

a. Vers 9 : ménager le retour de son grand cœur d'Ulysse.

ATHÉNA. – Par ici, conseillers et doges phéaciens! allez à l'agora! vous verrez l'étranger que vient de recevoir le sage Alkinoos : il a roulé les mers! il est beau comme un dieu!

Ce discours excitant le zèle en tous les cœurs, la foule en un instant avait empli les sièges ; dans les deux agoras, on se pressait pour admirer le sage Ulysse : Athéna lui versait sur la tête et le buste une grâce céleste et le faisait paraître et plus grand et plus fort, pour conquérir le cœur de tous les Phéaciens et gagner leur respect, leur crainte et la victoire aux différents concours, lorsque ces Phéaciens provoqueraient Ulysse.

Quand, le peuple accouru, l'assemblée fut complète, Alkinoos, prenant la parole, leur dit :

ALKINOOS. – Doges et conseillers de Phéacie, deux mots [a]! J'ai là cet étranger dont j'ignore le nom ; en ma demeure, après naufrage il est venu ; mais nous arrive-t-il des peuples de l'aurore ou de ceux du couchant ?... Il prie qu'on le ramène et veut être fixé. Nous, comme à l'ordinaire, hâtons sa reconduite! Jamais, au grand jamais, on ne vint sous mon toit pour vivre dans l'angoisse, en attendant sans fin la journée du retour : allons! vite! tirons à la vague divine un vaisseau préparé pour son premier voyage; dans le peuple, levons cinquante-deux rameurs de vaillance éprouvée ; chacun d'eux à son banc ira lier sa rame, puis ils débarqueront et reviendront chez moi nous préparer tout aussitôt un prompt festin [1] ; je fournirai pour tous... Jeunes gens, j'ai parlé... Mais vous, les rois à sceptre, il faut venir aussi en ma belle demeure : je veux que nous fêtions notre hôte

a. Vers 27 : voici ce que mon cœur me dicte en ma poitrine!

en ma grand-salle. Allons! pas de refus! et qu'on aille chercher notre aède divin, notre Démodocos que la déesse a fait le charmeur sans rival, quel que soit le sujet où l'engage son cœur.

Il dit et, leur montrant la route, il s'en alla devant les rois à sceptre. Un héraut se rendit chez l'aède divin. Cinquante-deux rameurs, que l'on avait levés suivant l'ordre du roi, descendirent au bord de la mer inféconde. Quand ils eurent atteint le navire et la mer, le noir croiseur fut amené en eau profonde, puis, dans ce noir vaisseau, on chargea mât et voiles ; aux estropes de cuir, on attacha les rames [a] ; en rade, on fut mouiller sous le cap de l'aval [1], et l'on revint ensuite à la grande maison du sage Alkinoos, où tout était rempli, enceinte, entrées et salles [b]. Pour ses hôtes, le roi avait fait immoler huit cochons aux dents blanches, douze brebis, deux bœufs à la démarche torse, qu'on avait écorchés et qu'on parait déjà pour apprêter le plus aimable des festins. Le héraut reparut, menant le brave aède à qui la Muse aimante avait donné sa part et de biens et de maux, car, privé de la vue, il avait reçu d'elle le chant mélodieux [2]. Pour lui faire une place au centre du festin, Pontonoos prit un fauteuil aux clous d'argent, qu'il s'en vint adosser à la haute colonne, et, pendant au crochet, au-dessus de sa tête, la cithare au chant clair, il lui montrait à la reprendre de ses mains, puis approchait de lui, sur une belle table, la corbeille du pain et la coupe de vin pour boire à son envie. Alors, aux parts de choix préparées et servies, ils tendirent les mains.

Quand on eut satisfait la soif et l'appétit, l'aède, que

a. Vers 54 : tout le long du bordage ; on déploya la voile.
b. Vers 58 : la foule se pressait, jeunes, vieux, mélangés.

la Muse inspirait, se leva. Il choisit, dans la geste humaine, un épisode dont le renom montait alors jusques aux cieux : la querelle d'Ulysse et du fils de Pélée, leur dispute en un opulent festin des dieux, leurs terribles discours et la joie qu'en son cœur, en ressentait le chef suprême Agamemnon [1] ; car, voyant les deux rois achéens en querelle, l'Atride repensait aux dires prophétiques de Phoebos Apollon dans la bonne Pytho [2], un jour qu'il en avait franchi le seuil de pierre pour consulter l'oracle, au temps où le grand Zeus décidait de rouler Danaens et Troyens dans le flot du malheur.

Or, tandis que chantait le glorieux aède, Ulysse avait saisi son écharpe de pourpre et, de ses mains vaillantes, la tirait sur son front. De cette grande écharpe, il voila ses beaux traits : devant les Phéaciens, il eût rougi des pleurs qui gonflaient ses paupières ; mais, à chaque repos de l'aède divin, il essuyait ses pleurs, rejetait son écharpe et, de sa double coupe, faisait l'offrande aux dieux, puis, à chaque reprise, quand, charmés de ses vers, les chefs des Phéaciens redemandaient l'aède, Ulysse, ramenant l'écharpe, sanglotait [3]...

[A toute l'assistance, il sut cacher ses larmes : le seul Alkinoos s'en douta, puis les vit, — ils siégeaient côte à côte, — et l'entendit enfin lourdement sangloter. Vite il dit à ses bons rameurs de Phéacie :

ALKINOOS. - Doges et conseillers de Phéacie, deux mots! Voici que de la table, où chacun eut sa part, nos cœurs ont bien joui, comme aussi de la lyre, dont la place est marquée au plus beau des festins. Il est temps de sortir et de nous mettre aux jeux [a]!

a. Vers 101-103 : rentré en son logis, je voudrais que notre hôte pût dire à tous les siens qu'à la boxe, à la lutte, au saut comme à la course, nous sommes sans rivaux.

Il dit, montrant la route, et les autres suivirent. Le héraut, raccrochant la cithare au chant clair, prit par la main Démodocos et l'emmena. Au sortir du manoir, il lui servit de guide dans la rue que prenaient les chefs des Phéaciens pour aller voir les jeux. On gagna l'agora : la foule, par milliers, accourait sur leurs pas. Bientôt se présenta la plus noble jeunesse, et l'on vit se lever Dugaillard, Vitenmer, Laviron, Lenocher, Delapoupe, Du Bord, Delarame, Dularge, Delaproue, Lecoureur, le fils de Montabord, et Doublemer, le fils de Flotte-Carpentier [1], puis Euryale, égal à ce fléau d'Arès ; pour la taille et les traits, ce fils de Naubolos n'avait pas un rival ; le seul Laodamas parmi les Phéaciens était encor plus beau. Enfin Laodamas, Klytoneus et leur frère, le divin Halios, se levèrent aussi : c'étaient trois fils de l'éminent Alkinoos.

Pour disputer d'abord l'épreuve de la course [2], on se mit à la borne où la piste s'ouvrait : tous ensemble, d'un vol, ils filèrent dans un nuage de poussière ; l'éminent Klytoneus fut vainqueur sans conteste ; d'une bonne tirée de mulets au labour [3], il tenait les devants quand il revint au peuple, ayant semé les autres. Puis ce fut la main plate et ses halètements : Euryale vainquit tout le choix des lutteurs. Mais, au saut, Doublemer en dernier l'emporta. Au disque, Laviron l'emporta mieux encor. A la boxe, ce fut le brave fils d'Alkinoos, Laodamas.

Quand le plaisir des jeux eut charmé tous les cœurs, le fils d'Alkinoos, Laodamas, leur dit :

LAODAMAS. – Maintenant, chers amis, demandons à notre hôte s'il n'est pas quelque sport qu'il connaisse et pratique. Voyez comme il est fait ! ces cuisses, ces mollets ; cette paire de bras, les muscles de ce col et cette ample poitrine! Non! il n'a rien encore perdu de sa jeunesse ; mais il a tant souffert qu'il en reste brisé! ... Il n'est rien, croyez-moi, de pire que la mer pour vous abattre un homme, et le plus vigoureux.

Euryale, prenant la parole, intervint :

EURYALE. – Très bien, Laodamas! tu parles comme un sage. C'est à toi maintenant d'aller faire l'invite et de lui dire un mot.

Sitôt qu'il entendit, le bon Laodamas s'avança dans l'arène pour inviter Ulysse :

LAODAMAS. – A ton tour, maintenant, l'étranger, notre père! viens t'essayer aux jeux auxquels tu t'entraînas : tu dois bien en connaître! Est-il en cette vie une gloire plus grande que de savoir jouer des jambes et des bras? Allons, viens essayer et balaie les chagrins! Le départ viendra vite : le navire est à flot et l'équipage, prêt.

Ulysse l'avisé lui fit cette réponse :

ULYSSE. – Pourquoi, Laodamas, ces railleries d'invite? Si mon cœur s'abandonne aux chagrins plus qu'aux jeux, c'est que j'ai tant souffert naguère et tant peiné! Ah! dans votre assemblée, où tu me vois assis, je n'ai qu'une pensée : le retour que, du roi et du peuple, j'implore.

En réponse, Euryale se mit à le railler :

EURYALE. – Ah! non! je ne vois rien, mais rien en toi, notre hôte, d'un connaisseur des jeux, même en prenant tous ceux dont usent les humains!... Si jamais, sur les bancs d'un vaisseau, tu montas, ce fut pour commander des marins au commerce, noter la cargaison ou surveiller le fret et vos gains de voleurs [1]... Mais un athlète, toi!

Ulysse l'avisé le toisa et lui dit :

ULYSSE. – C'est bien mal dit, mon hôte! Un maître fou, c'est toi! Beauté, raison, bien dire, on voit qu'en un même homme, les dieux presque jamais ne mettent tous les charmes. L'un n'a reçu du ciel que médiocre figure ; mais ses discours sont pleins d'une telle beauté qu'il charme tous les yeux : sa parole assurée, sa réserve polie le marquent dans la foule ; quand il va par les rues, c'est un dieu qu'on admire... J'en sais d'autres qui sont d'une beauté divine, mais qui, dans leurs discours, manquent toujours de grâce... C'est ainsi que, sur toi, brille tant de beauté qu'un dieu même n'aurait pas fait plus bel ouvrage. Mais ton esprit, du vent!... Tu m'as levé le cœur au plus profond de moi, avec tes mots de rustre!... Je ne suis pas, aux jeux, l'apprenti que tu crois. J'étais dans les premiers, tant que j'avais pour moi mes bras et ma jeunesse. Maintenant la misère et les chagrins me tiennent : j'ai trop longtemps pâti à batailler sur terre, à peiner sur les flots... Mais n'importe! je vais, après tant de souffrances, m'essayer à vos jeux. Tes discours m'ont mordu le cœur : c'est un défi pour moi que tes paroles.

A ces mots, il s'élance et, sans même quitter son écharpe, il va prendre un disque bien plus large et beaucoup plus pesant que tous ceux dont avaient jouté les Phéaciens. Il le tourne une fois, et le disque en ronflant quitte sa main vaillante, et tous ces armateurs, ces gens aux longues rames saluent jusques au sol, sous le vent de la pierre, et le disque, passant toutes les autres marques, continue de courir. Lui, restait, main levée.

Prenant les traits d'un homme, Athéna vint marquer l'arrêt et lui cria :

ATHÉNA. – Un aveugle, notre hôte, un aveugle à tâtons distinguerait ta marque ; elle n'est pas mêlée à la foule des autres. Bravo pour ce coup-là! personne en Phéacie n'est capable d'aller jusqu'ici ni plus loin.

A ces mots, le divin Ulysse s'applaudit d'avoir en cette arène un témoin favorable.

C'est d'un cœur plus léger qu'il dit aux Phéaciens, le héros d'endurance :

ULYSSE. – Et d'un qu'il vous faudrait atteindre, jeunes gens! Je m'en vais tout à l'heure en placer un second au même endroit, je pense, et peut-être plus loin. Maintenant, si le cœur vous en dit, bon courage! à tous les autres jeux, qu'on vienne me tâter! On m'a trop irrité : boxe, course ou main plate, je ne refuse rien et ne veux récuser de tous les Phéaciens qu'un seul, Laodamas. C'est mon hôte : comment lutter contre un ami? Il faudrait être fou ou de cœur misérable pour provoquer aux jeux celui qui vous accueille en pays étranger : c'est s'amputer soi-même!... Mais à part celui-là, je dis ne refuser ni dédaigner personne. Me voici prêt à vous regarder dans les yeux. Qu'on vienne me tâter! Je puis tenir ma place à tous les jeux des braves ; mais c'est l'arc en bois fin que je sais manier. Du premier coup, ma flèche, en la cohue des ennemis, atteint son homme, quand même, autour de lui, cent compagnons voudraient le couvrir en tirant. [De tous les Achéens, Philoctète était seul à l'emporter sur moi quand, au pays de Troie, nous concourions à l'arc [1]. Mais, au monde, il n'est plus autre mangeur de pain qu'on puisse, et de fort loin, me comparer, je crois. Oh! il fut des héros devant qui je m'incline : tel Héraclès et tel Eurytos d'Oechalie [2] ; car ceux-là, c'est les dieux qu'à l'arc ils égalaient. Il en coûta la vie à ce grand Eurytos! Si l'âge, en son palais, ne vint pas le surprendre, ce fut qu'en sa colère, Apollon le tua, quand à l'arc

Eurytos eut provoqué le dieu...] Et je plante ma pique aussi loin, et plus loin que les autres leur flèche... Je n'excepte qu'un jeu : je craindrais vos coureurs. J'ai, sous les coups de mer, trop durement pâti : faute d'avoir à bord les soins de chaque jour, j'ai les jambes rompues.

Il dit ; tous se taisaient. Alors, dans le silence, le seul Alkinoos, en réponse, lui dit :

ALKINOOS. – Mon hôte, tes discours ne sauraient nous déplaire : tu désires montrer que ta valeur subsiste, irrité que cet homme ait osé dans l'arène insulter ta vaillance en des mots dont jamais un sage n'eût usé. Mais comprends mes raisons : quand, ayant retrouvé tes enfants et ta femme, tu auras à ta table un héros qui voudra connaître nos mérites, il faut que tu lui dises en quels travaux Zeus nous maintient de père en fils. Non ! la boxe n'est pas notre fort, ni la lutte : nous sommes bons coureurs et marins excellents ; mais pour nous, en tout temps, rien ne vaut le festin, la cithare et la danse, le linge toujours frais, les bains chauds et l'amour... Allons ! entrez au jeu, toute la fleur de nos danseurs de Phéacie ! de retour au logis, je voudrais que notre hôte pût dire à tous les siens qu'à la rame, à la course, au chant et à la danse nous sommes sans rivaux. Vite ! à Démodocos qu'on s'en aille chercher la cithare au chant clair : elle est restée chez moi.

Ainsi parlait Alkinoos, semblable aux dieux. Le héraut se leva et s'en alla chercher à la maison du roi la cithare bombée. Dans le peuple, on choisit neuf juges de l'arène, qui, pour tout apprêter se levant de leur place, aplanirent le sol. Comme ils en avaient fait un beau terrain de lutte, le héraut reparut, rapportant à l'aède la cithare au chant clair. Alors Démodocos s'avança dans le cercle ; la fleur des jeunes gens, champions de la danse, debout autour de lui, voltaient et, de leurs pieds, frappaient le plan de l'aire. Ulysse était tout yeux devant ces passe-pied dont son cœur s'étonnait...

LES AMOURS D'ARÈS ET D'APHRODITE [1]

Démodocos alors préluda, puis se mit à bellement chanter. Il disait les amours d'Arès et de son Aphrodite au diadème, leur premier rendez-vous secret chez Héphaestos et tous les dons d'Arès, et la couche souillée du seigneur Héphaestos, et le Soleil allant raconter au mari qu'il les avait trouvés en pleine œuvre d'amour. Héphaestos accueillit sans plaisir la nouvelle ; mais, courant à sa forge, il roulait la vengeance au gouffre de son cœur. Quand il eut au billot dressé sa grande enclume, il forgea des réseaux de chaînes infrangibles pour prendre nos amants. Puis, le piège achevé, furieux contre Arès, il revint à la chambre où se trouvait son lit : aux pieds, il attacha des chaînes en réseau ; au plafond, il pendit tout un autre réseau, vraie toile d'araignée, — un piège sans pareil, imperceptible à tous, même aux dieux bienheureux! et quand, autour du lit, il eut tendu la trappe, il feignit un départ vers les murs de Lemnos, la ville de son cœur entre toutes les terres [2]. Arès, qui le guettait, n'avait pas l'œil fermé: dès qu'il vit en chemin le glorieux artiste, il prit ses rênes d'or, et le voilà courant chez le noble Héphaestos, tout de feu pour sa Kythérée [3] au diadème!

La fille du Cronide à la force invincible rentrait tout justement du manoir de son père et venait de s'asseoir.

Arès entra chez elle et, lui prenant la main, lui dit et déclara :

ARÈS. – Vite au lit, ma chérie! quel plaisir de s'aimer!... Héphaestos est en route ; il doit être à Lemnos, parmi ses Sintiens au parler de sauvages.

Il dit, et le désir du lit prit la déesse. Mais, à peine montés sur le cadre et couchés, l'ingénieux réseau de l'habile Héphaestos leur retombait dessus : plus moyen de bouger, de lever bras ni jambe ; ils voyaient maintenant qu'on ne pouvait plus fuir. Et voici que rentrait la gloire des boiteux [1]! avant d'être à Lemnos, il avait tourné bride, sur un mot du Soleil qui lui faisait la guette [a].

Debout au premier seuil, affolé de colère, avec des cris de fauve, il appelait les dieux :

HÉPHAESTOS. – Zeus le père et vous tous, éternels Bienheureux! arrivez! vous verrez de quoi rire! un scandale! C'est vrai : je suis boiteux ; mais la fille de Zeus, Aphrodite, ne vit que pour mon déshonneur ; elle aime cet Arès, pour la seule raison qu'il est beau, l'insolent! qu'il a les jambes droites! si je naquis infirme, à qui la faute? à moi?... ou à mes père et mère?... Ah! comme ils auraient dû ne pas me mettre au monde! Mais venez! vous verrez où nos gens font l'amour : c'est dans mon propre lit! J'enrage de les voir. Oh! je crois qu'ils n'ont plus grande envie d'y rester : quelque amour qui les tienne, ils vont bientôt ne plus vouloir dormir à deux. Mais la trappe tiendra le couple sous les chaînes, tant que notre beau-père ne m'aura pas rendu jusqu'au moindre cadeau que je lui consignai pour sa chienne de fille [2]!... La fille était jolie, mais trop dévergondée!

a. Vers 303 : il revenait chez lui, la rage dans le cœur.

Ainsi parlait l'époux, et vers le seuil de bronze, accouraient tous les dieux, et d'abord Posidon, le maître de la terre, puis l'obligeant Hermès, puis Apollon, le roi à la longue portée ; les déesses, avec la pudeur de leur sexe, demeuraient au logis...

Sur le seuil, ils étaient debout, ces Immortels qui nous donnent les biens, et, du groupe de ces Bienheureux, il montait un rire inextinguible : ah! la belle œuvre d'art de l'habile Héphaestos!

Se regardant l'un l'autre, ils se disaient entre eux :

LE CHŒUR. – Le bonheur ne suit pas la mauvaise conduite... Boiteux contre coureur! Voilà que ce bancal d'Héphaestos prend Arès! Le plus vite des dieux, des maîtres de l'Olympe, est dupe du boiteux... Il va falloir payer le prix de l'adultère.

Tels étaient les discours qu'ils échangeaient entre eux. Alors le fils de Zeus, le seigneur Apollon, prit Hermès à partie :

APOLLON. – Hermès, le fils de Zeus, le porteur de messages, le semeur de richesses, je crois que, volontiers, tu te laisserais prendre sous de pesants réseaux, pour dormir en ce lit de l'Aphrodite d'or!

Hermès, le messager rayonnant, de répondre :

HERMÈS. – Ah! plût au ciel seigneur à la longue portée!... Qu'on me charge, Apollon! et trois fois plus encore, de chaînes infinies et venez tous me voir, vous tous, dieux et déesses ; mais que je dorme aux bras de l'Aphrodite d'or!

Il disait et le rire éclata chez les dieux. Seul Posidon, sans rire, implorant d'Héphaestos la liberté d'Arès, disait ces mots ailés au glorieux artiste :

POSIDON. – Lâche-le! sur ton ordre, il paiera tous les frais : je m'en porte garant devant les Immortels.

La gloire des boiteux alors lui répondit :

HÉPHAESTOS. – Pas d'ordres! Posidon, ô maître de la terre! car à mauvais payeur, mauvaises garanties! Devant les Immortels, quel moyen de contrainte aurai-je contre toi, quand Arès envolé oubliera dette et chaînes ?

Mais l'Ébranleur du sol, Posidon, répliqua :

POSIDON. – Héphaestos, si jamais Arès vient à s'enfuir et à nier sa dette, c'est moi qui te paierai.

La gloire des boiteux alors lui répondit :

HÉPHAESTOS. – Je ne puis ni ne veux douter de ta parole.

Il dit et mit sa force à lever le filet. Le couple, délivré de ces chaînes pesantes, prenait son vol, lui vers la Thrace, elle vers Chypre. Elle allait à Paphos, l'Aphrodite aux sourires! retrouver son enclos, l'encens de son autel, et, l'ayant mise au bain, les Grâces la frottaient de cette huile divine qui reluit sur la peau des dieux toujours vivants, puis elles lui passaient une robe charmante, enchantement des yeux!

Voilà ce que chantait le glorieux aède. Ulysse à l'écouter trouvait autant de charme que tous ces armateurs et gens aux longues rames du peuple phéacien.

Alkinoos alors fit danser seul à seul deux de ses fils, Laodamas et Halios : ils étaient hors concours. Ils prirent à deux mains un beau ballon de pourpre que, pour eux, avait fait Polybe, un habile homme : échine renversée, quand l'un d'eux l'envoyait jusqu'aux sombres nuées, l'autre, sautant en l'air, le recevait au vol, avant de retoucher le sol de ses deux pieds. Puis, ayant terminé ces jeux de haute balle, ils dansèrent au ras de la terre nourrice, en rapides croisés, et, debout dans l'arène, les autres jeunes gens leur battaient la cadence : quel bruit il en montait!

Ulysse le divin dit à Alkinoos :

ULYSSE. – Seigneur Alkinoos, l'honneur de tout ce peuple, tu m'avais dit combien excellent vos danseurs ; mais la preuve en est faite et leur vue me confond.

Cet éloge remplit de joie Sa Sainte Force. Aussitôt, à ses bons rameurs de Phéacie, Alkinoos de dire :

ALKINOOS. – Doges et conseillers de Phéacie, deux mots. Notre hôte m'apparaît tout rempli de sagesse. Allons! comme d'usage, offrons-lui les présents de l'hospitalité! Nous avons douze rois de marque dans ce peuple, douze chefs souverains, et je suis le treizième : que chacun fasse donc apporter une écharpe tout fraîchement lavée, une robe, un talent de son or le plus fin ; sans retard, à notre hôte offrons le tout ensemble ; c'est d'un cœur plus joyeux qu'ayant nos dons en mains, il rentrera souper [1]. Mais Euryale aussi, pour ses mots malsonnants, devra lui présenter un don et des excuses!

Il dit ; tous d'applaudir et de donner les ordres, et chacun au logis envoya son héraut pour chercher son présent. Euryale, à son tour, lui fit cette réponse :

EURYALE. – Seigneur Alkinoos, l'honneur de tout ce peuple, j'obéis à ton ordre et vais, pour apaiser notre hôte, lui donner ce glaive tout en bronze ; la poignée est d'argent ; la gaine est d'un ivoire qui vient d'être scié : il saura l'estimer à sa valeur, je pense.

Il dit et déposa entre les mains d'Ulysse le glaive aux clous d'argent, puis reprit la parole et dit ces mots ailés :

EURYALE. – Avec tous mes souhaits, l'étranger, notre père! S'il te fut adressé quelque mot violent, que le prenne et l'emporte aussitôt la bourrasque! et que les

Immortels t'accordent la faveur de rentrer au pays, de revoir ton épouse, après avoir souffert si longtemps loin des tiens!

Ulysse l'avisé lui fit cette réponse :

ULYSSE. – Accepte aussi mes vœux : que les dieux, mon ami, te comblent de bonheur, et, puisque avec des mots qui nous réconcilient, tu me donnes ce glaive, puisses-tu n'en avoir jamais aucun regret!

Il disait et passait autour de son épaule le glaive aux clous d'argent.

Au coucher du soleil, les présents étaient là et les nobles hérauts les portaient chez le roi. Les fils de l'éminent Alkinoos prenaient ces cadeaux magnifiques, pour les poser auprès de leur auguste mère. Sa Force et Sainteté leur montrait le chemin. On rentra : dans les hauts fauteuils, on fut s'asseoir.

Sa Force Alkinoos, appelant Arété :

ALKINOOS. – Femme, prends le meilleur de nos coffres de luxe et mets-y pour ton compte une robe, une écharpe tout fraîchement lavée ; puis, sur le feu, posez à chauffer la bassine, et, quand l'eau sera chaude, que notre hôte aille au bain! Je veux qu'à son retour, voyant en sûreté les présents qu'il reçut de nos rois phéaciens, il goûte mieux encore le festin et les chants que nous dira l'aède. Pour mon cadeau, voici ma belle coupe en or, afin qu'à tout jamais, il garde ma mémoire lorsque, dans sa grand-salle, il boira soit à Zeus, soit à quelque autre dieu.

Il disait : Arété donna l'ordre à ses femmes de mettre au feu le grand trépied tout à l'instant. Sur la flamme avivée, les servantes plantèrent le trépied chauffe-bain et, l'ayant rempli d'eau, entassèrent dessous les bûches à flamber, et bientôt l'eau chauffa dans la panse du vase, que la flamme léchait. Mais la reine Arété apportait du trésor son coffre le plus beau, qu'elle offrit à son hôte, puis déposait au fond les cadeaux magnifiques, les vêtements et l'or, présents des Phéaciens, ajoutait pour son compte une écharpe avec la plus belle de ses robes, et disait, élevant la voix, ces mots ailés à l'adresse d'Ulysse :

ARÉTÉ. – Vite! à toi maintenant de veiller au couvercle et d'y mettre le nœud : il ne faut pas qu'en route, à bord du noir vaisseau, on te trompe à nouveau [1] lorsque tu dormiras du plus doux des sommeils.

Le héros d'endurance, Ulysse le divin, eut à peine entendu qu'ajustant le couvercle, il y mettait un nœud dont l'auguste Circé lui avait autrefois enseigné le secret. L'intendante aussitôt vint l'inviter au bain. Il fut à la baignoire : en voyant ce bain chaud, quelle joie dans son cœur! il n'avait pas donné grand temps à sa toilette, depuis qu'il n'était plus là-bas chez Calypso, la nymphe aux beaux cheveux : ah! là-bas! il avait tout le confort d'un dieu!...

Les femmes, l'ayant mis au bain et frotté d'huile, le vêtirent d'un beau manteau et d'une robe. Sorti de la baignoire, il allait retrouver les héros qui buvaient, lorsque Nausicaa, que les dieux faisaient belle, se dressa au montant de l'épaisse embrasure, et ses yeux étonnés fixant les yeux d'Ulysse, elle éleva la voix et dit ces mots ailés :

NAUSICAA. – Bon voyage, notre hôte! au pays de tes pères, quand tu seras rentré, garde mon souvenir! car c'est à moi d'abord que devrait revenir le prix de ton salut.

Ulysse l'avisé lui fit cette réponse :

ULYSSE [a]. – Fasse l'époux d'Héra, le Zeus retentissant, qu'en mon logis, je voie la journée du retour, aussi vrai que mes vœux, quand je serai là-bas, te resteront fidèles : tu me seras un dieu, tous les jours d'une vie que je te dois, ô vierge!

Il dit et s'en alla reprendre son fauteuil auprès d'Alkinoos [1].

Comme on tranchait les parts et qu'on mêlait le vin, le héraut reparut, menant le brave aède, Démodocos, que tout ce peuple révérait ; il s'en vint l'installer au centre du festin, le fauteuil adossé à la haute colonne.

Ulysse l'avisé appela le héraut, puis, taillant au filet d'un porc aux blanches dents un morceau que bardait une abondante graisse, — le plus gros y restait :

ULYSSE. – Héraut, prends cette part et la porte à l'aède! qu'il mange! et dis-lui bien que, malgré mon chagrin, je veux le saluer! Il n'est homme ici-bas qui ne doive aux aèdes l'estime et le respect : car n'apprennent-ils pas de la Muse leurs pièces? la Muse qui chérit la race des chanteurs!

Il dit : prenant la viande en ses mains, le héraut s'en fut l'offrir à son seigneur Démodocos, et ce don mit la joie dans le cœur de l'aède. Alors, aux parts de choix préparées et servies, ils tendirent les mains.

Quand on eut satisfait la soif et l'appétit, Ulysse l'avisé dit à Démodocos :

ULYSSE. – C'est toi, Démodocos, que, parmi les mortels, je révère entre tous, car la fille de Zeus, la Muse, fut ton maître, ou peut-être Apollon! Quand tu chantes si bien le sort des Achéens, leurs maux et leurs exploits et toutes leurs traverses, l'as-tu vu de tes yeux

a. Vers 464 : Nausicaa, la fille du fier Alkinoos!

ou par les yeux d'un autre?... Mais poursuis! et dis-nous l'histoire du cheval de bois, que fit avec Épeios Athéna, et comment le divin Ulysse introduisit ce piège dans la ville, avec son chargement des pilleurs d'Ilion! Si tu peux tout au long nous conter cette histoire, j'irai dire partout qu'un dieu, qui te protège, dicte ton chant divin.

Il eut à peine dit que, sous l'élan du dieu, l'aède préludait, puis leur tissait son hymne. Il avait pris la scène au point où ceux d'Argos, ayant incendié leurs tentes, s'éloignaient sur les bancs de leur flotte ; mais déjà, aux côtés du glorieux Ulysse, les chefs étaient à Troie, cachés dans le cheval que les Troyens avaient tiré sur l'acropole. Le cheval était là, debout, sur l'agora; assis autour de lui, les Troyens discouraient pêle-mêle, sans fin, sans pouvoir entre trois avis se décider : les uns auraient voulu, d'un bronze sans pitié, éventrer ce bois creux, et d'autres le tirer jusqu'au bord de la roche pour le précipiter, et d'autres le garder comme une grande offrande qui charmerait les dieux. C'est par là qu'après tout, ils devaient en finir : leur perte était fatale, du jour que leur muraille avait emprisonné ce grand cheval de bois, où tous les chefs d'Argos apportaient aux Troyens le meurtre et le trépas... Et l'aède chanta la ville ravagée, et jaillis du cheval, les Achéens quittant le creux de l'embuscade, et chacun d'eux pillant son coin de ville haute, et, brave comme Arès, Ulysse accompagnant le divin Ménélas jusque chez Déiphobe, et tous deux affrontant la plus dure des luttes et devant leur victoire au grand cœur d'Athéna [1]. Mais, tandis que chantait le glorieux aède, Ulysse faiblissait : les larmes inondaient ses joues sous ses paupières. La femme pleure ainsi, jetée sur son époux, quand il tombe au-devant des murs et de son peuple, pour écarter de sa cité, de ses enfants, la journée sans merci ; elle le voit qui meurt, qui déjà se convulse ; elle s'attache à lui, et crie, et se lamente, et voici, dans son dos, les lances ennemies qui viennent lui tailler la nuque et les épaules! et voici l'esclavage et ses dures misères! et les affres du deuil lui ravagent les joues. Tels, les pleurs de pitié tombaient des yeux d'Ulysse [1].

A toute l'assistance, il put cacher ses larmes. Le seul Alkinoos s'en douta, puis les vit, — ils siégeaient côte à côte, — et l'entendit enfin lourdement sangloter. Vite, il dit à ses bons rameurs de Phéacie :

ALKINOOS. - Doges et conseillers de Phéacie, deux mots. C'est assez pour l'aède! laisse, ô Démodocos, la cithare au chant clair! Car peut-être ces chants ne plaisent pas à tous. Je vois qu'en ce repas, les sanglots de douleur n'ont pas quitté notre hôte, depuis que s'est levé notre aède divin : il faut qu'un grand chagrin ait envahi son âme! Donc, assez pour l'aède! inviteur, invités, je veux la joie de tous : n'est-ce pas mieux ainsi?

» Si nous sommes ici, c'est pour fêter notre hôte. [Tout est prêt maintenant, le départ, les cadeaux qu'à l'ami nous offrons : l'hôte et le suppliant ne sont-ils pas des frères, pour peu que l'on conserve au cœur quelque sagesse ?]

» Mais à ton tour, mon hôte, il faut ne rien cacher : sans feinte, réponds-moi ; rien ne vaut la franchise. Dis-nous quel est le nom que là-bas te donnaient et ton père et ta mère et tous ceux de ta ville et de vos alentours ; car jamais on ne vit qu'un homme fût sans nom ; qu'on soit noble ou vilain, chacun en reçoit un le jour de sa naissance ; aux enfants sitôt nés, c'est le don des parents. Dis-nous quelle est ta terre et ton peuple et la ville, où devront te porter nos vaisseaux phéaciens qui, doués de raison, voguent sans le pilote et sans le gouvernail qu'ont les autres navires ; ils savent deviner, d'eux-mêmes, les désirs et les pensées des hommes ; connaissant les cités et les grasses campagnes du monde tout entier, ils font leurs traversées sur le gouffre des mers, sans craindre ni la moindre avarie ni la perte dans les brumes et les nuées qui les recouvrent... Mais voici quel avis autrefois me donna Nausithoos mon père : Posidon, disait-il, nous en voudrait un jour de notre renommée d'infaillibles passeurs et, lorsque rentrerait de quelque reconduite un solide croiseur du peuple phéacien, le dieu le briserait dans la brume des mers, puis couvrirait le bourg du grand mont qui l'encercle [1]. Ces discours du vieillard, en verrons-nous l'effet ? resteront-ils sans suite ? C'est le secret des dieux. Mais, voyons, point par point, sans feinte, conte-moi les lieux où tu erras, les contrées que tu vis, les mœurs des habitants, la beauté de leurs villes! étaient-ce des sauvages, des bandits sans justice, ou des gens accueillants, qui respectent les dieux? dis-moi pourquoi ces pleurs? et pourquoi ce chagrin, qui remplissait ton âme en entendant le sort des héros danaens et des gens d'Ilion?... C'est l'ouvrage des dieux : s'ils ont filé la mort à tant de ces humains, c'est pour fournir des chants aux gens de l'avenir. Sous les murs d'Ilion, aurais-tu donc perdu quelque noble allié, un beau-frère, un beau-père? quelqu'un de ces amis que l'on aime le mieux après son propre sang et sa propre famille? un brave compagnon, loyal et dévoué? car avoir un ami toujours plein de sagesse, c'est avoir mieux qu'un frère! »

(CHANT IX.) Ulysse l'avisé lui fit cette réponse [1] :

ULYSSE. – Seigneur Alkinoos, l'honneur de tout ce peuple, j'apprécie le bonheur d'écouter un aède, quand il vaut celui-ci : il est tel que sa voix l'égale aux Immortels ! et le plus cher objet de mes vœux, je te jure, est cette vie de tout un peuple en bon accord, lorsque, dans les manoirs, on voit en longues files les convives siéger pour écouter l'aède, quand, aux tables, le pain et les viandes abondent et qu'allant au cratère, l'échanson vient offrir et verser dans les coupes. Voilà, selon mon gré, la plus belle des vies !... Mais, touché par mes pleurs, tu veux savoir ma peine : tu veux donc redoubler ma tristesse et mes larmes [2] ? Ah ! par où débuter ? par où continuer ? et comment jusqu'au bout te conter les souffrances, dont m'ont comblé les dieux, les habitants du ciel ? Mais je veux commencer en vous disant mon nom : que vous le sachiez tous ! et, si le jour cruel m'épargne, que, pour vous, je sois toujours un hôte, si loin que je demeure !

C'est moi qui suis Ulysse, oui, ce fils de Laërte, de qui le monde entier chante toutes les ruses et porte aux nues la gloire [3]. Ma demeure d'Ithaque est perchée comme une aire, sous le Nérite aux bois tremblants [4], au beau profil. Des îles habitées se pressent tout autour, Doulichion, Samé, Zante la forestière ; mais, au fond du noroît [5], sur la mer, mon Ithaque apparaît la plus basse, laissant à l'est et au midi les autres îles. Elle n'est que rochers, mais nourrit de beaux gars : cette terre ! il n'est rien à mes yeux de plus doux.

[Oui ! là-bas, Calypso, au creux de ses cavernes, m'enfermait et brûlait, cette toute divine, de m'avoir pour époux ; au manoir d'Aiaié, la perfide Circé voulait pareillement me garder pour époux ! Jamais, au fond de moi, mon cœur ne consentit. Oh! non, rien n'est plus doux que patrie et parents ; dans l'exil, à quoi bon la plus riche demeure, parmi des étrangers et loin de ses parents ?]

Mais puisque tu le veux, c'est aussi mon retour que je m'en vais vous dire, et toutes les angoisses, dont Zeus me poursuivit en revenant de Troie.

En partant d'Ilion, le vent qui nous portait nous mit sous l'Ismaros, au pays des Kikones [1]. Là, je pillai la ville et tuai les guerriers et lorsque, sous les murs, on partagea les femmes et le tas des richesses, je fis si bien les lots que personne en partant n'eut pour moi de reproches. Alors j'aurais voulu que nous songions à fuir du pied le plus rapide ; mais ces fous refusèrent. Le vin qui se but là! et les moutons qu'on égorgea sur cette plage! et les vaches cornues à la démarche torse! cependant qu'à grands cris, nos Kikones couraient appeler leurs voisins. Ceux de l'intérieur, plus nombreux et plus braves, envoient leurs gens montés qui combattaient en selle [2] ou, s'il fallait, à pied. Plus denses qu'au printemps les feuilles et les fleurs, aussitôt ils arrivent : Zeus, pour notre malheur, nous mettait sous le coup du plus triste destin ; quelle charge de maux [a]!... Tant que dure l'aurore et que grandit le jour sacré, nous résistons, sans plier sous le nombre ; mais quand le jour penchant vient libérer les bœufs, les Kikones vainqueurs rompent mes Achéens, et six hommes guêtrés succombent sans pouvoir regagner leur navire [3] ; nous autres, nous fuyons le trépas et le sort.

Nous reprenons la mer, l'âme navrée, contents

a. Vers 54-55 : ils se mettent en ligne et le combat s'engage sous le flanc des croiseurs : on s'attaque à grands coups de javelots de bronze.

d'échapper à la mort, mais pleurant les amis : sur les doubles gaillards, avant de démarrer, je fais héler trois fois chacun des malheureux tombés en cette plaine, victimes des Kikones...

Mais, nos vaisseaux en mer, Zeus, l'assembleur des nues, nous déchaîne un Borée aux hurlements d'enfer : il noie sous les nuées le rivage et les flots ; la nuit tombe du ciel, et notre flotte fuit, en donnant à la bande, et la rage du vent nous fend en trois et quatre pièces nos voilures... Il fallut amener, — on risquait de se perdre, — et pousser vers la terre à grands efforts de rames. Là, deux jours et deux nuits, nous restons étendus, accablés de fatigue et rongés de chagrin. Quand, du troisième jour, l'Aurore aux belles boucles annonce la venue, nous replantons les mâts, hissons les blanches voiles, et l'on n'a qu'à s'asseoir et qu'à laisser mener le vent et les pilotes... J'allais donc, sain et sauf, revenir au pays!

Mais voici qu'au détour du Malée, le courant, la houle et le Borée me ferment le détroit, puis le port de Cythère [1]. Alors, neuf jours durant, les vents de mort m'emportent sur la mer aux poissons. Le dixième nous met aux bords des Lotophages, chez ce peuple qui n'a, pour tout mets, qu'une fleur [2].

On arrive ; on débarque ; on va puiser de l'eau, et l'on prépare en hâte le repas que l'on prend sous le flanc des croiseurs. Quand on a satisfait la soif et l'appétit, j'envoie trois de mes gens reconnaître les lieux [a], — deux hommes de mon choix, auxquels j'avais adjoint en troisième un héraut. Mais, à peine en chemin, mes envoyés se lient avec des Lotophages qui, loin de médi-

a. Vers 89 : à quels mangeurs de pain appartient cette terre.

ter le meurtre de nos gens, leur servent du lotos. Or, sitôt que l'un d'eux goûte à ces fruits de miel, il ne veut plus rentrer ni donner de nouvelles [a].

Je dus les ramener de force [1], tout en pleurs, et les mettre à la chaîne, allongés sous les bancs, au fond de leurs vaisseaux. Puis je fis rembarquer mes gens restés fidèles : pas de retard ! à bord ! et voguent les navires ! J'avais peur qu'à manger de ces dattes, les autres n'oubliassent aussi la date du retour [2].

Mes gens sautent à bord et vont s'asseoir aux bancs, puis, chacun en sa place, la rame bat le flot qui blanchit sous les coups. Nous reprenons la mer, l'âme toujours navrée.

De là, nous arrivons au pays des Yeux Ronds [3], brutes sans foi ni lois, qui, dans les Immortels, ont tant de confiance qu'ils ne font de leurs mains ni plants ni labourages [b]. Chez eux, pas d'assemblée qui juge ou délibère ; mais, au haut des grands monts, au creux de sa caverne, chacun, sans s'occuper d'autrui, dicte sa loi à ses enfants et femmes.

Au-devant de leur port, ni trop près ni trop loin de cette Cyclopie, s'offre l'Ile Petite [4].

C'est une île en forêt où les chèvres sauvages se multiplient sans fin. Jamais un pas humain ne va les y troubler. Jamais de ces chasseurs ne vont les y poursuivre, qui prennent tant de peine à courir les forêts sur la cime des monts [c] : sans labours ni semailles, tous

a. Vers 96-97 : tous voudraient se fixer chez ces mangeurs de dattes, et gorgés de ces fruits, remettre à tout jamais la date du retour...

b. Vers 109-111 : sans travaux ni semailles, le sol leur fournit tout, orges, froments, vignobles et vin des grosses grappes, que les ondées de Zeus viennent gonfler pour eux.

c. Vers 122 : ni charrues ni bétails ne leur disputent l'île.

les jours de l'année, l'île vide d'humains ne sert que de pâtis à ces chèvres bêlantes.

C'est que, chez les Yeux Ronds, il n'est pas un navire aux joues de vermillon et pas un charpentier pour construire une flotte. Car si ces gens avaient de bons vaisseaux à rames pour aller, à travers les mers, de ville en ville, chercher tant de produits qu'échangent les humains, ah! la belle cité que porterait leur île! tous les fruits y viendraient ; leur terre est excellente ; près des flots écumants, il est, sur le rivage, des prairies arrosées, molles, où l'on aurait des vignes éternelles ; et quel labour facile! et les hautes moissons qu'on ferait chaque été! car c'est un gras terroir que recouvrent ces mottes. Cette île a, dans son port, des cales si commodes que, sans amarre à terre [a], on laisse les vaisseaux, une fois remisés, jusqu'au jour où le cœur à nouveau se décide ou que les vents se lèvent. A l'orée de ce port, s'épanche l'onde claire d'une source sous roche, en un cercle de trembles [1].

C'est là que nous entrons : un dieu nous pilotait [b]. Autour de nos vaisseaux, la brume était épaisse et, dans le ciel chargé de nuages, la lune n'avait pas un rayon. Aussi personne à bord, avant qu'on échouât les solides croiseurs, n'avait aperçu l'île ni vu la grosse mer qui roulait sur ses bords.

Les vaisseaux échoués, les voiles amenées, on débarque, on s'étend sur la grève et l'on dort jusqu'à l'aube divine.

Mais, sitôt qu'apparaît, dans son berceau de brume, l'Aurore aux doigts de roses, nous battons la forêt de

a. Vers 137 : et sans jeter les ancres et sans lier les câbles.
b. Vers 143 : en cette nuit profonde, qui ne laissait rien voir.

cette île enchantée, où les filles du Zeus à l'égide, les Nymphes, faisaient lever les chèvres de leurs gîtes du mont : quel dîner pour nos gens! Vite, l'on prend à bord les arcs courbés et les épieux aux longues douilles ; les tireurs se déploient, partagés en trois bandes, et les dieux nous octroient une si belle chasse que mes douze vaisseaux ont chacun leurs neuf chèvres ; pour mon bord seulement, on en prélève dix. Aussi, tout un grand jour, jusqu'au soleil couchant, nous restons au festin : on avait du bon vin, des viandes à foison! Nous n'avions pas encore épuisé le vin rouge que nous avions à bord ; car chacun avait fait son plein dans les amphores, quand nous avions pillé la ville des Kikones avec ses sanctuaires. La terre des Yeux Ronds était là, toute proche : nous voyions ses fumées ; nous entendions leurs voix et celles de leurs chèvres... Au coucher du soleil, quand vient le crépuscule, on s'étend pour dormir sur la grève de mer.

LE CYCLOPE [1]

Aussitôt qu'apparaît, dans son berceau de brume l'Aurore aux doigts de roses, j'appelle tout le monde à l'assemblée et dis :

ULYSSE. – Fidèles équipages, le gros de notre flotte va demeurer ici ; mais je vais prendre, moi, mon navire et mes hommes ; je veux tâter ces gens et savoir ce qu'ils sont, des bandits sans justice, un peuple de sauvages ou des gens accueillants qui respectent les dieux.

Je dis et, m'embarquant, j'ordonne à l'équipage

d'embarquer à son tour et de larguer l'amarre. Mes gens sautent à bord et vont s'asseoir aux bancs, puis, chacun en sa place, la rame bat le flot qui blanchit sous les coups.

Nous eûmes vite atteint l'endroit, d'ailleurs tout proche, où sur le premier cap et dominant la mer s'offrait à nos regards une haute caverne, ombragée de lauriers [1]. Elle servait d'étable à de nombreux troupeaux de brebis et de chèvres : au-devant, une cour profonde était enclose de gros blocs arrachés, de chênes à panache et de pins au long fût.

C'est là que notre monstre humain avait son gîte ; c'est là qu'il vivait seul, à paître ses troupeaux, ne fréquentant personne, mais toujours à l'écart et ne pensant qu'au crime. Ah! le monstre étonnant! il n'avait rien d'un bon mangeur de pain, d'un homme : on aurait dit plutôt quelque pic forestier qu'on voit se détacher sur le sommet des monts [2].

Je débarque et j'ordonne à mon brave équipage de garder le vaisseau sans bouger de la grève ; mais je pars, n'emmenant que douze hommes d'élite que j'avais désignés. J'emportais avec moi une outre, en peau de chèvre, de ce vin noir si doux, que le fils d'Évantheus, Maron [3], m'avait donné. Prêtre de l'Apollon qui veille sur Ismare, nous l'avions épargné, lui, sa femme et son fils, en respectant son toit, sous les arbres du bois de Phoebos Apollon. Aussi m'avait-il fait des cadeaux magnifiques, me donnant sept talents de son or travaillé, me donnant un cratère, où tout était d'argent, et me donnant enfin un lot de douze amphores de ce vin de liqueur ; sans une goutte d'eau, c'était boisson de dieu, dont personne au logis, ni servants ni servantes, ne savait la cachette, hors son épouse et lui et la seule intendante. Pour le boire en vin rouge, aussi doux que le miel, il fallait n'en verser qu'une coupe remplie dans vingt mesures d'eau [1] et, du cratère, alors, l'odeur montait si douce que c'en était divin et que n'en pas goûter aurait paru sans charmes [a] !...

Rapidement, nous arrivons à la caverne : il n'était pas chez lui ; il était au pacage avec ses gras moutons. Nous entrons dans la grotte et faisons la revue : claies chargées de fromages ; agnelets et chevreaux dans les enclos bondés, — chaque âge avait ses stalles, les aînés par ici et les cadets par là, plus loin les nouveau-nés ; — des vases en métal, tous regorgeant de lait, les terrines, les seaux, qui lui servaient à traire.

Mais, aussitôt entrés, mes gens n'ont de paroles que pour me supplier de prendre les fromages, les agneaux, les chevreaux, de vider les enclos et de nous en aller en courant, au croiseur, retrouver l'onde amère. C'est moi qui refusai ; ah ! qu'il eût mieux valu !... Mais je voulais le voir et savoir les présents qu'il nous ferait, cet hôte ! Il n'allait se montrer à mes gens que trop tôt, et non pour leur plaisir... Nous restons. Nous faisons du feu, un sacrifice, et, nous étant servis, nous mangeons des fromages. Puis, dans la grotte assis, nous restons à l'attendre.

Le voici qui revient, ramenant son troupeau : il porte à pleine charge un tas de branches mortes, pour le feu du souper : sous la voûte, il les jette avec un tel fracas qu'éperdus, nous fuyons au fond de la caverne.

a. Vers 212-215 : j'en avait donc empli ma grande outre ; avec elle, j'avais le sac de cuir pour les provisions ; car en mon cœur fougueux, je n'avais qu'une envie : aborder ce sauvage, prodige de vigueur, qui se moquait des lois humaines et divines.

Il fait alors entrer dans cette vaste salle tout le troupeau dodu des femelles à traire ; mais il laisse au-dehors, dans le creux de la cour, les boucs et les béliers. Puis il ferme l'entrée avec un gros rocher qu'il lève et met debout : même avec vingt-deux hauts fardiers à quatre roues, on n'eût pas fait bouger cette pierre du sol.

Quand il a pour portail ce roc infranchissable, il s'assied et se met à traire d'affilée tout son troupeau bêlant de brebis et de chèvres ; puis, lâchant le petit sous le pis de chacune, il fait de son lait blanc cailler une moitié, qu'il égoutte et dépose en ses paniers de joncs ; mais il avait gardé le reste en ses terrines pour le boire à son heure ou pendant son souper. Ce travail achevé, et ce ne fut pas long, il ranime le feu, nous voit et nous demande :

POLYPHÈME. – Étrangers, votre nom ? d'où nous arrivez-vous sur les routes des ondes ? faites-vous le commerce ?... n'êtes-vous que pirates qui, follement, courez et croisez sur les flots [1] et, risquant votre vie, vous en allez piller les côtes étrangères ?

Il disait. Nous sentions notre cœur éclater, sous la peur de ce monstre et de sa voix terrible. Mais que faire ?... Je prends la parole et lui dis :

ULYSSE. – Nous sommes Achéens. Nous revenions de Troie. Mais les vents de toute aire nous ont fait, hors de route, errer sur cet immense abîme de la mer : quand nous comptions rentrer, quels chemins ! quel voyage pour venir jusqu'ici !... C'est Zeus assurément qui l'avait décidé... Guerriers d'Agamemnon, nous avons eu l'honneur de servir cet Atride, dont le renom n'a plus son égal sous les cieux, si grande était la ville, qu'il pilla jusqu'au sol, et si nombreux les gens, dont il causa la perte! Nous voici maintenant chez toi, à tes genoux, espérant recevoir ton hospitalité et quelqu'un des présents, que l'on se fait entre hôtes. Crains les dieux, brave ami! tu vois des suppliants : Zeus se fait le vengeur du suppliant, de l'hôte! Zeus est l'Hospitalier, qui amène les hôtes et veut qu'on les respecte!

Je disais ; mais ce cœur sans pitié me répond :

POLYPHÈME. – Tu fais l'enfant, mon hôte! ou tu nous viens de loin! Tu veux que, moi, je craigne et respecte les dieux! Sache que les Yeux Ronds n'ont à se soucier ni des dieux fortunés ni du Zeus à l'égide : nous sommes les plus forts. Non! sans aucun égard pour la haine de Zeus, je ne t'épargnerai, toi et tes compagnons, que s'il plaît à mon cœur... Mais dis-moi le mouillage où tu mis, en venant, ton solide navire? est-ce au bout de la pointe ou plus près?... que je sache!

Il voulait me tâter ; mais j'en savais trop long et, pour lui répliquer, je lui fis cette histoire :

ULYSSE. – Mon navire est brisé : oui! l'Ébranleur du sol, Posidon, l'a jeté sur les roches du cap, au bout de votre terre, où nous poussa le vent qui nous portait du large ; seuls, ces amis et moi avons sauvé nos têtes.

Je disais, et ce cœur sans pitié ne dit mot. Mais, sur mes compagnons s'élançant, mains ouvertes, il en prend deux ensemble et, comme petits chiens, il les rompt contre terre : leurs cervelles, coulant sur le sol, l'arrosaient ; puis, membre à membre, ayant déchiqueté leurs corps, il en fait son souper ; à le voir dévorer, on eût dit un lion, nourrisson des montagnes ; entrailles, viandes, moelle, os, il ne laisse rien. Nous autres, en pleurant, tendions les mains vers Zeus!... voir cette œuvre d'horreur!... se sentir désarmé!...

Quand enfin le Cyclope a la panse remplie de cette chair humaine et du lait non mouillé qu'il buvait par-dessus, il s'allonge au milieu de ses bêtes dans l'antre. Alors je prends conseil de mon cœur valeureux : vais-je, au long de ma cuisse, tirer mon glaive à pointe et, lui courant dessus, le lui planter au ventre, juste au point où le foie pend sous le diaphragme? ma main saura tâter!... Une idée me retint : enfermés avec lui, nous périssions encore ; la mort était sur nous, car l'énorme rocher dont le Cyclope avait bouché sa haute porte, jamais nos bras, à nous, n'auraient pu l'enlever.

En gémissant, nous attendons l'aube divine. Dans son berceau de brume, aussitôt que paraît l'Aurore aux doigts de roses, il ranime le feu, puis il trait d'affilée ses bêtes magnifiques et lâche le petit sous le pis de chacune. Ce travail achevé, — et ce ne fut pas long, — il prend encor deux de mes gens pour déjeuner et, quand il a mangé, il fait sortir de l'antre toutes ses bêtes grasses. Sans effort, il avait ôté le grand portail que, vite, il replaça : on eût dit qu'il mettait la valve d'un carquois. Puis, criant et sifflant, il emmène ses gras moutons vers la montagne.

Il nous avait quittés. Je roulais la vengeance au gouffre de mon cœur [a] ; or voici le projet que je crus le plus sage. Le Cyclope avait là, contre l'un de ses parcs, une grosse massue : c'était un olivier qu'il avait cassé vert pour le porter bien sec. Lorsque

a. Vers 317 : comment donc le punir? ah! qu'Athéna voulût se prêter à mon vœu!...

nous l'avions vu, nous l'avions comparé au mât d'un noir vaisseau, d'un de ces gros transports à vingt bancs de rameurs, qui peuvent traverser le grand gouffre des mers : c'était même longueur, à l'œil, même grosseur... Je me lève et je vais en couper une brasse, que je passe à mes gens pour en ôter les nœuds.

Quand ils l'ont bien poli, j'en viens tailler la pointe ; je la mets à durcir dans le feu que j'active ; je cache enfin ce pieu au profond du fumier, dont l'épaisse litière recouvrait tout le sol de la grande caverne. Je fais alors tirer au sort ceux de mes gens qui, partageant mon risque et soulevant le pieu, s'en iront le planter et tourner dans son œil, sitôt que nous verrons sur lui le doux sommeil. Le sort désigne ceux que moi-même aurais pris ; ils étaient quatre, et moi, je m'enrôle en cinquième.

Il rentre vers le soir, ramenant son troupeau à la fine toison. Mais, sous la grande voûte, il pousse ce jour-là toutes ses bêtes grasses ; dans le creux de la cour, il n'en laisse pas une : avait-il son idée ?... fut-ce l'ordre d'un dieu ?...

Avec son gros rocher qu'il lève et met debout, il a bouché l'entrée. Il s'assied et se met à traire d'affilée tout son troupeau bêlant de brebis et de chèvres, puis lâche le petit sous le pis de chacune. Ce travail achevé, et ce ne fut pas long, il prend encor pour son souper deux de mes gens.

Alors je viens à lui, tout près, et je lui parle ; je tenais à deux mains une auge de vin noir :

Ulysse. – Cyclope, un coup de vin sur les viandes humaines que tu viens de manger : tu verras la boisson que nous avions à bord ! C'est la libation que je voulais t'offrir, pensant que ta pitié nous remettrait chez nous. Mais ta fureur n'a plus de bornes, malheureux! Penses-tu que, chez toi, jamais homme revienne, lorsque l'on connaîtra cette étrange conduite?

Je disais ; mais, prenant mon auge, il la vida : quelle joie formidable à boire ce doux vin!... Il en voulut avoir une seconde fois :

POLYPHÈME. – Donne encor, sois gentil! et dis-moi maintenant, tout de suite, ton nom! car je voudrais t'offrir, ô mon hôte, un présent qui va te réjouir. Sur cette terre aux blés, les Cyclopes ont bien le vin des grosses grappes, que les ondées de Zeus viennent gonfler pour eux. Mais ça, c'est un extrait de nectar, d'ambroisie!

Il dit et, de nouveau, je lui remplis son auge de vin aux sombres feux ; trois fois, j'apporte l'outre, et trois fois, comme un fol, il avale d'un trait!... Je vois bientôt le vin l'envahir jusqu'au cœur. Alors, pour l'aborder, j'essaie des plus doux mots :

ULYSSE. – Tu veux savoir mon nom le plus connu, Cyclope? je m'en vais te le dire ; mais tu me donneras le présent annoncé. C'est Personne, mon nom [1] : oui! mon père et ma mère et tous mes compagnons m'ont surnommé Personne.

Je disais ; mais ce cœur sans pitié me répond :

POLYPHÈME. – Eh bien! je mangerai Personne le dernier, après tous ses amis ; le reste ira devant, et voilà le présent que je te fais, mon hôte!

Il se renverse alors et tombe sur le dos... Bientôt nous le voyons ployer son col énorme, et le sommeil le prend, invincible dompteur. Mais sa gorge rendait du vin, des chairs humaines, et il rotait, l'ivrogne! J'avais saisi le pieu ; je l'avais mis chauffer sous le monceau des cendres ; je parlais à mes gens pour les encourager : si l'un d'eux, pris de peur, m'avait abandonné !...

Quand le pieu d'olivier est au point de flamber, — tout vert qu'il fût encore, on en voyait déjà la terrible lueur, — je le tire du feu ; je l'apporte en courant ; mes gens, debout, m'entourent : un dieu les animait d'une nouvelle audace. Ils soulèvent le pieu : dans le coin de son œil, ils en fichent la pointe. Moi, je pèse d'en haut et je le fais tourner... Vous avez déjà vu percer à la tarière des poutres de navire, et les hommes tirer et rendre la courroie, et l'un peser d'en haut, et la mèche virer, toujours en même place ! C'est ainsi qu'en son œil, nous tenions et tournions notre pointe de feu, et le sang bouillonnait autour du pieu brûlant : paupière et sourcils n'étaient plus que vapeurs de la prunelle en flammes, tandis qu'en grésillant, les racines flambaient [1]... [Dans l'eau froide du bain qui trempe le métal, quand le maître bronzier plonge une grosse hache ou bien une doloire, le fer crie et gémit. C'est ainsi qu'en son œil, notre olivier sifflait [2]...] Il eut un cri de fauve. La roche retentit. Mais nous, épouvantés, nous étions déjà loin.

Il s'arrache de l'œil le pieu trempé de sang. Il le rejette au loin, de ses mains en délire. Il appelle à grands cris ses voisins, les Cyclopes, qui, dans le vent de la falaise, ont leurs cavernes. Ils entendent son cri ; de partout, ils s'empressent. Ils étaient là, debout, tout autour de la grotte, voulant savoir sa peine :

LE CHŒUR. – Polyphème, pourquoi ces cris d'accablement ?... pourquoi nous réveiller en pleine nuit divine ?... serait-ce ton troupeau qu'un mortel vient te prendre?... est-ce toi que l'on tue par la ruse ou la force?

De sa plus grosse voix, Polyphème criait du fond de la caverne :

POLYPHÈME. – La ruse, mes amis! la ruse! et non la force!... et qui me tue? Personne!

Les autres de répondre avec ces mots ailés :

LE CHŒUR. – Personne?... contre toi, pas de force?... tout seul?... c'est alors quelque mal qui te vient du grand Zeus, et nous n'y pouvons rien : invoque Posidon, notre roi, notre père!

A ces mots, ils s'en vont, et je riais tout bas : c'est mon nom de Personne et mon perçant esprit qui l'avaient abusé!

Gémissant, torturé de douleurs, le Cyclope, en tâtonnant des mains, était allé lever le rocher [1] du portail, puis il s'était assis en travers de l'entrée, les deux mains étendues pour nous prendre au passage, si nous voulions sortir dans le flot des moutons : il attendait de moi pareil enfantillage!... Je songeais au moyen de nous arracher tous, mes compagnons et moi, aux prises de la mort, et, ruses et calculs, je mettais tout en œuvre : notre vie se jouait; le désastre était proche...

Et voici le projet que je crus le plus sage. Ses béliers étaient là, des mâles bien nourris, à l'épaisse toison [a]. Sans bruit, avec l'osier, qui servait de coucher à ce monstre infernal, j'avais fait des liens. J'attache les béliers ensemble, trois par trois : la bête du milieu portait l'un de mes gens; les autres la flanquaient, pour mieux cacher mes hommes, dont

a. Vers 426 : grands et beaux, ils avaient leur laine violâtre.

le poids reposait ainsi sur le trio. Il me restait, à moi, le bélier le plus fort. Je le prends par les reins, puis, coulé sous son ventre, je m'allonge en sa laine, et je reste pendu, tordant à pleines mains sa toison merveilleuse : rien ne lasse mon cœur [a]...

ÉOLE ET LESTRYGONS [1]

Aussitôt qu'apparaît, dans son berceau de brume l'Aurore aux doigts de roses, les boucs et les béliers courent au pâturage ; mais les brebis, bêlant, font cercle autour des stalles : le maître n'avait pu les traire et, trop pesants, leurs pis leur faisaient mal. Secoué de douleurs cruelles, le Cyclope tâtait, pour la fouiller, l'échine de ses bêtes, qui s'arrêtaient bien droites... L'enfant! il ne vit pas ce qui pendait au ventre, dans l'épaisse toison.

Le dernier à sortir, mon bélier s'avançait, alourdi de sa laine et de mes lourds pensers. Polyphème le tâte et, de sa grosse voix :

POLYPHÈME. – Doux bélier, qu'as-tu donc?... te voilà le dernier à sortir de la grotte?... les autres t'ont laissé?... D'ordinaire, c'est toi qui, le premier de tous, t'en vas paître à grands pas les tendres fleurs des prés! et tu vas, le premier, au courant des rivières! et le premier encor, tu t'empresses, le soir, de rentrer à l'étable!... Aujourd'hui te voilà le dernier des derniers!... Est-ce l'œil de ton maître qui cause tes regrets? cet œil, qu'un scélérat, avec ses compagnons infâmes, a crevé : ce Personne! il noya ma raison dans le vin ; mais celui-là,

a. Vers 436 : en gémissant, nous attendons l'aube divine.

crois-moi, n'est pas tiré d'affaire... Si l'amitié pouvait te donner la parole!... si tu pouvais me dire où il fuit ma colère!... de son crâne fendu, sa cervelle partout, à travers la caverne, arroserait le sol et mon cœur trouverait moins lourdes les souffrances, qu'est venu m'apporter ce perdu de Personne!

Il dit et, le lâchant, fait sortir le bélier.

Dès qu'on est un peu loin de l'antre et de la cour, je me déprends d'abord, puis je délie mes hommes, et, courant et poussant les bêtes trottinantes, que leur graisse alourdit, nous rentrons au navire, avec de longs détours... Ah! la joie de nos gens à nous voir reparaître, échappés à la mort!... et les pleurs et les cris sur ceux qui ne sont plus!... Mais, les sourcils froncés je défends que l'on pleure. J'ordonne qu'au navire, on jette sans retard tout un lot de brebis à l'épaisse toison et que, sur l'onde amère, au plus tôt l'on reparte. Mes gens sautent à bord et vont s'asseoir aux bancs ; quand, chacun en sa place, la rame bat le flot qui blanchit sous les coups [a], je m'adresse au Cyclope, en paroles railleuses :

Ulysse. – Non! il n'était pas dit que tu devais, Cyclope, manger les compagnons d'un homme sans vigueur, abusant de ta force au fond de ta caverne!... De ta méchanceté, tu devais rencontrer le paiement, malheureux, qui n'accueilles les hôtes que pour les dévorer! Zeus et les autres dieux t'en ont récompensé.

Je dis et, dans son cœur, redouble la colère. D'une grosse montagne, il arrache la cime. Il la lance [1]. Elle tombe au-devant du navire à la proue azurée [b]. La

a. Vers 473 : mais lorsqu'il est au point d'où la voix porte encore.
b. Vers 483 : peu s'en faut qu'elle atteigne la pointe d'étambot.

mer, sous la tombée de la roche, s'ébranle, et le flot de retour nous ramène à la terre, où ce grand coup de flux nous fait presque toucher. Mais, prenant à deux mains notre plus longue gaffe, je pousse à éviter, et j'excite mes gens, en leur donnant les ordres [a].

De la tête, c'est moi qui leur rythme l'allure ; ils piquent de l'avant et tirent sur la rame. Nous voici revenus en mer, deux fois plus loin ; je hèle le Cyclope ; mes gens autour de moi, de leurs mots les plus doux, à l'envi me retiennent :

LE CHŒUR. – Tu vas exaspérer, malheureux, ce sauvage! Il vient de nous jeter un si gros projectile qu'il nous a ramené le croiseur à la côte ; il a failli nous perdre. Si tes cris ou ta voix lui parviennent encor, c'est nos têtes, à nous, et les bois du vaisseau, qu'il va mettre en bouillie, sous le bloc anguleux que son bras peut lancer : il porte jusqu'ici!

Ils parlaient, sans fléchir l'audace de mon cœur. Je reprends et lui crie de toute ma rancune :

ULYSSE. – Cyclope, auprès de toi, si quelqu'un des mortels vient savoir le malheur qui t'a privé de l'œil, dis-lui qui t'aveugla : c'est le fils de Laërte, oui! le pilleur de Troie, l'homme d'Ithaque, Ulysse.

Je disais. En hurlant, le Cyclope répond :

POLYPHÈME. – Ah! misère! je vois s'accomplir les oracles de notre vieux devin! ce n'était qu'un mortel, mais si noble, si grand! ce maître en prophéties, Télémos l'Eurymide, qui vieillit parmi nous, prophète des Cyclopes! Il m'avait bien prédit ce qui m'arriverait et que, des mains d'Ulysse, je serais aveuglé. Mais j'attendais toujours un mortel grand et beau, qui vien-

a. Vers 489 : pour forcer d'avirons, si l'on veut s'en tirer.

drait, revêtu d'une force superbe. Maintenant, c'est un gueux, un freluquet, un nain, qui vient me crever l'œil, quand le vin m'a dompté. Allons! reviens, Ulysse! et je te donnerai les présents de ton hôte! [Je charge le Seigneur qui ébranle la terre de te remettre en route! Je suis son fils, tu sais! il se prétend mon père! Lui seul peut me guérir, s'il veut, mais aucun autre ni des dieux fortunés ni des hommes mortels.

A ces mots du Cyclope, aussitôt je réponds :

ULYSSE. – Ah! puissé-je t'ôter et le souffle et la vie et t'envoyer dans les demeures de l'Hadès, aussi vrai que ton œil ne sera pas guéri, même par le Seigneur qui ébranle le sol!

Je disais ; mais déjà, il faisait sa prière à son roi Posidon, en tendant les deux mains vers les astres du ciel :

POLYPHÈME. – O maître de la terre, ô dieu coiffé d'azur, ô Posidon, écoute! S'il est vrai que je suis ton fils, si tu prétends à ce titre de père, fais pour moi que jamais il ne rentre au logis, ce pilleur d'Ilion, cet Ulysse [a]! ou du moins, si le sort lui permet de retrouver les siens et sa haute maison, au pays de ses pères, fais qu'après de longs maux, sur un vaisseau d'emprunt, il n'y rentre, privé de tous ses compagnons, que pour trouver encor le malheur au logis!

A peine il avait dit : le dieu coiffé d'azur exauçait sa prière [1].] Et déjà le Cyclope a repris un rocher bien plus gros qu'il soulève Il le fait tournoyer, le jette, en y mettant sa force exaspérée. Du navire azuré, le bloc rase la poupe, en risquant d'écraser la pointe d'étambot [b].

a. Vers 531 : lui, ce fils de Laërte, qui demeure en Ithaque.

b. Vers 541 542 : la mer, sous la tombée de la roche, s'ébranle, et le flot nous poussant nous fait presque toucher.

Nous revoici dans l'île où nous avions laissé le gros de notre flotte : sur les bancs des vaisseaux ou campés alentour, nos tristes compagnons restaient à nous attendre. On aborde, on échoue le vaisseau sur le sable [a] ; on tire de la cale les moutons du Cyclope ; j'en fais si bien les lots que personne en partant n'a pour moi de reproches. Seul, je suis mieux traité : à mon lot de moutons, les compagnons guêtrés ajoutent un agneau, que j'offre sur la grève au dieu des nuées sombres, à Zeus, fils de Cronos. Mais, les cuisses brûlées, ce roi de tous les êtres dédaigna notre offrande : il n'avait en l'esprit que notre perte à tous, perte de mon escadre et perte, sur leurs bancs, de mon brave équipage. Durant tout ce grand jour, jusqu'au soleil couchant, nous restons au festin : on avait du bon vin, des viandes, à foison! Au coucher du soleil, quand vient le crépuscule, on s'étend pour dormir sur la grève de mer.

Mais sitôt qu'apparaît, dans son berceau de brume, l'Aurore aux doigts de roses, j'ordonne à tous mes gens d'embarquer sans retard et de larguer l'amarre. Mes gens sautent à bord et vont s'asseoir aux bancs ; puis, chacun en sa place, la rame bat le flot qui blanchit sous les coups.

Nous reprenons la mer, l'âme navrée, contents d'échapper à la mort, mais pleurant les amis.

(*CHANT X.*) Nous gagnons Éolie, où le fils d'Hippotès, cher aux dieux immortels, Éole, a sa demeure [1]. C'est une île qui flotte : une côte de bronze, infrangible muraille, l'encercle tout entière ; une roche polie en pointe vers le ciel. Éole en son manoir nourrit ses

a. Vers 547 : nous prenons pied alors sur la grève de mer.

douze enfants, six filles et six fils qui sont à l'âge d'hommes : pour femmes, à ses fils il a donné ses filles [1] et tous, près de leur père et de leur digne mère, vivent à banqueter ; leurs tables sont chargées de douceurs innombrables ; tout le jour, la maison, dans le fumet des graisses, retentit de leurs voix ; la nuit, chacun s'en va, près de sa chaste épouse, dormir sur les tapis de son cadre ajouré...

Nous montons vers le bourg, jusqu'à leur beau manoir.

Éole, tout un mois, me traite et m'interroge, car il veut tout connaître, la prise d'Ilion, la flotte et le retour des Achéens d'Argos [2], et moi, de bout en bout, point par point, je raconte.

Quand, voulant repartir, à mon tour je le prie de me remettre en route, il a même obligeance à me rapatrier. Il écorche un taureau de neuf ans ; dans la peau, il coud toutes les aires des vents impétueux, car le fils de Cronos l'en a fait régisseur : à son plaisir, il les excite ou les apaise. Il me donne ce sac, dont la tresse d'argent luisante ne laissait passer aucune brise ; il s'en vient l'attacher au creux de mon navire ; puis il me fait souffler l'haleine d'un zéphyr [3], qui doit, gens et vaisseaux, nous porter au logis... Hélas! avant le terme, la folie de mes gens allait nous perdre encor.

Durant neuf jours, neuf nuits, nous voguons sans relâche. Voici que, le dixième, apparaissaient enfin les champs de la patrie ; nous en étions si près qu'on en voyait les feux et les hommes autour. Mais il me vient un doux sommeil ; j'étais brisé : c'était moi qui, toujours, avais tenu l'écoute, sans jamais la céder à quelqu'un de mes gens ; j'avais un tel désir d'arriver au pays!... Mon équipage alors se met à discourir : ce que j'ai dans ce sac, — pensent-ils, — les cadeaux de ce fils d'Hippotès, de ce grand cœur d'Éole, c'est de l'or, de l'argent! Se tournant l'un vers l'autre, ils se disent entre eux :

LE CHŒUR. – Misère! en voilà un que, toujours et partout, on aime et l'on respecte, en quelque ville et terre qu'il puisse bien aller! il ramenait déjà de Troie sa belle charge de butin précieux, alors que nous, au bout de ce même voyage, n'avions pour revenir au logis que mains vides... Et voyez ce qu'il vient de recevoir encor, pour avoir su gagner le cœur de cet Éole!... Allons, vite! il faut voir ce que sont ces cadeaux [a].

Sitôt dit, on se range à cet avis funeste. Le sac est délié : tous les vents s'en échappent, et soudain la rafale entraîne mes vaisseaux et les ramène au large ; mes gens en pleurs voyaient s'éloigner la patrie!... Moi, je m'éveille alors et mon cœur sans reproche ne sait que décider : me jeter du vaisseau, chercher la mort en mer, ou pâtir en silence et conserver la vie?... Ma foi, je tins le coup : roulé dans mon manteau, je m'étendis à bord, tandis que, ramenés par ce vent de malheur jusqu'en l'île d'Éole, mes gens se lamentaient.

On arrive ; on débarque ; on va puiser de l'eau et, sans tarder, mes gens se mettent au repas sous le flanc des croiseurs. Quand on a satisfait la soif et l'appétit, je pars, accompagné d'un héraut et d'un homme, pour monter chez Éole. En son manoir fameux, je le trouve au festin, lui, sa femme et ses fils. Nous entrons au logis ; mais nous restons au seuil, assis dans l'embra-

a. Vers 45 : combien d'or et d'argent est caché dans cette outre.

sure. Leurs cœurs sont étonnés ; c'est moi qu'ils interrogent :

LE CHŒUR. – Ulysse!... te voilà revenu? et comment? quelle divinité méchante te poursuit? Nous t'avions renvoyé en prenant tous les soins pour que te soient rendus ta patrie, ta maison et tout ce qui t'est cher...

Ils disaient. Je réponds, le cœur plein de tristesse :

ULYSSE. – Le désastre me vint d'un méchant équipage, mais aussi, et surtout, d'un sommeil malheureux. Amis, secourez-moi ; je sais votre pouvoir.

Je disais, essayant des plus douces paroles ; mais ils restaient muets. Leur père me répond :

ÉOLE. – Décampe de mon île, ô le rebut des êtres!... car je n'ai plus le droit de t'accorder mes soins, ni de te reconduire : un homme que les dieux fortunés ont en haine!... Décampe!... tu reviens sous le courroux des dieux!

Il dit et me renvoie, malgré mes lourds sanglots.

Nous reprenons la mer, l'âme navrée ; mes gens n'avaient plus de courage à peiner sur la rame : après notre folie, où retrouver un guide?...

Durant six jours, six nuits, nous voguons sans relâche. Nous touchons, le septième, au pays lestrygon, sous le bourg de Lamos, la haute Télépyle, où l'on voit le berger appeler le berger : quand l'un rentre, il en sort un autre qui répond ; un homme dégourdi gagnerait deux salaires, l'un à paître les bœufs, l'autre, les blancs moutons ; car les chemins du jour côtoient ceux de la nuit [1].

Nous entrons dans ce port bien connu des marins : une double falaise, à pic et sans coupure, se dresse tout autour, et deux caps allongés, qui se font vis-à-vis au-devant de l'entrée, en étranglent la bouche. Ma flotte s'y engage et s'en va jusqu'au fond, gaillards contre gaillards s'amarrer côte à côte : pas de houle en ce creux, pas de flot, pas de ride ; partout un calme blanc. Seul je reste au-dehors, avec mon noir vaisseau ; sous le cap de l'entrée, je mets l'amarre en roche [a] ; de troupeaux ou d'humains, on ne voyait pas trace ; il ne montait du sol, au loin, qu'une fumée [1].

J'envoie pour reconnaître à quels mangeurs de pain appartient cette terre ; les deux hommes choisis, auxquels j'avais adjoint en troisième un héraut, s'en vont prendre à la grève une piste battue, sur laquelle les chars descendent vers la ville le bois du haut des monts En approchant du bourg, ils voient une géante qui s'en venait puiser à la Source de l'Ours [2], à la claire fontaine où la ville s'abreuve : d'Antiphatès le Lestrygon, c'était la fille. On s'aborde ; on se parle : ils demandent le nom du roi, de ses sujets ; elle, tout aussitôt, leur montre les hauts toits du logis paternel.

Mais à peine entrent-ils au manoir désigné, qu'ils y trouvent la femme, aussi haute qu'un mont, dont la vue les atterre. Elle, de l'agora, s'empresse d'appeler son glorieux époux, le roi Antiphatès, qui n'a qu'une pensée : les tuer sans merci. Il broie l'un de mes gens, dont il fait son dîner. Les deux autres s'enfuient et rentrent aux navires. Mais, à travers la ville, il fait donner l'alarme. A l'appel, de partout, accourent par milliers ses Lestrygons robustes, moins hommes que géants, qui, du haut des falaises, nous accablent de blocs de roche à charge d'homme : équipages mourants et vaisseaux fracassés, un tumulte de mort monte de

a. Vers 97 : me voici sur le roc de la guette, au sommet.

notre flotte. Puis, ayant harponné mes gens comme des thons [1], la troupe les emporte à l'horrible festin.

Mais pendant qu'on se tue dans le fond de la rade, j'ai pris le glaive à pointe, qui me battait la cuisse, et j'ai tranché tout net le câble du navire à la proue azurée. J'active alors mes gens. J'ordonne à mes rameurs de forcer d'avirons, si l'on veut s'en tirer. Ils voient sur eux la mort ; ils poussent, tous ensemble, et font voler l'écume... O joie! voici le large! mon navire a doublé les deux caps en surplomb ; mais là-bas, a péri le reste de l'escadre.

Nous reprenons la mer, l'âme navrée, contents d'échapper à la mort, mais pleurant les amis. Nous gagnons Aiaié [2], une île qu'a choisie pour demeure Circé, la terrible déesse douée de voix humaine, Circé aux belles boucles, une sœur d'Aiétès, aux perfides pensées : tous deux doivent le jour au Soleil des vivants, qui les eut de Persé, la nymphe océanide [3].

Nous arrivons au cap, et, sans bruit, nous poussons jusqu'au fond du mouillage : un dieu nous pilotait [4] ; sans tarder, l'on débarque et, deux jours et deux nuits, nous restons étendus, accablés de fatigue et rongés de chagrin.

Quand, du troisième jour, l'Aurore aux belles boucles annonce la venue, je prends à bord ma pique et mon estoc à pointe, et, quittant le vaisseau, je grimpe à la vigie : je pensais voir de là quelque œuvre des humains, entendre quelque voix. Me voici sur le roc de la guette, au sommet : il monte une fumée du sol aux larges routes [a]. Mon esprit et mon cœur ne savent que résoudre : irai-je m'informer, maintenant que j'ai

a. Vers 150 : au-delà du maquis et des grands bois, c'était le manoir de Circé.

vu ce feu, cette fumée?... Tout compté, le parti le meilleur me sembla de regagner d'abord le navire et la plage, de donner le repas, puis d'envoyer mes gens reconnaître les lieux.

Je rentrais au croiseur, et j'allais arriver sous le double gaillard, lorsque, prenant pitié de mon isolement, un dieu met sur ma route un énorme dix-cors, qui, du pâtis des bois, descendait boire au fleuve [1]; car il sentait déjà la force du soleil. Comme il longeait la berge, au bord de la forêt, je le frappe en plein dos du bronze de ma pique : percé de part en part, il s'effondre, en bramant, roule dans la poussière, et son âme s'envole. Je monte alors dessus, j'arrache de la plaie le bronze de ma pique et je couche mon arme à terre où je la laisse ; puis, cassant des rameaux et des joncs, je les tresse en lien redoublé, d'une brasse environ ; j'en attache en paquet les quatre pieds du monstre, et, cette charge au cou, appuyé sur ma pique, je rentre au noir vaisseau ; jamais je n'aurais pu sur une seule épaule, et d'une seule main, rapporter cette bête : c'était vraiment un monstre! Je m'en viens la jeter sous le flanc du vaisseau, puis j'éveille mes gens. Je vais de l'un à l'autre, et du ton le plus doux :

ULYSSE. – Malgré tous nos chagrins, non! ce n'est pas encore aujourd'hui, mes amis, qu'il nous faudra descendre aux maisons de l'Hadès! pour nous, le jour du sort n'est pas encor venu! Debout! sur le croiseur, tant qu'il nous restera de quoi manger et boire, songeons à nous nourrir : pourquoi mourir de faim?

Je disais. Mon discours aussitôt les décide : ils découvrent leurs fronts et lorsque, sur le bord de la mer inféconde, le cerf leur apparaît, ils restent ébahis : c'était vraiment un monstre!... Quand, de cette merveille, ils ont empli leurs yeux, on se lave les mains, on se met aux apprêts d'un repas magnifique, et, durant tout le jour, jusqu'au soleil couchant, nous restons au festin : on avait du bon vin, des viandes à foison! Au coucher du soleil, quand vient le crépuscule, on s'étend pour dormir sur la grève de mer.

CHEZ CIRCÉ

Dans son berceau de brume, aussitôt qu'apparaît l'Aurore aux doigts de roses, j'appelle tout le monde à l'assemblée et dis [a] :

ULYSSE. – Amis, de cet endroit, nous ne pouvons rien voir, ni le point du noroît ni celui de l'aurore : le Soleil des vivants, où tombe-t-il sous terre? par où nous revient-il?... Donc, au plus tôt, voyons s'il est quelque autre avis ; pour moi, voici le bon : grimpé sur le rocher de la guette, j'ai vu une île que la mer couronne à l'infini ; c'est une plaine basse ; au centre, une fumée m'est apparue dans le maquis et la forêt [1]...

Mais, à ces mots, leur cœur se brise : ils se souviennent d'Antiphatès le Lestrygon et de ses crimes et de la force, aussi, du Cyclope au grand cœur qui dévore les hommes ; ils pleurent à grands cris, versent des flots de larmes. Mais on n'avait que faire de ces gémissements.

Lorsque j'ai fait l'appel, je partage en deux camps tous mes hommes guêtrés ; chaque bande a son chef : c'est moi-même pour l'une et, pour l'autre, Euryloque au visage de dieu. Nous secouons les sorts dans un

a. Vers 189 : camarades, deux mots! vous avez beau souffrir!

bonnet de bronze : il en saute celui d'Euryloque au grand cœur, qui se met en chemin avec ses vingt-deux hommes [1] ; les partants, les restants, tout le monde pleurait.

Ils trouvent dans un val, en un lieu découvert, la maison de Circé aux murs de pierres lisses [2] et, tout autour, changés en lions et en loups de montagne, les hommes qu'en leur donnant sa drogue, avait ensorcelés la perfide déesse. A la vue de mes gens, loin de les assaillir, ces animaux se lèvent et, de leurs longues queues en orbes, les caressent... Tel le maître, en rentrant du festin, voit venir ses chiens qui le caressent, sachant qu'il a toujours pour eux quelque douceur. C'est ainsi que lions et loups aux fortes griffes fêtaient mes compagnons, qui tremblaient à la vue de ces monstres terribles. Mais les voici debout, sous le porche de la déesse aux belles boucles. Ils entendent Circé chanter à belle voix et tisser au métier une toile divine, un de ces éclatants et grands et fins ouvrages, dont la grâce trahit la main d'une déesse.

Le meneur des guerriers, Politès, le premier, prend la parole et dit, — c'était, de tous mes gens, celui que son bon sens me faisait préférer :

POLITÈS. – Mes amis, écoutez ce chant d'une voix fraîche! on tisse là-dedans, devant un grand métier : tout le sol retentit : femme ou déesse?... allons! crions sans plus tarder!

Il dit : tous, de crier aussitôt leur appel.

Elle accourt, elle sort, ouvre sa porte reluisante et les invite ; et voilà tous mes fous ensemble qui la suivent!... Flairant le piège, seul, Euryloque est resté... Elle les fait entrer ; elle les fait asseoir aux sièges et fauteuils ; puis, leur ayant battu dans son vin de Pramnos du fromage, de la farine et du miel vert, elle ajoute au mélange une drogue funeste, pour leur ôter tout souvenir de la patrie. Elle apporte la coupe ; ils boivent d'un seul trait. De sa baguette, alors, la déesse les frappe et va les enfermer sous les tects de ses porcs. Ils en avaient la tête et la voix et les soies ; ils en avaient l'allure ; mais en eux, persistait leur esprit d'autrefois. Les voilà enfermés. Ils pleuraient et Circé leur jetait à manger faînes, glands et cornouilles, la pâture ordinaire aux cochons qui se vautrent.

Or, vers le noir croiseur, Euryloque rentré voulait nous raconter le triste sort des autres. Mais il ne pouvait plus, quel qu'en fût son désir, proférer un seul mot : son âme était navrée d'un trop rude chagrin ; ses yeux se remplissaient de larmes, et son cœur débordait de sanglots. Étonnés, nous tâchions de savoir, mais en vain...

Il nous raconte enfin la perte de ses gens :

EURYLOQUE. – Nous allions, noble Ulysse, où tu nous avais dit. Au-delà du maquis, nous trouvons en un val une belle bâtisse [a] et, dans le bruit d'un grand métier, nous entendons la fraîche voix d'une déesse ou d'une femme. Nos gens crient leur appel : elle accourt, elle sort, ouvre sa porte reluisante et nous invite, et voilà tous mes fous ensemble qui la suivent ! Moi seul, j'étais resté ; j'avais flairé le piège... Leur troupe a disparu ; pas un n'est ressorti ; pourtant, je suis resté longtemps à les guetter.

Il disait : sur mon dos, je jette mon grand glaive en bronze à clous d'argent et, par-dessus, mon arc, puis

a. Vers 253 : aux murs de pierres lisses, en un lieu découvert.

j'invite Euryloque à me montrer la route. Mais il prend à deux mains mes genoux, me supplie [a] :

EURYLOQUE. – Ne me remmène pas, ô nourrisson de Zeus!... Je ne veux pas aller! Je veux rester ici!... Je sais que, toi non plus, tu ne reviendras pas : tu ne nous rendras pas un seul de tous les autres! Ah! fuyons au plus vite avec ceux que voilà ; nous pourrions éviter encor le jour fatal.

A ces mots d'Euryloque, aussitôt je réponds :

ULYSSE. – Euryloque, tu peux ne pas bouger d'ici. Au flanc du noir vaisseau, reste à manger et boire. Moi, je pars : le devoir impérieux est là.

Et je quitte, à ces mots, le navire et la mer.

Je venais de passer par le vallon sacré et j'allais arriver à la grande demeure de Circé la drogueuse, quand, près de la maison, j'ai devant moi Hermès à la baguette d'or. Il avait pris les traits d'un de ces jeunes gens dont la grâce fleurit en la première barbe.

Il me saisit la main, me dit et me déclare :

HERMÈS. – Où vas-tu, malheureux, au long de ces coteaux ?... tout seul, et dans ces lieux que tu ne connais pas ?... chez Circé, où tes gens transformés en pourceaux sont maintenant captifs au fond des soues bien closes ?... Tu viens les délivrer ?... Tu n'en reviendras pas, crois-moi : tu resteras à partager leur sort... Mais je veux te tirer du péril, te sauver. Tiens! c'est l'herbe de vie! avec elle, tu peux entrer en ce manoir, car sa vertu t'évitera le mauvais jour. Et je vais t'expliquer les desseins de Circé et tous ses maléfices. Ayant fait son mélange, elle aura beau jeter sa drogue dans ta coupe : le charme en tombera devant l'herbe de vie que

a. Vers 265 : à travers ses sanglots, il dit ces mots ailés.

je vais te donner. Mais suis bien mes conseils : aussitôt que, du bout de sa longue baguette, Circé t'aura frappé, toi, du long de ta cuisse, tire ton glaive à pointe et, lui sautant dessus, fais mine de l'occire!... Tremblante, elle voudra te mener à son lit ; ce n'est pas le moment de refuser sa couche! songe qu'elle est déesse, que seule elle a pouvoir de délivrer tes gens et de te reconduire! Mais fais-la te prêter le grand serment des dieux [1] qu'elle n'a contre toi aucun autre dessein pour ton mal et ta perte [a].

Ayant ainsi parlé, le dieu aux rayons clairs tirait du sol une herbe, qu'il m'apprit à connaître, avant de la donner : la racine en est noire, et la fleur, blanc de lait ; « molu » disent les dieux [2] ; ce n'est pas sans effort que les mortels l'arrachent ; mais les dieux peuvent tout. Puis Hermès, regagnant les sommets de l'Olympe, disparut dans les bois. Au manoir de Circé, j'entrais : que de pensées bouillonnaient dans mon cœur!

Sous le porche de la déesse aux belles boucles, je m'arrête et je crie ; la déesse m'entend. Elle accourt à ma voix. Elle sort et, m'ouvrant sa porte reluisante, elle m'invite, et moi, je la suis en dépit du chagrin de mon cœur. Elle m'installe en un fauteuil aux clous d'argent [b] et, dans la coupe d'or dont je vais me servir, elle fait son mélange : elle y verse la drogue, ah! l'âme de traîtresse!... Elle me tend la coupe : d'un seul trait, je bois tout...

Le charme est sans effet, même après que, m'ayant frappé de sa baguette, elle dit et déclare :

a. Vers 301 : que, t'ayant là sans armes, elle ne fera rien pour te prendre ta force et ta virilité.

b. Vers 315 : un beau meuble ouvragé avec un marchepied.

CIRCÉ. – Maintenant, viens aux tects coucher près de tes gens!

Elle disait ; mais moi, j'ai, du long de ma cuisse, tiré mon glaive à pointe ; je lui saute dessus, fais mine de l'occire. Elle pousse un grand cri, s'effondre à mes genoux, les prend, me prie, me dit ces paroles ailées :

CIRCÉ. – Quel est ton nom, ton peuple, et ta ville et ta race?... Quel grand miracle! quoi! sans être ensorcelé, tu m'as bu cette drogue!... Jamais, au grand jamais, je n'avais vu mortel résister à ce charme, dès qu'il en avait bu, dès que cette liqueur avait franchi ses dents : il faut qu'habite en toi un esprit invincible. C'est donc toi qui serais l'Ulysse aux mille tours?... Le dieu aux rayons clairs, à la baguette d'or, m'avait toujours prédit qu'avec son noir croiseur, il viendrait, cet Ulysse, à son retour de Troie... Mais allons! c'est assez : rentre au fourreau ton glaive et montons sur mon lit ; qu'unis sur cette couche et devenus amants, nous puissions désormais nous fier l'un à l'autre!

A ces mots de Circé, aussitôt je réponds :

ULYSSE. – Circé, comment peux-tu invoquer ma douceur? toi qui, dans ce manoir, fis de mes gens des porcs et qui, m'ayant ici, ne veux que me trahir! Quand tu me viens offrir et ta chambre et ton lit, c'est pour m'avoir sans armes!... c'est pour m'ôter ma force et ma virilité!... Non! je n'accepterais de monter sur ta couche que si tu consentais, déesse, à me jurer le grand serment des dieux que tu n'as contre moi aucun autre dessein pour mon mal et ma perte.

Je disais et, suivant mon ordre, elle jura. Quand elle eut prononcé et scellé le serment, je montai sur le lit somptueux de Circé. Ses femmes cependant arrangeaient le manoir [a]. L'une, sur les fauteuils, ayant mis des linons, étalait par-dessus les plus beaux draps de pourpre. Une autre en approchait les tables en argent et, sur elles, plaçait les corbeilles en or. Au cratère d'argent, la troisième versait d'un vin au goût de miel, en faisait le mélange, puis, devant chaque place, mettait les coupes d'or. La dernière apporta l'eau dans le grand trépied et ranima le feu. L'eau chauffa, puis chanta dans le bronze luisant. J'entrai dans la baignoire ; après avoir tiédi l'eau de son grand trépied, elle m'en inonda la tête et les épaules, pour chasser de mes membres l'épuisante fatigue.

Quand elle m'eut baigné et frotté d'huile fine et revêtu d'un beau manteau et d'une robe, elle me ramena, me fit asseoir en un fauteuil aux clous d'argent, un beau meuble ouvragé avec un marchepied [b], et me dit de manger ; mais mon cœur résistait : j'avais l'esprit ailleurs et voyais tout en mal. Circé me regardait rester là, sur mon siège, sans toucher à son pain, en proie à la douleur. La voici qui, de moi, s'approche en me disant ces paroles ailées :

CIRCÉ. – Ulysse, qu'as-tu donc à rester sur ton siège, pareil à un muet ? Tu te ronges le cœur, sans plus vouloir toucher au manger ni au boire : vois-tu quelque autre piège ?... Tu n'as plus rien à craindre : ne t'ai-je pas juré le plus fort des serments ?

A ces mots de Circé, aussitôt je réponds :

ULYSSE. – Oh ! Circé, est-il homme, ayant quelque

a. Vers 349-351 : pour tenir son logis, elle avait quatre nymphes, nées des sources, des bois et des fleuves sacrés, qui coulent à la mer.

b. Vers 368-372 : vint une chambrière qui, portant une aiguière en or et du plus beau, me donnait à laver sur un bassin d'argent et dressait devant moi une table polie ; vint la digne intendante ; elle apportait le pain et le mit devant moi, puis me fit les honneurs de toutes ses réserves.

raison, qui pourrait s'en donner de manger et de boire, sans avoir vu d'abord ses amis délivrés? Ah! si c'est de bon cœur que tu me viens offrir ces mets, cette boisson, délivre-moi mes braves et les montre à nos yeux!

Je disais, et Circé, sa baguette à la main, traverse la grand-salle et va ouvrir les tects. Elle en tire mes gens : sous leur graisse, on eût dit des porcs de neuf printemps... Ils se dressent debout, lui présentent la face ; elle passe en leurs rangs et les frotte, chacun, d'une drogue nouvelle : je vois se détacher, de leurs membres, les soies qui les avaient couverts, sitôt pris le poison de l'auguste déesse [1]. De nouveau, les voilà redevenus des hommes, mais plus jeunes, plus beaux et de plus grande mine. Quand ils m'ont reconnu, chacun me prend la main, et le même besoin de sanglots les saisit : le logis se remplit d'un terrible tapage! La déesse, elle aussi, est prise de pitié.

Elle vient et me dit, cette toute divine :

CIRCÉ. – Fils de Laërte, écoute! ô rejeton des dieux, Ulysse aux mille ruses! retourne maintenant au croiseur, à la plage ; commencez par tirer à sec votre vaisseau ; cachez tous vos agrès et vos biens dans les grottes [2] ; puis tu me reviendras et me ramèneras tout ton brave équipage.

Elle dit et mon cœur s'empresse d'obéir. Je reprends le chemin du croiseur, de la plage. Je retrouve au vaisseau mes braves compagnons.

[Quels sanglots! et quels cris! et quels torrents de larmes! C'est ainsi qu'en un parc, on voit bondir les veaux vers le troupeau des mères, qui, la panse garnie, reviennent aux litières : ils accourent en troupe ; ils leur tendent le mufle, et ce n'est plus l'enclos qui peut les retenir ; leur meuglante cohue se presse autour des mères... Tels mes gens, quand leurs yeux m'aperçoivent, m'entourent : ils éclatent en pleurs ; ils ont le même émoi que s'ils fussent rentrés sur la roche d'Ithaque, au pays des aïeux, en notre ville même, leur berceau, leur foyer [1].]

A travers leurs sanglots, j'entends ces mots ailés :

LE CHŒUR. – A te voir revenir, ô nourrisson de Zeus! nous avons même joie que si nous arrivions en la patrie d'Ithaque. Mais voyons! conte-nous comment sont morts les autres!

Ils disaient. Je reprends de mon ton le plus doux :

ULYSSE. – Commençons par tirer à sec notre vaisseau ; déposons nos agrès et nos biens dans les grottes ; puis, tous, apprêtez-vous à venir chez Circé ; dans son temple, venez revoir nos compagnons, qui, mangeant et buvant, ont de tout sans compter.

Je disais ; mon discours aussitôt les décide. Seul, Euryloque essaie de me les détourner [a] :

EURYLOQUE. – Où voulez-vous aller malheureux? quelle envie de connaître ces maux, d'entrer en ce manoir, où Circé, de nous tous, va faire des pourceaux, des loups ou des lions, pour lui garder, bon gré mal gré, son grand logis ? Avez-vous oublié le Cyclope et l'étable où s'en furent nos gens, lorsque ce même Ulysse, en brave, les suivait ; n'est-ce pas sa folie déjà qui les perdit?

Il disait. En mon cœur, j'hésitai : j'avais là, sur le gras de ma cuisse, mon glaive à longue pointe ; allais-je le tirer et, d'un coup, envoyer sa tête sur le sol, quoiqu'il fût mon parent, et même des plus proches [2]?... Mais tous nos compagnons, de leurs mots les plus doux, à l'envi me retinrent :

a. Vers 430 : il leur parle à chacun et dit ces mots ailés.

Le Chœur. – O rejeton des dieux, laissons-le!... si tu veux : il va rester à bord et garder le vaisseau, sans bouger de la grève ; nous autres, conduis-nous au temple de Circé.

A ces mots, nous quittons le navire et la mer. Mais, au flanc du vaisseau ne voulant pas rester, Euryloque nous suit : mon éclat de fureur l'avait empli de crainte.

Circé, dans son logis, traitait mes autres gens et, les ayant baignés et frottés d'huile fine, les vêtait de la robe et du manteau de laine.

Nous les trouvons tous au festin, dans la grand-salle : on se cherche des yeux ; on se revoit ; on pleure, on gémit ; le manoir retentit de sanglots.

Elle vient et nous dit, cette toute divine :

Circé [a]. – Allons, ne poussez plus tant de gémissements!... Oh! je sais tous les maux que vous avez soufferts sur la mer aux poissons ou, par la cruauté des hommes, sur la côte! Mais prenez de ces mets et buvez de ce vin, afin de retrouver en vous le même cœur qui, jadis, vous a fait quitter le sol natal, votre rocher d'Ithaque... Vous voilà sans élan et l'âme anéantie, vous rappelant sans fin vos tristes aventures, ne goûtant plus la joie, à force de souffrir!

Elle dit, et nos cœurs s'empressent d'obéir.

L'ÉVOCATION DES MORTS [1]
[AU PAYS DES MORTS]

Jusqu'au bout de l'année, chez Circé, nous restons, vivant dans les festins : on avait du bon vin, des viandes

a. Vers 456 : fils de Laërte, écoute, ô rejeton des dieux, Ulysse aux mille ruses.

à foison! Mais au bout de l'année, quand revient le printemps [a1], mes braves compagnons m'appellent pour me dire :

LE CHŒUR. – Malheureux! il est temps de songer au pays, s'il est dans ton destin de rentrer, sain et sauf, en ta haute maison, au pays de tes pères.

Ils disaient et mon cœur s'empresse d'obéir.

Alors tout un grand jour, jusqu'au soleil couchant, nous restons au festin; on avait du bon vin, des viandes à foison! Au coucher du soleil, quand vient le crépuscule, mes hommes vont dormir dans l'ombre de la salle. Je monte sur le lit somptueux de Circé. Je lui prends les genoux. La déesse m'écoute [b] :

ULYSSE. – Tiens parole, Circé : ne m'as-tu pas promis que tu me remettrais à mon foyer; déjà, tout mon désir y vole, et celui de mes gens; ils me fendent le cœur et leurs sanglots m'assiègent, si peu que tu t'éloignes.

Je dis. Elle répond, cette toute divine :

CIRCÉ. – Fils de Laërte, écoute, ô rejeton des dieux, Ulysse aux mille ruses! Si, dans cette maison, ce n'est plus de bon cœur que vous restez, partez! Mais voici le premier des voyages à faire : c'est chez Hadès et la terrible Perséphone, pour demander conseil à l'ombre du devin Tirésias de Thèbes, l'aveugle qui n'a rien perdu de sa sagesse, car, jusque dans la mort, Perséphone a voulu que, seul, il conservât le sens et la raison, parmi le vol des ombres.

A ces mots de Circé, tout mon cœur éclata. Pour pleurer, je m'étais assis sur notre couche : je ne voulais plus vivre, je ne voulais plus voir la clarté du soleil;

a. Vers 470 : et que les mois échus ramènent les longs jours.
b. Vers 482 : et je dis, élevant la voix, ces mots ailés.

je pleurais, me roulais; enfin j'usai ma peine et, retrouvant la voix, je lui dis en réponse :

ULYSSE. – Mais qui nous guidera, Circé, en ce voyage ? jamais un noir vaisseau put-il gagner l'Hadès ?

Je dis; elle répond, cette toute divine :

CIRCÉ [a]. – A quoi bon ce souci d'un pilote à ton bord ? Pars ! et, dressant le mât, déploie les blanches voiles ! puis, assis, laisse faire au souffle du Borée qui vous emportera [1]. Ton vaisseau va d'abord traverser l'Océan. Quand vous aurez atteint le Petit Promontoire, le bois de Perséphone, ses saules aux fruits morts et ses hauts peupliers, échouez le vaisseau sur le bord des courants profonds de l'Océan; mais toi, prends ton chemin vers la maison d'Hadès ! A travers le marais, avance jusqu'aux lieux où l'Achéron reçoit le Pyriphlégéthon et les eaux qui, du Styx, tombent dans le Cocyte [2]. Les deux fleuves hurleurs confluent devant la Pierre : c'est là qu'il faut aller, — écoute bien mes ordres, — et là, creuser, seigneur, une fosse carrée d'une coudée ou presque. Autour de cette fosse, fais à tous les défunts les trois libations, d'abord de lait miellé, ensuite de vin doux, et d'eau pure en troisième [3] ; puis, saupoudrant le trou d'une blanche farine, invoque longuement les morts, têtes sans force; promets-leur qu'en Ithaque aussitôt revenu, tu prendras la meilleure de tes vaches stériles pour la sacrifier sur un bûcher rempli des plus belles offrandes; mais, en outre, promets au seul Tirésias un noir bélier sans tache, la fleur de vos troupeaux. Quand ta prière aura invoqué les défunts, fais à ce noble peuple l'offrande d'un

a. Vers 504 : fils de Laërte, écoute, ô rejeton des dieux, Ulysse aux milles ruses !

agneau et d'une brebis noire, en tournant vers l'Érèbe la tête des victimes ; mais détourne les yeux et ne regarde, toi, que les courants du fleuve. Les ombres des défunts qui dorment dans la mort vont accourir en foule. Active alors tes gens : qu'ils écorchent les bêtes, dont l'airain sans pitié vient de trancher la gorge ; qu'ils fassent l'holocauste en adjurant les dieux, Hadès le fort et la terrible Perséphone ; quant à toi, reste assis ; mais, du long de ta cuisse, tire ton glaive à pointe, pour interdire aux morts, à ces têtes sans force, les approches du sang, tant que Tirésias n'aura pas répondu. Tu verras aussitôt arriver ce devin [1] : c'est lui qui te dira, ô meneur des guerriers ! la route et les distances et comment revenir sur la mer aux poissons.

A peine elle avait dit que l'Aurore parut sur son trône doré [a]. A travers le manoir, je réveille mes gens ; je vais de l'un à l'autre, et du ton le plus doux :

ULYSSE. – Assez dormir ! quittez les douceurs du sommeil ! En route ! C'est l'arrêt de l'auguste Circé !

Je disais et leurs cœurs s'empressent d'obéir.

Mais de ces lieux encor, le ciel me refusait de sauver tous mes gens. Le plus jeune de nous, un certain Elpénor, le moins brave au combat, le moins sage au conseil, avait quitté les autres et, pour chercher le frais, alourdi par le vin, il s'en était allé dormir sur la terrasse du temple de Circé. Au lever de mes gens, le tumulte des voix et des pas le réveille : il se dresse d'un bond et perd tout souvenir ; au lieu d'aller tourner par le grand escalier, il va droit devant lui, tombe du toit, se rompt

a. Vers 542-545 : la Nymphe, me donnant la robe et le manteau, se drapa elle-même d'une écharpe neigeuse à la grâce légère ; elle ceignit ses reins de l'orfroi le plus beau et se couvrit la tête d'un voile retombant.

les vertèbres du col, et son âme descend aux maisons de l'Hadès.

Tous mes gens réunis, je leur tiens ce discours :

ULYSSE. – C'est au logis, sans doute, au pays de vos pères, que vous comptez rentrer... Mais Circé nous assigne un tout autre voyage chez Hadès et chez la terrible Perséphone, pour demander conseil à l'ombre du devin Tirésias de Thèbes.

J'avais à peine dit que leur cœur éclatait : sur la terre, ils s'assoient ; les voilà sanglotant, s'arrachant les cheveux. Mais ces gémissements n'étaient d'aucun secours [a].

Nous partons tristement, versant des flots de larmes. Or Circé, devant nous, était venue lier au flanc du noir vaisseau le couple d'un agneau et d'une brebis noire. Elle avait échappé sans peine à nos regards : quand un dieu veut cacher ses allées et venues, quels yeux pourraient le suivre ?...

(*CHANT XI*.) Nous atteignons enfin le navire et la mer. On remet le croiseur à la vague divine et, dans la coque noire, on charge mât et voiles. Les bêtes embarquées, nous aussi, nous montons [b]. Pour pousser le navire à la proue azurée, la déesse bouclée, la terrible Circé, douée de voix humaine, nous envoie un vaillant compagnon dans la brise, qui va gonfler nos voiles, et, quand à bord on a rangé tous les agrès, on n'a plus qu'à s'asseoir et qu'à laisser mener le vent et le pilote.

Tout le jour, nous courons sur la mer, voiles pleines. Le soleil se couchait, et c'était l'heure où l'ombre emplit toutes les rues, lorsque nous atteignons la passe et

a. Vers 569 : nous prenons le chemin du croiseur, de la plage.
b. Vers 5 : toujours navrés, toujours pleurant à chaudes larmes.

les courants profonds de l'Océan, où les Kimmériens [1] ont leurs pays et ville. Ce peuple vit couvert de nuées et de brumes, que jamais n'ont percées les rayons du Soleil, ni durant sa montée vers les astres du ciel, ni quand, du firmament, il revient à la terre : sur ces infortunés, pèse une nuit de mort.

Arrivés en ce lieu, nous tirons le vaisseau sur le bord du courant, nous en sortons les bêtes et, longeant l'Océan, nous allons à l'endroit que m'avait dit Circé.

Là, pendant qu'Euryloque, aidé de Périmède, se charge des victimes, je prends le glaive à pointe qui me battait la cuisse et je creuse un carré d'une coudée ou presque ; puis, autour de la fosse, je fais à tous les morts les trois libations, d'abord de lait miellé, ensuite de vin doux, et d'eau pure en troisième ; je répands sur le trou une blanche farine et, priant, suppliant les morts, têtes sans force, je promets qu'en Ithaque, aussitôt revenu, je prendrai la meilleure de mes vaches stériles pour la sacrifier sur un bûcher rempli des plus belles offrandes ; en outre, je promets au seul Tirésias un noir bélier sans tache, la fleur de nos troupeaux.

Quand j'ai fait la prière et l'invocation au peuple des défunts, je saisis les victimes ; je leur tranche la gorge sur la fosse, où le sang coule en sombres vapeurs, et, du fond de l'Érèbe, je vois se rassembler les ombres des défunts qui dorment dans la mort [: femmes et jeunes gens, vieillards chargés d'épreuves, tendres vierges portant au cœur leur premier deuil, guerriers tombés en foule sous le bronze des lances [2]. Ces victimes d'Arès avaient encor leurs armes couvertes de leur sang. En foule, ils accouraient à l'entour de la fosse, avec des cris horribles : je verdissais de crainte]. Mais je presse mes gens de dépouiller les bêtes, dont l'airain sans pitié vient de trancher la gorge : ils me font l'holocauste, en adjurant les dieux, Hadès le fort et la terrible Perséphone[a]; moi, j'interdis à tous les morts, têtes sans force, les approches du sang[1], tant que Tirésias ne m'a pas répondu.

La première qui vint fut l'ombre d'Elpénor. Il n'avait pas encor sa tombe sous la terre, au bord des grands chemins; son corps était toujours au manoir de Circé, où nous l'avions laissé sans pleurs, sans funérailles : nous avions eu là-bas besogne plus pressante. A sa vue, la pitié m'emplit les yeux de larmes et je dis, élevant la voix, ces mots ailés :

ULYSSE. – Elpénor, te voici!... aux brumes du noroît[2], tu nous as devancés!... à pied, tu pus venir plus vite que moi-même avec mon noir vaisseau!

Je dis. Il me répond dans un gémissement[b] :

ELPÉNOR. – Ce qui causa ma mort, c'est moins le mauvais sort d'une divinité qu'un trop gros coup de vin! Sur le toit de la salle, où j'étais étendu, j'avais tout oublié : au lieu d'aller tourner par le grand escalier, je marchai devant moi, tombai et me rompis les vertèbres du col : mon âme descendit aux maisons de l'Hadès... Maintenant, par pitié, songe à ceux de tes proches, qui ne sont pas ici, que tu retrouveras, au père qui nourrit ton enfance, à ta femme!... et songe à Télémaque, au seul enfant que tu laissas en ton manoir!... Lorsqu'en partant d'ici, tu quitteras l'Hadès, ton solide vaisseau doit encore, je le sais, toucher en Aiaié. Une fois arrivé, je te supplie, mon roi, de ne pas m'oublier!

a. Vers 48-49 : moi, du long de ma cuisse, ayant tiré mon glaive à pointe, je m'assieds.
b. Vers 60 : fils de Laërte, écoute, ô rejeton des dieux, Ulysse aux mille ruses!

Avant de repartir, ne m'abandonne pas sans pleurs, sans funérailles ; la colère des dieux m'attacherait à toi... Il faudra me brûler avec toutes mes armes et dresser mon tombeau sur la grève écumante, pour dire mon malheur jusque dans l'avenir [1]!... Oh! rends-moi ces honneurs et plante sur ma tombe l'aviron dont, vivant, parmi vous, je ramais!

A ces mots d'Elpénor, aussitôt je réponds :

ULYSSE. – Tout cela, pauvre ami, sera fait de mes mains.

Nous conversions ainsi tristement, face à face, et, tandis que, tenant mon glaive sur le sang, j'en défendais l'approche, son ombre, à l'autre bord, poursuivait ses discours.

C'est alors que survint l'ombre de feu ma mère, d'Anticleia, la fille du fier Autolycos, que j'avais, au départ vers la sainte Ilion, laissée pleine de vie. A sa vue, la pitié emplit mes yeux de larmes : hélas! malgré mon deuil, je devais l'empêcher de s'approcher du sang, tant que Tirésias n'aurait pas répondu.

Mais son ombre survient, tenant le sceptre d'or, et, me reconnaissant, Tirésias de Thèbes m'adresse la parole :

TIRÉSIAS [a]. – Pourquoi donc, malheureux, abandonner ainsi la clarté du soleil et venir voir les morts en ce lieu sans douceur ? Allons! écarte-toi de la fosse! détourne la pointe de ton glaive : que je boive le sang et te dise le vrai!

Il dit ; je m'écartai et remis au fourreau mon glaive à clous d'argent. Il vint boire au sang noir, puis ce devin parfait me parla en ces termes :

a. Vers 92 : fils de Laërte, écoute, ô rejeton des dieux, Ulysse aux mille ruses!

TIRÉSIAS. – C'est le retour plus doux que le miel, noble Ulysse, que tu veux obtenir. Mais un dieu doit encor te le rendre pénible : car jamais l'Ébranleur du monde, je le crains, n'oubliera sa rancune : il te hait pour avoir aveuglé son enfant [1]... Et pourtant il se peut qu'à travers tous les maux, vous arriviez au terme, si tu sais consentir à maîtriser ton cœur et celui de tes gens. Aussitôt qu'échappés à la mer violette, ton solide vaisseau vous mettra sur les bords de l'Ile du Trident [2], vous trouverez, paissant, les vaches du Soleil [3] et ses grasses brebis : c'est le dieu qui voit tout, le dieu qui tout entend!

»Respecte ses troupeaux, ne songe qu'au retour, et je crois qu'en Ithaque, à travers tous les maux, vous rentrerez encor; mais je te garantis, si vous les maltraitez, que c'est fini de ton navire et de tes gens; tu pourrais t'en tirer et revenir, mais quand ?.. et dans quelle misère! tous tes hommes perdus! sur un vaisseau d'emprunt! et pour trouver encor le malheur au logis! pour y voir des bandits te dévorer tes biens et, le prix à la main, te courtiser ta femme [4]!... Tu rentrerais à temps pour punir leurs excès à la pointe du bronze. Mais lorsqu'en ton manoir, tu les aurais tués, par la ruse ou la force, il faudrait repartir avec ta bonne rame à l'épaule et marcher, tant et tant qu'à la fin tu rencontres des gens qui ignorent la mer et, ne mêlant jamais de sel aux mets qu'ils mangent, ignorent les vaisseaux aux joues de vermillon et les rames polies, ces ailes des navires... Veux-tu que je te donne une marque assurée, sans méprise possible? le jour qu'en te croisant, un autre voyageur demanderait pourquoi, sur ta brillante épaule, est cette pelle à grains, c'est là qu'il te faudrait planter ta bonne rame et faire à Posidon le parfait sacrifice d'un bélier, d'un taureau et d'un verrat de taille à couvrir une truie ; tu reviendrais ensuite offrir en ton logis la complète série des saintes hécatombes à tous les Immortels, maîtres des champs du ciel ; puis la mer [1] t'enverrait la plus douce des morts ; tu ne succomberais qu'à l'heureuse vieillesse, ayant autour de toi des peuples fortunés... En vérité, j'ai dit. »

A ces mots du devin, aussitôt je réponds :

ULYSSE. – Tirésias, voilà ce qu'a filé pour moi la volonté des dieux. Mais voyons ! réponds-moi sans feinte, point par point : l'âme de feu ma mère est là, silencieuse, qui s'approche du sang, mais n'ose interroger ni même regarder dans les yeux son enfant ; dis-moi par quel moyen, seigneur, je lui ferai connaître ma présence ?

Je dis ; tout aussitôt, Tirésias reprend :

TIRÉSIAS. – C'est facile à te dire et tu vas le comprendre : si, parmi ces défunts qui dorment dans la mort, il en est que, du sang, tu laisses approcher, tu sauras d'eux la vérité ; mais dans l'Érèbe, les autres rentreront, aussitôt refusés.

Voilà ce que me dit le roi Tirésias, et son ombre rentra au logis de l'Hadès : il était arrivé au bout de ses oracles. Mais moi, je restais, là, attendant que ma mère vînt boire au sang fumant. A peine eut-elle bu qu'elle me reconnut et dit, en gémissant, ces paroles ailées :

ANTICLEIA. – Mon fils, tu vis encor ! et pourtant te voici aux brumes du noroît ! ces lieux ne s'offrent pas aux regards des vivants : pour franchir les grands fleuves et leurs courants terribles et d'abord l'Océan qu'on ne saurait guéer, il faut un bon navire... Après un si long temps, voguant à l'aventure, ne fais-tu qu'arriver ici de la Troade ? tes gens et ton vaisseau ne t'auraient pas encor ramené en Ithaque?... tu n'aurais pas revu ta femme en ton manoir?

A ces mots de ma mère, aussitôt je réponds :

ULYSSE. – Ma mère, il m'a fallu naviguer vers l'Hadès pour demander conseil à l'ombre du devin Tirésias de Thèbes. Non! je n'ai pas encor touché en Achaïe, je n'ai pas encor mis le pied sur notre terre. Je continue d'errer, de misère en misère, depuis le premier jour que le divin Atride nous emmena, vers Ilion la poulinière, combattre les Troyens. Mais, voyons! répondsmoi sans feinte, point par point : quelle Parque t'a prise et couchée dans la mort? fut-ce après un long mal?... fut-ce une douce flèche dont la déesse à l'arc, Artémis, vint t'abattre?... Parle-moi de mon père, et parle-moi du fils que j'ai laissé là-bas!... mon pouvoir leur est-il resté? ou passa-t-il en des mains étrangères, le jour que l'on cessa de croire à mon retour?... Et dismoi les pensées, les projets de ma femme?... est-elle demeurée auprès de notre enfant?... sait-elle maintenir tous mes biens sous sa garde?... ou déjà, pour époux, aurait-elle choisi quelque noble Achéen?

Je dis, et cette mère auguste me répond :

ANTICLEIA. – Elle te reste encor, et de tout cœur, fidèle, toujours en ton manoir où, sans trêve, ses jours et ses nuits lamentables se consument en larmes. Ta belle royauté reste toujours sans maître; mais Télémaque exploite en paix votre apanage et prend sa juste part aux festins coutumiers, que se donnent entre eux les arbitres du peuple : on l'invite partout. Ton père vit aux champs, sans plus descendre en ville. Il ne veut pour dormir ni cadre, ni couvertures, ni draps moirés : l'hiver, c'est au logis qu'il dort, parmi ses gens, près du feu, dans la cendre, et n'ayant sur la peau que grossiers vêtements; mais quand revient l'été, puis l'automne opulent, il s'en vient tristement, se faire un lit par terre, des feuilles qui, partout, ont jonché le penchant de son coteau de vignes. Le chagrin de son cœur va toujours grandissant, et son triste désir de te savoir rentré, tandis qu'avec les maux, la vieillesse lui vient. Et moi si je suis morte ce n'est pas autrement que j'ai subi le sort [a]. Ce n'est pas la langueur, ce n'est pas le tourment de quelque maladie qui me fit rendre l'âme : c'est le regret de toi, c'est le souci de toi, c'est, ô mon noble Ulysse! c'est ta tendresse même qui m'arracha la vie à la douceur de miel.

Elle disait et moi, à force d'y penser, je n'avais qu'un désir : serrer entre mes bras l'ombre de feu ma mère... Trois fois, je m'élançai ; tout mon cœur la voulait. Trois fois, entre mes mains, ce ne fut plus qu'une ombre ou qu'un songe envolé. L'angoisse me poignait plus avant dans le cœur.

Je lui dis, élevant la voix, ces mots ailés :

ULYSSE. – Mère, pourquoi me fuir, lorsque je veux te prendre? que, du moins chez Hadès, nous tenant embrassés, nous goûtions, à nous deux, le frisson des sanglots!... La noble Perséphone, en suscitant ton ombre, n'a-t-elle donc voulu que redoubler ma peine et mes gémissements?

Je dis, et cette mère auguste me répond :

ANTICLEIA. – Hélas! mon fils, le plus infortuné des êtres!... Non! la fille de Zeus, Perséphone, n'a pas voulu te décevoir! Mais, pour tous, quand la mort nous prend, voici la loi : les nerfs ne tiennent plus ni la chair ni les os ; tout cède à l'énergie de la brû-

a. Vers 198-199 : Non! ce n'est pas l'archère infaillible, Artémis qui, de sa douce flèche, au manoir vint m'abattre.

lante flamme ; dès que l'âme a quitté les ossements blanchis, l'ombre prend sa volée et s'enfuit comme un songe... Mais déjà, vers le jour, que ton désir se hâte : retiens bien tout ceci pour le dire à ta femme, quand tu la reverras [1].

[Or, pendant qu'entre nous, s'échangeaient ces discours, les femmes survenaient que pressait de sortir la noble Perséphone ; et c'était tout l'essaim des reines et princesses.

A l'entour du sang noir, leur troupe s'amassait, et moi, je méditais d'interroger chacune ; et voici le moyen que je crus le meilleur : ayant pris de nouveau, sur le gras de ma cuisse, mon glaive à longue pointe, je ne les laissais boire au sang noir qu'une à une. Leur rangée défila ; chacune me conta le passé de sa race ; je les fis parler toutes [2].

Je vis d'abord Tyro, fille d'un noble père : l'éminent Salmoneus l'engendra, disait-elle, et Crétheus [3], un des fils d'Aiolos, l'épousa. Mais, éprise d'un fleuve, et du plus beau des fleuves qui coulent sur la terre, du divin Énipée [4], elle venait souvent au long de son beau cours. Or, l'Ébranleur du sol, le maître de la terre, prit les traits d'Énipée pour s'étendre auprès d'elle, et la vague grondante autour d'eux se dressa aussi haute qu'un mont, sur la grève avancée du fleuve tournoyant ; sa volute cacha la mortelle et le dieu ; Posidon, enlevant sa ceinture à la vierge, lui versa le sommeil. L'œuvre d'amour finie, le dieu lui déclara, en lui prenant la main :

POSIDON. – O femme, sois heureuse ! De notre amour, avant le retour de l'année, naîtront de beaux enfants, car la couche d'un dieu n'est jamais inféconde ;

à toi, de les nourrir et de les élever. Rentre au logis! tais-toi! et ne dis pas mon nom! c'est pour toi seulement que je suis Posidon, l'Ébranleur de la terre.

Il dit et replongea sous la mer écumante, et la nymphe enfanta Pélias et Nélée, l'un et l'autre vaillants serviteurs du grand Zeus. C'est dans Iaolkos et dans sa vaste plaine que Pélias vécut avec ses grands troupeaux, et Nélée s'établit à la Pylos des Sables. Mais la royale épouse eut encore de Crétheus d'autres enfants, Aison, Phérès, Amythaon, si vaillant sur son char.

Puis je vis Antiope, la fille d'Asopos [1], qui se vantait d'avoir dormi aux bras de Zeus ; elle en conçut deux fils, Amphion [2] et Zéthos, les premiers fondateurs de la Thèbe aux sept portes qu'ils munirent de tours, car, malgré leur vaillance, ils ne pouvaient sans tours habiter cette plaine.

D'Amphitryon, je vis aussi la femme, Alcmène, qui, pour avoir dormi dans les bras du grand Zeus, enfanta le héros à l'âme de lion, l'intrépide Héraclès.

Du superbe Créon, je vis aussi la fille, Mégaré, qu'épousa le fils d'Amphitryon à la force invincible. Et la mère d'Œdipe! cette belle Épicaste [3] qui, d'un cœur ignorant, commit le grand forfait : elle épousa son fils! meurtrier de son père, et mari de sa mère!... Soudain les Immortels révélèrent son crime ; il put régner, pourtant, sur les fils de Cadmos, dans la charmante Thèbe, mais torturé de maux par les dieux ennemis, tandis qu'elle gagnait la maison de l'Hadès aux puissantes charnières : affolée de chagrin, elle avait, au plafond de sa haute demeure, suspendu le lacet. Après elle, son fils reçut en héritage les innombrables maux que peuvent déchaîner les furies d'une mère.

Je vis aussi Chloris, la plus belle des femmes, si belle que Nélée, pour l'avoir en son lit, paya mille cadeaux [1] : des filles d'Amphion, elle était la plus jeune ; ce puissant Iaside régnait sur Orchomène [2] et sur les Minyens. Reine des Pyliens, elle donna de beaux enfants à son époux : Chromios et Nestor, le fier Périclymène et cette fille enfin, merveille de la terre, la vaillante Péro dont tout le voisinage se disputait la main. Nélée, pour la donner, voulait qu'on lui ravît le bétail dangereux, les bœufs au large front, aux cornes recourbées, que le fort Iphiclès gardait en Phylaké [3]. Seul, l'illustre devin promit de les ravir [4]. Mais le destin d'un dieu hostile l'entrava : d'infrangibles liens, les bouviers l'enlacèrent ; les jours, les nuits passaient ; l'année ferma son cours ; quand le printemps revint, le robuste Iphiclès relâcha le devin pour avoir tout prédit ; ainsi la volonté de Zeus s'accomplissait

Je vis aussi Léda [5], la femme de Tyndare, qui, de lui, mit au jour deux fils audacieux, le dompteur de chevaux, Castor, et le vainqueur au pugilat, Pollux ; sous la terre féconde, ils continuent de vivre ; même sous cette terre, Zeus les comble d'honneurs, car, leurs jours alternant, ils vivent aujourd'hui, mais pour mourir demain ; c'est à l'égal des Immortels qu'on les honore [6].

Je vis Iphimédée [7], l'épouse d'Aloeus. Posidon, disait-elle, avait eu son amour ; deux fils en étaient nés, mais dont la vie fut courte. Otos, égal aux dieux, et l'illustre Éphialte [8]. Jamais la terre aux blés n'avait encor nourri des hommes aussi grands, et le seul

Orion eut plus noble beauté! A neuf ans, ils avaient jusques à neuf coudées de largeur et, de haut, ils atteignaient neuf brasses : ils menaçaient les dieux de porter leur assaut et leurs cris dans l'Olympe : pour monter jusqu'au ciel, ils voulaient entasser sur l'Olympe l'Ossa et, sur l'Ossa, le Pélion aux bois tremblants ; ils auraient réussi peut-être, s'ils avaient atteint leur âge d'homme ; mais avant qu'eût fleuri la barbe sous leurs tempes et qu'un duvet en fleur eût ombragé leurs joues, ils tombèrent tous deux sous les flèches du fils, qu'à Zeus avait donné Léto aux beaux cheveux [1].

Je vis Phèdre et Procris et la belle Ariane, la fille de Minos à l'esprit malfaisant : Thésée qui l'emmena de la Crète aux coteaux d'Athènes la sacrée, n'en connut pas l'amour. Dionysos l'accusait. Artémis, dans Dia, dans l'île entre-deux-mers, la perça de ses flèches [2].

Je vis Maira, Clymène et l'atroce Ériphyle qui, de son cher époux, toucha le prix en or [3].

De combien de héros, mes yeux virent alors les femmes et les filles! Comment vous les nommer et les dénombrer toutes? auparavant, la nuit divine aurait passé.... Il est temps de dormir, soit que j'aille au vaisseau auprès de l'équipage, soit que je reste ici. Mais que les dieux et vous songiez a mon retour [4]!

Il dit ; tous se taisaient dans l'ombre de la salle, et, tenus sous le charme, ils gardaient le silence.

Arété aux bras blancs prit enfin la parole :

ARÉTÉ. — Que dites-vous, ô Phéaciens, de ce héros? Il est beau, il est grand! quel esprit pondéré! Il est mon hôte, à moi ; mais l'honneur est pour tous. Ne vous hâtez donc pas de le congédier ; mais voyez son besoin! ne lui refusez pas quelques présents de plus, quand la faveur des dieux a mis en vos manoirs tant et tant de richesses!

Alors le vieux Échénèos leur dit[a] :

ÉCHÉNÈOS. – Mes amis, écoutons la plus sage des reines! car, selon notre attente, elle va droit au but. Suivez donc son conseil : Alkinoos est là ; qu'il agisse et qu'il parle!

Alors Alkinoos, reprenant la parole :

ALKINOOS. – C'est d'après ce conseil que tout se passera, s'il m'est donné de vivre en gouvernant nos bons rameurs de Phéacie. Mais, malgré son désir de partir, que notre hôte veuille bien nous rester ici jusqu'à demain ; j'aurai pu réunir alors tous nos présents ; nos gens s'occuperont de le remettre en route, et moi plus que tout autre, qui suis maître en ce peuple.

Ulysse l'avisé lui fit cette réponse :

ULYSSE. – Seigneur Alkinoos, l'honneur de tout ce peuple, quand vous m'inviteriez à rester, fût-ce un an, pour obtenir de vous et le retour rapide et de nobles cadeaux, comment vous refuser?... J'aurais tout avantage à revenir, les mains mieux garnies, au pays : car mon peuple pour moi n'aurait que plus d'amour et plus de déférence, le jour qu'il me verrait reparaître en Ithaque.

Alors Alkinoos, en réponse, lui dit :

ALKINOOS. – En te voyant, Ulysse, on ne saurait penser à l'un de ces hâbleurs, de ces fripons sans nombre, comme la terre noire en nourrit par centaines, artisans de mensonges auxquels on ne voit goutte. Quel charme en tes discours! quel esprit de

a. Vers 343 : de tous les Phéaciens, c'était le plus âgé.

noblesse ! L'aède le meilleur n'eût pas mieux raconté et tes cruels soucis et ceux de tout Argos. Mais, voyons, réponds-moi sans feinte, point par point : as-tu vu quelques-uns des compagnons divins qui, pour t'avoir suivi sous les murs d'Ilion, y trouvèrent la mort ?... La longue nuit qui vient n'est pas près de finir : il n'est pas encor temps de dormir au manoir ; allons ! raconte-nous tes travaux, tes prodiges. Je resterais ici jusqu'à l'aube divine, si tu voulais encor nous parler de tes maux.

Ulysse l'avisé lui fit cette réponse :

ULYSSE. – Seigneur Alkinoos, l'honneur de tout ce peuple, il est du temps pour tout, pour les longues histoires, comme pour le sommeil. Mais puisque ton désir est de m'entendre encor, je ne puis me soustraire à de nouveaux récits, hélas ! plus lamentables. Mes pauvres compagnons, morts après la victoire !... Ils n'étaient pas tombés sous les coups des Troyens, dans la mêlée hurlante : non ! c'est en plein retour que, par la volonté d'une femme maudite [1], ils allaient succomber !

Donc, les femmes s'étaient dispersées çà et là. La chaste Perséphone avait chassé leurs ombres. Mais voici que survint l'ombre d'Agamemnon. Elle était tout en pleurs et menait le cortège de ceux qui, près de lui, dans le manoir d'Égisthe [2], avaient trouvé la mort et subi le destin. A peine, du sang noir, l'Atride avait-il bu qu'il me reconnaissait et pleurant, gémissant, versant des flots de larmes, il me tendait les mains et voulait me toucher. Mais rien ne lui restait de la force et du muscle, qu'il avait eus jadis en ses membres alertes. A sa vue, la pitié m'emplit les yeux de larmes, et je dis, élevant la voix, ces mots ailés :

ULYSSE. – Atride glorieux, ô chef de nos guerriers, Agamemnon, dis-moi quelle Parque t'a pris et couché dans la mort? serait-ce Posidon qui coula tes vaisseaux, sous la triste poussée de ses vents de malheur?... aurais-tu succombé sous les coups d'ennemis, dans un enlèvement de beaux troupeaux, bœufs et moutons, sur un rivage?... ou dans quelque combat, sous les murs, pour les femmes?

Je dis; tout aussitôt, l'Atride me répond :

AGAMEMNON. – Fils de Laërte, écoute, ô rejeton des dieux, Ulysse aux mille ruses! ce n'est pas Posidon qui coula mes vaisseaux [a]; ce n'est pas sous les coups d'ennemis, au rivage, que je trouvai la mort. Mais, au manoir d'Égisthe, où je fus invité, c'est lui qui me tua, et ma maudite femme [b]! Voilà de quelle mort infâme j'ai péri! Ils ont, autour de moi, égorgé tous mes gens, sans en épargner un, tels les porcs aux dents blanches qu'au jour d'un mariage, d'un dîner par écot ou d'un repas de fête, on tue chez un richard ou chez un haut seigneur. Tu ne fus pas sans voir déjà beaucoup de meurtres, soit dans le corps à corps, soit en pleine mêlée; mais c'est à cette vue que ton cœur eût gémi! Tout autour du cratère et des tables chargées, nous jonchions la grand-salle : le sol fumait de sang! Et ce que j'entendis de plus atroce encor, c'est le cri de Cassandre, la fille de Priam, qu'égorgeait sur mon corps la fourbe Clytemnestre; je voulus la couvrir de mes bras; mais un coup de glaive m'acheva... Et la chienne sortit, m'envoyant vers l'Hadès, sans daigner me fermer ni les yeux ni

a. Vers 407 : sous la triste poussée de ses vents de malheur.

b. Vers 411 : chez lui, en plein festin, à table, il m'abattit comme un bœuf à la crèche.

les lèvres. Rien ne passe en horreur et chiennerie les femmes, qui se mettent au cœur de semblables forfaits! Voilà ce qu'elle avait préparé celle-là! l'infâme, qui tua l'époux de sa jeunesse!... Moi qui pensais trouver, en rentrant au logis, l'amour de mes enfants et de mes serviteurs!... Quelle artiste en forfaits!... Jusque dans l'avenir, quelle honte pour elle et pour les pauvres femmes, même les plus honnêtes!...

A ces mots de l'Atride, aussitôt je réponds :

ULYSSE. – Oui, pour le sang d'Atrée, le Zeus à la grand-voix fut toujours implacable : quelles ruses de femme il déchaîna sur eux! que de héros, à nous, Hélène nous coûta! et toi, c'est Clytemnestre qui te dresse, pendant ton absence, un tel piège!

Je dis ; tout aussitôt l'Atride me répond :

AGAMEMNON. – Par l'exemple averti, sois dur envers ta femme! ne lui confie jamais tout ce que tu résous! Il faut de l'abandon, mais aussi du secret... Mais ce n'est pas ta femme, Ulysse, qui jamais te donnera la mort : elle a trop de raison, un cœur trop vertueux, cette fille d'Icare! Ah! sage Pénélope, au départ pour la guerre, — je la revois encore, lorsque nous la quittions toute jeune épousée, — elle avait sur le sein son tout petit enfant, qui, sans doute aujourd'hui, siège parmi les hommes... Heureux fils! en rentrant, son père le verra, et lui, comme il convient, embrassera son père... Mon fils!... pour empêcher mes yeux de s'en emplir, ma femme se hâta de me tuer moi-même... Mais encor un avis ; mets-le bien en ton cœur : cache-toi, ne va pas te montrer au grand jour, quand tu aborderas au pays de tes pères ; aujourd'hui, il n'est rien de sacré pour les femmes. Mais dis-moi maintenant, sans feinte, point par point : savez-vous le pays où peut vivre mon fils ? est-il en Orchomène, à la Pylos des Sables ou, près de Ménélas, dans les plaines de Sparte ? Je sais qu'il n'est pas mort, qu'il est encor sur terre, mon Oreste divin !

A ces mots de l'Atride, aussitôt je réponds :

ULYSSE. – A quoi bon, fils d'Atrée, m'interroger ainsi ? Je ne sais rien d'Oreste : de sa vie, de sa mort, pourquoi parler à vide ?

Nous conversions ainsi tristement, face à face, et restions à gémir, versant des flots de larmes. Survint l'ombre d'Achille et celle de Patrocle, suivies de l'éminent Antiloque et d'Ajax, qui fut, après le fils éminent de Pélée, le plus beau, le plus grand de tous nos Danaens.

L'ombre d'Achille aux pieds légers me reconnut et, parmi les sanglots, me dit ces mots ailés :

ACHILLE [a]. – Tu veux donc, malheureux, surpasser tes exploits ! mais comment osas-tu descendre dans l'Hadès, au séjour des défunts, fantômes insensibles des humains épuisés ?

Aussitôt, à ces mots d'Achille, je réponds :

ULYSSE. – Fils de Pélée, Achille, ô toi, le plus vaillant de tous les Achéens, c'est pour Tirésias que tu me vois ici : je voulais qu'il m'apprît le moyen de rentrer à mon rocher d'Ithaque, car je n'ai pas encor touché en Achaïe ; toujours la proie des maux, non ! je n'ai pas encor mis le pied sur ma terre... Mais, Achille, a-t-on vu ou verra-t-on jamais bonheur égal au tien ? Jadis, quand tu vivais, nous tous, guerriers d'Argos, t'honorions comme un dieu : en ces lieux,

a. Vers 473 : fils de Laërte, écoute, ô rejeton des dieux, Ulysse aux mille ruses !

aujourd'hui, je te vois, sur les morts, exercer la puissance ; pour toi, même la mort, Achille, est sans tristesse !

Je dis ; mais aussitôt, il me dit en réponse :

ACHILLE. – Oh ! ne me farde pas la mort, mon noble Ulysse !... J'aimerais mieux, valet de bœufs, vivre en service chez un pauvre fermier, qui n'aurait pas grand-chère, que régner sur ces morts, sur tout ce peuple éteint [1] ! Mais allons, parle-moi de mon illustre fils : sut-il prendre ma place au front de la bataille ?... Et dis-moi : que sais-tu de l'éminent Pélée ? garde-t-il son pouvoir sur tous les Myrmidons ? ou mépriserait-on en Hellade et en Phthie cette vieillesse qui l'enchaîne, bras et jambes ? Pour lui porter secours, ah ! si j'étais là-haut, sous les feux du soleil, tel qu'aux plaines de Troie, rempart des gens d'Argos, on me voyait tuer l'élite des guerriers ! Si tel je revenais au manoir de mon père, ne fût-ce qu'un instant, comme ils craindraient ma force et ces mains inlassables, tous ceux qui, l'outrageant, l'écartent des honneurs !

Aussitôt, à ces mots d'Achille, je réponds :

ULYSSE. – Non ! je n'ai rien appris de l'éminent Pélée. Mais je puis te parler de ton fils ; à tes ordres ; voici la vérité sur ton Néoptolème : c'est moi, qui, de Skyros [2], à bord du fin navire, l'amenai dans les rangs des Achéens guêtrés... Siégeait-il aux conseils qu'on tint sous Ilion, il parlait le premier, et tous ses mots portaient ; seuls, le divin Nestor et moi le surpassions. Lorsque les Achéens combattaient sous la ville, jamais il ne restait au plus gros de la foule : il courait de l'avant ; nul n'égalait sa force ; que d'hommes il tua en de terribles chocs ! Je ne puis, nom par nom, te dire tous les braves qu'il abattit en défendant nos

Argiens. Mais ce fut sous ses coups que le fils de Télèphe, Eurypylos, tomba et, près de ce héros, tant de ces Kétéens [1] qui se faisaient tuer pour des cadeaux de femmes : je n'ai vu de plus beau que le divin Memnon. Et quand on s'embarqua dans le cheval de bois qu'avait fait Épeios!... Tous les chefs étaient là ; c'est moi qui commandais pour ouvrir ou fermer la porte de la trappe. Parmi ces conseillers et doges danaens, ah! j'en ai vu plus d'un qui, s'essuyant les yeux, tremblait de tous ses membres! Mais lui, pas un instant, je ne pus voir pâlir son beau teint ni couler sur ses joues une larme. Priant et suppliant qu'on sortît du cheval, tourmentant la poignée de son glaive, agitant sa lourde lance en bronze, il ne pensait, ton fils, qu'au malheur des Troyens. Quand nous eûmes, enfin, saccagé sur sa butte la ville de Priam et qu'avec son butin et sa prime d'honneur [2], il se remit en mer, il était sans blessure : coups des armes à pointe ou plaies du corps à corps, il avait échappé aux aveugles surprises que la fureur d'Arès sème dans le combat.

A peine avais-je dit que, sur ses pieds légers, l'ombre de l'Éacide à grands pas s'éloignait : il allait à travers le Pré de l'Asphodèle [3], tout joyeux de savoir la valeur de son fils! Mais des autres défunts, qui dorment dans la mort, les ombres tristement restaient à me conter chacune, son souci. Seule, l'ombre d'Ajax, le fils de Télamon, se tenait à l'écart : il me gardait rigueur de ma victoire au tribunal, près des vaisseaux, quand les armes d'Achille, offertes au vainqueur par son auguste mère, me furent adjugées. Les filles des Troyens et Pallas Athéna avaient été nos juges [4]. Ah! comme j'aurais dû ne pas gagner la joute!

La tombe n'aurait pas aujourd'hui cette tête [a]!

J'essaie, pour l'aborder, des plus douces paroles :

ULYSSE. – Écoute, Ajax, ô fils du noble Télamon, quoi! jusque dans la mort, tu me gardes rigueur de ces armes maudites! C'est pour notre malheur qu'un dieu nous les offrit : quel rempart ont en toi perdu nos Achéens! autant que sur la tête du Péléide Achille, nous avons sur ta mort, pleuré toutes nos larmes! Mais quelle en fut la cause, sinon la haine atroce de Zeus contre l'armée des piquiers danaens? il te jeta le sort... Approche donc, seigneur; écoute mes paroles : oh! réponds à ma voix! apaise la fureur de ton cœur généreux!

Je dis ; mais, sans répondre un mot, l'ombre d'Ajax retournait dans l'Érèbe, près des autres défunts qui dorment dans la mort.

Là, malgré sa colère, peut-être eût-il voulu me parler ou m'entendre. Mais c'est d'autres défunts qu'au fond de moi, mon cœur désirait voir les ombres.

Alors je vis Minos, le noble fils de Zeus : tenant le sceptre d'or, ce roi siégeait pour rendre aux défunts la justice [1] ; assis autour de lui ou debout, les plaideurs emplissaient la maison d'Hadès aux larges portes.

Après lui, m'apparut le géant Orion qui chassait, à travers le Pré de l'Asphodèle, les fauves qu'autrefois il avait abattus dans les monts solitaires : il avait à la main cette massue de bronze que rien n'a pu briser.

Et je vis Tityos, fils de la noble Terre : il gisait sur le sol et couvrait neuf arpents. Un couple de vautours, posés à ses deux flancs, lui déchirait le foie et fouillait ses entrailles, et ses mains ne pouvaient les écarter de

a. Vers 550-551 : cet Ajax, dont un seul de tous nos Danaens surpassait la beauté et les exploits, le fils éminent de Pélée!

lui[1] : il avait assailli la compagne de Zeus, cette auguste Léto, qui s'en allait à Delphes, à travers Panopée et sa riante plaine.

Je vis aussi Tantale en proie à ses tourments. Il était dans un lac, debout, et l'eau montait lui toucher le menton ; mais, toujours assoiffé, il ne pouvait rien boire ; chaque fois que, penché, le vieillard espérait déjà prendre de l'eau, il voyait disparaître en un gouffre le lac et paraître à ses pieds le sol de noir limon, desséché par un dieu. Des arbres à panache, au-dessus de sa tête, poiriers et grenadiers et pommiers aux fruits d'or, laissaient pendre leurs fruits[a] ; à peine le vieillard faisait-il un effort pour y porter la main : le vent les emportait jusqu'aux sombres nuées[2].

Je vis aussi Sisyphe, en proie à ses tourments : ses deux bras soutenaient la pierre gigantesque, et, des pieds et des mains, vers le sommet du tertre, il la voulait pousser ; mais à peine allait-il en atteindre la crête, qu'une force soudain la faisant retomber, elle roulait au bas, la pierre sans vergogne ; mais lui, muscles tendus, la poussait derechef ; tout son corps ruisselait de sueur, et son front se nimbait de poussière.

Puis ce fut Héraclès que je vis en sa force : ce n'était que son ombre ; parmi les Immortels, il séjourne en personne dans la joie des festins ; du grand Zeus et d'Héra aux sandales dorées, il a la fille, Hébé aux chevilles bien prises. Autour de lui, parmi le tumulte et les cris, les morts prenaient la fuite ; on eût dit des oiseaux. Pareil à la nuit sombre, il avait dégainé son arc et mis déjà la flèche sur la corde ; d'un regard effrayant, cet archer toujours prêt semblait chercher

a. Vers 590 : et puissants oliviers et figuiers domestiques.

le but ; sa poitrine portait le baudrier terrible et le ceinturon d'or, où l'on voyait gravés, merveille des chefs-d'œuvre, des ours, des sangliers, des lions aux yeux clairs, des mêlées, des combats, des meurtres, des tueries : l'artiste, qui mit là tout son art, essaierait vainement de refaire un pareil baudrier.

Héraclès, du premier regard, me reconnut et, parmi les sanglots, me dit ces mots ailés :

HÉRACLÈS[a]. – Pauvre ami, traînes-tu cette vie misérable, que j'ai traînée là-haut, sous les feux du soleil ? Fils de Zeus, petit-fils de Cronos, j'endurais des misères sans bornes, asservi sous le joug du pire des humains[1] ; quels pénibles travaux il m'avait imposés ! Ici, pour enlever le chien, il m'envoya ; c'était, dans sa pensée, le risque sans pareil... Je pris et j'emmenai le chien hors de l'Hadès ; pour guides, j'avais eu Hermès et la déesse aux yeux pers, Athéna !

A ces mots, il rentra aux maisons de l'Hadès.]

(Et ma mère rentra aux maisons de l'Hadès[2]) et moi, je restais là, attendant la venue de quelqu'un des héros, qui sont morts avant nous. J'aurais bien voulu voir les héros des vieux âges, Thésée, Pirithoos, nobles enfants des dieux. Mais avant eux, voici qu'avec des cris d'enfer, s'assemblaient les tribus innombrables des morts. Je me sentis verdir de crainte à la pensée que, du fond de l'Hadès, la noble Perséphone pourrait nous envoyer la tête de Gorgo[3], de ce monstre terrible... Sans tarder, je retourne au vaisseau ; je m'embarque et commande à mes gens d'embarquer à leur tour, puis de larguer l'amarre. Mes gens sautent à

a. Vers 617 : fils de Laërte, écoute, ô rejeton des dieux, Ulysse aux mille ruses !

bord et vont s'asseoir aux bancs et, descendant le cours du fleuve Okéanos, notre vaisseau s'éloigne, à la rame d'abord, puis au gré de la brise.

(*CHANT XII.*) Quand nous avons quitté le cours de l'Océan, nous voguons sur la mer, et le flot du grand large nous porte en Aiaié, vers ces bords où, sortant de son berceau de brume, l'Aurore a sa maison avec ses chœurs et le Soleil a son lever. On aborde; on échoue le vaisseau sur les sables[a] et nous nous endormons jusqu'à l'aube divine.

LES SIRÈNES
CHARYBDE ET SKYLLA[1]

De son berceau de brume, aussitôt que sortit l'Aurore aux doigts de roses, j'envoyai de mes gens au manoir de Circé pour rapporter le corps de défunt Elpénor, tandis que, sans tarder, nous jetions bas des arbres. Tristement, au plus haut du cap, nous le brûlons, pleurant à chaudes larmes. Quand la flamme a détruit son cadavre et ses armes, nous lui dressons un tertre, y plantons une stèle et nous fichons au haut sa rame bien polie[2]. Nous venions d'achever quand arriva Circé, qui nous savait déjà revenus de l'Hadès.

Elle accourut, parée ; ses femmes la suivaient, nous apportant du pain, des viandes à foison, du vin aux sombres feux. Debout en notre cercle, elle parlait ainsi, cette toute divine :

CIRCÉ. – Pauvres gens! vous avez pénétré dans l'Hadès! et vous vivez encore!... la mort, qui ne saisit

a. Vers 6 : on prend pied sur la grève.

qu'une fois les humains, vous la verrez deux fois!... Mais prenez de ces mets et buvez de ce vin ; restez là tout le jour ; demain, vous voguerez, dès la pointe de l'aube ; je vous dirai la route, en ne vous cachant rien, pour écarter de vous tout funeste artifice qui, sur terre ou sur mer, vous vaudrait des souffrances.

Elle disait : nos cœurs s'empressent d'obéir. Aussi, tout un grand jour, jusqu'au soleil couchant, nous restons au festin : on avait du bon vin, des viandes à foison! Au coucher du soleil, quand vient le crépuscule, les autres vont dormir au long de nos amarres ; mais Circé, me prenant la main, me fait asseoir à l'écart de mes gens et, pour m'interroger sur tout notre voyage, s'allonge auprès de moi ; je lui fais un récit complet, de point en point.

Elle me dit alors, cette auguste Circé :

CIRCÉ. – Vous voilà donc au bout de ce premier voyage! écoute maintenant ce que je vais te dire, et qu'un dieu quelque jour t'en fasse souvenir!

» Il vous faudra d'abord passer près des Sirènes. Elles charment tous les mortels qui les approchent. Mais bien fou qui relâche pour entendre leurs chants! Jamais en son logis, sa femme et ses enfants ne fêtent son retour : car, de leurs fraîches voix, les Sirènes le charment, et le pré, leur séjour, est bordé d'un rivage tout blanchi d'ossements et de débris humains, dont les chairs se corrompent [1]... Passe sans t'arrêter! Mais pétris de la cire à la douceur de miel et, de tes compagnons, bouche des deux oreilles : que pas un d'eux n'entende ; toi seul, dans le croiseur, écoute, si tu veux! mais, pieds et mains liés, debout sur l'emplanture, fais-toi fixer au mât pour goûter le plaisir d'entendre la chanson, et, si tu les priais, si tu leur commandais de desserrer les nœuds, que tes gens aussitôt donnent un tour de plus [1]! Quand tes rameurs auront dépassé les Sirènes, — je ne t'assigne pas d'ici tout le parcours ; à toi, de décider, — deux routes s'offriront ; les voici toutes deux. On trouve, d'un côté, les Pierres du Pinacle, où rugit le grand flot azuré d'Amphitrite : chez les dieux fortunés, on les appelle Planktes.

» La première ne s'est jamais laissé frôler des oiseaux, même pas des timides colombes, qui vont à Zeus le père apporter l'ambroisie ; mais le chauve rocher, chaque fois, en prend une que Zeus doit remplacer pour rétablir le nombre. La seconde ne s'est jamais laissé doubler par un vaisseau des hommes ; mais, planches du navire et corps des matelots, tout est pris par la vague et par des tourbillons de feu dévastateur [2]. Un seul des grands vaisseaux de mer put échapper : ce fut Argo, rentrant du pays d'Aiétès, cet Argo que, partout, vont chantant les aèdes ; le flot l'avait jeté contre ces grandes Pierres ; mais Héra, pour l'amour de Jason, le sauva [3].

» L'autre route vous mène entre les Deux Écueils. L'un, dans les champs du ciel, pointe une cime aiguë, que couronne en tout temps une sombre nuée, et rien ne l'en délivre ; ni l'été ni l'automne, il ne plonge en l'azur ; aucun homme mortel, quand bien même il aurait vingt jambes et vingt bras, ne saurait ni monter ni se tenir là-haut ; la roche en est trop lisse ; on la croirait polie [4]. A mi-hauteur, se creuse une sombre caverne, qui s'ouvre, du côté du noroît, vers l'Érèbe : du fond de ton vaisseau, c'est sur elle qu'il faut gouverner, noble Ulysse! Mais, du fond du vaisseau, le plus habile archer ne saurait envoyer sa flèche en cette cave, où Skylla, la terrible aboyeuse, a son gîte ; sa voix est d'une chienne, encor toute petite ; mais c'est un monstre affreux, dont la vue est sans charme et, même pour un dieu, la rencontre sans joie. Ses pieds, — elle en a douze, — ne sont que des moignons ; mais sur six cous géants, six têtes effroyables ont, chacune en sa gueule, trois rangs de dents serrées, imbriquées, toutes pleines des ombres de la mort. Enfoncée à mi-corps dans le creux de la roche, elle darde ses cous hors de l'antre terrible et pêche de là-haut, tout autour de l'écueil que fouille son regard, les dauphins et les chiens de mer et, quelquefois, l'un de ces plus grands monstres que nourrit par milliers la hurlante Amphitrite [1]. Jamais homme de mer ne s'est encor vanté d'avoir fait passer là sans dommage un navire : jusqu'au fond des bateaux à la proue azurée, chaque gueule du monstre vient enlever un homme.

» L'autre Écueil, tu verras, Ulysse, est bien plus bas [a]. Il porte un grand figuier en pleine frondaison ; c'est là-dessous qu'on voit la divine Charybde engloutir l'onde noire : elle vomit trois fois chaque jour, et trois fois, ô terreur! elle engouffre [2]. Ne va pas être là pendant qu'elle engloutit, car l'Ébranleur du sol lui-même ne saurait te tirer du péril... Choisis plutôt Skylla, passe sous son écueil, longe au plus près et file! il te vaut mieux encor pleurer six compagnons et sauver le vaisseau que périr tous ensemble. »

A ces mots de Circé, je réponds aussitôt :

Ulysse. – Tout de même! dis-moi franchement, ô déesse!... si j'allais, évitant la perte sur Charybde, me dresser contre l'autre, lorsque je la verrais s'attaquer à mes gens?...

a. Vers 102 : ils sont tout près ; ta flèche irait de l'un à l'autre.

Je dis. Elle répond, cette toute divine :

Circé. – Pauvre ami ! tu ne vois toujours que guerre et lutte. Tu ne veux même pas céder aux Immortels ?... Skylla ne peut mourir ! c'est un mal éternel, un terrible fléau, un monstre inattaquable ! la force serait vaine ; il n'est de sûr moyen contre elle que la fuite. Au long de son rocher, si tu perdais du temps à prendre ton armure, un élan, de nouveau, la jetterait sur vous, et chacun de ses cous te reprendrait un homme... Non ! passe à toute vogue en hélant Crataïs, la mère de Skylla ; c'est d'elle que naquit ce fléau des humains ; c'est elle qui mettra le terme à ses attaques.

Puis vous arriverez à l'Ile du Trident où pâturent en foule les vaches du Soleil et ses grasses brebis [1]. Sept hardes de brebis et sept troupeaux de vaches, de cinquante chacun, y vivent toujours beaux, sans connaître jamais la naissance ou la mort. Deux déesses, Phaéthousa et Lampétie, sont là pour les garder : au Soleil, fils d'En Haut, la divine Néère enfanta et nourrit ces deux nymphes bouclées, puis cette mère auguste envoya ses deux filles aux rivages lointains de l'Ile du Trident, pour y vivre en gardant les brebis de leur père et ses vaches cornues [a].

A peine elle avait dit, cette toute divine, que l'Aurore apparut sur son trône doré, et Circé, remontant dans l'île s'éloigna.

Je reviens au vaisseau et je presse mes gens de remonter à bord, puis de larguer l'amarre. On s'embarque

a. Vers 137-141 : respecte ces troupeaux ! ne songe qu'au retour ! et je crois qu'en Ithaque, à travers tous les maux, vous rentrerez encore ; mais je te garantis que, si vous maltraitiez ces bêtes, c'est fini du navire et des gens ; tu pourrais t'en tirer et revenir, mais quand ? et dans quelle misère ! tous tes hommes perdus !...

à la hâte ; on va s'asseoir aux bancs [a] ; pour pousser le navire à la proue azurée, la déesse bouclée, la terrible Circé, douée de voix humaine, nous envoie un vaillant compagnon dans la brise qui vient gonfler nos voiles et, quand, ayant à bord rangé tous les agrès, on n'a plus qu'à s'asseoir et qu'à laisser mener le vent et le pilote, je fais part à mes gens des soucis de mon cœur :

ULYSSE. – Amis, je ne veux pas qu'un ou deux seulement connaissent les arrêts que m'a transmis Circé, cette toute divine. Non!... Je veux tout vous dire, pour que, bien avertis, nous allions à la mort ou tâchions d'éviter la Parque et le trépas. Donc, son premier conseil est de fuir les Sirènes, leur voix ensorcelante et leur prairie en fleurs ; seul, je puis les entendre ; mais il faut que, chargé de robustes liens, je demeure immobile, debout sur l'emplanture, serré contre le mât, et si je vous priais, si je vous commandais de desserrer les nœuds, donnez un tour de plus!

Je dis et j'achevais de prévenir mes gens, tandis qu'en pleine course, le solide navire que poussait le bon vent s'approchait des Sirènes. Soudain, la brise tombe ; un calme sans haleine s'etablit sur les flots qu'un dieu vient endormir [1]. Mes gens se sont levés ; dans le creux du navire, ils amènent la voile et, s'asseyant aux rames, ils font blanchir le flot sous la pale en sapin.

Alors, de mon poignard en bronze, je divise un grand gâteau de cire ; à pleines mains, j'écrase et pétris les morceaux. La cire est bientôt molle entre mes doigts puissants [b]. De banc en banc, je vais leur boucher les

a. Vers 147 : puis, chacun en sa place, la rame bat le flot qui blanchit sous les coups.

b. Vers 176 : et sous les feux du roi Soleil, ce fils d'En Haut!

oreilles ; dans le navire alors, ils me lient bras et jambes et me fixent au mât, debout sur l'emplanture, puis chacun en sa place, la rame bat le flot qui blanchit sous les coups [a].

Nous passons en vitesse. Mais les Sirènes voient ce rapide navire qui bondit tout près d'elles. Soudain, leurs fraîches voix entonnent un cantique :

LE CHŒUR. – Viens ici! viens à nous! Ulysse tant vanté! l'honneur de l'Achaïe!... Arrête ton croiseur : viens écouter nos voix! Jamais un noir vaisseau n'a doublé notre cap, sans ouïr les doux airs qui sortent de nos lèvres ; puis on s'en va content et plus riche en savoir, car nous savons les maux, tous les maux que les dieux, dans les champs de Troade, ont infligés aux gens et d'Argos et de Troie, et nous savons aussi tout ce que voit passer la terre nourricière.

Elles chantaient ainsi et leurs voix admirables me remplissaient le cœur du désir d'écouter. Je fronçais les sourcils pour donner à mes gens l'ordre de me défaire. Mais, tandis que, courbés sur la rame, ils tiraient, Euryloque venait, aidé de Périmède, resserrer mes liens et mettre un tour de plus.

Nous passons et, bientôt, l'on n'entend plus les cris ni les chants des Sirènes. Mes braves gens alors se hâtent d'enlever la cire que j'avais pétrie dans leurs oreilles, puis de me détacher.

L'île enfin disparaît. Mais soudain j'aperçois la fumée d'un grand flot [1] dont j'entends les coups sourds. La peur saisit mes gens : envolées de leurs mains, les rames en claquant tombent au fil de l'eau ; le vaisseau reste en place, les bras ne tirant plus sur les rames

a. Vers 181 : le navire est enfin à portée de la voix.

polies. Je vais sur la coursie relever les courages [a] :

Ulysse. – Nous avons, mes amis, connu bien d'autres risques ! peut-il nous advenir quelque danger plus grand qu'au jour où le Cyclope, au fond de sa caverne, nous tenait enfermés sous sa prise invincible ? Pourtant, même de là, n'est-ce pas ma valeur, mes conseils, mon esprit qui nous ont délivrés ?... Ce sera, quelque jour, de nos bons souvenirs !... Allons ! croyez-m'en tous : faites ce que je dis ; qu'on reprenne la rame et, fermes sur les bancs, allons ! battez la mer d'une plongée profonde ; voyons si, nous faisant passer sous ce désastre, Zeus veut nous en tirer !... Pilote, à toi mes ordres : tâche d'y bien penser, puisque à bord du vaisseau, c'est toi qui tiens la barre. Tu vois cette fumée et ce flot : passe au large et prends garde à l'écueil ! Si, gagnant à la main, le navire y courait, c'est à la male mort que tu nous jetterais !

Je disais ; mon discours aussitôt les décide. Je n'avais pas encor dit un mot de Skylla, fléau inévitable : mes gens, saisis de peur, pouvaient lâcher les rames, pour se blottir en tas dans le fond du vaisseau !... Mais j'avais oublié qu'en ses tristes avis, Circé m'avait enjoint de ne pas endosser mes armes glorieuses : je les revêts, je prends en mains deux longues piques et je vais me poster au gaillard de l'avant [1] ; j'espérais découvrir éette Skylla de pierre, avant qu'elle causât le malheur de mes gens... Mais je cherchais sans voir et mes yeux se lassaient à fouiller les recoins de la roche embrumée...

Nous entrons dans la passe et voguons angoissés. Nous avons d'un côté la divine Charybde [b] et, de l'au-

a. Vers 207 : je vais de l'un à l'autre et, du ton le plus doux...
b. Vers 236 : avalant l'onde amère, avec un bruit terrible.

tre, Skylla. Quand Charybde vomit, toute la mer bouillonne et retentit comme un bassin sur un grand feu : l'écume en rejaillit jusqu'au haut des Écueils et les couvre tous deux. Quand Charybde engloutit à nouveau l'onde amère, on la voit, dans son trou, bouillonner tout entière ; le rocher du pourtour mugit terriblement ; tout en bas, apparaît un fond de sables bleus... Ah! la terreur qui prit et fit verdir mes gens!

Mais, tandis que nos yeux regardaient vers Charybde d'où nous craignions la mort, Skylla nous enlevait dans le creux du navire six compagnons, les meilleurs bras et les plus forts : me retournant pour voir le croiseur et mes gens, je n'aperçois les autres qu'emportés en plein ciel, pieds et mains battant l'air, et criant, m'appelant! [et répétant mon nom, pour la dernière fois : quel effroi dans leur cœur! Sur un cap avancé, quand, au bout de sa gaule, le pêcheur a lancé vers les petits poissons l'appât trompeur et la corne du bœuf champêtre, on le voit brusquement rejeter hors de l'eau sa prise frétillante. Ils frétillaient ainsi, hissés contre les pierres,] et Skylla, sur le seuil de l'antre, les mangeait. Ils m'appelaient encore ; ils me tendaient les mains en cette lutte atroce!...

Non! jamais, de mes yeux, je ne vis telle horreur, à travers tous les maux que m'a valus sur mer la recherche des passes!

Nous doublons les Écueils, la terrible Charybde aussi bien que Skylla. Nous voici chez le dieu, en cette île admirable du Soleil, fils d'En Haut, où l'on voyait, en foule, ses beaux bœufs au grand front et ses grasses brebis [1]. Déjà, du noir vaisseau, étant encore au large, nous entendions meugler les vaches dans les parcs et bêler les moutons. Aussi me revenaient au cœur les prophéties de l'aveugle devin Tirésias de Thèbes [a].

Je fais part à mes gens des soucis de mon cœur :

Ulysse. – Camarades, deux mots! vous avez beau souffrir ; il faut que vous sachiez ce que Tirésias m'a prédit dans l'Hadès : il m'a recommandé, et très fort, d'éviter cette Ile du Soleil, le charmeur des mortels ; il m'a dit qu'en ces lieux, nous aurions à subir le comble des malheurs... Doublons cette île! écartez-en le noir vaisseau!

Je dis. Leur cœur éclate. Euryloque aussitôt répond d'un ton haineux :

Euryloque. – Tu n'es pas tendre, Ulysse! ah! ta force est intacte, et tes membres dispos!... Ta charpente est de fer et, lorsque nous tombons de sommeil, de fatigue, tu défends qu'on accoste à cette île aux deux rives, où nous apprêterions le bon repas du soir! tu veux que, sur-le-champ, dans la nuit qui vient vite, nous poussions loin du bord et nous allions nous perdre en la brume des mers! Les pires coups de vent, destructeurs de vaisseaux, sont les fils de la nuit! [et comment fuir la mort suspendue sur nos têtes, s'il nous tombait soudain l'une de ces bourrasques, que ce soit du Notos ou du hurlant Zéphyr, qui brisent un navire, en dépit des dieux-rois?...] C'est l'heure! Il faut céder aux ombres de la nuit ; préparons le souper ; campons près du croiseur! et dès l'aube, demain, nous reviendrons à bord et pousserons au large.

Euryloque parlait ; les autres d'applaudir. Mais, connaissant les maux qu'un dieu nous destinait, je lui dis, élevant la voix, ces mots ailés :

a. Vers 268-269 : et celles de Circé, la dame d'Aiaié ; tous deux m'avaient enjoint, et si fort, d'éviter cette Ile du Soleil, le charmeur des mortels!

ULYSSE. – Je suis seul, Euryloque, et vous en abusez! Du moins jurez-moi, tous, le plus fort des serments que, si nous rencontrons quelque troupe de vaches ou quelque grand troupeau de brebis, nul de vous n'aura l'impiété fatale d'en abattre ; sagement, sans toucher ni vaches ni moutons, vous vous contenterez des vivres qu'a fournis l'immortelle Circé.

Je dis et, sur mon ordre, ils jurent sans tarder. Quand ils ont prononcé et scellé le serment, nous entrons au Port Creux et nous allons mouiller le solide vaisseau en face des Eaux Douces, où mes gens débarqués se hâtent d'apprêter en maîtres le repas [1].

Quand on a satisfait la soif et l'appétit, on donne une pensée et des pleurs aux amis que, du creux du vaisseau, Skylla était venue nous prendre et dévorer ; puis les larmes font place au plus doux des sommeils.

LES VACHES DU SOLEIL

Aux deux tiers de la nuit, quand les astres déclinent, Zeus, l'assembleur des nues, lâche un Notos terrible aux hurlements d'enfer, qui noie sous les nuées le rivage et les flots : la nuit tombe du ciel. Aussi, dès qu'apparaît, en son berceau de brume, l'Aurore aux doigts de roses, nous tirons le vaisseau et nous le remisons dans le creux d'une grotte, où les Nymphes avaient leurs beaux chœurs et leurs sièges. Puis je tiens l'assemblée et, prenant la parole :

ULYSSE. – Amis, dans le croiseur, on a boisson et vivres ; laissons donc ces troupeaux : nous en aurions malheur! C'est un terrible dieu qui possède ces bœufs et ces grasses brebis : le Soleil qui voit tout, le dieu qui tout entend !

Je disais et leurs cœurs s'empressent d'obéir. Tout un mois, sans arrêt, c'est le Notos qui souffle : jamais un autre vent que d'Euros à Notos [1]. Aussi longtemps qu'on a du pain et du vin rouge, mes gens ne cherchent pas à vivre sur les bœufs. Mais quand sont épuisés tous les vivres du bord, il faut se mettre en chasse et battre le pays et, d'oiseaux, de poissons, prendre ce que l'on trouve [a].

Or, un jour pour prier, j'avais quitté la grève, avec l'espoir qu'un dieu viendrait me révéler le chemin du retour. J'étais monté dans l'île et, sans plus voir mes gens, je m'étais, à l'abri du vent, lavé les mains, pour invoquer chacun des maîtres de l'Olympe. Voici que l'un des dieux me versa, sur les yeux, le plus doux des sommeils.

C'est alors qu'à mes gens, Euryloque donna le funeste conseil :

EURYLOQUE. – Camarades, deux mots ! Vous avez beau souffrir ; écoutez-moi pourtant ! Toute mort est cruelle aux malheureux humains. Mais périr de famine ! est-il sort plus affreux ? Allons ! nous avons là ces vaches du Soleil. Pour faire aux Immortels, maîtres des champs du ciel, la parfaite hécatombe, pourchassons les plus belles. Si jamais nous devons retrouver notre Ithaque, le pays des aïeux, nous ferons sans tarder au Soleil, fils d'En Haut, quelque beau sanctuaire, où nous entasserons les plus riches offrandes. Que si, voulant venger ses bœufs aux cornes droites, il exige des dieux et leur fait décider la perte du croiseur, j'ai-

a. Vers 332 : à l'hameçon crochu ; la faim tordait les ventres.

merais mieux encor, pour en finir d'un coup, tendre la bouche au flot que traîner et périr en cette île déserte.

Euryloque parlait; les autres, d'applaudir. Ils se mettent en chasse et cernent les meilleures des vaches du Soleil; ils n'ont qu'un pas à faire : elles passaient tout près de la proue azurée, ces vaches au grand front, si belles sous leurs cornes!

Pour invoquer les dieux, ils prennent du feuillage aux rameaux d'un grand chêne, au lieu de l'orge blanche dont il ne restait plus sous les bancs du vaisseau; puis, les dieux invoqués, on égorge, on écorche, on détache les cuisses; sur l'une et l'autre face, on les couvre de graisse; on empile dessus d'autres morceaux saignants; comme on n'a plus de vin pour les libations, c'est de l'eau qu'on répand sur les viandes qu'on brûle, et l'on met à griller la masse des viscères. Les cuisses consumées, on goûte des grillades et, découpé menu, le reste de la bête est rôti sur les broches. Le doux sommeil s'envole alors de mes paupières. Je reprends le chemin du croiseur, de la grève, et j'allais arriver sous le double gaillard, quand la bonne senteur de la graisse m'entoure. Je fonds en pleurs. Je crie vers les dieux immortels :

ULYSSE. – Zeus le père et vous tous, éternels Bienheureux! vous m'avez donc maudit, quand vous m'avez couché en ce sommeil perfide!... de quel forfait mes gens rêvaient en mon absence!

[Mais déjà Lampétie, drapée en ses longs voiles, accourait prévenir le Soleil, fils d'En Haut, du meurtre de ses vaches, et le dieu courroucé disait aux Immortels :

LE SOLEIL. – Zeus le Père et vous tous, éternels Bienheureux, faites payer aux gens de ce fils de Laërte le meurtre de mes bêtes. Ah! les impies! c'était ma joie quand je montais vers les astres du ciel ou quand, mon tour fini, du haut du firmament, je rentrais sur la terre... Si je n'en obtiens pas la rançon que j'attends, je plonge dans l'Hadès et brille pour les morts.

Zeus, l'assembleur des nues, lui fit cette réponse :

ZEUS. – Soleil, reste à briller devant les Immortels : et, sur la terre aux blés, devant les yeux des hommes. Quant à ceux-là, je vais, de ma foudre livide, leur fendre leur croiseur en pleine mer vineuse.

Ce fut de Calypso, la nymphe aux beaux cheveux, que j'appris ces discours, qu'elle disait tenir d'Hermès le messager.]

J'étais redescendu au navire, à la mer. J'allais de l'un à l'autre et je les querellais. Hélas! nous ne pouvions découvrir de remède : les vaches n'étaient plus, et voici que les dieux nous envoyaient leurs signes : les dépouilles marchaient ; les chairs cuites et crues meuglaient autour des broches ; on aurait dit la voix des bêtes elles-mêmes.

Durant six jours entiers, mes braves compagnons ont de quoi banqueter : ils avaient au Soleil pris ses plus belles vaches. Mais lorsque Zeus, le fils de Cronos, nous envoie la septième journée, le Notos qui soufflait en tempête s'apaise : on s'embarque à la hâte, on replante le mât, on tend les voiles blanches, on pousse vers le large [a]. Mais notre course est brève. En hurlant, nous arrive un furieux Zéphyr qui souffle en ouragan ; la rafale, rompant d'un coup les deux étais, nous renverse le mât et fait pleuvoir tous les agrès à fond de cale [1] ; le mât, en s'abattant sur le gaillard de poupe,

a. Vers 403-406 : et l'île disparaît : devant nous, plus de terres ; rien que le ciel et l'eau. Zeus nous pend sur la coque une sombre nuée, dont la mer s'enténèbre.

frappe au front le pilote et lui brise le crâne [a]. Zeus tonne en même temps et foudroie le vaisseau [b]. Mes gens sont emportés par les vagues; ils flottent, autour du noir croiseur, pareils à des corneilles; le dieu leur refusait la journée du retour.

Moi, je courais d'un bout à l'autre du navire, quand un paquet de mer disloque la membrure; la quille se détache et la vague l'emporte. Mais le mât arraché flottait contre la quille, et l'un des contre-étais y restait attaché : c'était un cuir de bœuf; je m'en sers pour lier ensemble mât et quille, et sur eux je m'assieds : les vents de mort m'emportent.

Le Zéphyr cesse alors de souffler en tempête. Mais le Notos accourt pour m'angoisser le cœur, car il me ramenait au gouffre de Charybde : toute la nuit, je flotte; au lever du soleil, je me trouve devant la terrible Charybde et l'écueil de Skylla.

Or Charybde est en train d'avaler l'onde amère. Je me lève sur l'eau; je saute au haut figuier; je m'y cramponne comme une chauve-souris. Mais je n'ai le moyen ni de poser le pied ni de monter au tronc; car le figuier, très loin des racines, tendait ses longs et gros rameaux pour ombrager Charybde. Sans faiblir, je tiens là, jusqu'au dégorgement qui vient rendre à mes vœux et le mât et la quille.

Quand je revois mes bois qui sortent de Charybde, c'était l'heure tardive où, pour souper, le juge, ayant entre plaideurs réglé mainte querelle, rentre de l'agora. Je lâche pieds et mains pour retomber dessus; mais

a. Vers 413-414 : la tête est en bouillie ; l'homme, comme un plongeur, choit du haut du gaillard, et son âme vaillante abandonne ses os.

b. Vers 416-417 : la foudre vient frapper le vaisseau qui capote et que le soufre emplit ; tous mes gens sont à l'eau.

sur l'eau, je me plaque entre mes longues poutres... Je remonte dessus; je rame des deux mains, et le Père des dieux et des hommes me fait échapper cette fois aux regards de Skylla; sinon, j'étais perdu; la mort était sur moi; et neuf jours, je dérive; à la dixième nuit, le ciel me jette enfin sur cette île océane, où la nymphe bouclée, la terrible déesse douée de voix humaine, Calypso, me reçoit et me traite en amie...

Mais pourquoi vous reprendre un récit qu'hier soir, en cette même salle, je vous ai fait à toi et ta vaillante épouse?... Quand l'histoire est connue, je n'ai jamais aimé en faire un nouveau conte.

(*CHANT XIII.*) Il dit : tous se taisaient et, tenus sous le charme, ils gardaient le silence dans l'ombre de la salle.

Alkinoos enfin prit la parole et dit :

ALKINOOS. – Puisque à mon seuil de bronze et sous les hauts plafonds de ma demeure, Ulysse, te voici parvenu, tu n'auras plus, je crois, pour rentrer au logis, de longues aventures, quels que soient les malheurs autrefois endurés! Quant à vous, les doyens, je veux vous adresser à chacun ma demande, à vous qui, tous les jours, en écoutant l'aède, buvez chez moi le vin d'honneur aux sombres feux : pour notre hôte déjà, en ce coffre poli, sont rangés les tissus, les ouvrages en or et les autres présents qu'ont envoyés nos conseillers de Phéacie ; allons! ajoutons-y le don d'un grand trépied et d'un chaudron par tête; sur le peuple, demain, nous ferons la levée qui nous remboursera; car ces frais, pour chacun de nous, seraient trop lourds.

Il dit : tous, d'applaudir ces mots d'Alkinoos et chacun pour dormir rentra dans son logis. Mais sitôt que sortit de son berceau de brume l'Aurore aux doigts de roses, on courut au vaisseau, pour y porter le bronze, attribut des guerriers. Sa Force et Sainteté, montant lui-même à bord, s'en alla disposer les objets sous les bancs, pour que rien ne gênât les gens de l'équipage, si l'on forçait de rames; puis, chez Alkinoos, on revint et l'on fit les apprêts du dîner.

Pour les fêter, Sa Force et Sainteté le roi fit immoler un bœuf [a], dont on brûla les cuisses, et l'on fut à la joie de ce noble festin; puis l'aède divin, que révérait ce peuple, Démodocos, chanta.

Mais Ulysse, des yeux, guettait à chaque instant le rapide déclin du soleil embrasé : il voulait tant partir!... Ainsi vont au souper les vœux du laboureur lorsque, dans la jachère, ses bœufs tachés de vin ont traîné tout le jour la charrue d'assemblage!... Et comme il est joyeux quand, le soleil éteint, il revient, les genoux flageolants, au souper!... D'un cœur aussi joyeux, Ulysse salua le coucher du soleil et, soudain, c'est aux bons rameurs de Phéacie, mais surtout à leur roi, qu'il adressa ces mots :

Ulysse. – Seigneur Alkinoos, l'honneur de tout ce peuple, faites aux dieux l'offrande, puis reconduisez-moi, sain et sauf, au logis. Je vous fais mes adieux. Vous avez accompli tous les vœux de mon cœur : ce départ, ces cadeaux, puissent les dieux du ciel me les rendre prospères! et puissé-je au logis retrouver sains et saufs ma femme et tous les miens!... Et vous qu'ici je laisse, puissiez-vous rendre heureux et vos enfants et vos compagnes de jeunesse! et, les dieux vous donnant toute félicité, qu'à jamais le malheur épargne votre peuple!

a. Vers 25 : à Zeus, fils de Cronos, le dieu des nuées sombres, le roi de tous les êtres.

Il dit : tous, d'applaudir et d'émettre le vœu qu'on remmenât cet hôte qui savait si bien dire.

Sa Force Alkinoos appela le héraut :

ALKINOOS. - Pontonoos, fais-nous le mélange au cratère et donne-nous du vin à tous, en cette salle, pour prier Zeus le père et renvoyer cet hôte à la terre natale.

Il dit : Pontonoos mêla dans le cratère un vin fleurant le miel, puis s'en vint à la ronde emplir toutes les coupes, et chacun, sans quitter son siège, fit l'offrande aux dieux, aux Bienheureux, maîtres des champs du ciel. Mais déjà le divin Ulysse était debout ; dans la main d'Arété, il mit la double coupe et lui dit, élevant la voix, ces mots ailés :

ULYSSE. – O reine, à ton bonheur!... ton bonheur éternel, jusqu'au jour où viendront la vieillesse et la mort : c'est notre lot à nous. Puisque je vais partir, ah! qu'en cette maison, longtemps fassent ta joie le roi Alkinoos, tes enfants et ton peuple!

Et comme le divin Ulysse, sur ces mots, avait franchi le seuil, Sa Force Alkinoos lui donna un héraut pour le mener jusqu'au croiseur, sur le rivage ; avec eux, Arété dépêcha trois servantes : la première portait la robe avec l'écharpe tout fraîchement lavée ; l'autre suivait, portant le coffre aux bois épais, et la troisième avait le pain et le vin rouge.

Quand ils eurent atteint le navire et la mer, les nobles convoyeurs se hâtèrent de prendre les vivres pour la route et de les déposer dans le fond du vaisseau ; puis, des draps de linon, ils firent pour Ulysse, sur le gaillard de poupe, un lit où le héros dormirait loin du bruit. Alors il s'embarqua, se coucha sans rien dire ; en ordre, les rameurs prirent place à leurs bancs ; de la pierre trouée, on détacha l'amarre, et bientôt, reins cambrés, dans l'embrun de l'écume, ils tiraient l'aviron.

Mais déjà sur ses yeux, tombait un doux sommeil, sans sursaut, tout pareil à la paix de la mort [: comme, devant le char, on voit quatre étalons s'élancer dans la plaine et pointer tous ensemble et dévorer la route sous les claques du fouet ; ainsi pointait la proue et, dans les gros bouillons du sillage, roulait la mer retentissante], et le vaisseau courait sans secousse et sans risque, et l'épervier, le plus rapide des oiseaux, ne l'aurait pas suivi.

Il courait, il volait, fendant le flot des mers, emportant ce héros aux divines pensées, dont l'âme avait connu, autrefois, tant d'angoisses [a]. Maintenant, sans un geste, il dormait, oubliant tous les maux endurés. Juste à l'heure où paraît la reine des étoiles, qui vient pour annoncer le lever de l'Aurore en son berceau de brume, le navire, achevant sa course sur la mer, abordait en Ithaque.

Le Vieillard de la mer, Phorkys [1], a dans les champs d'Ithaque un de ses ports. Deux pointes avancées, qui dressent face à face leurs falaises abruptes, rejettent au-dehors les colères du vent et de la grande houle ; au-dedans, les rameurs peuvent abandonner leur vaisseau sans amarre, sitôt qu'ils ont atteint la ligne du mouillage. A la tête du port, un olivier s'éploie, et l'on trouve tout près la sainte grotte obscure et charmante des Nymphes, qu'on appelle Naïades : on y voit leurs cratères, leurs amphores de pierre, où vient rucher l'abeille et, sur leurs grands métiers de pierre, les tissus teints en pourpre de mer, que fabriquent leurs mains, — enchantement des yeux ! — et leurs sources d'eaux vives.

a. Vers 91 : à batailler sur terre, à peiner sur les flots.

La grotte a deux entrées : par l'une, ouverte au nord, descendent les humains; l'autre s'ouvre au midi; mais c'est l'entrée des dieux; jamais homme ne prend ce chemin d'Immortels [1].

En ce port connu d'eux, les Phéaciens pénètrent. Ils s'échouent sur la grève et presque une moitié de leur navire y monte, tant les bras des rameurs avaient donné l'élan! Ils sautent hors des bancs, prennent d'abord Ulysse et, du creux du vaisseau, l'enlèvent en ses draps et son linon moiré; sans rompre son sommeil, sur le sable, ils le posent; ils tirent du vaisseau les richesses données par les rois phéaciens [a]; ils les mettent en tas, au pied de l'olivier, à l'écart de la route, de peur que les passants n'en viennent dérober, avant qu'il se réveille, puis, reprenant la mer, le croiseur s'en retourne.

Mais l'Ébranleur du sol n'avait pas oublié ses menaces d'antan à ce divin Ulysse. Il s'en était allé prendre l'avis de Zeus :

POSIDON. – Quel respect, Zeus le Père, auront encor pour moi, les dieux, les Immortels, quand les mortels me bravent, même ces Phéaciens qui sont nés de ma race? Je savais bien qu'Ulysse, à travers mille maux, rentrerait au logis ; connaissant dès l'abord ta promesse jurée, jamais je n'ai voulu le priver du retour. Mais c'est tout endormi, qu'à bord de leur croiseur, ces gens de Phéacie lui font passer la mer pour le mettre en Ithaque, avec de tels présents [b] qu'Ulysse revenu d'Ilion sans encombre, n'eût jamais rapporté pareil lot de butin.

a. Vers 121 : pour revenir chez lui : il devait ces présents au grand cœur d'Athéna.

b. Vers 136 : un pareil chargement d'or, de bronze et d'étoffes.

Zeus, l'assembleur des nues, lui fit cette réponse :

Zeus. – Misère! que dis-tu! les dieux te mépriser, toi, l'Ébranleur du sol à la force géante!... Je voudrais bien les voir ne pas te respecter, toi, leur aîné, leur chef! Mais s'il est des mortels dont l'audace se croie de force à te braver, n'as-tu pas aujourd'hui et demain la vengeance? Fais comme il te plaira pour assouvir ton cœur.

Posidon, l'Ébranleur du sol, lui répondit :

Posidon. – J'aurais depuis longtemps fait ce que tu dis là, dieu des sombres nuées! Mais je crains ta colère et voudrais l'éviter. Aujourd'hui, quand je vois, dans la brume des mers, les Phéaciens rentrer de cette reconduite, je pense à disloquer leur solide vaisseau, pour que, rendus prudents, ils quittent désormais ce métier de passeurs [a].

Zeus, l'assembleur des nues, lui fit cette réponse :

Zeus. – Cher, voici le parti que choisirait mon cœur. Quand les gens de la ville pourront voir leur vaisseau, de la pomme à la quille, rentrant à pleine vogue, j'en ferais un rocher tout proche de la rive [b] : que ce croiseur de pierre étonne les humains!

Il dit, et Posidon, l'Ébranleur de la terre, eut à peine entendu qu'il s'en fut en Schérie, en terre phéacienne, et là, il attendit. Le croiseur, arrivant du large, était tout proche ; il passait en vitesse : l'Ébranleur de la terre fit un pas, étendit la main et, le frappant, l'enracina au fond des eaux comme une roche [1]. Puis il s'en retourna.

Quels discours échangeaient en paroles ailées ces gens de Phéacie, ces armateurs, ces mariniers aux

a. Vers 152 : et couvrir leur cité du grand mont qui l'encercle.
b. Vers 158 : en couvrant leur cité du grand mont qui l'encercle.

longues rames! Se tournant l'un vers l'autre, ils se disaient entre eux :

LE CHŒUR. – Misère!... ah! qui vient donc d'entraver dans la mer le croiseur qui rentrait? on le voyait déjà de la pomme à la quille!

Ainsi parlaient les gens sans comprendre l'affaire. Mais, prenant la parole, Alkinoos leur dit :

ALKINOOS. – Ah! misère! je vois s'accomplir les oracles du vieux temps de mon père : Posidon, disait-il, nous en voudrait un jour de notre renommée d'infaillibles passeurs et, lorsque reviendrait de quelque reconduite un solide croiseur du peuple phéacien, le dieu le briserait dans la brume des mers, puis couvrirait le bourg du grand mont qui l'encercle. Tous ces mots du vieillard, vont-ils donc s'accomplir?... Allons, croyez-m'en tous : faites ce que je dis ; renonçons à passer quiconque vient chez nous ; offrons à Posidon douze taureaux de choix ; implorons sa pitié ; qu'il laisse notre bourg sans l'avoir recouvert de la longue montagne [1].

Il dit, et, pris de crainte, le peuple phéacien apprêtait les taureaux...

LA VENGEANCE D'ULYSSE[1]

LA RENTRÉE D'ULYSSE

Pendant qu'en Phéacie, entourant son autel, doges et conseillers adressaient leur prière à leur roi Posidon, Ulysse s'éveillait de son premier sommeil sur la terre natale, mais sans la reconnaître après sa longue absence ; car Pallas Athéna, cette fille de Zeus, avait autour de lui versé une nuée, afin que, de ces lieux, il ne reconnût rien et qu'il apprît tout d'elle : ni sa femme, ni son peuple, ni ses amis ne devaient le connaître, tant que, des prétendants, il n'aurait pas puni toutes les violences. Aussi, devant les yeux du maître, tout n'était que sites étrangers, les mouillages des ports, les rocs inaccessibles, les sentes en lacet et les arbres touffus.

Brusquement relevé, debout, il contemplait le pays de ses pères... Il se prit à gémir et, du plat de ses mains se frappant les deux cuisses, il eut un cri d'angoisse :

ULYSSE. – [Quel est donc ce pays ? hélas ! chez quels mortels suis-je enfin revenu ?... chez un peuple sauvage, des bandits sans justice ?... ou des gens accueillants qui respectent les dieux ?... Où m'en vais-je porter cet amas de richesses ?... moi-même, où m'en aller ? Que ne suis-je resté là-bas en Phéacie ! j'aurais bien rencontré quelque autre roi puissant qui m'aurait accueilli et reconduit chez moi. Maintenant je ne sais où mettre tous ces biens... Et pourtant, je ne puis les abandonner là, en proie à tout venant [1].] Misère! ah! voilà donc ces gens de Phéacie! ces gens sensés et justes! Doges et conseillers, c'est eux qui m'ont jeté sur la terre étrangère, eux qui m'avaient tant dit qu'ils me ramèneraient en mon aire d'Ithaque!... Puisqu'ils n'en ont rien fait, que Zeus les récompense, le Zeus des suppliants, qui, surveillant les hommes, sait punir leurs forfaits!... Mais allons! que je compte et revoie mes richesses : pourvu qu'en s'en allant, ils n'aient rien emporté au creux de leur vaisseau!

Il dit et dénombra les splendides trépieds, et les chaudrons, et l'or, et les belles étoffes : il ne lui manquait rien. Mais avec quels sanglots il pleurait sa patrie, en se traînant au bord des vagues mugissantes!

Athéna vint à lui. Elle avait pris les traits d'un jeune pastoureau, d'un tendre adolescent qui serait fils de roi. Sur l'épaule, elle avait la double et fine cape, à la main la houlette et, sous ses pieds luisants, la paire de sandales.

Ulysse en la voyant eut le cœur plein de joie. Il vint à sa rencontre et dit ces mots ailés :

ULYSSE. – Ami, puisqu'en ces lieux, c'est toi que, le premier, je rencontre, salut! Accueille-moi sans haine! et sauve-moi ces biens!... et me sauve moi-même! Comme un dieu, je t'implore et suis à tes genoux. Dis-moi tout net encor ; j'ai besoin de savoir : quel est donc ce pays? et quel en est le peuple? et quelle en est la race?... Est-ce une île pointant sur les flots comme une aire ou, penchée sur la mer, n'est-ce que l'avancée d'un continent fertile?

Athéna, la déesse aux yeux pers, répliqua :

ATHÉNA. – Es-tu fol, étranger, ou viens-tu de si loin ?... Sur cette terre, ici, c'est toi qui m'interroges ? Pourtant, elle n'est pas à ce point inconnue : elle a son grand renom, aussi bien chez les gens de l'aube et du midi que dans les brumes du noroît, au fond du monde ! Elle n'est que rochers peu faits pour les chevaux ; mais, sans être très pauvre et sans être très vaste, elle a du grain, du vin plus qu'on ne saurait dire, de la pluie en tout temps et de fortes rosées : un bon pays à chèvres !... un bon pays à porcs !... des bois de toute essence ; des trous d'eau toujours pleins. Et voilà, étranger, pourquoi le nom d'Ithaque est allé jusqu'à Troie, que l'on nous dit si loin de la terre achéenne !

A ces mots, quelle joie eut le divin Ulysse [a] !

Reprenant la parole, le héros d'endurance lui dit ces mots ailés, mais c'était menteries ; pour jouer sur les mots, jamais en son esprit les ruses ne manquaient [1] :

ULYSSE. – Ithaque ! on m'en parla, loin d'ici, outremer, dans les plaines de Crète. Je ne fais qu'arriver avec ce chargement ; j'en ai laissé là-bas autant à ma famille, le jour que j'ai dû fuir, après avoir tué, dans nos plaines de Crète, le fils d'Idoménée, le coureur Orsiloque, qui, pour ses pieds légers, n'avait pas de rival chez les pauvres humains. Il voulait me priver de tout ce butin-là [b] : car j'avais, disait-il, mécontenté son père et trahi son service, pour commander ma bande au pays des Troyens. Un soir qu'il revenait des champs, je le frappai du bronze de ma lance : j'étais

a. Vers 251-252 : douceur de la patrie, que la fille du Zeus à l'égide, Athéna, venait de lui nommer !

b. Vers 263-264 : ce butin de Troade, pour lequel j'avais eu tant de maux à souffrir en bataillant sur terre, en peinant sur les flots.

en embuscade avec un compagnon, sur le bord du chemin ; la nuit la plus obscure avait empli le ciel ; personne ne pouvait nous voir ; en plein secret, je lui fis rendre l'âme. Dès que je l'eus tué à la pointe du bronze, je courus implorer, à bord de leur vaisseau, de nobles Phéniciens. Je leur offris sur mon butin de quoi leur plaire. Je les avais priés de me mettre à Pylos ou de me débarquer dans la divine Élide, chez les rois épéens. Mais la rage du vent les jeta hors de route : ils luttèrent en vain, sans vouloir me duper ; écartés de Pylos, c'est en ces lieux qu'ils vinrent... Cette nuit, leurs rameurs nous ont fait à grand-peine entrer en cette rade ; personne ne parla du souper dont pourtant nous avions grand besoin ; mais, sitôt débarqués, tout le monde dormait... Le bon sommeil qui me prit là ! j'étais brisé !... Du creux de leur navire, ils ont tiré mes biens, les ont mis près de moi qui dormais dans le sable, puis se sont rembarqués vers Sidon, leur grand-ville [1], et sont partis en me laissant à ma tristesse.

A ces mots, Athéna, la déesse aux yeux pers, eut un sourire aux lèvres ; le flattant de la main et reprenant ses traits de femme [a], elle lui dit ces paroles ailées :

ATHÉNA. – Quel fourbe, quel larron, quand ce serait un dieu, pourrait te surpasser en ruses de tout genre !... Pauvre éternel brodeur ! n'avoir faim que de ruses !... Tu rentres au pays et ne penses encore qu'aux contes de brigands, aux mensonges chers à ton cœur depuis l'enfance... Trêve de ces histoires ! nous sommes deux au jeu : si, de tous les mortels, je te sais le plus fort en calculs et discours, c'est l'esprit et les tours de

a. Vers 289 : de grande et belle femme, artiste en beaux ouvrages.

Pallas Athéna que vantent tous les dieux... Tu n'as pas reconnu cette fille de Zeus, celle qu'à tes côtés, en toutes tes épreuves, tu retrouvas toujours, veillant à ta défense, celle qui te gagna le cœur des Phéaciens! Et maintenant encor, si tu me vois ici, c'est que je veux tramer avec toi tes projets et cacher ces richesses que, pour rentrer chez toi, les nobles Phéaciens ne t'ont données que sur mes idée et conseil... Sache donc les soucis que, jusqu'en ton manoir, le destin te réserve. Il faudra tout subir, sans jamais confier à quiconque, homme ou femme, que c'est toi qui reviens après tant d'aventures ; sans mot dire, il faudra pâtir de bien des maux et te prêter à tout, même à la violence!

Ulysse l'avisé lui fit cette réponse :

ULYSSE. – Quel mortel, ô déesse, à la première rencontre pourrait te reconnaître?... On a beau être habile : tu prends toutes les formes!... Ce que je sais bien, moi, c'est que ton dévouement était à mes côtés tant qu'au pays de Troie, les fils de l'Achaïe ont mené la bataille. Mais du jour que l'on eut saccagé sur sa butte la ville de Priam et que, montés à bord, un dieu nous dispersa, dès lors, fille de Zeus, je cessai de te voir ; je ne te sentis pas embarquée à mon bord pour m'épargner les maux. Tout le temps que j'errai, je ne connus jamais que doutes en mon cœur, jusqu'au jour où les dieux me tirèrent de peines. Alors, au bon pays des gens de Phéacie, c'est toi dont les discours vinrent m'encourager et me guider en ville! Maintenant je t'en prie par ton Père : réponds! je suis à tes genoux ; je ne puis croire encor que je sois arrivé en mon aire d'Ithaque ; c'est sur un autre sol que me voici perdu... Tu te railles, je sais, et ne parles ainsi que pour leurrer mon cœur... Est-il bien vrai, dis-moi, que c'est là ma patrie?

Athéna, la déesse aux yeux pers, répliqua :

ATHÉNA. – C'est donc toujours le même esprit en ta poitrine! Non! je ne puis t'abandonner en ton malheur. Tu sais trop finement deviner et comprendre. Un autre n'eût été, après tant de traverses, qu'aux joies de l'arrivée, au besoin de revoir chez lui enfants et femme. Mais toi, tu ne veux pas demander et savoir; par toi-même, tu veux juger de ton épouse. Sache qu'en ton manoir, elle passe les nuits dans l'éternelle angoisse, et les jours à pleurer. Oh! moi, je n'ai jamais douté : je savais bien qu'un jour tu rentrerais, après avoir perdu le dernier de tes hommes. Mais je n'ai pas voulu combattre Posidon, le frère de mon père : il avait contre toi, qui aveuglas son fils, tant de rancune au cœur!...

» Mais regarde avec moi le sol de ton Ithaque : tu me croiras peut-être... La rade de Phorkys, le Vieillard de la mer, la voici [1]! et voici l'olivier qui s'éploie à l'entrée de la rade [a]! voici l'antre voûté, voici la grande salle où tu vins, tant de fois, offrir une parfaite hécatombe aux Naïades! et voici, revêtu de ses bois, le Nérite [2]! »

A ces mots, Athéna dispersa la nuée : le pays apparut; quelle joie ressentit le héros d'endurance! il connut le bonheur, cet Ulysse divin. Sa terre! il en baisait la glèbe nourricière, puis, les mains vers le ciel, il invoquait les Nymphes :

ULYSSE. – O vous, filles de Zeus, ô Nymphes, ô Naïades, que j'ai cru ne jamais revoir, je vous salue!... Acceptez aujourd'hui mes plus tendres prières. Bientôt,

a. Vers 347-348 : près de lui, cette obscure et charmante caverne, c'est la grotte des Nymphes qu'on appelle Naïades.

comme autrefois, vous aurez nos offrandes, si la fille de Zeus, la déesse au butin, me restant favorable, m'accorde, à moi, de vivre, à mon fils, de grandir!

Athéna, la déesse aux yeux pers, l'incitait :

ATHÉNA. – Courage! et que ton cœur écarte un tel souci! Mais hâtons-nous : au fond de la grotte sacrée, déposons tes richesses ; que tu n'en perdes rien! puis nous tiendrons conseil pour le meilleur succès.

A ces mots, pénétrant dans l'ombre de la grotte, la déesse en allait visiter les recoins, pendant qu'en toute hâte, Ulysse lui passait les dons des Phéaciens, le bronze inaltérable, l'or, les bonnes étoffes, et la fille du Zeus à l'égide, Athéna, les rangeait avec soin et mettait sur l'entrée de la grotte une pierre.

Puis le couple s'assit sous l'olivier sacré, tramant la mort de ces bandits de prétendants, et ce fut Athéna, la déesse aux yeux pers, qui rouvrit l'entretien :

ATHÉNA. – Fils de Laërte, écoute! ô rejeton des dieux, Ulysse aux mille ruses! songe à tourner tes coups sur ces gens éhontés, qu'on voit, depuis trois ans, usurper ton manoir et, le prix à la main, vouloir prendre ta femme. Elle, c'est ton retour que son âme attristée attend de jour en jour ; mais il lui faut à tous donner des espérances, envoyer à chacun promesses et messages, quand elle a dans l'esprit de tout autres projets.

Ulysse l'avisé lui fit cette réponse :

ULYSSE. – Misère! ah! j'allais donc trouver en mon manoir, comme l'Atride Agamemnon, le jour fatal, si tu n'étais venue tout me dire, ô déesse. Mais voyons, trame-moi le plan de ma vengeance! et reste à mes côtés pour me verser la même audace valeureuse qu'au jour où, d'Ilion, nous avons arraché les voiles éclatants!... Si d'une telle ardeur, ô déesse aux yeux pers, tu venais m'assister, j'irais me mesurer contre trois cents guerriers [a].

Athéna, la déesse aux yeux pers, répliqua :

ATHÉNA. – Oui, toujours et partout, quand nous devrons agir, je serai près de toi, sans te manquer jamais. Ces seigneurs prétendants qui dévorent tes vivres, ah! je les vois déjà, de leur sang et cervelle, arroser tout le sol! Quand je t'aurai rendu méconnaissable à tous [b], à ta femme, à ton fils qu'au manoir tu laissas, il faudra tout d'abord t'en aller chez Eumée, le chef de tes porchers : il te garde son cœur ; il chérit ton enfant, ta sage Pénélope ; c'est près de ses pourceaux que tu le trouveras. Ils ont leurs tects au bord de la Pierre au Corbeau, sur la source Aréthuse [1] : là, se gorgeant de glands et s'abreuvant d'eau noire, ils ont tout ce qui met les porcs en belle graisse... Restes-y pour attendre et pour te renseigner, tandis que je m'en vais jusqu'à Lacédémone, la ville aux belles femmes : je veux te ramener, cher Ulysse, ton fils! Télémaque est parti vers Sparte à la grand-plaine savoir de Ménélas si l'on parlait de toi, si tu vivais encore.

Ulysse l'avisé lui fit cette réponse :

ULYSSE. – Et pour quelle raison ne lui as-tu rien dit, toi, dont l'esprit sait tout ?... tu voulais qu'à son tour, sur la mer inféconde, il errât et souffrît, pendant que son avoir est mangé par ces gens?

a. Vers 391 : avec ta bienveillance auguste et ton secours.

b. Vers 398-402 : je vais donc te flétrir cette si jolie peau sur ces membres flexibles, faire tomber ces blonds cheveux de cette tête, te couvrir de haillons qui saisiront d'horreur les regards des humains ; j'éraillerai tes yeux, ces beaux yeux d'autrefois, afin qu'aux prétendants tu paraisses hideux.

Athéna, la déesse aux yeux pers, répliqua :

ATHÉNA. – Oh! pour lui, que ton cœur ne soit point en souci!... C'est moi qui l'ai conduit, voulant qu'en ce voyage, il acquît bon renom : sans l'ombre d'une peine, il reste bien tranquille au manoir de l'Atride et ne manque de rien. Je sais bien qu'une bande, avec un noir vaisseau, lui tend une embuscade et voudrait le tuer avant qu'il ait revu le pays de ses pères. Mais ne crains rien ; je veille : auparavant, la terre en couvrira plus d'un [a].

Elle dit et, l'ayant touché de sa baguette, flétrit sa jolie peau sur ses membres flexibles ; de sa tête, ses cheveux blonds [1] étaient tombés ; il avait sur le corps la peau d'un très vieil homme ; ses beaux yeux d'autrefois n'étaient plus qu'éraillures, sa robe n'était plus que haillons misérables, loqueteux et graisseux, tout mangés de fumée. Puis Pallas Athéna, lui jetant sur le dos la grande peau râpée d'un cerf aux pieds rapides, lui donna un bâton et une sordide besace, qui n'était que lambeaux pendus à une corde.

L'ENTRETIEN CHEZ EUMÉE [2]

Quand tout fut concerté entre eux, ils se quittèrent. Athéna s'en allait vers Sparte la divine chercher le fils d'Ulysse.

(*CHANT XIV.*) Mais Ulysse prenait le sentier rocailleux qui monte à travers bois, du port vers la falaise. Il allait à l'endroit qu'avait dit Athéna, retrouver ce divin porcher, qui, de son maître, défendait mieux les

a. Vers 428 : parmi ces prétendants qui mangent ton avoir.

biens que nul des domestiques dont Ulysse avait pu faire autrefois l'achat.

Il trouva le porcher assis dans l'avant-pièce. En ce lieu découvert, le haut mur de la cour formait un grand beau cercle que, pour loger ses porcs, Eumée avait construit en l'absence d'Ulysse, sans consulter sa dame ni le vieillard Laërte.

Sur les murs en gros blocs, la frise était d'épines ; au-dehors, tout autour, côte à côte plantés, des pieux serrés, d'énormes chênes équarris lui faisaient un rempart [1] ; au-dedans, douze tects pour le sommeil des truies s'alignaient porte à porte : sur le sol de chacun, couchaient cinquante truies qu'on enfermait le soir ; chacune avait mis bas. Mais les mâles restaient au-dehors pour la nuit ; leur nombre était bien moindre, décimés qu'ils étaient pour fournir à la table des divins prétendants, car Eumée, chaque jour, leur devait le plus gras de ses cochons à lard : aussi n'en restait-il plus que trois cent soixante. Quatre chiens les gardaient jour et nuit, quatre fauves, qu'avait nourris le grand commandeur des porchers.

Eumée était assis, ajustant à son pied la paire de sandales que, dans un cuir de bœuf bon teint, il se taillait. Ses gens étaient partis : trois suivaient la cohue errante des pourceaux ; il avait envoyé le quatrième en ville mener aux prétendants le porc que, chaque jour, ces bandits exigeaient pour faire un sacrifice et manger tout leur saoul.

Soudain, les chiens hurleurs, apercevant Ulysse, lui coururent dessus avec de grands abois... Sagement, il s'assit, mais laissa le bâton échapper de ses mains et, devant son étable, il allait endurer le plus triste des sorts, quand, de son pas rapide, Eumée hors de l'auvent accourut derrière eux, si vite que le cuir échappa de ses mains.

A grands éclats de voix, sous une pluie de pierres, il dispersa les chiens, puis il dit à son maître :

EUMÉE. – Vieillard, encore un peu et, d'un seul coup, mes chiens allaient te mettre en pièces! La belle renommée que tu m'aurais value! J'ai déjà, grâce aux dieux, trop de maux et d'angoisses!... Ah! mon maître divin! pendant que, tristement, je vis à le pleurer, il me faut élever ses cochons les plus gras pour que d'autres les mangent... Et lui, toujours errant, il a peut-être faim en quelque ville ou champ des peuples d'autre langue..., s'il vit, s'il voit encor la clarté du soleil!... Mais allons! vieux, suis-moi ; entrons dans ma cabane ; je veux que, de son pain, de son vin, toi aussi, tu prennes tout ton saoul, puis tu me conteras d'où tu viens et les maux que ton cœur endura.

Et le divin porcher, le menant à sa loge, le fit entrer et l'installa sur la banquette, qu'il avait rembourrée de brousse et recouverte de la peau bien velue d'une chèvre sauvage : c'était là qu'il couchait, au large et sur le doux.

En voyant son porcher le recevoir ainsi, Ulysse, plein de joie, lui dit et déclara :

ULYSSE. – O mon hôte! que Zeus et tous les Immortels, exauçant tes désirs les plus chers, récompensent cet accueil de bonté!

Mais toi, porcher Eumée, tu lui dis en réponse :

EUMÉE. – Étranger, ma coutume est d'honorer les hôtes, quand même il m'en viendrait de plus piteux que toi ; étrangers, mendiants, tous nous viennent de Zeus ; ne dit-on pas : petite aumône, grande joie ?... Je fais ce que je puis : tu sais que serviteur vit toujours dans la crainte, quand il faut obéir à des maîtres stupides. Ah! celui dont les dieux entravent le retour, quels soins et quels égards il aurait eus pour moi! Il m'aurait établi! maison, lopin de champ et femme de grand prix, il m'aurait accordé tout ce qu'on peut attendre du bon cœur de son maître, après un long travail que bénissent les dieux. Tu vois qu'ils ont béni ce coin où je m'attache. Vieillissant parmi nous, le maître m'eût comblé. Mais, nous l'avons perdu... Ah! qu'Hélène et sa race auraient dû disparaître[a] ! Car lui aussi partit, vers Troie la poulinière, combattre les Troyens pour l'honneur de l'Atride.

Il dit et, par-dessus sa robe, prestement, il serra sa ceinture ; puis, s'en allant aux tects, où restait enfermé le peuple des gorets, il en prit une paire, les rapporta, les immola, les fit flamber et, les ayant tranchés menu, les embrocha.

Quand ce rôti fut prêt, il l'apporta fumant, le mit devant Ulysse, à même sur les broches, en saupoudra les chairs d'une blanche farine, mélangea dans sa jatte un vin fleurant le miel et prit un siège en face, en invitant son hôte :

EUMÉE. – Allons! mange, notre hôte!... dîner de serviteurs!... de simples porcelets! car nos cochons à lard, les prétendants les croquent, sans un remords au cœur et sans pitié d'autrui. Ah! les dieux bienheureux détestent l'injustice : c'est toujours l'équité que le ciel récompense, et la bonne conduite! les pires des brigands, quand ils s'en vont piller les rivages d'autrui, que Zeus livre à leurs coups, peuvent bien revenir avec leur cale pleine : la crainte et les remords s'abattent

a. Vers 69 : et sans laisser de trace! elle qui, de tant d'hommes, a brisé les genoux.

sur leurs cœurs. Mais sans doute nos gens, par quelque avis du ciel, ont dû savoir la mort lamentable du maître. Aussi ne font-ils pas leur cour comme se doit : au lieu de retourner sur leurs propres domaines, ce sont nos biens, à nous, que. tout tranquillement, sans rien se refuser, ces bandits nous dévorent. Autant de nuits, autant de jours que Zeus leur fait, il leur faut des victimes, et pas une ni deux! ils engouffrent le vin! ils sèchent le cellier!... Sache que notre maître avait la vie très large : ni sur ce continent, dont la côte noircit [1], ni dans Ithaque même, aucun autre héros n'avait aussi grand train! ils se mettraient à vingt sans égaler son bien : veux-tu savoir le compte?... En terre ferme, il a douze troupeaux de vaches [2], tout autant de moutons [a], que font paître là-bas des bergers à sa solde ou des hôtes à lui. Ici, dans notre Ithaque, est son armée de chèvres, onze hardes en tout, qu'à l'autre bout de l'île, gardent d'honnêtes gens ; eux aussi, chaque jour, doivent aux prétendants envoyer une bête, en prenant le meilleur de leurs chevreaux dodus. Et tu me vois garder et défendre ses porcs, dont, chaque jour, je dois leur fournir le plus beau!

Il disait. Mais Ulysse, avalant prestement les viandes et le vin, à grands coups, sans mot dire, et songeant à planter des maux aux prétendants, se restaurait le cœur. Le repas terminé, Eumée emplit de vin la tasse où il buvait et la tendit au maître. Ulysse l'accepta et, d'un cœur plus joyeux, il lui dit, élevant la voix, ces mots ailés :

ULYSSE. – Ami, quel est celui qui t'avait acheté à ses propres dépens? Tu viens de me vanter sa richesse

a. Vers 101 : en même nombre aussi les bandes de cochons et les hardes de chèvres.

et sa force ; tu me dis qu'il est mort pour l'honneur de l'Atride ; s'il est un si grand roi, voyons, dis-moi son nom ; je l'ai connu peut-être : Zeus et les autres dieux immortels savent bien si, l'ayant vu, je puis t'en donner des nouvelles ; j'ai tant couru le monde!

Eumée, le commandeur des porchers, répliqua :

EUMÉE. – Des nouvelles, vieillard! tous les rouleurs des mers viendraient nous en donner, qu'ils ne convaincraient plus sa femme ni son fils! Pour obtenir nos soins, tous les gens d'aventures inventent des mensonges, chacun à sa façon ; la vérité est le dernier de leurs soucis! et dès qu'un vagabond arrive en notre Ithaque, il court chez ma maîtresse et lui conte une histoire. Elle, de l'accueillir, et de le bien traiter, et de l'interroger!... et voilà les sanglots!... et les yeux pleins de larmes!... Il est trop naturel de pleurer un mari qui périt loin des siens!... Et toi aussi, mon petit vieux, tu bâtiras sur-le-champ une histoire, pour avoir les habits, la robe et le manteau. Mais Lui!... voici longtemps, je pense, que les chiens et les oiseaux rapides ont décharné ses os, d'où l'âme s'est enfuie, à moins que les poissons en mer ne l'aient mangé ou que, sur un rivage, une dune profonde ne recouvre ses os. Ici ou là, il est bien mort!... Pour tous les siens, et pour moi plus encor, la vie n'est désormais que tristesse : où que j'aille, je ne retrouverai jamais un si doux maître!... Oui! j'aurais beau revoir et mon père et ma mère, et la maison natale, où tous deux m'ont nourri... Certes, je les regrette [a]! et pourtant moins que lui... Car c'est Ulysse absent qui me manque le plus... O mon hôte, tu vois que, même en son absence, j'hésite à

a. Vers 143 : je voudrais, retournant à la terre natale, les revoir de mes yeux.

le nommer. Entre tous, il m'aimait ; j'avais place en son cœur ; il a beau être loin ; il n'a toujours qu'un nom pour moi : c'est le grand frère !

Le héros d'endurance, Ulysse le divin, lui fit cette réponse :

ULYSSE. – Je vois bien, mon ami, que tu nieras toujours ; car, c'en est dit pour toi, il ne reviendra plus! ton cœur reste incrédule !... Eh bien ! c'est un serment, ce n'est plus une histoire que, moi, je te ferai sur le retour d'Ulysse ; tu n'auras à payer cette bonne nouvelle que s'il vient à rentrer un jour en son manoir [a] ; jusque-là, quel que soit mon besoin, je refuse ; les portes de l'Hadès me sont moins odieuses que ces conteurs que fait mentir la pauvreté... Donc que Zeus soit témoin, et tous les Immortels, et ta table, ô mon hôte [b] ! je dis que tu verras s'accomplir tous mes mots [c] ! soit à la fin du mois, soit au début de l'autre, Ulysse rentrera chez lui et punira tous ceux qui, dans cette île, ont outragé sa femme et son illustre fils.

Mais toi, porcher Eumée, tu lui dis en réponse :

EUMÉE. – Ce n'est pas moi, vieillard, qui te paierai jamais cette bonne nouvelle : Ulysse, en sa maison, jamais ne rentrera... Mais, prends ton temps et bois! puis laissons le sujet et parlons d'autre chose, car jusqu'au fond du cœur, la tristesse me prend, chaque fois que j'entends parler de ce bon maître... Non ! laissons les serments, et qu'Ulysse revienne ! c'est notre vœu à tous, à moi, à Pénélope, au divin Télémaque et au vieillard Laërte !... Mais pour un autre encor, mon angoisse est sans bornes : c'est pour le fils qu'Ulysse

a. Vers 154 : me vêtissant de neuf, la robe et le manteau.
b. Vers 159 : comme aussi ce foyer de l'éminent Ulysse.
c. Vers 161 : oui, cette lune-ci, Ulysse rentrera.

engendra, Télémaque! les dieux avaient nourri ce rejet de la race ; j'ai cru qu'à l'âge d'homme, il nous rendrait son père, avec sa taille et sa noblesse et sa beauté. Est-ce un homme, est-ce un dieu qui soudain affola cet esprit pondéré? Voilà qu'il est parti s'enquérir de son père en la bonne Pylos, et nos fiers prétendants le guettent au retour pour éteindre en Ithaque le nom d'Arkésios et sa race divine. Nous n'y pouvons plus rien : se laissera-t-il prendre? pourra-t-il échapper, si le fils de Cronos étend sur lui son bras [1]? Mais toi, mon petit vieux, il te faut maintenant nous conter tes chagrins ; parle-moi sans détour : j'ai besoin de savoir. Quel est ton nom, ton peuple et ta ville et ta race?... et quel est le vaisseau qui, chez nous, t'apporta? comment les gens de mer t'ont-ils mis en Ithaque? avaient-ils un pays de qui se réclamer?... car ce n'est pas à pied que tu nous viens, je pense [2]!

Ulysse l'avisé lui fit cette réponse :

ULYSSE. – Oui, mon hôte, je vais te répondre sans feinte. Mais nous aurions du temps, des vivres, du bon vin et, sans bouger d'ici, laissant l'ouvrage aux autres, nous resterions tout à notre aise à banqueter, que j'en aurais encor grandement pour l'année avant de te pouvoir défiler mes chagrins [a]!

» J'ai l'honneur d'être né dans les plaines de Crète [3]. Mon père était fort riche ; de sa femme, il avait de nombreux autres fils, légitimes ceux-là, qu'il élevait chez lui : ma mère, à moi, n'était qu'une esclave achetée. Il me traitait pourtant comme un fils de sa femme, ce Castor l'Hylakide, dont le sang fait ma gloire et que le peuple, en Crète, honorait comme un dieu pour

a. Vers 198 : car j'ai pâti de tout sous le courroux des dieux.

ses succès, ses biens et ses valeureux fils. Mais les Parques de mort, l'ayant pris, l'emportèrent aux maisons de l'Hadès, et ses fils pleins d'orgueil partagèrent ses biens, qu'ils tirèrent au sort. Moi, sauf une maison que l'on m'attribua, je n'eus que peu de chose ; mais je pus prendre femme en très riche famille : on vantait ma valeur ; je savais m'occuper, ne pas fuir la bataille... Oh! c'est loin tout cela! pourtant je crois qu'au chaume, on devine l'épi : tant de calamités ont fait de moi leur proie!...

» Arès et Athéna m'avaient pourvu d'audace, et de muscles aussi! Quand, avec ma poignée de braves bien choisis, je m'en allais planter des maux aux adversaires, ah! ce n'est pas la mort que voulait regarder mon cœur toujours allant! Je courais bon premier, je bondissais en tête, et ma lance abattait tout ce qui, devant moi, ne savait pas courir... Mais, si brave au combat, je n'avais aucun goût pour le travail des champs et les soins du ménage qui font les beaux enfants : ce que j'aimais, c'étaient les rames, les vaisseaux, les flèches, les combats, les javelots polis ; tous les outils de mort, qui font trembler les autres, faisaient ma joie ; les dieux m'en emplissaient le cœur : à chacun, n'est-ce pas? son plaisir et sa tâche.

» Donc, avant qu'en Troade, on eût vu débarquer les fils des Achéens, j'avais neuf fois déjà, en pays étranger, emmené mes vaisseaux rapides et mes braves : un énorme butin m'en était revenu ; je prélevais d'abord une prime à mon choix, puis je tirais ma part. Aussi, de jour en jour, ma maison s'accroissait ; elle m'aurait valu quelque jour le respect des Crétois, et leur crainte. Mais quand, vers Ilion, le Zeus à la grand-voix nous voulut assigner cet odieux voyage, qui brisa les genoux de tant de nos héros, ce fut moi qu'on chargea de commander la flotte, avec Idoménée, notre roi glorieux : nul moyen d'esquiver ; j'aurais eu dans le peuple un trop mauvais renom... Et nous restons là-bas neuf années à combattre en bons fils d'Achéens [1]. Quand, la dixième année, nous avons saccagé la ville de Priam, nous revenons chez nous avec tous nos vaisseaux ; mais un dieu dispersait les autres Achéens, et moi, l'infortuné! quels maux me réservait la sagesse de Zeus!

» Je n'avais pas joui un mois de mes enfants, de la femme de ma jeunesse et de mes biens, que l'envie me prenait d'équiper des navires et d'aller en croisière, avec mes compagnons divins, dans l'Égyptos. J'équipe neuf vaisseaux, et les hommes affluent. Six jours, ces braves gens font bombance chez moi ; c'est moi qui, sans compter, fournissais les victimes, tant pour offrir aux dieux que pour servir à table. Le septième, on embarque et, des plaines de Crète, un bel et plein Borée nous emmène tout droit, comme au courant d'un fleuve : à bord, pas d'avaries ; ni maladie ni mort ; on n'avait qu'à s'asseoir et qu'à laisser mener le vent et les pilotes. Cinq jours [2], et nous entrons au beau fleuve Égyptos [a].

» Une fois arrivé, j'ordonne à tous mes braves de garder les vaisseaux sans bouger de la rive, tandis que j'envoyais des vigies sur les guettes ; mais, cédant à leur fougue et suivant leur envie, les voilà qui se ruent sur les champs merveilleux de ce peuple d'Égypte, les pillant, massacrant les hommes, ramenant les enfants et les femmes. Le cri ne tarde pas d'en venir à la ville :

a. Vers 258 : je fais entrer tous mes vaisseaux aux deux gaillards dans le fleuve Égyptos.

dès la pointe de l'aube, accourus à la voix, piétons et gens de chars emplissent la campagne de bronze scintillant ; Zeus, le joueur de foudre, nous jette la panique, et pas un de mes gens n'a le cœur de tenir en regardant en face : nous étions, il est vrai, dans un cercle de mort.

» J'en vois périr beaucoup sous la pointe du bronze; pour le travail forcé, on emmène le reste. Mais Zeus lui-même alors me fournit une idée... Oh! comme j'aurais dû mourir dans l'Égyptos, subir la destinée! la suite allait avoir pour moi tant de malheurs!... Mais ôtant de ma tête mon bonnet de métal, posant le bouclier que j'avais aux épaules, je rejette ma lance et, mains vides, je vais droit aux chevaux du roi : je tombe à ses genoux ; je les tiens embrassés ; il a pitié de moi! C'est lui qui me protège et me prend sur son char; jusque dans son manoir, il me ramène en larmes; la foule brandissait ses piques contre moi et demandait ma mort ; c'étaient des forcenés ; mais lui les écartait, redoutant la colère de Zeus l'hospitalier, qui sait toujours tirer vengeance des forfaits [1].

» Je restai là sept ans, amassant de grands biens [2] : tous me faisaient des dons chez ces peuples d'Égypte. Lorsque s'ouvrit le cours de la huitième année, je vis venir à moi l'un de ces Phéniciens qui savent en conter : sa fourbe avait déjà causé bien des malheurs!... Il m'enjôle pour m'emmener en Phénicie où, de fait, il avait sa maison et ses biens [3]. Là, j'habite chez lui le restant de l'année. Mais lorsque les journées et les mois ont passé, quand, au bout de l'année, le printemps nous revient [4], il m'emmène en Libye sur un vaisseau du large : il m'en avait conté pour m'avoir à son bord avec ma cargaison ; là-bas, il espérait me vendre le bon prix;

en m'embarquant, je m'en doutais; mais comment faire?

» Notre vaisseau filait : un bel et plein Borée l'avait poussé déjà au-dessus de la Crète, quand le fils de Cronos décide notre perte... La Crête disparaît : plus une terre en vue; rien que le ciel et l'eau! Zeus nous pend sur la coque une sombre nuée, dont la mer s'enténèbre[a]; la foudre vient frapper le vaisseau qui capote et que le soufre emplit : tous mes gens sont à l'eau [b]. Mais Zeus, dans ma détresse, me met entre les bras l'énorme mât de ce navire à proue d'azur; c'est qu'il voulait encore me tirer du péril!... Sur le mât que j'embrasse, je me laisse emporter et je flotte neuf jours, en proie aux vents de mort. C'est en pleine nuit noire, enfin, que, le dixième, la grosse mer me roule à la côte thesprote [1]. Là, je suis accueilli, sans rançon, par le roi des Thesprotes, Phidon : le fils de ce héros, me trouvant épuisé de froid et de fatigue, m'avait mené chez lui; il me prit par la main pour aller chez son père; on m'y donna le vêtement, robe et manteau.

» C'est là qu'on m'a parlé d'Ulysse; car le roi m'a dit l'avoir reçu, qui rentrait au pays, et l'avoir bien traité. Il m'a même montré tout le tas des richesses que ramenait Ulysse [c], de quoi bien vivre à deux, pendant dix âges d'homme.

» Le manoir était plein de ces objets de prix. Ulysse était parti, disait-on, pour Dodone. Au feuillage divin du grand chêne de Zeus [2], il voulait demander conseil pour revenir au bon pays d'Ithaque : après sa longue

a. Vers 305 : il tonne en même temps et lance son éclair.

b. Vers 308-309 : et comme des corneilles, le flot les ballottait autour du vaisseau noir; le dieu leur refusait la journée du retour.

c. Vers 324 : et du bronze, et de l'or, et du fer travaillé.

absence, devait-il se cacher ou paraître au grand jour ? Sur nos libations d'adieu, dans son logis, le roi m'a fait serment que le navire était à flot et les gens prêts, pour ramener Ulysse à la terre natale. Mais ce fut moi d'abord que Phidon renvoya sur un vaisseau thesprote qui, pour Doulichion [1], le grand marché au blé, se trouvait en partance. Le roi chargea ces gens de veiller sur ma vie et de me ramener chez le roi Acastos. Mais en eux prévalut la mauvaise pensée de me donner en proie aux pires des misères. Quand, la terre quittée, nous sommes au grand large, les voilà qui m'octroient le jour de l'esclavage, m'arrachent mes habits, la robe et le manteau, et jettent sur mon dos cette mauvaise loque, cette robe en haillons que tu me vois encore. Vers le soir, nous touchons à votre aire d'Ithaque. Ils m'attachent, serré à plusieurs tours de corde, sous les bancs du vaisseau, puis débarquent en hâte et prennent le repas.

» Mais, sans peine, une main divine me détache. Alors, de mon haillon, je me couvre la tête ; je glisse par l'étrave, je m'allonge sur l'eau et, ramant des deux mains, je me mets à la nage si bien qu'en un instant, hors de prise, loin d'eux, j'aborde au plus épais d'un petit bois en fleurs, où je vais me blottir ; je les entends courir, hurler à pleine voix ; mais, trouvant sans profit de pousser plus avant, ils retournent bientôt au creux de leur navire... Les dieux, sans plus de peine, m'avaient dissimulé!... et c'est les mêmes dieux qui m'ont, en ta cabane, amené chez un juste : il faut que vivre encor soit dans ma destinée! »

Mais, toi, porcher Eumée, tu lui dis en réponse :

EUMÉE. - Oh! le plus malheureux des hôtes, tout mon cœur se lève à ce récit d'une si douloureuse et si longue aventure!... Il n'est qu'un point, vois-tu, qui me semble inventé. Non! non! je ne crois pas aux contes sur Ulysse! En ton état, pourquoi ces vaines menteries? Je suis bien renseigné sur le retour du maître! C'est la haine de tous les dieux qui l'accabla [a]... Moi, près de mes cochons, je vis très retiré ; si je vais à la ville, c'est lorsque Pénélope, la plus sage des femmes, me fait quérir en hâte, les jours où, par hasard, lui vient une nouvelle. Il faut les voir alors autour du messager que, tous, ils interrogent, soit qu'ils pleurent la longue absence de mon maître, soit qu'ils vivent en joie, sans crainte du vengeur, à dévorer ses biens! Moi, j'ai cessé de m'informer, de m'enquérir, du jour qu'un Étolien me leurra de ses fables : ayant tué son homme et roulé par le monde, il s'en vint à ma loge ; je le reçus à bras ouverts; il me conta qu'en Crète il avait vu, auprès d'Idoménée, mon maître radoubant ses navires que la tempête avait brisés : à l'été, à l'automne, Ulysse rentrerait avec tout son butin et ses divins guerriers!... Puisque à ton tour, le ciel t'amène sous mon toit, lamentable vieillard, ne crois pas qu'à mentir, on me flatte et me charme ou qu'on gagne à ce prix mes égards et mon cœur. C'est Zeus l'hospitalier que je respecte en toi, et tu m'as fait pitié!

Ulysse l'avisé lui fit cette réponse :

ULYSSE. – Quel esprit incrédule habite en ta poitrine! Même par un serment, je n'ai pu t'ébranler! et tu ne me crois pas!... Veux-tu donc maintenant que nous fassions un pacte et qu'ensuite les dieux, les

a. Vers 367-371 : puisqu'ils l'ont épargné là-bas, chez les Troyens, ou, la guerre achevée, dans les bras de ses proches ; car des Panachéens, il aurait eu sa tombe! et quelle grande gloire il léguait à son fils! Mais, tu vois, les Harpyies l'ont enlevé sans gloire.

maîtres de l'Olympe, entre nous, soient témoins? Le jour que rentrera ton maître en ce logis, tu me dois les habits, la robe et le manteau, et vers Doulichion où je comptais aller, tu me fais reconduire; mais s'il ne revient pas, ton maître! si je mens, tu diras à tes gens de me précipiter du haut de la Grand-Roche [1], pour qu'aucun mendiant ne croie plus t'enjôler.

Mais le divin porcher lui disait en réponse :

EUMÉE. – Oui, mon hôte! voilà le moyen de répandre ma gloire et mes mérites chez les gens d'aujourd'hui et dans tout l'avenir!... t'accueillir en ma loge et te traiter en hôte, pour t'assaillir ensuite et t'enlever la vie! Ah! je pourrais alors prier avec espoir Zeus, le fils de Cronos!... Mais pensons au souper : je voudrais bien avoir ici les camarades pour préparer dans la cabane un bon repas.

Tandis qu'ils échangeaient ces paroles entre eux, voici que les pourceaux et leurs pâtres rentraient. Sous les tects, pour la nuit, on poussa les femelles; de leurs enclos, montaient des grognements sans fin.

AUX CHAMPS... [2]

Or, le divin porcher appela ses bergers :

EUMÉE. – Vous allez m'amener le plus beau de nos porcs; pour cet hôte qui vient de loin, nous le tuerons! et nous-mêmes, tâchons de profiter aussi! Nous avons tout le mal! ces porcs aux blanches dents nous font assez peiner, quand d'autres, sans remords, vivent de nos sueurs!

Il disait et, prenant le bronze sans pitié, il en fendait ses bûches. Les autres amenaient un porc de belle graisse, un cochon de cinq ans, que l'on mit aussitôt debout sur le foyer, et le porcher n'oublia pas les Immortels : c'était un bon esprit ! Du porc aux blanches dents, quand il eut prélevé quelques poils de la hure, qu'il jeta dans la flamme en invoquant les dieux [a], il assomma la bête d'une bûche de chêne qu'il n'avait pas fendue, et l'âme s'envola [1].

Saigné, flambé, le porc fut vite dépecé et, sur les viandes crues qu'il détachait des membres, le porcher étendit un large champ de graisse, puis jeta dans le feu ces tranches saupoudrées d'une fine farine, et le reste, coupé menu, fut mis aux broches.

Quand tout fut cuit à point, lorsque, tiré du feu, le rôti fut dressé sur les planches à pain, le porcher se leva et fit les parts : c'était le plus juste des cœurs ! Il mit tout au partage et prépara sept lots. Le premier, qu'il offrit avec une prière, fut pour le fils de Zeus, Hermès, et pour les Nymphes. Il en servit un autre à chacun des convives, mais garda pour Ulysse les filets allongés du porc aux blanches dents, et cette part d'honneur emplit de joie le maître. Ulysse l'avisé prit alors la parole :

ULYSSE. – Que Zeus le père, Eumée, t'aime comme je t'aime, puisque, dans mon état, tu daignes me combler !

Mais toi, porcher Eumée, tu lui dis en réponse :

EUMÉE. – Mange, hôte infortuné, et profite de l'heure : donnant ou refusant, les dieux à leur envie font de nous ce qu'ils veulent ; que ne peuvent-ils pas ?

Ce disant, il offrait aux dieux d'éternité les prémices du porc et les libations d'un vin aux sombres feux ; puis il remit la tasse entre les mains d'Ulysse et s'assit à côté du preneur d'Ilion, devant sa propre part.

a. Vers 424 : pour que le sage Ulysse revînt en sa maison.

Lorsque Mésaulios leur eut servi le pain, — c'était un serviteur [a] qu'à ses propres dépens, Eumée avait acquis des marins de Taphos, — tous, vers les parts de choix préparées et servies, étendirent les mains.

Quand on eut satisfait la soif et l'appétit, lorsque Mésaulios eut ramassé le pain, on alla se coucher, avec tout son content de viandes et de pain. Là-dessus, la nuit vint, nuit mauvaise et sans lune, où, jusqu'à l'aube, allait tomber la pluie de Zeus ; il soufflait sans arrêt l'un de ces grands zéphyrs qui amènent de l'eau [1].

Ulysse résolut d'éprouver le porcher, pour voir s'il quitterait et donnerait sa cape ou, ne pensant qu'à soi, en demanderait une à l'un de ses bergers :

ULYSSE. – Écoutez tous, Eumée et vous, ses compagnons ! j'aurais une prière... C'est le vin qui m'incite, ce fou qui fait chanter, danser et rire aux larmes l'homme le plus rassis et nous tire les mots que mieux vaudrait garder. Mais, ayant commencé de jaser, je dis tout !... Ah ! si j'avais encor ma jeunesse et ma force, comme en cette embuscade que nous avions un jour poussée sous Ilion ! Ulysse et Ménélas l'Atride nous menaient ; ils m'avaient désigné pour commander en tiers [b]. Nous voilà sous la ville, en une brousse épaisse : nous nous couchons parmi les joncs et les marais, tapis sous nos armures ; mais survient le Borée ; la nuit se fait mauvaise : nuit de gel, où la neige, en nous tombant dessus, s'étalait en verglas et, sur les boucliers, faisait couche de glace.

» Tous les autres avaient leur robe et leur manteau ; de leur grand bouclier couverts jusqu'aux épaules, ils

a. Vers 450-451 : en l'absence du maître, sans consulter sa dame ou le vieillard Laërte.

b. Vers 472 : nous allons sous la ville, au pied de la muraille.

dormaient bien tranquilles : j'étais, à l'étourdie, venu sans mon manteau; je n'avais pas prévu qu'il gèlerait si fort; je l'avais donc laissé près de mes compagnons, et je n'étais parti qu'avec mon bouclier et ma ceinture en bronze.

» Aux deux tiers de la nuit, quand les astres déclinent, je réveille du coude Ulysse, mon voisin; je lui parle; aussitôt il me prête l'oreille :

» — Fils de Laërte, écoute, ô rejeton des dieux, Ulysse aux mille ruses! je m'en vais trépasser!... Cet ouragan me tue; car je suis sans manteau et, pour venir, un dieu m'a fait traîtreusement ne prendre que ma robe; je ne vois plus moyen de me tirer d'affaire!

» A peine avais-je dit qu'il avait son idée : au conseil, au combat, ah! quel homme c'était!... De sa voix la plus basse, il me parle et me dit :

» — Silence maintenant et, de nos Achéens, que pas un ne t'entende!

» Sur son coude plié, il relève la tête [a] :

» — Nous nous sommes risqués un peu loin des vaisseaux : si j'envoyais quelqu'un dire au pasteur des peuples, l'Atride Agamemnon, qu'il faut nous dépêcher un renfort des navires?

» Il disait; prestement Thoas, fils d'Andrémon, se lève et se défait de son manteau de pourpre pour courir aux vaisseaux. Et moi, dans son manteau, je m'endors, — oh! délices! laissant monter l'Aurore à son trône doré [b]... »

a. Vers 495 : camarades, deux mots! un dieu vient, en dormant de m'envoyer un songe.

b. Vers 503-506 : ah! si j'avais encor ma jeunesse et ma force! en cette loge, ont m'eût donné quelque manteau, autant par amitié que par respect d'un brave! mais on n'a que mépris pour les haillons que j'ai!

Mais toi, porcher Eumée, tu lui dis en réponse :

EUMÉE. – Vieillard, le beau récit que tu viens de nous faire! pas un mot maladroit et qui n'aille au profit... Pour ce soir, tout au moins, il ne te manquera ni vêtements ni rien que l'on doive accorder en pareille rencontre au pauvre suppliant! Mais à l'aube, demain, tu recoudras tes loques, car nous n'avons ici ni manteaux par douzaines, ni robe de rechange : à chaque homme la sienne [a].

Il dit et, se levant, vint faire, auprès du feu, un lit avec des peaux de moutons et de chèvres. Ulysse s'y coucha. Eumée jeta sur lui l'épais et grand manteau, qu'il avait de rechange pour les jours où l'orage en fureur sévissait. Près d'Ulysse étendu, les jeunes gens d'Eumée se couchèrent aussi; mais lui, ne voulant pas dormir loin de ses porcs, il s'armait pour sortir. Ulysse fut heureux de voir comme il soignait les biens du maître absent. A sa vaillante épaule, Eumée avait d'abord pendu son glaive à pointe ; il revêtait la plus épaisse de ses capes pour s'abriter du vent, prenait sa peau de bique, une ample peau bien drue, et sa houlette à pointe contre chiens et rôdeurs, puis il s'en fut coucher près des porcs aux dents blanches, sous le Creux de la Roche, à l'abri du Borée...

LE RETOUR DE TÉLÉMAQUE [1]

(*CHANT XV*.) Mais aux plaines de Sparte, Athéna s'en venait trouver le noble fils de son grand cœur

a. Vers 515-517 : attends le fils d'Ulysse ; aussitôt revenu, c'est lui qui, te donnant la robe et le manteau, te fera reconduire, où que puissent aller les désirs de ton cœur.

d'Ulysse, lui parler du retour et hâter son départ. Télémaque et le fin Nestoride étaient là, reposant dans l'entrée du noble Ménélas. Le tranquille sommeil pesait sur Pisistrate ; mais contre sa douceur, Télémaque luttait ; soucieux de son père, en cette nuit divine, il restait éveillé quand la Vierge aux yeux pers, debout à son chevet :

Athéna. – Télémaque, il suffit : c'est assez d'aventures si loin de ton logis! Tu laisses ton avoir, tu laisses ta maison aux mains de tels bandits! Ils vont tout te manger, se partager tes biens, tandis que tu perdras ton temps à ce voyage. Va-t'en donc au plus vite demander à ce bon crieur de Ménélas qu'il te remette en route, si tu veux en rentrant retrouver au foyer ton éminente mère. Car voici que son père et ses frères la pressent d'épouser Eurymaque ; de tous les prétendants, ses dons l'ont fait vainqueur ; chaque jour, il augmente encor la somme offerte [: prends garde! à ton insu, si quelqu'un de tes biens sortait de ton logis! Tu sais le cœur des femmes : c'est toujours la maison de leur nouveau mari qu'elles veulent servir ; leurs fils d'un premier lit, l'époux de leur jeunesse ne comptent plus pour elles; il est mort! c'est l'oubli! Rentre donc et sois là pour confier tes biens à celle des servantes dont tu verras le zèle, jusqu'au jour où les dieux viendront te présenter quelque digne compagne]. Écoute un autre avis et le mets en ton cœur : les chefs des prétendants te guettent, embusqués dans la passe entre Ithaque et la Samé des Roches. Ils veulent te tuer, avant que tu revoies le pays de tes pères [a].

a. Vers 31-32 : mais, ne crains rien, je veille, auparavant la terre en recevra plus d'un, des seigneurs prétendants qui dévorent tes vivres.

Écarte donc des Iles ton solide croiseur ; vogue toute la nuit : celui des Immortels qui veille à ta défense t'enverra pour rentrer une brise d'arrière. En approchant d'Ithaque, aborde au premier cap, puis renvoie ton navire et tes gens à la ville. Mais toi, monte d'abord retrouver le porcher [a] ; passe la nuit chez lui et le dépêche en ville pour avertir ta mère, la sage Pénélope, que tu rentres en vie, sain et sauf, de Pylos.

La déesse, à ces mots, disparut, regagnant les sommets de l'Olympe.

Mais le fils du divin Ulysse, Télémaque, tira le Nestoride des douceurs du sommeil, en le poussant du pied et lui disant ces mots :

TÉLÉMAQUE. – Pisistrate ! debout ! allons, fils de Nestor ! amène les chevaux au sabot non fendu ! attelle-les au char, et mettons-nous en route !

Mais le fils de Nestor, Pisistrate, lui dit :

PISISTRATE. – Quel moyen, Télémaque, de lancer les chevaux en cette nuit profonde, si pressés que, tous deux, nous soyons de partir ?... L'aurore n'est pas loin. Attends que Ménélas l'Atride, le seigneur à la lance fameuse, vienne nous apporter ses cadeaux sur le char et te donne congé avec des mots aimables : quel meilleur souvenir pour le restant des jours qu'une bonne amitié établie d'hôte à hôte ?

A peine avait-il dit que l'Aurore montait sur son trône doré, et voici que le bon crieur de Ménélas, ayant quitté le lit d'Hélène aux beaux cheveux, s'en venait les rejoindre. Dès que le fils d'Ulysse eut aperçu le roi, il vêtit à la hâte sa robe reluisante, jeta sa grande

a. Vers 39 : qui veille sur tes porcs et te garde son cœur.

écharpe sur ses fortes épaules et, sortant dans la cour, vint à lui pour lui dire [a] :

TÉLÉMAQUE. – Ménélas, fils d'Atrée, le nourrisson de Zeus, le meneur des guerriers, renvoie-moi, il est temps, au pays de mes pères ; mon cœur n'a plus qu'un vœu ; c'est de rentrer chez moi.

Ce bon crieur de Ménélas lui répondit :

MÉNÉLAS. – Puisque tu veux partir, ce n'est pas moi qui vais te retenir ici plus longtemps, Télémaque ! Je blâme également dans l'hôte qui reçoit l'excès d'empressement et l'excès de froideur : j'aime avant tout la règle et trouve aussi mauvais de renvoyer un hôte, quand il veut demeurer, que de le retenir quand il veut s'échapper : à l'hôte que doit-on ? bon accueil s'il demeure, congé s'il veut partir.

» Laisse-moi seulement le temps de t'apporter mes cadeaux sur le char ; je veux que tu les voies, que tes yeux les admirent, et je vais dire aux femmes qu'on nous serve un repas, tiré de la réserve. Mon honneur, mon renom, vos aises m'interdisent de vous lancer à jeun de par le vaste monde ! Veux-tu courir l'Hellade, séjourner en Argos ? Je vais t'accompagner ; je prendrai mes chevaux et je serai ton guide : de ville en ville alors, tu verras devant nous s'ouvrir les portes, affluer au départ les cadeaux, les chaudrons, les beaux trépieds de bronze, les paires de mulets et les coupes en or.

Posément, Télémaque le regarda et dit :

TÉLÉMAQUE. – Ménélas, fils d'Atrée, le nourrisson de Zeus, le meneur des guerriers ! je veux rentrer tout droit chez nous ; en m'en allant, je n'ai laissé personne pour veiller sur mes biens ; à chercher trop longtemps

a. Vers 63 : Télémaque, le fils de ce divin Ulysse.

ce père égal aux dieux, je risquerais ma perte ou celle d'un objet de prix dans mon manoir.

Il disait ; mais le bon crieur de Ménélas eut à peine entendu qu'il donnait l'ordre à son épouse et ses servantes de servir un repas tiré de la réserve : survint Étéoneus, le fils de Boéthos, qui sortait de son lit ; il habitait tout près ; le bon crieur de Ménélas lui commanda de rallumer le feu et de cuire les viandes ; aussitôt commandé, le fils de Boéthos s'empressa d'obéir.

Puis l'Atride, au trésor embaumé, descendit : sans le quitter, sa femme et son fils le suivaient. Lui-même il s'en alla au dépôt des bijoux et prit la double coupe ; mais, tandis qu'il chargeait son fils Mégapenthès du cratère d'argent, Hélène choisissait, debout auprès des coffres, l'un des voiles brodés, ouvrages de ses mains. Quand elle en eut tiré, cette femme divine, le plus orné de broderies et le plus grand, — il brillait comme un astre, étendu tout au fond, — ils revinrent en hâte à travers le manoir retrouver Télémaque, et le blond Ménélas lui adressa ces mots :

MÉNÉLAS. – Télémaque, tu pars! plaise à l'époux d'Héra, au Zeus retentissant, que ce retour s'achève au gré de tes désirs [a]!

A ces mots, le seigneur Atride lui remit la belle double coupe ; le fort Mégapenthès déposa devant lui le cratère luisant ; Hélène s'avança, Hélène aux belles joues, qui, tenant le grand voile en sa main, vint lui dire :

a. Vers 113-119 : de tous les objets d'art qui sont en mon manoir, je m'en vais te donner le plus beau, le plus rare ; oui ; je veux te donner un cratère forgé, dont la panse est d'argent, les lèvres de vermeil. C'est l'œuvre d'Héphaestos : il me vient de Sidon, du seigneur Phaedimos, ce roi qui m'abrita, dans sa propre demeure, quand je rentrais ici ; je veux qu'il t'appartienne.

HÉLÈNE. – J'ai mon présent aussi, cher enfant ; prends et garde en souvenir d'Hélène cette œuvre de ses mains. Quand le jour de l'hymen viendra combler tes vœux, que ta femme le porte ; que chez toi, d'ici là, ta mère le conserve... Je te fais mes adieux : ah ! puisses-tu rentrer en ta haute maison, au pays de tes pères !

Elle dit et lui mit dans la main le grand voile, qu'il reçut plein de joie.

Le héros Pisistrate, ayant pris ces cadeaux que son cœur admirait, monta les déposer dans le panier du char.

Mais, le blond Ménélas leur montrant le chemin, on rentra dans la salle et l'on s'assit en ligne aux sièges et fauteuils. Vint une chambrière qui, portant une aiguière en or et du plus beau, leur donnait à laver sur un bassin d'argent et dressait devant eux une table polie. Vint la digne intendante : elle apportait le pain et le mit devant eux, puis leur fit les honneurs de toutes ses réserves. Le fils de Boéthos, ayant tranché les viandes, distribua les parts. L'échanson fut le fils du noble Ménélas. Alors, aux parts de choix préparées et servies, ils tendirent les mains. Quand on eut satisfait la soif et l'appétit, Télémaque et le fin Nestoride attelèrent les chevaux sous le joug et, montant sur le char aux brillantes couleurs, poussèrent hors du porche et de l'entrée sonore.

L'Atride les suivait ; il tenait en sa droite, pour le coup de l'adieu, sa coupe d'or remplie d'un vin au goût de miel, et ce blond Ménélas, debout près des chevaux, dit en tendant la coupe :

MÉNÉLAS. – Jeunes gens, tous mes vœux pour vous et pour Nestor ! En ce pasteur du peuple, j'eus toujours un bon père, tant qu'au pays de Troie, les fils de l'Achaïe ont mené la bataille.

Posément, Télémaque le regarda et dit :

TÉLÉMAQUE. – Tout ce que tu nous dis, ô nourrisson de Zeus, sois bien sûr qu'à Nestor, nous le répéterons aussitôt arrivés. Mais, rentré dans Ithaque, puissé-je aussi trouver Ulysse à son foyer ! et puissé-je lui dire avec quelle bonté tu m'as reçu chez toi et combien de cadeaux merveilleux je rapporte !

Il disait : à sa droite un oiseau s'envola, un aigle qui tenait, toute blanche en ses serres une oie privée géante, enlevée de la cour ; avec des cris, servants et femmes le chassaient. Il passa près du char et fila par la droite, en avant des chevaux. Cette vue mit la joie et l'espoir dans les cœurs, et le fils de Nestor, Pisistrate, reprit le premier la parole.

PISISTRATE. – Pour qui donc, Ménélas, ô nourrisson de Zeus, ô meneur des guerriers, le ciel nous envoie-t-il ce présage ? réponds : c'est pour nous ou pour toi ?

Il dit et Ménélas cherchait, le bon guerrier, quelle sage réponse il leur pourrait bien faire. Mais, drapée dans son voile, Hélène fut plus prompte :

HÉLÈNE. – Écoutez-moi ! voici quelle est la prophétie qu'un dieu me jette au cœur et qui s'accomplira. Pour enlever notre oie, nourrie à la maison, vous avez vu cet aigle venir de son berceau et de son nid des monts. Après bien des malheurs et bien des aventures, c'est tout pareillement qu'Ulysse rentrera chez lui pour se venger ; il se peut qu'à cette heure, il soit rentré déjà et plante le malheur à tous les prétendants.

Posément, Télémaque la regarda et dit :

TÉLÉMAQUE. – Ah ! que l'époux d'Héra, le Zeus retentissant t'exauce ! et c'est vers toi, comme vers l'un des dieux, que, même de là-bas, s'en iront nos prières.

Il disait et, du fouet, il poussait l'attelage et, traversant la ville, les chevaux pleins d'ardeur s'élançaient vers la plaine.

Le joug, sur leurs deux cous, tressauta tout le jour. Le soleil se couchait, et c'était l'heure où l'ombre emplit toutes les rues comme on entrait à Phères, où le roi Dioclès, un des fils d'Orsiloque, un petit-fils d'Alphée, leur offrit pour la nuit son hospitalité [1].

Mais à peine sortait, de son berceau de brume, l'Aurore aux doigts de roses, qu'attelant les chevaux et montant sur le char aux brillantes couleurs, ils poussaient hors du porche et de l'entrée sonore [a]. Ils eurent vite atteint la butte de Pylos, et Télémaque alors dit au fils de Nestor :

TÉLÉMAQUE. – Nestoride, veux-tu me donner la promesse de suivre mon conseil ? Nous voici pour jamais des hôtes, je m'en flatte ; nos deux pères amis, notre parité d'âge et ce voyage enfin resserrent notre entente. Conduis-moi, nourrisson de Zeus, près du navire et me laisse à la plage ! J'ai peur que le Vieillard, pour me fêter encore, ne m'oblige à rester au manoir ; j'ai besoin de partir au plus vite.

Il dit. Le Nestoride en son âme cherchait comment faire et tenir sans faute la promesse : il pensa, tout compté, qu'il valait mieux gagner le croiseur et la plage. Il tourna ses chevaux et, le navire atteint, il apporta du char, sur le gaillard de poupe, les présents magnifiques, les étoffes et l'or donnés par Ménélas, et, pressant Télémaque, lui dit ces mots ailés :

PISISTRATE. – Monte à bord et fais zèle pour embar-

a. Vers 192 : un coup pour démarrer ; de grand cœur aussitôt, les chevaux s'envolèrent.

quer tes gens : que je n'aie pas le temps, en rentrant au logis, d'informer le Vieillard ! Mon esprit et mon cœur sont bien sûrs d'une chose, c'est que tu n'es pas quitte ; son cœur est violent ; jusqu'ici, en personne, il viendra te chercher et ne rentrera pas à vide, je te jure. Ah ! la belle colère où tu vas nous le mettre !

Il disait et, poussant les chevaux aux longs crins, il tournait vers la ville et bientôt atteignait le manoir de Pylos. Télémaque empressé commandait la manœuvre :

TÉLÉMAQUE. – Dans notre noir vaisseau, rangez tous les agrès, compagnons !... embarquez ! et mettons-nous en route !

Il disait : aussitôt, on obéit à l'ordre et, s'embarquant en hâte, on va s'asseoir aux bancs [1].

Pendant qu'il s'apprêtait et que, devant la poupe, il faisait son offrande en priant Athéna, un homme s'approcha. Il arrivait de loin. Il avait fui d'Argos, ayant tué son homme. Et c'était un devin du sang de Mélampous.

Car jadis Mélampous habitait à Pylos, la mère des troupeaux, où, très riche, il avait le plus beau des manoirs. Mais il avait dû fuir sur la terre étrangère : le généreux Nélée, le plus noble des êtres, l'avait, durant un an, dépouillé de ses biens, cependant qu'il était captif chez Phylakos et que, chargé de chaînes, la fille de Nélée lui valait des tortures, pour la lourde folie qu'avait mise en son cœur la terrible Érinnys [2]. Mais, éludant la Parque, il put, de Phylaké, ramener à Pylos les vaches mugissantes et punir le divin Nélée de son méfait ; puis, ayant célébré les noces de son frère, il quitta le pays et s'en fut vers Argos et ses prés d'élevage. C'est là que le destin lui donna de régner sur des sujets nombreux ; il prit femme ; il bâtit une haute maison ; il engendra deux fils pleins de vigueur, Antiphatès et Mantios.

Le premier engendra Oiclès au grand cœur, dont Amphiaraos naquit, l'entraîneur d'hommes, que le Zeus à l'égide aima de tout son cœur : favori d'Apollon s'il ne put arriver au seuil de la vieillesse, c'est qu'à Thèbe, il périt des présents d'une femme [1]. Il eut deux fils : Amphilochos et Alkmaon. Mantios à son tour engendra deux enfants, Klitos et Polyphide. Si l'Aurore enleva sur son trône doré Klitos pour sa beauté, s'il est parmi les dieux, c'est Apollon qui fit de l'ardent Polyphide, parmi tous les mortels, le meilleur des devins, quand Amphiaraos eut disparu du monde ; mais vers Hypérésie, le courroux de son père le força d'émigrer ; c'est là qu'il demeurait et que tous les mortels venaient le consulter. Celui qui survenait était l'un de ses fils nommé Théoclymène.

Lorsque, de Télémaque, il se fut approché, le laissant achever offrandes et prières auprès du noir croiseur, il n'éleva la voix que pour ces mots ailés :

THÉOCLYMÈNE. – Ami, puisqu'en ces lieux je vois ton sacrifice, écoute ma prière ! Au nom de tes offrandes par le ciel, par ta tête, par celle de tes gens que je vois à ta suite ! réponds à ma demande et dis-moi sans détour ton nom et ta patrie et ta ville et ta race !

Posément, Télémaque le regarda et dit :

TÉLÉMAQUE. – Oui, je veux, étranger, te répondre sans feinte. Ma famille est d'Ithaque et mon père est Ulysse... si ce n'est pas un rêve. Mais voici qu'il est mort et de mort misérable ! j'ai pris cet équipage et, sur ce noir vaisseau, je me suis mis en mer pour m'informer de lui et de sa longue absence.

Alors Théoclymène au visage de dieu :

THÉOCLYMÈNE. – J'ai dû fuir, moi aussi, loin du pays natal. J'avais tué mon homme. Parmi les Achéens, il avait dans Argos et ses prés d'élevage des frères et parents si puissants, si nombreux que j'ai dû m'exiler pour éviter la mort et l'ombre de la Parque : mon destin désormais est de courir le monde... Accueille en ton vaisseau l'exilé qui t'implore! Sauve-moi de leurs coups ; sans doute, ils me poursuivent!

Posément, Télémaque le regarda et dit :

TÉLÉMAQUE. – Comment te refuser?... Tu le veux!... je t'emmène! A bord du fin navire, suis-moi ; je ferai tout pour t'accueillir là-bas.

Il dit et, recevant la lance armée de bronze, il vint la déposer sur l'un des deux gaillards. Puis, pour prendre la mer, lui-même s'embarqua. Il s'assit à la poupe et fit à ses côtés la place de son hôte. On détacha les câbles Les gens, sautant à bord, s'assirent à leurs bancs. Télémaque empressé commandait la manœuvre ; ses hommes de répondre à son empressement. On dressa le sapin du mât qui fut planté au trou de la coursie ; on raidit les étais, et la drisse de cuir hissa les voiles blanches La déesse aux yeux pers leur fit alors souffler la brise favorable dont les fraîches risées, s'élançant de l'éther, allaient sur l'onde amère terminer au plus vite la course du vaisseau [a].

Le soleil se couchait, et c'était l'heure où l'ombre emplit toutes les rues, quand la brise de Zeus leur fit doubler Pheia en vitesse et longer cette Élide divine où règne l'Épéen ; puis ils mirent le cap sur les Iles Pointues [1]... Télémaque songeait : pourrait-il fuir la mort? allait-il être pris?

a. Vers 295 : ils longèrent Krounoi, Chalkis aux belles eaux

Dans la cabane [1], Ulysse et le divin porcher soupaient ; à leurs côtés, soupaient aussi les autres. Quand on eut satisfait la soif et l'appétit, Ulysse résolut d'éprouver le porcher, pour voir si, le traitant de tout cœur en ami, Eumée voudrait encor le garder dans sa loge ou s'il l'engagerait à se rendre à la ville.

ULYSSE. – Écoutez tous, Eumée! et vous, ses compagnons! je voudrais vous quitter dès l'aube et m'en aller mendier à la ville, sans rester plus longtemps à ta charge, à la vôtre : tu vas me renseigner et, pour aller là-bas, me fournir le bon guide ; une fois arrivé, je serai bien forcé d'aller de porte en porte voir qui me donnera ou la tasse ou la croûte ; mais, si je puis entrer chez le divin Ulysse, j'irai mettre au courant la sage Pénélope ou, restant parmi ces bandits de prétendants, j'aurai bien à dîner puisqu'ils font si grand-chère ! Je saurai sans retard les servir à leur gré ; car, — je peux bien le dire ; entends bien et crois-moi, — par la bonté d'Hermès, le divin messager, dont tout travail humain reçoit grâce et renom, je suis pour le service un homme unique au monde : bien arranger le feu, fendre les bûches sèches, trancher, rôtir la viande ou faire l'échanson, je sais tous les métiers d'un vilain chez les nobles.

Avec un grand soupir, tu dis, porcher Eumée :

EUMÉE. – Ah! misère! mon hôte, où ton esprit va-t-il trouver pareil projet ?... Tu désires vraiment te jeter dans le gouffre, parmi ces prétendants dont l'audace et les crimes vont jusqu'au ciel de fer [2] ?... Ils ont pour les servir des gens d'une autre mine, des jouvenceaux en belle robe et beaux manteaux, aux cheveux bien huilés, à la jolie figure !... et sachant le service ! car leurs tables polies sont encombrées de pain, de viandes et de vin... Reste donc avec nous, qui se plaint de t'avoir? ce n'est pas moi, ni l'un des hommes que j'ai là. Attends le fils d'Ulysse : aussitôt revenu, c'est lui qui, te donnant la robe et le manteau, te fera reconduire où que puissent aller les désirs de ton cœur.

Le héros d'endurance, Ulysse le divin, lui fit cette réponse :

ULYSSE. – Que Zeus le père, Eumée, t'aime comme je t'aime! toi qui m'as retiré de la misère [errante; c'est si dur! est-il rien de pis que mendier? Ah! ce ventre maudit! toujours nous harcelant, c'est lui qui vaut aux gens les maux et les chagrins de cette vie] errante!... Puisque tu me retiens, puisque tu me conseilles d'attendre ici ton maître, parle-moi des parents de ce divin Ulysse. Il avait une mère, un père, qu'il laissa au seuil de la vieillesse : sont-ils encor vivants sous les feux du soleil? ou, morts, sont-ils déjà aux maisons de l'Hadès?

Eumée, le commandeur des porchers, répliqua :

EUMÉE. – Oui, mon hôte, je vais te répondre sans feinte. Laërte vit encore ; mais à Zeus, chaque jour, il demande d'éteindre en ses membres la vie. Il est au désespoir de vivre en ce manoir d'où son fils est absent, où sa femme mourut, l'amie de sa jeunesse! C'est surtout le regret de cette sage épouse qui le mine et, de lui, fait un vieux avant l'âge!... Elle est morte du deuil de son fils valeureux. Ah! la mort lamentable! que l'épargne le ciel à tous ceux qui m'entourent, amis et bienfaiteurs!... Moi, tant qu'elle était là, malgré son grand chagrin, j'allais souvent l'interroger, l'entretenir. C'est elle qui m'avait élevé, elle-même : j'étais le compagnon de sa fille au long voile, de sa grande Ctimène, l'aînée de ses enfants ; avec elle nourri, j'avais, ou peu s'en faut, reçu les mêmes soins, jusqu'au jour où, tous deux, nous franchîmes le seuil béni de la jeunesse ; à quelqu'un de Samé, ses parents la donnèrent : quels cadeaux ils reçurent! la reine me vêtit de neuf, robe et manteau, me chaussa de sandales et, m'envoyant aux champs, ne m'en aima pas moins... J'ai perdu tout cela maintenant, avec elle!... Il me reste ce coin, où les dieux fortunés bénissent mon travail, de quoi manger et boire et faire aussi l'aumône. Que pourrait me conter la dame d'aujourd'hui qu'il me fût doux d'apprendre?... ni parole ni fait!... Je vois notre maison en proie à ces bandits!... Pourtant les serviteurs ont grand besoin parfois d'aller voir la maîtresse, de lui parler un peu de tout et de l'entendre ; on mange, on boit un coup, et l'on rapporte aux champs quelqu'un de ces cadeaux qui réchauffent toujours le zèle du service [1].

Ulysse l'avisé lui fit cette réponse :

Ulysse. – Oh! misère! as-tu donc commencé tout enfant d'errer si loin de ta patrie, de ta famille? Allons, porcher Eumée, sans feinte, point par point, conte-moi cette histoire! fut-ce durant le sac d'une ville aux grand-rues, où demeuraient ton père et ton auguste mère? fut-ce à garder tout seul les moutons et les bœufs qu'un parti d'ennemis te prit sur ses vaisseaux et vint te vendre ici, au logis de cet homme, qui donna le bon prix?

Eumée, le commandeur des porchers, répliqua :

Eumée. – Puisque tu veux savoir, mon hôte, et m'interroges, à ton tour fais silence, prends ton temps, reste assis et bois un coup de vin. Voici les nuits sans fin qui laissent du loisir pour le sommeil et pour le plaisir des histoires ; avant l'heure, il vaut mieux ne pas se mettre au lit ; c'est fatigant aussi de dormir trop longtemps... Vous autres, si le cœur vous en dit, bon courage! allez dormir ailleurs! Dès que l'aube poindra, déjeunez, rassemblez les truies et suivez-les!... Dans la loge, nous deux, buvons et banquetons! et, pour nous divertir, échangeons maux et peines! A distance, les maux divertissent leur homme [a]... Écoute, toi qui veux savoir et m'interroges.

» On appelle Syros, — connais-tu ce nom-là? — une île qui se trouve au-dessus d'Ortygie, du côté du couchant [1]. Ce n'est pas très peuplé, mais c'est un bon pays : des vaches, des moutons, du vin en abondance, du grain en quantité. On n'y connaît jamais la famine, jamais les maladies, fléaux des malheureux humains; mais, quand les citadins ont atteint la vieillesse, le dieu à l'arc d'argent, qu'Artémis accompagne, Apollon les abat de ses plus douces flèches [2]. Entre elles, deux cités s'en partagent les terres ; sur toutes deux régnait mon père, Ctésios, un des fils d'Orménos, semblable aux Immortels.

» On y vit arriver des gens de Phénicie, de ces marins rapaces, qui, dans leur noir vaisseau, ont mille camelotes. Or une Phénicienne, artiste en beaux ouvrages, était à la maison : la grande et belle fille, que ces routiers de Phéniciens nous débauchèrent! Un jour donc, au lavoir, elle s'abandonna sous le flanc du vaisseau... Ah! le lit et l'amour, voilà qui pervertit les pauvres cœurs de femmes, même des plus honnêtes... Il lui demande, après, son nom et sa patrie. Elle indique aussitôt le haut toit de mon père :

» LA SIDONIENNE. – Mais je suis de Sidon, le grand marché du bronze ; du très riche Arybas, j'ai l'hon-

a. Vers 401 : quand on a tant souffert et si loin voyagé.

neur d'être fille ; quand je rentrais des champs, des marins de Taphos, des pirates, m'ont prise et vendue en ces lieux [a1].

» L'autre, qui l'avait eue en secret, lui répond :

» LE PHÉNICIEN. – Tu ne reviendrais pas avec nous, au pays, revoir tes père et mère en leur haute maison ?... Car ils vivent encore ; on les dit toujours riches.

» La femme, reprenant la parole, répond :

» LA SIDONIENNE. – Cela pourrait aller, si tous les gens du bord me prêtaient le serment que vous me remettrez, saine et sauve, au logis.

» Les autres aussitôt jurent à sa demande ; quand ils ont prononcé et scellé le serment, c'est elle qui reprend la parole et leur dit :

» LA SIDONIENNE. – Silence maintenant ! que personne jamais ne m'accoste ou me parle, si quelqu'un de vos gens me rencontre soit dans la rue, soit à la source. Il ne faut pas qu'on aille avertir notre vieux ! s'il avait des soupçons, il m'aurait tôt liée d'une corde solide et vous perdrait aussi !... Gardez-moi le secret ! hâtez le chargement et, quand votre vaisseau aura son plein de vivres, vite ! envoyez quelqu'un m'avertir au manoir ! J'apporterai tout l'or que j'aurai sous la main et je voudrais encor, pour payer mon passage, vous livrer un enfant que j'élève au logis ; c'est le fils de cet homme ; il trotte sur mes pas quand je sors dans la rue ; il est de bonne vente ; si je l'amène à bord, on vous en donnera et des cents et des mille, où que vous le vendiez chez les gens d'autre langue.

» Elle dit et revint au logis de mon père. Mais l'année s'acheva : ils restaient toujours là, faisant

a. Vers 429 : au logis de cet homme qui donna le bon prix

leur plein de vivres dans le creux du vaisseau [1]. Enfin, la cale pleine, ils étaient pour partir. Un messager s'en vint avertir notre femme. C'était un fin matois qui, pour entrer chez nous, tenait un collier d'or, enfilé de gros ambres. Tandis qu'en la grand-salle, ma mère vénérée et ses femmes prenaient et palpaient le collier, et le mangeaient des yeux, et débattaient le prix, l'homme, sans dire un mot, fit un signe à la fille et, d'accord, regagna le creux de son vaisseau. Elle aussitôt me prend par la main et m'entraîne. A la porte, dans l'avant-pièce, elle aperçoit des coupes, des corbeilles : mon père, ce jour-là, avait offert à ses collègues un repas ; puis ils étaient partis discuter au conseil les affaires du peuple. En passant, elle vole et cache dans son sein trois coupes ; je la suis, pauvre fou que j'étais!

» Le soleil se couchait, et c'était l'heure où l'ombre emplit toutes les rues. Nous arrivons, courants, au mouillage connu : nos gens de Phénicie et leur vaisseau rapide étaient bien à leur poste. Ils nous prennent à bord, embarquent et se lancent sur la route des ondes ; Zeus nous envoie le vent ; durant six jours, six nuits, nous voguons sans relâche, et le fils de Cronos nous ouvrait le septième, quand la déesse à l'arc, Artémis, vient frapper de ses traits cette fille ; comme un oiseau de mer, elle tombe et s'affale au fond de la sentine ; il faut, par-dessus bord, la jeter en pâture aux poissons et aux phoques et me voilà tout seul avec mon gros chagrin! En Ithaque, le vent et le flot nous portèrent. C'est là que, de ses biens, Laërte m'acheta... Voilà comment mes yeux ont connu ce pays. »

Le rejeton des dieux, Ulysse, repartit :

ULYSSE. – Ah! tout mon cœur, Eumée, se lève dans mon sein à ce récit des maux que ton âme endura. En ton malheur pourtant, Zeus te voulut du bien, puisque, au bout de tes peines, tu trouvas la maison de cet homme si doux, qui te donne en ami le boire et le manger et te fait la vie large! Moi, pour venir ici, combien j'ai dû rouler les villes des humains!...

Pendant qu'ils échangeaient ces paroles entre eux, prenant sur leur sommeil, puis s'endormaient à peine, l'Aurore était montée sur son trône, et déjà les gens de Télémaque abordaient au rivage [1], amenaient la voilure et déplantaient le mât [a], puis sur la grève, où l'équipage descendit, le repas s'apprêta et l'on fit le mélange du vin aux sombres feux. Quand on eut satisfait la soif et l'appétit, Télémaque reprit posément la parole :

TÉLÉMAQUE. – Vous autres, jusqu'au bourg poussez le noir vaisseau! Moi, je m'en vais monter aux champs, près des bergers. Ce soir, lorsque j'aurai visité mon domaine, je rentrerai en ville et, dès l'aube, demain, je compte vous offrir le banquet du retour, un bon repas de viandes, et mon vin le plus doux.

Alors Théoclymène au visage de dieu [2] :

THÉOCLYMÈNE. – Et moi, mon cher enfant? où faudra-t-il aller? chez quelqu'un de vos rois en cette aire d'Ithaque? ou tout droit chez ta mère, en ta propre maison?

Posément, Télémaque le regarda et dit :

TÉLÉMAQUE. – En tout autre moment, c'est moi qui te dirais de t'en aller chez nous ; je ne lésine pas sur

a. Vers 497-498 : en vitesse ; on se met aux rames vers la cale, on jette l'ancre et l'on attache les amarres.

l'hospitalité. Mais la place aujourd'hui ne te serait pas bonne. Car je vais être absent et, pour veiller sur toi, ma mère ne peut rien : elle évite au manoir les yeux des prétendants ; loin d'eux, à son étage, elle reste au métier... Mais je vais t'indiquer quelqu'un d'autre : rends-toi chez le noble Eurymaque, fils du sage Polybe ; notre peuple déjà l'honore comme un dieu ; de tous les prétendants, c'est encor le meilleur ! il est si désireux de devenir l'époux de ma mère et d'avoir la royauté d'Ulysse !... L'aura-t-il ?... Zeus le sait !... Du haut de son éther, le maître de l'Olympe pourrait, avant l'hymen, leur octroyer à tous la mauvaise journée !

Comme il parlait encore, à sa droite un oiseau, un faucon, s'envola : en ses serres, ce prompt messager d'Apollon plumait une colombe, et les plumes tombaient entre les pieds de Télémaque et le vaisseau. Alors Théoclymène, appelant Télémaque à l'écart de ses gens, le flatta de la main en lui disant tout droit :

THÉOCLYMÈNE. – Tu n'en saurais douter : cet oiseau à ta droite, c'est un dieu, Télémaque, qui le fit envoler ; je l'ai bien vu ; je sais que c'était un présage ; en ce pays d'Ithaque, il n'est pas sang de roi plus royal que le vôtre, à tout jamais, ici, c'est vous qui l'emportez.

Posément, Télémaque le regarda et dit :

TÉLÉMAQUE. – Si les dieux, ô mon hôte, accomplissaient tes dires, tu trouverais chez moi une amitié si prompte et des dons si nombreux que tous, en te voyant, chanteraient ton bonheur.

Et se tournant vers son fidèle Piraeos :

TÉLÉMAQUE. – Piraeos le Clytide, aucun des gens qui m'ont suivi jusqu'à Pylos ne m'est aussi soumis que toi en toutes choses. Aujourd'hui, prends cet hôte et le conduis chez toi! donne-lui tous tes soins et, jusqu'à mon retour, fais-le-moi respecter.

Le bon piquier de Piraeos lui répondit :

PIRAEOS. – Reste aux champs tout le temps que tu veux, Télémaque : je prendrai soin de lui ; rien ne lui manquera de ce qu'on doit aux hôtes.

Il dit et, remontant à bord, il donna l'ordre à ses gens d'embarquer et de larguer l'amarre : ils sautèrent à bord et prirent place aux bancs, tandis que Télémaque attachait à ses pieds ses plus belles sandales, puis tirait du gaillard sa forte lance armée d'une pointe de bronze.

Les amarres larguées, l'équipage obéit [a] et reprit en ramant le chemin de la ville. Mais déjà Télémaque, à grands pas, se hâtait vers l'enclos que les porcs emplissaient par milliers et vers le campement de ce noble porcher, si fidèle à ses maîtres [1].

FILS ET PÈRE [2]

(CHANT XVI.) Dans la cabane, Ulysse et le divin porcher préparaient le repas du matin : dès l'aurore, ils avaient allumé le feu et mis en route la cohue des pourceaux, suivis de leurs bergers. Télémaque approchait : ces grands hurleurs de chiens l'assaillaient de caresses, mais sans un aboiement.

Quand le divin Ulysse vit frétiller les chiens, puis entendit les pas, tout de suite, au porcher, il dit ces mots ailés :

a. Vers 554 : [à l'ordre] de ce fils du divin Ulysse, Télémaque.

ULYSSE. – Eumée, on vient te voir..., quelqu'un de tes amis ou de tes connaissances : les chiens, sans un aboi, l'assaillent de caresses ; j'entends un bruit de pas.

Il n'avait pas fini de parler que son fils se dressait à la porte.

Étonné, le porcher se lève et, de ses mains, laisse tomber les vases, dans lesquels il était en train de mélanger un vin aux sombres feux. Il va droit à son maître : il lui baise le front, baise ses deux beaux yeux et baise ses deux mains ; il verse un flot de larmes : tel un père accueillant, de toute sa tendresse, l'enfant le plus chéri, qui lui revient, après dix ans, de l'étranger, ce fils unique, objet de si cruels émois! tel le divin porcher embrassait et couvrait de baisers Télémaque au visage de dieu.

Il le voyait vivant! Il sanglotait ; il lui disait ces mots ailés :

EUMÉE. – Te voilà, Télémaque, ô ma douce lumière! Je te savais parti pour Pylos et croyais ne jamais te revoir! Entre, mon cher enfant! qu'à plein cœur, je m'en donne de te voir là, chez moi, à peine débarqué!... Tu te fais rare aux champs et près de tes bergers! tu restes à la ville : as-tu si grand plaisir à n'avoir sous les yeux que le vilain troupeau des seigneurs prétendants?

Posément, Télémaque le regarda et dit :

TÉLÉMAQUE. – C'est bien! c'est bien! vieux frère! c'est pour toi que je viens, pour te voir de mes yeux, pour apprendre de toi si ma mère au manoir continue de rester ou si quelqu'un déjà est son nouveau mari et si le lit d'Ulysse, en proie aux araignées, n'est plus qu'un cadre vide.

Eumée, le commandeur des porchers, répliqua :

EUMÉE. – Elle résiste encor de tout son cœur fidèle! toujours en ton manoir où, sans arrêt, ses jours et ses nuits lamentables se consument en larmes!

A ces mots, le porcher prit la lance de bronze des mains de Télémaque. Le fils d'Ulysse avait franchi le seuil de pierre et déjà, comme il pénétrait dans la cabane, son père se levait pour lui de la banquette.

Mais, l'arrêtant du geste, Télémaque lui dit :

TÉLÉMAQUE. – Reste assis, étranger! nous trouverons ailleurs un siège en notre loge! Je vois ici quelqu'un qui va nous l'arranger.

Il disait, et son père avait repris sa place. Mais déjà le porcher avait, de ramée verte et de peaux de moutons, rembourré l'autre banc, et c'est là que le fils d'Ulysse vint s'asseoir.

Puis Eumée, leur servant sur les plateaux à viandes ce qu'on avait laissé, la veille, du rôti, se hâta d'entasser le pain dans les corbeilles, de mêler dans sa jatte un vin fleurant le miel, et vint enfin s'asseoir, face au divin Ulysse. Alors aux parts de choix, préparées et servies, ils tendirent les mains.

Quand on eut satisfait la soif et l'appétit, c'est au divin porcher que parla Télémaque :

TÉLÉMAQUE. – Cet hôte que voilà, d'où te vient-il, vieux frère?... comment les gens de mer l'ont-ils mis en Ithaque? avait-il un pays de qui se réclamer [a]?

Mais toi, porcher Eumée, tu lui dis en réponse :

EUMÉE[b]. – Il prétend être né dans les plaines de Crète ; il dit qu'il a roulé dans des villes sans nombre, au long des aventures que le ciel lui fila ; pour venir

a. Vers 59 : car ce n'est pas à pied qu'il t'est venu, je pense.
b. Vers 61 : oui, mon fils, tu sauras toute la vérité.

à ma loge, il se serait enfui d'un vaisseau des Thesprotes ; mais je te le remets ; fais-en ce que tu veux! il est ton suppliant et de toi se réclame.

Posément, Télémaque le regarda et dit :

TÉLÉMAQUE. – Eumée, tu viens de dire un mot qui m'est cruel : voyons! comment, chez moi, prendre cet étranger? Je suis trop jeune encor pour compter sur mon bras et protéger un hôte qu'on voudrait outrager, sans qu'il y fût pour rien. Ma mère?... deux désirs se partagent son cœur : rester auprès de moi, veiller sur ma maison, en gardant le respect des droits de son époux et l'estime du peuple, ou suivre, pour finir, l'Achéen de son choix, qui saurait au manoir faire sa cour avec les plus beaux des présents. Puisque cet étranger est venu sous ton toit, je lui donne les habits neufs, robe et manteau [a], et le ferai conduire où que puissent aller les désirs de son cœur... Si tu voulais, — c'est mieux, — le garder en ta loge, je vous ferais tenir toute sa subsistance, son pain, ses vêtements, sans que toi ni tes gens l'ayez à votre charge. Mais qu'il aille là-bas, parmi les prétendants! je ne saurais l'admettre, oh! non! je connais trop leur violence impie! Quand ils l'outrageraient, j'aurais trop de chagrin! quel moyen de lutter, si brave que l'on soit? ne sont-ils pas les plus nombreux et les plus forts?

Le héros d'endurance, Ulysse le divin, lui fit cette réponse :

ULYSSE. – Ami, puisque aussi bien j'ai le droit de répondre, vous me poignez le cœur lorsque je vous entends raconter les complots des prétendants chez

a. Vers 80 : un glaive à deux tranchants, les sandales aux pieds.

toi!... et leurs impiétés!... et ton servage, à toi, né pour un autre sort! Dis-moi : c'est de plein gré que tu portes le joug? ou, dans ton peuple, as-tu la haine d'un parti qui suit la voix d'un dieu?... est-ce parmi tes frères que tu n'as pas trouvé l'appui que, dans la lutte, on attendrait d'un frère, au plus fort du danger?... Ah! si j'avais encore ta jeunesse en ce cœur!... si j'étais soit le fils de l'éminent Ulysse, soit Ulysse en personne [a]!... Je veux bien qu'aussitôt, ma tête roule aux pieds de quelque mercenaire, si, de tous ces gens-là, je n'étais le fléau [b] : oui! quand je serais seul, écrasé par le nombre, j'aimerais mieux encor mourir en mon manoir qu'assister tous les jours à ces œuvres indignes [c].

Posément, Télémaque le regarda et dit :

TÉLÉMAQUE. – Oh! mon hôte, je vais te répondre sans feinte. Ce n'est pas tout mon peuple qui me hait ou me brave, et des frères, non plus, ne m'ont pas refusé le secours que, d'un frère, on attend dans la lutte, au plus fort du danger : jamais Zeus n'a donné qu'un fils à notre race; d'Arkésios, Laërte était le fils unique; Ulysse fut le fils unique de Laërte et ne laissa chez lui qu'un fils unique, — moi, dont il n'a pas joui [d]!... Mais laissons tout cela sur les genoux des

a. Vers 101 : Rentré de son exil il reste de l'espoir.

b. Vers 104 : dès mon entrée dans le manoir d'Ulysse, fils de Laërte.

c. Vers 108-111 : voir assaillir mes hôtes, traîner au déshonneur dans tout ce beau logis mes femmes de service, mon vin couler à flots et gâcher tous mes vivres, hélas! jusques à quand? et pour quel résultat?

d. Vers 121-128 : mais j'ai dans mon manoir une armée d'ennemis : tous les chefs, tant qu'ils sont, qui règnent sur nos îles, Doulichion, Samé, Zante la forestière, et tous les tyranneaux des monts de notre Ithaque, tous courtisent ma mère et pillent ma maison : elle, sans repousser un hymen qu'elle abhorre, n'ose pas en finir;

dieux! Toi, vieux frère, va-t'en informer au plus tôt la sage Pénélope : dis-lui que, sain et sauf, je rentre de Pylos, mais que je reste ici. Puis, tu nous reviendras, sans avoir prévenu personne d'autre qu'elle ; aucun des Achéens ne doit rien en savoir ; car ils sont trop de gens à machiner ma perte.

Mais toi, porcher Eumée, tu lui dis en réponse :

EUMÉE. – Je comprends : j'ai saisi ; j'avais prévu ton ordre. Mais, voyons! réponds-moi sans feinte, point par point : dois-je aller chez Laërte et, de ce même pas, lui porter la nouvelle? il est si malheureux!... C'est Ulysse autrefois qui le mettait en deuil : encor le voyait-on surveiller ses cultures ; chez lui, avec ses gens, quand le cœur lui disait, il mangeait et buvait. Mais, depuis qu'il te sait en route vers Pylos, on dit qu'il ne veut plus rien manger ni rien boire : sans regarder ses champs, il gémit, il sanglote, il reste à te pleurer, et déjà, sur ses os, on voit fondre les chairs.

Posément, Télémaque le regarda et dit :

TÉLÉMAQUE. – Tant pis!... mais, que veux-tu? quel qu'en soit mon chagrin, il nous faut le laisser! Si le ciel nous servait au gré de nos désirs, c'est d'abord pour mon père que je demanderais la journée du retour... Va porter mon message et nous reviens ici, sans aller chez Laërte à travers la campagne. Pourtant, dis à ma mère d'envoyer au plus vite, en secret, l'intendante ; cette femme pourrait avertir le vieillard.

Il dit : tout aussitôt, le porcher se leva et, prenant ses sandales, il les mit à ses pieds, puis s'en fut vers la ville.

on les voit aujourd'hui dévorer mon avoir, on les verra bientôt me déchirer moi-même.

A peine le porcher eut quitté la cabane qu'Athéna, qui l'avait guetté, se présenta. Elle avait pris ses traits de grande et belle femme, artiste en beaux ouvrages. En face de la porte, debout, elle apparut, mais aux seuls yeux d'Ulysse : Télémaque l'avait devant lui sans la voir [a]. Comme Ulysse, les chiens avaient vu la déesse : sans japper, mais grognants, ils s'enfuirent de peur dans un coin de la loge. La déesse avait fait un signe des sourcils. Ulysse, ayant compris [b], sortit devant la cour. La déesse lui dit :

ATHÉNA. – Fils de Laërte, écoute! ô rejeton des dieux, Ulysse aux mille ruses! il est temps de parler : ton fils doit tout savoir ; il vous faut combiner la mort des prétendants et prendre le chemin de ta fameuse ville ; vous m'aurez avec vous ; je serai là, tout près, ne rêvant que bataille.

A ces mots, le touchant de sa baguette d'or, Athéna lui remit d'abord sur la poitrine sa robe et son écharpe tout fraîchement lavée, puis lui rendit sa belle allure et sa jeunesse : sa peau redevint brune, et ses joues bien remplies ; sa barbe aux bleus reflets lui revint au menton ; le miracle achevé, Athéna disparut.

Quand Ulysse rentra dans la loge, son fils, plein de trouble et d'effroi, détourna les regards, craignant de voir un dieu, puis, élevant la voix, lui dit ces mots ailés :

TÉLÉMAQUE. – Quel changement, mon hôte!... à l'instant, je t'ai vu sous d'autres vêtements! et sous une autre peau! Serais-tu l'un des dieux, maîtres des

a. Vers 161 : tous les yeux ne voient pas apparaître les dieux.
b. Vers 165 : sortit du mégaron et, longeant le grand mur, il traversa la cour.

champs du ciel?... Du moins, sois-nous propice; prends en grâce les dons, victime ou vases d'or, que nous voulons t'offrir, et laisse-nous la vie!

Le héros d'endurance, Ulysse le divin, lui fit cette réponse :

ULYSSE. – Je ne suis pas un dieu! pourquoi me comparer à l'un des Immortels?... crois-moi : je suis ton père, celui qui t'a coûté tant de pleurs et d'angoisses et pour qui tu subis les assauts de ces gens!

Il disait et baisait son fils et, de ses joues, tombaient au sol les larmes qu'il avait bravement contenues jusque-là.

Mais sans admettre encor que ce fût bien son père, Télémaque à nouveau lui disait en réponse :

TÉLÉMAQUE. – Non, tu n'es pas mon père Ulysse! un dieu m'abuse, afin de redoubler mes pleurs et mes sanglots. Car un simple mortel ne peut trouver en soi le moyen d'opérer de pareils changements : il faut qu'un dieu l'assiste et le fasse, à son gré, ou jeune homme ou vieillard... Tu n'étais à l'instant qu'un vieux, couvert de loques : voici que tu parais semblable à l'un des dieux, maîtres des champs du ciel!

Ulysse l'avisé lui fit cette réponse :

ULYSSE. – La rentrée de ton père au logis, Télémaque, ne doit pas exciter ta surprise et ta crainte. Ici tu ne verras jamais un autre Ulysse : c'est moi qui suis ton père! Après tant de malheurs, après tant d'aventures, si, la vingtième année, je reviens au pays, c'est l'œuvre d'Athéna qui donne le butin. Oui! c'est elle qui peut, — et vouloir lui suffit, — me montrer tour à tour sous les traits d'un vieux pauvre et sous les beaux habits d'un homme jeune encore : il est facile aux dieux, maîtres des champs du ciel, de couvrir un mortel ou d'éclat ou d'opprobre!

A ces mots, il reprit sa place et Télémaque, tenant son noble père embrassé, gémissait et répandait des larmes!... Il leur prit à tous deux un besoin de sanglots. Ils pleuraient et leurs cris étaient plus déchirants que celui des orfraies, des vautours bien en griffes, auxquels des paysans ont ravi leurs petits avant le premier vol... C'était même pitié que leurs yeux pleins de larmes! et le soleil couchant eût encor vu leurs pleurs, si le fils n'eût soudain interrogé son père :

TÉLÉMAQUE. – Mais pour rentrer ici, mon père, en notre Ithaque, dis-moi sur quel vaisseau, quels marins t'avaient pris? et quel est le pays dont ils se réclamaient [a]?

Le héros d'endurance, Ulysse le divin, lui fit cette réponse :

ULYSSE [b]. – Je viens de Phéacie ; ce peuple d'armateurs fait métier de passer quiconque va chez eux. Pendant que je dormais, c'est un de leurs croiseurs qui m'apporta sur mer et me mit en Ithaque, avec le bronze, l'or, les vêtements tissés, tous les cadeaux de prix, dont ils m'avaient comblé et qui sont, grâce aux dieux, déposés dans la grotte. Les ordres d'Athéna m'ont fait venir ici, pour tramer avec toi la mort de nos rivaux... Mais, avant tout, dis-moi et leur nombre et leurs noms : que je sache combien ils sont et ce qu'ils valent; puis je réfléchirai en mon cœur valeureux et je déciderai si, tout seuls, nous pouvons les attaquer sans aide ou s'il nous faut aller chercher quelque renfort.

Posément, Télémaque le regarda et dit :

TÉLÉMAQUE. – Ah! mon père, j'avais entendu célé-

a. Vers 224 : car ce n'est pas à pied que tu nous viens, je pense.
b. Vers 226 : oui, mon fils, tu sauras toute la vérité.

brer ta prudence au conseil et ta force au combat Mais quel mot tu dis là! j'en ai comme un vertige!.. comment lutter à deux contre un nombre pareil? et de gens vigoureux! car, si les prétendants n'étaient en vérité qu'une dizaine ou deux! Mais ils sont tant et tant!... tu le verras toi-même aussitôt arrivé. [Tu veux savoir leur nombre? Doulichion leva cinquante-deux seigneurs, que suivent six valets; vingt-quatre de Samé; de Zante, une vingtaine, et tous, fils d'Achéens sans compter ceux d'Ithaque, douze de nos plus braves et le héraut Médon, et le divin aède, et deux autres servants pour trancher aux festins. Nous vois-tu nous heurter à toute cette bande, maîtresse du manoir? Ah! je crains que, d'un prix terriblement amer, tu n'aies en arrivant à payer ta vengeance... [1]] Mais voyons, réfléchis, n'as-tu pas d'allié qui, d'un cœur dévoué, pourrait nous secourir?

Le héros d'endurance, Ulysse le divin, lui fit cette réponse :

ULYSSE. – Je vais t'en nommer deux : écoute et me comprends! Suffirait-il de Zeus le père et d'Athéna? ou faudrait-il chercher un autre défenseur?

Posément, Télémaque le regarda et dit :

TÉLÉMAQUE. – Pour de bons alliés, ceux que tu dis le sont, bien qu'ils trônent un peu trop haut dans les nuées!... il est vrai qu'ils disposent des mortels et des dieux.

Le héros d'endurance, Ulysse le divin, lui fit cette réponse :

ULYSSE. – C'est eux qu'avant longtemps, au plus fort de la lutte, tu verras à l'ouvrage, lorsque, dans le manoir, les prétendants et nous n'aurons plus d'autre arbitre que la force d'Arès. Demain, tu t'en iras, dès la pointe du jour, retrouver au logis ces fous de prétendants ; un peu plus tard, Eumée me conduira en ville ; j'aurai repris les traits d'un vieux pauvre et mes loques. Quels que soient les affronts qu'au logis je rencontre, que ton cœur se résigne à me voir maltraité! Si même tu les vois me traîner par les pieds, à travers la grand-salle, et me mettre dehors ou me frapper de loin, laisse faire! regarde! ou, pour les détourner de leurs folies, n'emploie que les mots les plus doux ; ils te refuseront ; car pour eux, aura lui la journée du destin! Écoute un autre avis, et le mets [en ton cœur. Sur l'avis d'Athéna, la bonne conseillère, tu me verras te faire un signe de la tête ; dès que tu l'auras vu, ramasse, en la grand-salle, tous les engins de guerre qui s'y peuvent trouver, puis va les entasser au fond du haut trésor et si les prétendants en remarquent l'absence et veulent des raisons, paie-les de gentillesses ; dis-leur : « Je les ai mis à l'abri des fumées! Qui pourrait aujourd'hui reconnaître ces armes qu'à son départ pour Troie, Ulysse avait laissées ?- les vapeurs du foyer les ont mangées de rouille!... Et voici l'autre idée que Zeus m'a mise en tête : j'ai redouté surtout qu'un jour de beuverie, une rixe entre vous n'amenât des blessures et ne souillât ma table et vos projets d'hymen : de lui-même, le fer attire à lui son homme. » Tu laisseras pour nous deux piques, deux épées et deux écus en buffle à tenir à la main ; nous nous élancerons pour nous en emparer, quand Pallas Athéna et Zeus notre complice aveugleront nos gens. Écoute un autre avis, et le mets [1]] en ton cœur. Si c'est bien de mon sang, de moi, que tu naquis, personne n'entendra parler de ma présence : que Laërte l'ignore et le porcher aussi, et tous nos serviteurs, et même Pénélope. A nous seuls, toi et moi, nous devrons éprouver la droiture des femmes et nous devrons aussi, parmi nos domestiques, chercher qui nous respecte et nous craint en son âme ou qui, sans plus d'égards, méprisa ta détresse.

Son noble fils alors, en réponse, lui dit :

TÉLÉMAQUE. – Père, tu connaîtras mon âme par la suite : tu n'y trouveras pas, je crois, d'étourderie. Mais ce n'est pas ainsi que je vois pour nous deux le plus grand avantage. Calcule, je te prie : que de temps, que de pas à travers nos domaines, si tu veux éprouver chacun de nos bergers, cependant qu'au manoir, ces gens tout à loisir dévorent tes richesses en cette folle vie qui ne ménage rien!... Oh! les femmes, tu dois, je crois, t'en enquérir [a] ; mais les hommes, comment aller de loge en loge pour éprouver chacun?... Nous y verrons plus tard, sur un signe certain que le Zeus à l'égide aura pu t'envoyer.

Pendant qu'ils échangeaient ces paroles, voici qu'entrait au port d'Ithaque le solide navire, qui, de Pylos, avait ramené Télémaque et tous ses compagnons. Quand ils furent entrés jusqu'au fond de la rade, et qu'à la grève, on eut tiré le noir vaisseau [b], on emporta d'abord tout droit, chez Clytios, les présents magnifiques ; puis, au logis d'Ulysse, un héraut s'en alla prévenir Pénélope, la plus sage des femmes, que son fils Télémaque aux champs était resté, mais avait renvoyé le vaisseau vers la ville, qu'il ne fallait donc pas que la crainte et les larmes amollissent le cœur de la vaillante reine.

Or le divin porcher rencontra ce héraut, comme ils

a. Vers 317 : lesquelles t'ont manqué ; lesquelles sont fidèles.
b. Vers 326 : les servants empressés emportaient les agrès.

allaient tous deux porter le même avis chez la femme du maître. Mais, à peine entraient-ils chez le divin Ulysse, que le héraut criait devant toutes les femmes : « C'est fait, reine! ton fils est rentré de Pylos! », tandis que le porcher, allant à Pénélope, lui disait tout ce dont son fils l'avait chargé et, quand il eut fini de rendre son message, reprenait le chemin de ses porcs, en quittant la salle, puis l'enceinte.

Au cœur des prétendants, quel trouble consterné! Ils sortent de la salle et traversent la cour ; au-devant du grand mur, à l'entrée du portail, ils vont tenir séance et le premier qui prend la parole est le fils de Polybe, Eurymaque.

EURYMAQUE. – Mes amis! il est donc accompli, ce voyage! quel exploit d'insolence!... Nous l'avions interdit pourtant à Télémaque. Allons! vite, levons des rameurs du grand large et mettons-les en mer sur un vaisseau de choix ; que là-bas, au plus tôt, ils aillent avertir nos amis de rentrer.

Il n'avait pas fini de parler que, soudain Amphinomos, tournant la tête, apercevait un vaisseau qui rentrait jusqu'au fond de la rade et, les voiles carguées, se mettait à la rame.

Avec un bon sourire, il dit aux camarades :

AMPHINOMOS. – Nous n'avons plus besoin de leur donner l'avis! les voici dans le port!... l'ont-ils su par un dieu?... ont-ils vu de leurs yeux passer l'autre navire, mais sans pouvoir l'atteindre?

Il dit ; mais, se levant de leurs bancs, les rameurs avaient déjà pris pied sur la grève de mer et tiré prestement au sec le noir vaisseau ; les servants empressés emportaient les agrès, et les maîtres, en troupe, allaient à l'agora.

Tous témoins écartés, jeunes gens ou vieillards, Antinoos, le fils d'Euphitès, leur parla :

ANTINOOS. – Ah! misère! notre homme est sauvé par les dieux : il est hors de danger... Tout le jour, nos vigies allaient se relever dans le vent des falaises, et, le soleil couché, jamais nous ne passions la nuit sur le rivage ; mais, le navire en mer, jusqu'à l'aube divine, nous restions à croiser, à guetter Télémaque, pour nous saisir de lui et le faire mourir[1]! Puisqu'un dieu nous l'enlève et le ramène au port, nous voici réunis pour lui trouver enfin une mort sans douceur, car il faut en finir : croyez-moi, lui vivant, jamais nous ne viendrons à bout de notre affaire ; il est homme de sens, de conseil et d'adresse, et ce n'est plus à nous que va, — tout au contraire, — le dévouement du peuple... Allons! n'attendons pas qu'il ait à l'agora réuni l'assemblée de tous les Achéens. Il ne va pas, je crois, déposer sa colère. Vous verrez sa fureur, quand il se lèvera pour raconter au peuple la mort, que nous voulions, mais que nous n'avons pu déchaîner sur sa tête. Le peuple en l'écoutant va crier au forfait! mal pour mal, s'ils allaient nous décréter d'exil?... qui veut, loin du pays, aller à l'étranger?... Non! prenons les devants : aux champs, loin de la ville, ou le long de la route, faisons-le disparaître ; ses vivres et ses biens nous reviendront à nous, après un bon partage ; nous abandonnerons ses maisons à sa mère et à qui l'aura prise!... Mon avis vous déplaît? vous désirez qu'il vive et que son patrimoine entier lui soit acquis?... Alors ne restons plus à lui manger ici les biens qui font sa joie ; dispersons-nous, rentrons, chacun en son manoir d'où nos cadeaux viendront faire ici notre cour, et c'est le plus offrant ou l'élu du destin qui deviendra l'époux.

Il dit : tous se taisaient. Mais, après un silence, ce fut Amphinomos qui reprit la parole. Noble fils de Nisos, il avait eu le roi Arétès pour aïeul et, chef des prétendants qui, de Doulichion, l'île au froment, l'île aux grands prés, étaient venus, c'est lui dont les discours plaisaient à Pénélope : car il n'avait au cœur qu'honnêtes sentiments.

C'est pour le bien de tous qu'il prenait la parole :

AMPHINOMOS. – Pour l'instant, mes amis, je ne suis pas d'avis de tuer Télémaque : c'est grave d'attenter à la race des rois! il faudrait commencer par consulter les dieux. Si nous avons pour nous un arrêt du grand Zeus, c'est moi qui frapperai et, tous, vous me verrez vous inciter, vous autres! Si les dieux refusaient, je suis pour qu'on s'abstienne!

Il dit : tous d'approuver ces mots d'Amphinomos et, se levant en hâte, ils revinrent s'asseoir dans la maison d'Ulysse, sur les fauteuils polis.

[La sage Pénélope eut alors son dessein : devant les prétendants à l'audace effrénée, elle voulut paraître ; car le héraut Médon, qui savait leurs projets, venait de l'informer qu'au manoir on tramait la perte de son fils ; pénétrant dans la salle, avec ses chambrières, voici qu'elle arriva devant les prétendants, cette femme divine, et, debout au montant de l'épaisse embrasure, ramenant sur ses joues ses voiles éclatants, ce fut Antinoos qu'elle prit à partie :

PÉNÉLOPE. – Antinoos, cœur furieux, tisseur de maux, on a beau te vanter en ce pays d'Ithaque comme le plus sensé et le plus éloquent de tous ceux de ton âge : je ne te vois pas tel! pauvre fou, c'est donc toi qui veux à Télémaque ourdir mort et trépas! Tu ris des suppliants, dont Zeus est le témoin!... ourdir les maux d'autrui, n'est-ce pas sacrilège ? Ignores-tu qu'un jour ton père vint ici, fuyant devant le peuple et craignant leurs fureurs, quand, ligué avec les pirates de Taphos, il avait assailli nos amis les Thesprotes ? on demandait sa tête ; on voulait le tuer et dévorer ses biens dont tous avaient envie. Mais Ulysse intervint et brida leur colère... Aujourd'hui, sans payer, tu manges sa maison, tu courtises sa femme et veux tuer son fils ! Ah ! tu me fais horreur !... Il faut cesser, crois-moi, et ramener les autres.

Eurymaque, le fils de Polybe, intervint :

EURYMAQUE. – Que la fille d'Icare, la sage Pénélope, se rassure ! pourquoi te mettre en tels soucis ? Ne crains pas qu'il existe ou puisse jamais être, l'homme qui porterait la main sur Télémaque ! sur ton enfant ! jamais, tant que, les yeux ouverts, je serai de ce monde ! ou, — je te le promets et tu verras la chose, — le sang noir giclera autour de notre lance... Je n'ai pas oublié comment, sur ses genoux, le preneur d'Ilion, Ulysse m'asseyait, quand, mettant dans mes mains un morceau du rôti, il me donnait à boire un coup de son vin rouge. Aussi, pour Télémaque, ai-je plus d'amitié que pour homme qui vive ! Ce n'est pas de la main des prétendants, crois-moi, que lui viendra la mort ; mais nous ne pouvons rien contre la main des dieux.

Il ne parlait ainsi que pour la rassurer ; mais son cœur ne pensait qu'à perdre Télémaque. La reine regagna son étage brillant.

Elle y pleurait encore Ulysse, son époux, à l'heure où la déesse aux yeux pers, Athéna, lui versa sur les yeux le plus doux des sommeils [1].]

Or le divin porcher rentrait au soir tombant. Déjà, pour le souper, Télémaque et son père rôtissaient, tour à tour, le porcelet d'un an qu'ils avaient immolé. Athéna, revenue près du fils de Laërte, l'avait touché de sa baguette et, de nouveau, Ulysse n'était plus qu'un vieillard en haillons : la déesse avait craint que, face à face, Eumée ne reconnût le maître et ne pût s'empêcher d'avertir Pénélope.

Il entra. Le premier, Télémaque lui dit :

TÉLÉMAQUE. – C'est toi, divin Eumée ? en ville, que dit-on ?... Nos fougueux prétendants sont-ils enfin rentrés ? ou, toujours embusqués, me guettent-ils encor, même après mon retour ?

Mais toi, porcher Eumée, tu lui dis en réponse :

EUMÉE. – Ah ! j'avais bien souci de parler de cela ou de m'en enquérir !... En courant par la ville, je n'avais qu'un désir : revenir au plus tôt, mon message rendu. J'ai croisé le héraut, que tes gens envoyaient : c'est de ce messager rapide que ta mère a su d'abord la chose... J'ai pourtant mon idée : voici ce que j'ai vu. J'étais sur le chemin du retour, j'arrivais au-dessus de la ville, sur la butte d'Hermès, quand je vis un croiseur entrer dans notre port : il était plein de gens, chargé de boucliers, de lances à deux douilles ; je crois que c'était eux, mais ne sais rien de plus.

A ces mots du porcher, Sa Force et Sainteté Télémaque sourit, en regardant son père. Mais Eumée ne vit rien.

Les apprêts achevés et le souper servi, on mangea, tout aux joies de ce repas d'égaux, puis, ayant satisfait la soif et l'appétit, on parla de dormir et l'on s'en fut goûter les présents du sommeil.

A LA VILLE [1]

(CHANT XVII.) De son berceau de brume, à peine était sortie l'Aurore aux doigts de roses que le fils du divin Ulysse, Télémaque, après s'être chaussé de ses belles sandales, prenait sa forte lance pour se rendre à la ville et, l'ayant bien en main, disait à son porcher :

TÉLÉMAQUE. – Vieux frère, écoute-moi, je vais rentrer en ville me montrer à ma mère ; je la connais ; je sais que ses cris lamentables, ses sanglots et ses pleurs ne trouveront de fin qu'après m'avoir revu. Mais toi, voici mes ordres : pour mendier son pain, amène-nous là-bas notre pauvre étranger ; lui donne qui voudra ou la croûte ou la tasse ; j'ai déjà trop d'ennuis ; je ne puis me charger de tout le genre humain ; si notre hôte le prend en mal, tant pis pour lui! j'aime mon franc-parler.

Ulysse l'avisé lui fit cette réponse :

ULYSSE. – Ne va pas croire, ami, que j'aie si grande envie qu'on me garde céans [a] : penses-tu que je sois d'âge à rester aux loges pour obéir en tout aux ordres d'un patron? Non! non! tu peux partir : sitôt qu'un air de feu et le soleil venu m'auront ragaillardi, j'aurai, pour m'emmener, cet homme, — il a tes ordres, — car, avec ces haillons terriblement mauvais, la gelée du matin m'aurait vite abattu [2], et la ville n'est pas, disiez-vous, toute proche [3].

Il disait. Télémaque avait quitté la loge et, de son pas alerte, il s'en allait, plantant des maux aux prétendants.

a. Vers 18-19 : quand on mendie son pain, on trouve son dîner en ville mieux qu'aux champs ; me donne qui voudra!

Au grand corps du logis quand il fut arrivé, il s'en alla dresser la lance, qu'il portait, à la haute colonne, puis, entrant dans la salle, franchit le seuil de pierre. Bien avant tous les autres, la nourrice Euryclée, qui couvrait de toisons les fauteuils ouvragés, aperçut Télémaque, et ses larmes jaillirent. Elle vint droit à lui, et les autres servantes du valeureux Ulysse l'entouraient, le fêtaient, couvraient de leurs baisers sa tête et ses épaules.

Mais voici Pénélope, la plus sage des femmes, qui sortait de sa chambre : on eût dit Artémis ou l'Aphrodite d'or. Elle prit dans ses bras ton enfant et, pleurant, le baisant sur le front et sur ses deux beaux yeux, lui dit ces mots ailés à travers ses sanglots :

PÉNÉLOPE. – Te voilà, Télémaque! ô ma douce lumière! Ah! j'ai cru ne jamais te revoir quand j'ai su qu'embarqué en secret, contre ma volonté, tu partais pour Pylos t'informer de ton père! Allons! dis-moi, qu'as-tu rencontré! qu'as-tu vu?...

Posément Télémaque la regarda et dit :

TÉLÉMAQUE. – Ne me fais pas pleurer, ne trouble pas mon cœur, mère! puisque, sur moi, la mort n'est pas tombée. Mais baigne ton visage ; mets des habits sans tache [a] pour faire à tous les dieux le vœu d'une hécatombe, si Zeus prend quelque jour le soin de nous venger. Je vais à l'agora, j'y dois trouver un hôte qu'en rentrant de là-bas, je ramenais ici ; mais, sur mon ordre, avec mes compagnons divins, il a pris les devants ; j'ai dit à Piraeos de l'emmener chez lui et, jusqu'à mon retour, de le soigner en l'honorant comme un ami.

a. Vers 49 : et monte à ton étage avec tes chambrières.

Il disait : sans qu'un mot s'envolât de ses lèvres, Pénélope, baignant son visage, alla mettre des vêtements sans tache et faire à tous les dieux le vœu d'une hécatombe, si Zeus prenait un jour le soin de les venger.

Mais Télémaque était sorti de la grand-salle et, reprenant sa lance, emmenait avec lui deux de ses lévriers. Athéna le parait d'une grâce céleste. Vers lui, quand il entra, tous les yeux se tournèrent ; en groupe, autour de lui, les fougueux prétendants lui faisaient mille grâces, mais roulaient la traîtrise au gouffre de leurs cœurs.

Télémaque évita leur nombreuse cohue et s'en vint prendre place à l'endroit où siégeaient ensemble Halithersès, Antiphos et Mentor, que son père avait eus pour amis dès l'enfance.

Comme ils l'interrogeaient sur toutes les nouvelles, voici que Piraeos, à la lance fameuse, approchait : par la ville, il avait amené son hôte à l'agora. Sans tarder un instant, Télémaque s'en vint accueillir l'étranger.

Mais déjà Piraeos avait pris la parole :

PIRAEOS. – Télémaque, envoie-nous au plus tôt des servantes pour reprendre chez moi tous les cadeaux que tu reçus de Ménélas.

Posément, Télémaque le regarda et dit :

TÉLÉMAQUE. – Piraeos, attendons! je ne vois pas encor la fin de tout cela. Il se peut qu'au manoir, les fougueux prétendants me tuent en trahison et que mon patrimoine entier soit leur partage : plutôt qu'à l'un d'entre eux, j'aime mieux t'en laisser, à toi, la jouissance. Si c'est moi qui leur plante et le meurtre et la mort, nous aurons même joie, moi de les recevoir et toi de me les rendre.

Il dit et prit avec son hôte infortuné le chemin du manoir. Quand ils eurent atteint le grand corps du logis et laissé leurs manteaux aux sièges et fauteuils, ils allèrent au bain dans les cuves polies. Puis, baignés, frottés d'huile, par la main des servantes, et vêtus de la robe et du manteau de laine, au sortir des baignoires, ils prirent siège à table.

Vint une chambrière qui, portant une aiguière en or, et du plus beau, leur donnait à laver sur un bassin d'argent et dressait devant eux une table polie. Vint la digne intendante : elle apportait le pain et le mit devant eux, puis leur fit les honneurs de toutes ses réserves [1], tandis qu'en l'embrasure, en face de son fils, Pénélope, allongée sur son siège, tournait sa quenouille légère.

Vers les morceaux de choix préparés et servis, ils tendirent les mains.

Quand on eut satisfait la soif et l'appétit, la plus sage des femmes, Pénélope, reprit :

PÉNÉLOPE. – Télémaque, faut-il que, remontant chez moi, je m'étende en ce lit qu'emplissent mes sanglots et que trempent mes larmes, depuis le jour qu'Ulysse avec les fils d'Atrée partit vers Ilion ?... Veux-tu donc me laisser, — quand ici vont entrer les fougueux prétendants, — sans daigner me parler du retour de ton père ? En sais-tu quelque chose ?

Posément, Télémaque la regarda et dit :

TÉLÉMAQUE. – Non ! voici tout au long, mère, la vérité. Je m'en fus à Pylos où Nestor, le pasteur du peuple, me reçut en sa haute demeure et m'entoura de soins, comme un père accueillant un fils qui rentrerait après un an d'absence. C'est un pareil accueil que me fit le vieillard avec ses nobles fils. Du malheureux Ulysse, il ne put rien me dire, n'ayant jamais appris de personne en ce monde qu'il fût vivant ou mort. Mais

Nestor, me donnant ses chevaux et son char aux panneaux bien plaqués, m'envoya chez le fils d'Atrée, chez Ménélas à la lance fameuse... Et c'est là que j'ai vu Hélène l'Argienne, celle pour qui les gens et d'Argos et de Troie, sous le courroux des dieux, ont subi tant d'épreuves! Le premier mot de Ménélas le bon crieur fut pour me demander quel besoin m'amenait en sa Sparte divine; point par point, je lui dis toute la vérité, et voici quelle fut aussitôt sa réponse [a] : « Je vais répondre à tes prières et demandes, sans un mot qui t'égare ou te puisse abuser. Oui! tout ce que j'ai su par un Vieux de la mer au parler prophétique, le voici sans omettre et sans changer un mot : il m'a dit qu'il avait aperçu, dans une île, Ulysse tout en larmes, qu'en un manoir, là-bas, la nymphe Calypso le retient malgré lui et qu'il ne peut rentrer au pays de ses pères [b]. » Voilà ce que m'a dit l'Atride Ménélas à la lance fameuse. Ma tâche était remplie : je revins et le vent, que les dieux me donnèrent, me ramena tout droit à la terre natale.

Il dit, et Pénélope en était remuée jusqu'au fond de son cœur. Alors Théoclymène au visage de dieu :

a. Vers 124-137 : Misère! ah! C'est au lit du héros de vaillance que voudraient se coucher ces hommes sans vigueur! Quand le lion vaillant a quitté sa tanière, il se peut que la biche y vienne remiser les deux faons nouveau-nés qui la tètent encore, puis s'en aille brouter, par les pentes boisées, les combes verdoyantes : il rentre se coucher et leur donne à tous deux un destin sans douceur. C'est un pareil destin et sans plus de douceur qu'ils obtiendraient d'Ulysse, si demain, Zeus le Père! Athéna! Apollon! il pouvait revenir tel qu'aux murs de Lesbos, nous le vîmes un jour accepter le défi du fils de Philomèle et lutter avec lui et, de son bras robuste, le tomber pour la joie de tous nos Achéens!... Qu'il rentre cet Ulysse, parler aux prétendants : tous auront la vie courte et des noces amères [1]!

b. Vers 145-146 : n'ayant ni les vaisseaux à rames ni les hommes pour voguer sur le dos de la plaine marine.

THÉOCLYMÈNE. – Digne épouse du fils de Laërte, d'Ulysse, tu vois que Ménélas ne savait pas grand-chose ; mais retiens mon avis ; je prédis à coup sûr et ne te cache rien [a]. Sache qu'en sa patrie, Ulysse est revenu, qu'il y siège, y circule et, connaissant déjà leurs vilaines besognes, prépare un vilain sort à tous les prétendants... Voilà ce qu'est venu me révéler l'augure, ce que je révélai moi-même à Télémaque sur les bancs du vaisseau.

La plus sage des femmes, Pénélope, reprit :

PÉNÉLOPE. – Ah! puisse s'accomplir ta parole, ô mon hôte! tu trouverais chez moi une amitié si prompte et des dons si nombreux que chacun, à te voir, vanterait ton bonheur.

Pendant qu'ils échangeaient ces paroles entre eux, les prétendants, devant la grand-salle d'Ulysse, se jouaient à lancer disques et javelots sur la dure esplanade, théâtre coutumier de leur morgue insolente.

Vint l'heure du repas : on vit entrer les bêtes que, suivant la coutume, des bergers amenaient des champs, de toutes parts, et voici que Médon, leur héraut préféré, leur compagnon de table, disait aux prétendants :

MÉDON. – Si vos cœurs, jeunes gens, ont assez de la joute, rentrons dans le logis préparer le repas ; c'est un plaisir aussi que de dîner à l'heure.

Il dit et, se levant, ils acceptent l'invite. Une fois arrivés au grand corps du logis, ils s'en vont déposer sur les sièges et sur les fauteuils leurs manteaux [b],

a. Vers 155-156 : que Zeus m'en soit témoin, et tous les autres dieux et ta table, ô mon hôte, comme aussi ce foyer de l'éminent Ulysse où me voici rendu!

b. Vers 180 : ils abattent de grands moutons, des chèvres grasses.

abattent une vache amenée du troupeau, puis des porcs gras à lard, et le dîner s'apprête.

A la même heure, Ulysse et le divin porcher se préparaient, aux champs, pour venir à la ville.

Eumée, le commandeur des porchers, discourait :

EUMÉE. – Puisque c'est ton envie, mon hôte, de partir aujourd'hui, pour la ville, je m'en vais obéir aux ordres de mon maître. Tu sais que, volontiers, je t'aurais conservé pour garder notre loge. Mais lui, je le respecte!... et je craindrais qu'ensuite, il ne me querellât ; or reproches du maître ont toujours peu de charme... Mettons-nous en chemin : tu vois, le jour s'avance ; le soir, qui tôt viendra, pourrait bien être frais.

Ulysse l'avisé lui fit cette réponse :

ULYSSE. – Je comprends ; j'ai saisi ; j'avais prévu l'invite : en route! va devant! mène-moi jusqu'au bout!... Mais encore un cadeau : tu dois bien avoir là un bâton de coupé ; il me faut un appui ; vous disiez que la route est plutôt un glissoir.

Il disait, et tandis qu'il jetait sur son dos la sordide besace [a], le porcher lui donnait le bâton demandé

Et le couple partit, en laissant la cabane à la garde des chiens et des autres bergers. Le porcher conduisait à la ville son roi... : son roi, ce mendiant, ce vieillard lamentable! quel sceptre dans sa main! quels haillons sur sa peau!...

Ils atteignaient le bas de la côte escarpée ; ils approchaient du bourg et venaient de passer la source maçonnée, construite par Ithaque, Nérite et Polyktor, la source aux belles eaux où la ville s'abreuve [1]

a. Vers 198 : qui n'était que lambeaux, pendus à une corde

sous les peupliers d'eau, qui, d'un cercle complet, enferment la fontaine, ils voyaient du rocher tomber son onde fraîche, sous cet autel des Nymphes, où chacun en passant fait toujours quelque offrande. C'est là que Mélantheus, le fils de Dolios, les croisa sur la route [a]. Aussitôt qu'il les vit, il n'eut à leur adresse que paroles d'insulte violente et grossière; Ulysse en sursauta :

MÉLANTHEUS. – Voilà le roi des gueux qui mène un autre gueux! comme on voit que les dieux assortissent les paires!... Misérable porcher, où mènes-tu ce goinfre [b]? à combien de montants va-t-il monter la garde et s'user les épaules en quémandant, non des femmes, ni des chaudrons, mais seulement des croûtes?... Si tu me le donnais pour garder notre étable, balayer le fumier, faire aux chevreaux du vert! avec mon petit lait, il se ferait des cuisses... Mais il n'a jamais su que mauvaises besognes : il ne daignerait pas se donner à l'ouvrage! il préfère gueuser, quêter de porte en porte, emplir ce ventre, un gouffre!... Eh bien! je te préviens et tu verras la chose! qu'il entre seulement chez ton divin Ulysse! de la main des seigneurs, je vois les escabelles lui voler à la tête et lui polir les côtes! quels coups en notre salle!

Et passant, à ces mots, près d'Ulysse, ce fou lui détacha un coup de talon dans la hanche. Ulysse tint le coup sans lâcher le sentier; mais il se demanda si, d'un revers de trique, il n'allait pas l'abattre ou, l'enlevant du sol, l'assommer contre terre... Mais il se résigna et dompta son envie, et ce fut le porcher qui, les yeux

a. Vers 213-214 : pour le repas des prétendants, il amenait ses chèvres les plus belles; deux bergers le suivaient.

b. Vers 220 : l'odieux mendiant! ce fléau des festins.

dans les yeux, querella Mélantheus, puis, les mains vers le ciel, cria cette prière :

EUMÉE. – Nymphes de cette source, ô vous, filles de Zeus, si pour vous, quelquefois, Ulysse a fait brûler des cuisses de chevreaux ou d'agneaux, recouvertes d'un large champ de graisse, accordez à nos vœux que le maître revienne! que le ciel nous le rende!... il aura bientôt fait de rabattre la morgue et les airs insolents, que tu vas, chaque jour, promener à la ville, en laissant ton troupeau aux pires des bergers!

Le maître-chevrier, Mélantheus, répliqua :

MÉLANTHEUS. – Ah! misère! que dit ce chien qui sent la rage?... Quelque jour, sous les bancs d'un noir vaisseau, j'irai te vendre loin d'Ithaque! et je ferai fortune!... Et quant au fils d'Ulysse, ah! si dès aujourd'hui le dieu à l'arc d'argent, Apollon, pouvait donc venir en plein manoir l'abattre ou le livrer aux coups des prétendants, aussi vrai que le père a perdu, loin de nous, la journée du retour!

Il dit et, les laissant marcher d'un train plus lent, il s'en fut à grands pas vers le manoir du maître. Il entra dans la salle : parmi les prétendants, en face d'Eurymaque, — c'était son grand ami, — il s'en vint prendre place ; devant lui, les servants mirent sa part des viandes ; puis, la digne intendante lui présenta le pain.

Or, devant le manoir, Ulysse et le divin porcher avaient fait halte ; autour d'eux, bourdonnait un bruit de lyre creuse ; car Phémios, avant de chanter, préludait.

Ulysse prit la main du porcher et lui dit :

ULYSSE. – Eumée, ce beau manoir, c'est bien celui

d'Ulysse?... Il est facile à reconnaître entre cent autres. On le distingue à l'œil : quelle enceinte à la cour! quel mur et quelle frise! et ce portail à deux barres, quelle défense! je ne sais pas d'humain qui puisse le forcer. Là-dedans, j'imagine, un festin est servi à de nombreux convives : sens-tu l'odeur des graisses?... entends-tu la cithare, que les dieux ont donnée pour compagne au festin?

Mais toi, porcher Eumée, tu lui dis en réponse :

EUMÉE. – Tu l'as bien reconnu ; en ceci comme en tout, non! tu n'as rien d'un sot!... Mais discutons un peu ce que nous allons faire : entres-tu le premier dans les corps du logis, au milieu de ces gens? je resterai derrière... Aimes-tu mieux rester et que j'aille devant?... Alors ne traîne pas! si l'on te voit dehors, c'est les coups ou la chasse... Décide, je te prie.

Le héros d'endurance, Ulysse le divin, lui fit cette réponse :

ULYSSE. – Je comprends ; j'ai saisi ; j'avais prévu l'invite. Prends les devants ; c'est moi qui resterai derrière : qu'importent les volées et les coups? j'y suis fait [: mon cœur est endurant ; j'ai déjà tant souffert au combat ou sur mer ; s'il me faut un surcroît de peines, qu'il me vienne! Il faut bien obéir à ce ventre odieux, qui nous vaut tant de maux! c'est lui qui fait partir et vaisseaux et rameurs, pour piller l'ennemi sur la mer inféconde].

Pendant qu'ils échangeaient ces paroles entre eux, un chien couché leva la tête et les oreilles ; c'était Argos, le chien que le vaillant Ulysse achevait d'élever, quand il fallut partir vers la sainte Ilion, sans en avoir joui. Avec les jeunes gens, Argos avait vécu, courant le cerf, le lièvre et les chèvres sauvages. Négligé maintenant, en l'absence du maître, il gisait, étendu au-devant du portail, sur le tas de fumier des mulets et des bœufs où les servants d'Ulysse venaient prendre de quoi fumer le grand domaine ; c'est là qu'Argos était couché, couvert de poux. Il reconnut Ulysse en l'homme qui venait et, remuant la queue, coucha les deux oreilles : la force lui manqua pour s'approcher du maître.

Ulysse l'avait vu : il détourna la tête en essuyant un pleur, et, pour mieux se cacher d'Eumée, qui ne vit rien, il se hâta de dire :

ULYSSE. – Eumée!... l'étrange chien couché sur ce fumier! il est de belle race ; mais on ne peut plus voir si sa vitesse à courre égalait sa beauté ; peut-être n'était-il qu'un de ces chiens de table, auxquels les soins des rois ne vont que pour la montre.

Mais toi, porcher Eumée, tu lui dis en réponse :

EUMÉE. – C'est le chien de ce maître qui mourut loin de nous : si tu pouvais le voir encore actif et beau, tel qu'Ulysse, en partant pour Troie, nous le laissa! tu vanterais bientôt sa vitesse et sa force! Au plus profond des bois, dès qu'il voyait les fauves, pas un ne réchappait! pas de meilleur limier! Mais le voilà perclus! son maître a disparu loin du pays natal ; les femmes n'ont plus soin de lui ; on le néglige... Sitôt qu'ils ne sont plus sous la poigne du maître, les serviteurs n'ont plus grand zèle à la besogne ; le Zeus à la grand-voix prive un homme de la moitié de sa valeur, lorsqu'il abat sur lui le joug de l'esclavage.

A ces mots, il entra au grand corps du logis, et, droit à la grand-salle, il s'en fut retrouver les nobles prétendants. Mais Argos n'était plus : les ombres de la mort avaient couvert ses yeux qui venaient de revoir Ulysse après vingt ans.

Bien avant tous les autres, quelqu'un vit le porcher entrer au mégaron, et ce fut Télémaque au visage de dieu, qui, d'un signe de tête, aussitôt l'appela. Eumée, cherchant des yeux, vint prendre l'escabelle aux brillantes couleurs, où, d'ordinaire, était assis le grand tranchant, qui taillait et coupait les parts des prétendants attablés dans la salle. Eumée, portant ce siège, alla se mettre à table en face de son maître ; quand il se fut assis, le héraut lui servit sa part avec le pain, qu'il prit dans la corbeille.

Mais voici qu'après lui, Ulysse était entré [a] : restant au seuil poli, il s'assit dans la porte [b] [1].

Télémaque appela le porcher et lui dit (il avait pris, dans la plus belle des corbeilles, un gros morceau de pain, avec autant de viande que ses deux mains, en coupe, en pouvaient contenir) :

TÉLÉMAQUE. – Va porter à notre hôte et dis-lui qu'il s'en vienne quêter, de table en table, à chaque prétendant ; car réserve ne sied aux gens dans la misère.

Il dit et le porcher eut à peine entendu que, s'en allant trouver Ulysse, il lui disait ces paroles ailées :

EUMÉE. – Voici ce que t'envoie Télémaque, ô mon hôte ; mais il t'invite aussi à quêter dans la salle à tous les prétendants, car réserve, dit-il ne sied aux miséreux.

Ulysse l'avisé lui fit cette réponse :

ULYSSE. – Zeus le roi ! je t'en prie ! rends heureux

a. Vers 337-338 : sous les traits d'un vieillard, d'un triste mendiant ! quel sceptre dans sa main ! quels haillons sur sa peau !

b. Vers 340-341 : au seuil en bois de frêne, en appuyant son dos au montant de cyprès que l'artisan, jadis, en maître avait poli et dressé au cordeau.

Télémaque entre tous les humains, et que le plein succès comble tous ses désirs!

Il dit et, des deux mains, prit le pain et la viande qu'à ses pieds, il posa sur l'immonde besace, puis se mit à manger, cependant que chantait l'aède en la grand-salle ; ils finirent ensemble, Ulysse de dîner, l'aède de chanter. Les prétendants faisaient vacarme en la grand-salle : Athéna vint alors dire au fils de Laërte de mendier les croûtes auprès des prétendants, pour connaître les gens de cœur et les impies ; mais aucun ne devait échapper à la mort.

Ulysse alors, de gauche à droite, s'en alla près de chaque convive, tendant partout la main, comme si, de sa vie, il n'eût que mendié. Par pitié, l'on donnait ; mais, surpris à sa vue, les prétendants entre eux se demandaient son nom et d'où venait cet homme. Le maître-chevrier, Mélantheus, leur disait :

MÉLANTHEUS. – Deux mots, ô prétendants de la plus noble reine! l'étranger que voilà, je l'ai vu ce matin qui s'en venait ici, conduit par le porcher ; mais j'ignore son nom et sa noble origine.

Il dit ; Antinoos fit querelle au porcher :

ANTINOOS. – Porcher, te voilà bien ; amener ça en ville! Voyons!... Nous n'avions pas assez de vagabonds, d'odieux quémandeurs, fléaux de nos festins!... Tu n'es pas satisfait encor de l'assemblée, qui déjà mange ici les vivres de ton maître! Il te fallait encore inviter celui-là!

Mais toi, porcher Eumée, tu lui dis en réponse :

EUMÉE. – Ce sont, Antinoos, vilains mots pour un noble! Quels hôtes s'en va-t-on querir à l'étranger? ceux qui peuvent remplir un service public, devins et médecins et dresseurs de charpentes ou chantre aimé du ciel, qui charme les oreilles! voilà ceux que l'on fait venir du bout du monde [1]! Mais s'en aller chercher un gueux qui vous dévore? Mais nous te connaissons; aucun des prétendants n'est d'humeur plus hargneuse envers les gens d'Ulysse et surtout envers moi... Oh! je m'en soucie peu, tant qu'au manoir survit la sage Pénélope, ainsi que Télémaque au visage de dieu!

Posément, Télémaque le regarda et dit :

TÉLÉMAQUE. – Silence!... et ne dis plus un seul mot à cet homme! Tu sais qu'Antinoos est toujours querelleur, et ses aigres propos excitent tous les autres.

Et, pour Antinoos, il dit ces mots ailés :

TÉLÉMAQUE. – Antinoos, je sais que ton cœur n'a pour moi que paternels soucis. Tu veux que je renvoie cet hôte de ma salle, sans ménager les mots. Ah! que le ciel m'en garde! Non! prends et donne-lui, sans craindre mes reproches; oui! c'est moi qui t'en prie [a]... Mais voilà des pensées inconnues à ton cœur. Il te plaît de manger, mais non d'offrir aux autres!

Antinoos alors, de répondre et de dire :

ANTINOOS. – Quel discours, Télémaque! ah! prêcheur d'agora à la tête emportée!... Que chaque prétendant lui donne autant que moi! et pour trois mois entiers, il videra ces lieux.

[Il dit et, sous la table, il prit le tabouret où, pendant le festin, posaient ses pieds brillants. Il le brandit. Ulysse avait déjà reçu les dons de tous les autres : de viandes et de pain, sa besace était pleine; il revenait au seuil et s'en allait goûter aux dons des Achéens. Auprès d'Antinoos, il était arrivé [2]; il s'adressait à lui :

a. Vers 401-402 : va! ne crains ni ma mère ni l'un des serviteurs qui sont dans le manoir de ce divin Ulysse.

ULYSSE. – Donne, ami!... Tu n'es pas, parmi ces Achéens, le moins noble, je pense! à ta mine de roi, tu me sembles leur chef! Il faut donc te montrer plus généreux qu'eux tous : un beau morceau de pain! et, jusqu'au bout du monde, j'irai te célébrant... Il fut un temps aussi où j'avais ma maison, où les hommes vantaient mon heureuse opulence : que de fois j'ai donné à de pauvres errants, sans demander leur nom, sans voir que leurs besoins! Car j'avais, par milliers, serviteurs et le reste, ce qui fait la vie large et le renom des riches. Mais le fils de Cronos, — sa volonté soit faite! — Zeus m'a tout enlevé. C'est lui qui, pour me perdre, un jour me fit aller dans l'Égyptos avec mes rouleurs de corsaires! ah! la route sans fin [a] [1]!... Une fois arrivés, j'ordonne à tous mes braves de rester à leurs bords, pour garder les navires, tandis que j'envoyais des vigies sur les guettes. Mais, cédant à leur fougue et suivant leur envie, les voilà qui se ruent sur les champs merveilleux de ce peuple d'Égypte, les pillant, massacrant les hommes, ramenant les enfants et les femmes. Le cri ne tarde pas d'en venir à la ville : dès la pointe de l'aube, accourus à la voix, piétons et gens de chars emplissent la campagne de bronze scintillant. Zeus, le joueur de foudre, nous jette la panique, et pas un de mes gens n'a le cœur de tenir en regardant en face : nous étions, il est vrai, dans un cercle de mort ; j'en vois périr beaucoup sous la pointe du bronze ; pour le travail forcé, on emmène le reste.

» Et moi je connus Chypre : un étranger passait ; on fit cadeau de moi à ce fils d'Iasos, Dmétor, dont la puissance était grande sur Chypre... C'est de là que j'arrive à travers mille maux [2]. »

a. Vers 427 : dans le fleuve Égyptos, je mouille mes vaisseaux.

Antinoos alors, de répondre et de dire :

Antinoos. – Pour gâter nos festins, quel dieu nous amena le fléau que voilà ?... Au large !... halte-là ! ne viens pas à ma table ! ou tu vas à l'instant retrouver les douceurs de l'Égypte et de Chypre !... Quel front ! quelle impudeur !... Tu oses mendier ! tu fais le tour et viens solliciter chacun ! Ah ! ils ont la main large : avec le bien d'autrui, ils ne regardent guère et n'ont pas de pitié ; chacun d'eux n'a qu'à prendre !

Ulysse l'avisé s'éloigna, mais lui dit :

Ulysse. – Misère !... ah ! tu n'as pas le cœur de ton visage ! En ta propre maison, qu'on aille t'implorer, tu ne donneras rien ! rien, pas même le sel, ô toi qui, maintenant, à la table d'autrui, me refuses le pain, quand tu n'as qu'à le prendre à ce tas, devant toi !

Il dit. Antinoos redoubla de colère et, le toisant, lui dit ces paroles ailées :

Antinoos. – Attends ! de cette salle, tu ne vas pas sortir en bel état, je pense ! Ah ! tu viens m'insulter !...]

Il dit et, saisissant un tabouret, le lance. Tout au haut de l'échine, en pleine épaule droite, Ulysse fut atteint. Mais, ferme comme un roc, il resta sans broncher sous le coup, sans mot dire, en hochant de la tête et roulant la vengeance au gouffre de son cœur.

[Il s'en revint au seuil. Il s'assit, déposa sa besace remplie et dit aux prétendants :

Ulysse. – Deux mots, ô prétendants de la plus noble reine ! Voici ce que mon cœur me dicte en ma poitrine. On peut n'avoir au cœur ni chagrin ni regret, quand on reçoit des coups en défendant ses biens, ses bœufs, ses blancs moutons. Mais ce qui m'a valu les coups d'Antinoos, c'est ce ventre odieux, ce ventre misérable, qui nous vaut tant de maux!... Si, pour le pauvre aussi, il est de par le monde des dieux, des Érinnyes, qu'avant son mariage Antinoos arrive au terme de la mort!

Antinoos, le fils d'Eupithès, répliqua :

ANTINOOS. – Va t'asseoir, l'étranger! mange et tiens-toi tranquille! ou cherche un autre gîte!... Mais pour ces beaux discours, crains que nos jeunes gens ne te traînent dehors par le pied ou le bras ; ils te mettraient à vif!

Il dit ; mais le courroux des autres éclatait ; on entendit la voix d'un de ces jeunes fats :

LE CHŒUR. – Antinoos, frapper un pauvre vagabond! insensé, quelle honte!... si c'était par hasard quelqu'un des dieux du ciel!... Les dieux prennent les traits de lointains étrangers et, sous toutes les formes, s'en vont de ville en ville inspecter les vertus des humains et leurs crimes.

Les prétendants parlaient ; l'autre n'en avait cure, et le chagrin croissait au cœur de Télémaque à voir frapper son père ; mais, sans laisser tomber de ses yeux une larme, il secouait la tête et roulait la vengeance au gouffre de son cœur.]

Mais lorsque Pénélope, la plus sage des femmes, apprit qu'en la grand-salle, un hôte était frappé, elle dit à ses femmes :

PÉNÉLOPE. – Ah! de son arc d'argent, qu'Apollon le lui rende!

Et l'intendante Eurynomé, de lui répondre :

EURYNOMÉ. – Si quelque effet suivait nos malédictions, pas un de ces gens-là ne reverrait monter l'Aurore sur son trône.

La plus sage des femmes, Pénélope, reprit :

PÉNÉLOPE. – Tous, avec leurs complots sont odieux, nourrice! Mais cet Antinoos a la noirceur des Parques. Dans la grand-salle, un pauvre étranger fait la quête, de convive en convive, l'indigence l'amène. Les autres remplissaient, de leurs dons, sa besace ; mais c'est un tabouret qu'Antinoos lui lance en pleine épaule droite.

C'est ainsi qu'en sa chambre assise, Pénélope parlait à ses servantes ; mais le divin Ulysse reprenait son dîner.

La reine fit venir le porcher et lui dit :

PÉNÉLOPE. – Va donc, divin Eumée, inviter l'étranger ; qu'il vienne! je voudrais converser avec lui, l'interroger ; peut-être a-t-il quelque nouvelle du malheureux Ulysse ; peut-être l'a-t-il vu de ses yeux : il paraît avoir roulé le monde.

Mais toi, porcher Eumée, tu lui dis en réponse :

EUMÉE. – Ah! si nos Achéens, reine, voulaient se taire! ses façons de parler te charmeraient le cœur! Je l'ai gardé trois jours et trois nuits dans ma loge, car c'est chez moi qu'il vint, en fuyant d'un vaisseau ; trois jours, il me parla, sans pouvoir achever le récit de ses peines... As-tu vu le public regarder vers l'aède, inspiré par les dieux pour la joie des mortels? Tant qu'il chante, on ne veut que l'entendre et toujours! C'est un pareil charmeur qu'il fut en mon manoir. Ulysse est, m'a-t-il dit, son hôte de famille. Il habitait en Crète au pays de Minos : c'est de là qu'il nous vient, roulé, de flots en flots, à travers tous les maux. Il jure que, d'Ulysse, on lui parla non loin d'ici, chez les Thesprotes, que, dans ce bon pays, notre maître est vivant et qu'il va nous rentrer, tout chargé de richesses.

La plus sage des femmes, Pénélope, reprit :

PÉNÉLOPE. – Va donc et me l'amène! face à face, je veux qu'en personne il me parle ; assis devant la porte ou restés dans la salle, qu'ils s'amusent, nos gens : ils ont le cœur léger! Leurs biens restent intacts! chez eux, ils les entassent! leur pain, leur vin ne sert qu'à quelques serviteurs ; mais chez nous ils accourent et passent leurs journées à nous tuer bœufs et moutons et chèvres grasses, à boire, en leurs festins, nos vins aux sombres feux ; et l'on gâche, et c'est fait du meilleur de nos biens! et pas un homme ici pour remplacer Ulysse et défendre ce toit!... S'il revenait, Ulysse!... s'il rentrait au pays et retrouvait son fils!... ces gens auraient bientôt le paiement de leurs crimes!

Sur ces mots, Télémaque éternua si fort que les murs, d'un écho terrible, retentirent. Pénélope, en riant, se tourna vers Eumée et lui dit aussitôt ces paroles ailées :

PÉNÉLOPE. – Allons! va nous chercher cet hôte! qu'on le voie! N'as-tu pas entendu mon fils éternuer à toutes mes paroles? ah! si c'était la mort promise aux prétendants [a]! Encore un autre avis ; mets-le bien en ton cœur : si je trouve qu'en tout, il dit la vérité, je lui donne les habits neufs, robe et manteau.

Elle dit : le porcher eut à peine entendu que, rentrant dans la salle et s'approchant d'Ulysse, il dit ces mots ailés :

EUMÉE. – O père l'étranger, la plus sage des femmes, Pénélope, t'appelle. Mère de Télémaque, elle vit dans l'angoisse ; mais son cœur aujourd'hui l'engage à s'en-

a. Vers 547 : pas un n'évitera le trépas et les Parques.

quérir du sort de son époux!... si c'est la vérité, qu'elle voit en tes dires, elle t'habillera de neuf, robe et manteau [, qui te manquent si fort, et mendiant ton pain à travers le pays, tu rempliras ta panse ; te donne qui voudra].

Le héros d'endurance, Ulysse le divin, lui fit cette réponse :

ULYSSE. – Je ne demande, Eumée, qu'à dire tout de suite à la fille d'Icare, la sage Pénélope, toute la vérité : je puis parler de lui! car nous avons passé par les mêmes misères! Mais je crains la cohue et l'humeur de ces gens [a]. A l'instant, tu l'as vu, quel mal avais-je fait en parcourant la salle? Cet homme m'a frappé, blessé cruellement, sans que ni Télémaque intervînt ni personne. C'est pourquoi, maintenant, quel que soit son désir, va prier Pénélope d'attendre là-dedans, jusqu'au soleil couché : alors je répondrai à toutes ses demandes sur son époux et la journée de son retour, pourvu qu'auprès du feu, elle me donne place : je suis si mal vêtu!... Mais tu le sais toi-même ; n'es-tu pas le premier chez qui j'ai mendié?

Il disait : le porcher eut à peine entendu qu'il revint chez la reine.

Quand il parut au seuil, Pénélope lui dit :

PÉNÉLOPE. – Eumée! tu viens sans lui?... que veut ce mendiant? qui lui fait si grand-peur? est-ce timidité d'entrer en ce logis?... Timide mendiant! voilà qui ne va guère!

Mais toi, porcher Eumée, tu lui dis en réponse :

EUMÉE. – Il parle sagement, et tout autre en sa place craindrait des prétendants la morgue et les excès.

a. Vers 565 : leur audace et leurs crimes vont jusqu'au ciel de fer.

Jusqu'au soleil couché, il te prie de l'attendre, et pour toi-même, ô reine, ce sera mieux ainsi : tu pourras, seule à seul, lui parler et l'entendre.

La plus sage des femmes, Pénélope, reprit :

PÉNÉLOPE. – Cet hôte n'est pas sot : il a deviné juste ; jamais pareils bandits n'ont au monde tramé plus infâmes complots.

La reine avait parlé, et le divin porcher, n'ayant plus rien à dire, s'en retournait à l'assemblée des prétendants. Il vint à Télémaque et, front penché pour n'être entendu d'aucun autre, il lui dit aussitôt ces paroles ailées :

EUMÉE. – Ami, je vais rentrer : j'ai là-bas mes cochons et nos biens à garder, ton avoir et le mien... Ici, prends soin de tout, de ton salut d'abord! songe bien à tes risques! tant d'Achéens t'en veulent!... Zeus les anéantisse avant qu'ils ne nous perdent!

Posément, Télémaque le regarda et dit :

TÉLÉMAQUE. – Tout ira bien, vieux frère! Va-t'en! voici le soir! mais ramène demain quelques belles victimes... Ici, les dieux et moi, nous veillerons à tout.

Il disait. Mais Eumée, sur l'escabeau luisant, s'était remis à table. Quand il eut son content de manger et de boire, il se mit en chemin pour rejoindre ses porcs et, la salle quittée, il sortit de l'enceinte, laissant là les convives, qui faisaient leur plaisir de la danse et du chant, car déjà la journée se hâtait vers le soir. (Bientôt, chacun s'en fut dormir en son logis).

LE PUGILAT [1]

(CHANT XVIII.) [Survint un mendiant, le gueux de la commune, qui s'en allait de porte en porte par la

ville. Tout Ithaque admirait le gouffre de sa panse, où sans cesse tombaient mangeailles et boissons. Sans force ni vigueur, mais de très grande taille et de belle apparence, il s'appelait Arnée ; sa vénérable mère, au jour de sa naissance, l'avait ainsi nommé ; mais tous les jeunes gens le surnommaient Iros : il était leur Iris, porteur de tous messages.

Il entra et voulut chasser de sa maison Ulysse, en l'insultant avec ces mots ailés :

IROS. – Vieillard, quitte le seuil! ou je vais, par le pied, t'en tirer au plus vite! Regarde-les donc tous : de l'œil, ils me font signe de te mettre dehors! Mais moi, j'aurais trop honte. Allons! vite, debout! qu'entre nous, la dispute n'aille pas jusqu'aux mains.

Ulysse l'avisé le toisa et lui dit :

ULYSSE. – Malheureux! contre toi qu'ai-je dit, qu'ai-je fait? ai-je empêché quelqu'un de te donner, à toi, tout ce qu'il voudra prendre?... Sur le seuil, on tient deux!... Ne fais pas le jaloux : ce n'est pas toi qui paies!... Tu me sembles un frère en l'art de gueuserie : que les dieux entre nous répartissent la chance! Mais, bas les mains! tu sais! ne me provoque pas! ou gare à ma colère! Tout vieux que tu me vois, je te mettrais en sang les côtes et les lèvres, et j'aurais pour demain la paix, la grande paix!... Car, jamais, j'en suis sûr, tu ne reviendrais plus en ce manoir d'Ulysse, chez ce fils de Laërte!

Plein de colère, Iros le gueux lui répondit :

IROS. – Misère! ah! quel discours ce goinfre nous dégoise, comme une vieille femme au coin de son foyer! Gare aux coups! Je m'en vais travailler des deux mains pour lui faire cracher toutes ses dents à terre, comme on fait d'une truie qui fouge dans les blés!... Troussetoi! c'est l'instant! car voici nos arbitres : au combat! qu'on te voie lutter contre un cadet!

Sur le seuil reluisant, devant les hautes portes, ils mettaient tout leur cœur à s'exciter ainsi.

Sitôt qu'Antinoos, Sa Force et Sainteté, aperçut la dispute, il dit aux prétendants, avec un joyeux rire :

ANTINOOS. – Mes amis, quelle aubaine! jamais encore les dieux n'ont, en cette maison, tant fait pour notre joie! Iros et l'étranger se sont pris de querelle ; ils veulent s'empoigner : mettons-les vite aux mains!

Il disait et, d'un bond, tous, en riant, se lèvent pour faire cercle autour de nos deux loqueteux, et le fils d'Eupithès, Antinoos, leur dit :

ANTINOOS. – Valeureux prétendants, j'ai deux mots à vous dire! Nous avons sur le feu, pour le repas du soir, ces estomacs de chèvres que nous avons bourrés de graisses et de sang [1] ; pour prix de son exploit, le vainqueur choisira quelqu'un de ces boudins et s'en ira le prendre! et trouvant désormais place à tous nos festins, il sera notre pauvre ; à tout autre que lui, nous fermerons la porte!

A ce discours d'Antinoos, tous d'applaudir. Mais, ayant ruse en tête, notre Ulysse avisé reprenait la parole :

ULYSSE. – Mes amis, avez-vous jamais vu mettre aux prises un jeune avec un vieux, épuisé de misère?... Puisqu'il faut obéir à ce bandit de ventre et me prêter aux coups, du moins jurez-moi tous le plus fort des serments que, pour aider Iros, personne n'abattra sur moi sa lourde main! j'en serais accablé.

Il dit. On lui prêta le serment demandé. Quand on eut prononcé et scellé le serment, Sa Force et Sainteté Télémaque reprit :

TÉLÉMAQUE. – Étranger, si ton cœur et ton âme vaillante te pressent d'accepter le combat, sois sans crainte! aucun des Achéens n'oserait te frapper! Tous seraient contre lui, moi d'abord, qui reçois ici, et leurs deux rois, Eurymaque et Antinoos, gens de droiture, qui, tous les deux, m'approuvent.

Il dit ; tous, d'applaudir. Sur sa virilité, troussant alors ses loques, Ulysse leur montra ses grandes belles cuisses ; puis ses larges épaules et sa poitrine et ses bras musclés apparurent. Athéna, accourue, infusait la vigueur à ce pasteur du peuple ; chez tous les prétendants, la surprise éclata ; se tournant l'un vers l'autre ils se disaient entre eux :

LE CHŒUR. – Avant peu notre Iros, pauvre Iris déclassée, aura le mal qu'il cherche! Quelles cuisses le vieux nous sort de ses haillons!

Ils disaient ; mais Iros sentait son cœur à mal. Déjà les serviteurs l'avaient troussé de force et l'amenaient tremblant : sur ses membres, la chair n'était plus que frissons.

Aussi, le gourmandant, Antinoos lui dit :

ANTINOOS. – Ah! taureau fanfaron! il vaudrait mieux pour toi ne pas être vivant, ne jamais être né que frissonner ainsi, d'une crainte effroyable, devant un vieux qu'épuise une vie de misères! Mais moi, je te préviens et tu verras la chose! s'il est victorieux, si tu te laisses battre, je t'envoie à la côte, au fond d'un noir vaisseau, chez le roi Échétos, fléau du genre humain! d'un bronze sans pitié, il te tailladera le nez et les oreilles, t'arrachera le membre, pour le jeter tout cru, en curée, à ses chiens.

Mais, pendant qu'il parlait, le frisson redoublait sur les membres d'Iros qu'on poussait dans le cercle.

Ils se mirent en garde et le divin Ulysse, le héros d'endurance, un instant hésita : allait-il l'assommer, l'étendre mort du coup ? ou, le poussant plus doucement, le jeter bas ? Tout compte fait, il vit encor son avantage à frapper doucement pour ne pas se trahir aux yeux des Achéens.

Les bras se détendirent : Ulysse fut atteint en pleine épaule droite ; mais son poing se logea dans le cou, sous l'oreille ; on entendit craquer les os dans le gosier ; de la bouche d'Iros, un flot rouge jaillit : en mugissant, il s'effondra dans la poussière, grinçant des dents, tapant la terre des talons ; et, les deux bras au ciel, ils se mouraient de rire, les nobles prétendants ! Puis Ulysse le prit par un pied, le traîna hors du seuil, dans la cour, jusqu'aux premières portes ; au-delà de l'entrée, il l'assit, appuyé contre le mur d'enceinte, son bâton dans les bras, et lui dit, élevant la voix, ces mots ailés :

ULYSSE. – Reste ici désormais ; écarte de l'entrée les pourceaux et les chiens ; mais ne régente plus les hôtes et les pauvres, sinon, malheur plus grand pourrait bien s'ajouter à tes maux d'aujourd'hui.

A ces mots, il lui mit en travers des épaules son immonde besace [a], puis il vint se rasseoir au seuil de la grand-salle, et les autres rentraient avec de joyeux rires, et le félicitant :

LE CHŒUR. – Ah ! que Zeus, étranger, et tous les Immortels comblent tous les désirs que peut former ton cœur ! Grâce à toi, nous voilà délivrés de ce gouffre : il ne mendiera plus [b].

Ils disaient, et leurs vœux faisaient la joie d'Ulysse.

a. Vers 109 : qui n'était que lambeaux, pendus à une corde.

b. Vers 115-116 : dans le peuple, et bientôt nous allons l'envoyer à la côte, chez le roi Échétos, fléau du genre humain !

Pendant qu'Antinoos lui servait le plus gros des estomacs bourrés de graisses et de sang, Amphinomos choisit deux pains dans sa corbeille et les lui vint offrir avec sa coupe d'or, en le complimentant :

AMPHINOMOS. – Bravo, père étranger! que puisse la fortune un jour te revenir! aujourd'hui, je te vois en proie à tant de maux!

Ulysse l'avisé lui fit cette réponse :

ULYSSE. – Vraiment, Amphinomos, tu me parais très sage et digne de ce père, dont, à Doulichion, j'entendais célébrer le renom, ce Nisos si bon, si opulent! Puisqu'on te dit son fils, je veux te prévenir : tu me parais affable ; écoute, et me comprends. Sur la terre, il n'est rien de plus faible que l'homme [a] : tant que les Immortels lui donnent le bonheur et lui gardent sa force, il pense que jamais le mal ne l'atteindra ; mais quand, des Bienheureux, il a sa part de maux, ce n'est qu'à contrecœur qu'il supporte la vie. En ce monde, dis-moi, qu'ont les hommes dans l'âme ? ce que, chaque matin, le Père des humains et des dieux veut y mettre!... Moi, j'aurais dû compter parmi les gens heureux ; mais en quelles folies ne m'ont pas entraîné ma fougue et ma vigueur!... et j'espérais aussi en mon père et mes frères!... L'homme devrait toujours se garder d'être impie, mais jouir en silence des dons qu'envoient les dieux. Je vois ces prétendants machiner des folies! Ils outragent l'épouse et dévorent les biens d'un héros qui n'est plus éloigné pour longtemps, c'est moi qui te le dis, de sa terre et des siens ; il est tout près d'ici!... Ah! que, te ramenant chez toi, un dieu te garde d'être sur son chemin, le jour qu'il reverra le pays de ses

a. Vers 131 : de tous les animaux qui marchent et respirent.

pères! C'est le sang qui devra décider, sois-en sûr, entre ces gens et lui, aussitôt qu'il sera rentré sous ce plafond!

Il dit, fit son offrande aux dieux et but le vin à la douceur de miel, puis il rendit la coupe au rangeur des guerriers. A travers la grand-salle, Amphinomos revint, le cœur plein de tristesse, et, secouant la tête, avec la mort dans l'âme, se rassit au fauteuil qu'il venait de quitter. Mais rien ne le sauva ; car Athéna le mit sous les mains et la lance de celui qui devait le tuer, Télémaque.

C'est alors qu'Athéna, la déesse aux yeux pers, fit naître dans l'esprit de la fille d'Icare le désir d'apparaître aux yeux des prétendants pour attiser leurs cœurs et redoubler l'estime que lui vouaient déjà son fils et son mari [1]. D'un sourire contraint, la sage Pénélope appela l'intendante :

PÉNÉLOPE. – Eurynomé, mon cœur éprouve le désir, que toujours j'ignorai, de paraître devant les yeux des prétendants ; pourtant je les abhorre ; mais je dois dire un mot à mon fils : mieux vaudrait qu'il ne fût pas toujours avec les prétendants ; sous de belles paroles, ces bandits n'ont pour lui que sinistres pensées.

Et l'intendante Eurynomé, de lui répondre :

EURYNOMÉ. – Ma fille, en tout cela, tu parles sagement... Va donc! parle à ton fils et ne lui cache rien. Mais baigne ton visage et farde-toi les joues ; ne descends pas ainsi, les traits bouffis de larmes : cet éternel chagrin n'est pas de la sagesse, et voici que ton fils est à cet âge, enfin! de la première barbe où, de le voir un jour, tu priais tant les dieux!

La sage Pénélope alors lui répondit :

PÉNÉLOPE. – Eurynomé, tais-toi ! ton amour me conseille de baigner mon visage !... et de farder mes joues ! Ah ! ma beauté ! les dieux, les maîtres de l'Olympe, l'ont détruite du jour que le héros partit au creux de ses vaisseaux !... Mais prie Autonoé de venir me trouver avec Hippodamie : je les veux près de moi pour entrer dans la salle ; j'aurais honte d'aller seule parmi ces hommes !

Elle dit et la vieille, à travers le manoir, allait dire aux servantes de venir au plus vite.

Mais, suivant son dessein, la déesse aux yeux pers versait un doux sommeil à la fille d'Icare. Cependant qu'en son siège, Pénélope dormait, les membres détendus, la tête renversée, cette toute divine l'ornait de tous ses dons immortels, pour charmer les yeux des Achéens ; prenant d'abord pour lui laver son beau visage cette essence divine, dont se sert Kythérée [1] à la belle couronne avant d'entrer au chœur des aimables Charites [a], elle le fit plus blanc que l'ivoire scié.

Quand elle eut achevé et qu'elle eut disparu, cette toute divine, voici que, de la salle, accouraient à l'appel les filles aux bras blancs. Le doux sommeil alors abandonna la reine et, se passant les mains sur les joues, elle dit :

PÉNÉLOPE. – A force de souffrir, je tombe en la douceur de l'assoupissement. Que la chaste Artémis m'envoie donc à l'instant une mort aussi douce ! Ah ! ne plus consumer ma vie dans les sanglots, à regretter l'époux dont nul en Achaïe ne pouvait égaler la valeur en tous genres !

Elle dit et quitta son étage luisant et, sans l'abandonner, les deux filles suivaient.

a. Vers 195 : et, la faisant paraître et plus grande et plus forte...

Voici qu'elle arriva devant les prétendants, cette femme divine, et, debout au montant de l'épaisse embrasure, ramenant sur ses joues ses voiles éclatants, tandis qu'à ses côtés, veillaient les chambrières et que des prétendants les genoux flageolaient sous le charme d'amour [a], la reine s'adressait à son fils Télémaque :

PÉNÉLOPE. – Télémaque, es-tu donc sans esprit et sans cœur ? Tout petit, tes desseins étaient mieux réfléchis ; te voilà grand ; tu vas entrer dans l'âge d'homme ; à te voir bel et grand, il n'est pas d'étranger qui ne te proclamât le fils d'un homme heureux ; mais, parfois, tu parais sans esprit et sans cœur !... que vient-il d'arriver au manoir, me dit-on ? tu laisses insulter un hôte de la sorte ? Qu'allons-nous devenir, si, jusqu'en nos maisons, un paisible étranger peut être maltraité aussi cruellement !... Quelle honte pour toi et quelle flétrissure !

Posément, Télémaque la regarda et dit :

TÉLÉMAQUE. – Ma mère, je ne puis qu'approuver ton courroux : ce n'est pas qu'en mon cœur, je ne pèse et ne voie [b] ; mais parfois je ne puis prendre le bon parti, tant ces gens, qui m'assiègent, me troublent et m'égarent ! ils ne pensent qu'au mal ! je n'ai pas un appui !... Pourtant cette dispute entre Iros et le vieux, la volonté des prétendants ne l'a pas faite [1]... Non ! regarde sa force !... Plût au ciel, Zeus le père ! Athéna ! Apollon ! qu'on vît les prétendants à travers le manoir branler ainsi la tête, vaincus, membres rompus, les uns dans la maison, les autres dans la cour ! tout comme Iros, là-bas, au porche de la cour, est assis maintenant,

a. Vers 213 : ils n'avaient tous qu'un vœu, être couchés près d'elle.

b. Vers 229 : le bien comme le mal, je suis sorti d'enfance.

dodelinant du chef et semblant pris de vin, sans pouvoir se dresser sur ses pieds ni reprendre la route du logis, le chemin du retour : c'est un homme cassé!

Quand ils eurent entre eux échangé ces paroles, Eurymaque adressa ces mots à Pénélope :

EURYMAQUE. – Fille d'Icare, ô toi, la plus sage des femmes! si tous les Achéens de l'Argos ionienne te voyaient, Pénélope! combien d'autres encor viendraient en prétendants s'asseoir en ce manoir, dès l'aube, et banqueter! Aucune femme au monde n'égale ta beauté, ta taille et cet esprit pondéré qui t'anime.

La plus sage des femmes, Pénélope reprit :

PÉNÉLOPE. – Ma valeur, ma beauté, mes grands airs, Eurymaque, les dieux m'ont tout ravi, lorsque, vers Ilion, les Achéens partirent, emmenant avec eux Ulysse, mon époux! Ah! s'il me revenait pour veiller sur ma vie, que mon renom serait et plus grand et plus beau! Je n'ai plus que chagrins, tant le ciel me tourmente!... Le jour qu'il s'en alla loin du pays natal, il me prit la main droite au poignet et me dit : « Ma femme, je sais bien que, de cette Troade, nos Achéens guêtrés ne reviendront pas tous ; on dit que les Troyens sont braves gens de guerre, bons piquiers, bons archers, bons cavaliers [1], montés sur ces chevaux rapides, qui, dans le grand procès du combat indécis, sont les soudains arbitres. Le ciel me fera-t-il revenir en Ithaque? dois-je périr là-bas en Troade? qui sait? Tu resteras ici et prendras soin de tout. Pense à mes père et mère : pour eux, en ce manoir, reste toujours la même ; sois plus aimante encor quand leur fils sera loin! Plus tard, quand tu verras de la barbe à ton fils, épouse qui te plaît et quitte la maison! » Oui! je l'entends encore, et tout s'est accompli. Je vois venir la nuit odieuse où l'hymen achèvera ma perte, puisque Zeus m'enleva ce qui fut mon bonheur. Mais pour me torturer et l'esprit et le cœur, voici des prétendants aux étranges manières!... Pour plaire à fille noble et de riche maison, on lutte, à qui mieux mieux, de générosité ; chez elle, on va traiter ses parents, on amène les bœufs, les moutons gras, les plus riches cadeaux ; on ne se jette pas sur ses biens sans défense!

Elle disait ; la joie vint au divin Ulysse. Il avait bien compris, le héros d'endurance, qu'elle flattait leurs cœurs par de douces paroles, pour avoir leurs cadeaux et cacher ses desseins.

Antinoos, le fils d'Eupithès, répondit :

ANTINOOS. – Fille d'Icare, ô toi, la plus sage des femmes! laisse-nous apporter, chacun, notre cadeau et prends-le, Pénélope ; car présent refusé fut toujours une insulte. Mais jamais nous n'irons sur nos biens ni ailleurs avant de t'avoir vue accepter pour époux l'Achéen de ton choix.

A ce discours d'Antinoos, tous d'applaudir, et chacun au logis envoya son héraut pour chercher un présent. L'homme d'Antinoos rapporta le plus beau des grands voiles brodés : ses douze agrafes d'or passaient en des anneaux à la courbe savante. Aussitôt le héraut d'Eurymaque apporta un collier d'or ouvré, enfilé de gros ambres, — un rayon de soleil! Les deux servants d'Eurydamas lui rapportèrent des pendants à trois perles de la grosseur des mûres : la grâce en éclatait. Puis, de chez Pisandros, fils du roi Polyktor, un servant rapporta un tour de cou, le plus admirable joyau, et de même, chacun des autres Achéens fit quelque beau présent. Elle reprit alors, cette femme divine, l'escalier de sa chambre et, près d'elle, les deux chambrières portaient les cadeaux magnifiques.

En bas, on se remit, pour attendre le soir, aux plaisirs de la danse et des chansons joyeuses [1] ; dans les ombres du soir, on s'ébattait encor. Alors, pour éclairer la grand-salle, on dressa trois torchères, chargées de branches résineuses, qui, tombées de longtemps, sèches jusqu'à la moelle, venaient d'être fendues par le bronze des haches ; on y mêla des torches que vinrent tour à tour ranimer les servantes du valeureux Ulysse.

Le rejeton des dieux, Ulysse l'avisé, dit alors à ces filles :

ULYSSE. – O servantes du maître absent depuis longtemps, vous pouvez remonter dans les appartements de votre auguste reine ; restez à la distraire en tournant vos fuseaux, en cardant votre laine. C'est moi qui veillerai pour eux tous aux torchères et, quand leur bon plaisir serait de voir monter l'Aurore sur son trône, ils ne m'abattraient pas ; j'ai bien trop d'endurance !

Il dit ; elles, de rire et de se regarder. Mais l'une, Mélantho, jeunesse aux belles joues, se mit à l'insulter. Fille de Dolios, elle avait eu les soins maternels de la reine, qui l'avait élevée et gâtée de cadeaux ; mais son cœur était sans pitié pour Pénélope, car, avec Eurymaque, elle était en amour.

Elle lança ces mots d'insulte contre Ulysse :

MÉLANTHO. – Misérable étranger, n'as-tu pas les esprits quelque peu chavirés ! au lieu d'aller dormir à la chambre de forge ou dans quelque parlote, tu viens hâbler ici [a] : es-tu grisé d'avoir battu ce gueux d'Iros ?

a. Vers 330-332 : devant tous ces héros ! vraiment tu n'as pas peur !... c'est le vin qui te tient ? ou ne sais-tu jamais débiter que sornettes ?...

Prends garde! un autre Iros, mais de meilleur courage, pourrait tôt se lever, dont les poings vigoureux te fêleraient le crâne et te mettraient dehors, tout barbouillé de sang!

Ulysse l'avisé la toisa et lui dit :

ULYSSE. – Ah! chienne, quels discours! je m'en vais de ce pas le dire à Télémaque! qu'il te fasse à l'instant dépecer, membre à membre!

Il dit et la terreur dispersa les servantes ; en hâte, elles rentrèrent, sentant se dérober leurs genoux et croyant ses dires sérieux. Ulysse alors resta debout près des torchères : il les surveillait toutes, mais avait l'âme ailleurs et méditait déjà ce qu'il sut accomplir.

Or, Pallas Athéna ne mettait fin ni trêve aux cuisantes insultes des fougueux prétendants [1] ; la déesse voulait que le fils de Laërte, Ulysse, fût mordu plus avant jusqu'au cœur.

Eurymaque, le fils de Polybe, reprit, en se raillant d'Ulysse, et les autres, de rire :

EURYMAQUE. – Deux mots, ô prétendants de la plus noble reine! Voici ce que mon cœur me dicte en ma poitrine : c'est un décret des dieux qui fit venir cet homme en la maison d'Ulysse ; je vois son crâne luire à l'égal d'un flambeau! quelle tête! et dessus, pas l'ombre d'un cheveu!

Il dit et, se tournant vers ce grand cœur d'Ulysse :

EURYMAQUE. – Voudrais-tu pas, notre hôte, entrer à mon service? je t'enverrais aux champs, à l'autre bout de l'île ; tu serais bien payé pour ramasser la pierre et planter de grands arbres ; je fournirais, avec le pain de tous les jours, le vêtement complet et la chaussure aux pieds... Mais tu ne fus dressé qu'aux vilaines besognes ; tu refuses l'ouvrage et préfères rouler la ville à mendier de quoi rassasier le gouffre de ta panse!

Ulysse l'avisé lui fit cette réponse :

ULYSSE. – Eurymaque, veux-tu qu'on nous mette en concours? Par un jour de printemps, quand les journées sont longues, qu'on nous conduise au pré, que j'aie ma bonne faux, et toi pareillement : tout le jour, sans manger, nous abattrons l'ouvrage, jusqu'à la nuit venue et jusqu'au bout du foin [1]!... Quant à pousser les bœufs, et même les plus forts, une paire de grands bœufs roux, saturés d'herbe, — même âge, même force, même ardeur indomptable, — donne-moi quatre arpents où le soc entre aux mottes, et tu verras si mon sillon est coupé droit... Et la guerre?... aujourd'hui plût au fils de Cronos d'en susciter quelqu'une ; que j'eusse un bouclier, deux piques, un bonnet dont la coiffe de bronze me colle bien aux tempes : tu me verrais au premier rang des combattants et ne parlerais plus en raillant de ma panse!... Mais tu n'es qu'insolence en ton cœur sans pitié!... Tu te crois grand et fort, je veux bien! tes rivaux sont en si petit nombre, et de valeur si mince!... Si tu voyais rentrer Ulysse en sa patrie, ah! tu saurais courir! et le portail, tout grand ouvert devant ta fuite te semblerait étroit.

Il dit et redoubla le courroux d'Eurymaque qui, le toisant, lui dit ces paroles ailées :

EURYMAQUE. – Misérable! je vais, sans plus, te châtier! Voyez-vous cette langue! tu viens hâbler ici devant tous ces héros! vraiment, tu n'as pas peur! c'est le vin qui te tient? ou ne sais-tu jamais débiter que sornettes [a]?

Il disait et déjà prenait une escabelle. Par crainte

a. Vers 393 : es-tu grisé d'avoir battu ce gueux d'Iros?

d'Eurymaque, Ulysse vint s'asseoir aux genoux d'Amphinomos de Doulichion. L'escabelle atteignit l'échan son au bras droit ; on entendit tinter le flacon sur le sol, tandis qu'avec un cri, l'homme tombait dans la poussière, à la renverse.

Les prétendants criaient dans l'ombre de la salle. Se tournant l'un vers l'autre, ils se disaient entre eux :

LE CHŒUR. – Qu'il aurait dû, cet hôte, aller se perdre ailleurs! s'il n'était pas venu, il nous eût épargné, du moins, tout ce tapage : maintenant pour des gueux nous voici en querelle! quel charme reste-t-il au plus noble festin où règne le désordre?

Sa Force et Sainteté Télémaque leur dit :

TÉLÉMAQUE. – Malheureux! c'est folie! Vos cœurs ne portent plus le manger et le boire! c'est un dieu qui vous pique? Allons! vous avez bien dîné : rentrez dormir, si le cœur vous en dit ; je ne chasse personne.

Il dit ; tous s'étonnaient, les dents plantées aux lèvres, que Télémaque osât leur parler de si haut!

Alors Amphinomos prit la parole et dit [a] :

AMPHINOMOS. – Amis, quand on vous dit des choses aussi justes, à quoi bon riposter en termes irritants? ne frappez ni cet homme ni l'un des serviteurs qui sont dans le manoir de ce divin Ulysse. Allons! que l'échanson, pour une offrande aux dieux, nous emplisse les coupes! et qu'après cette offrande, on rentre se coucher, en laissant l'étranger dans le manoir d'Ulysse, aux soins de Télémaque, puisqu'il est sous son toit.

Il dit, et ce discours fut approuvé de tous. Dans le cratère, alors, le seigneur Moulios prépara le mélange. C'était l'un des hérauts, qui, de Doulichion, avaient

a. Vers 413 : noble fils de Nisos, il avait eu le roi Arétès pour aïeul.

accompagné leur maître Amphinomos. Il s'en vint à la ronde emplir toutes les coupes ; chacun fit son offrande aux dieux, aux Bienheureux ; puis on but de ce vin à la douceur de miel [a], et chacun s'en alla dormir en son logis.]

(CHANT XIX.) [Seul, le divin Ulysse restait en la grand-salle à méditer, avec le secours d'Athéna, la mort des prétendants [1].

Soudain, à Télémaque, il dit ces mots ailés :

ULYSSE. – Télémaque, il te faut emporter au trésor tous les engins de guerre et, si les prétendants en remarquaient l'absence et voulaient des raisons, paie-les de gentillesses ; dis-leur : « Je les ai mis à l'abri des fumées : qui pourrait aujourd'hui reconnaître ces armes qu'à son départ pour Troie, Ulysse avait laissées ? les vapeurs du foyer les ont mangées de rouille !... Et voici l'autre idée qu'un dieu m'a mise en tête : j'ai redouté surtout qu'un jour de beuverie, une rixe entre vous n'amenât des blessures et ne souillât ma table et vos projets d'hymen ; de lui-même, le fer attire à lui son homme. »

Il dit, et Télémaque obéit à son père. Appelant la nourrice Euryclée, il lui dit :

TÉLÉMAQUE. – Nourrice, enferme-moi les femmes là-dedans, cependant qu'au trésor, je m'en irai porter les armes de mon père. Les fumées du logis mangent ces belles armes ; on n'en a pas pris soin depuis qu'il est parti ; j'étais trop jeune alors ; aujourd'hui je voudrais les ranger à l'abri des vapeurs du foyer.

La nourrice Euryclée lui fit cette réponse :

EURYCLÉE. – Si tu pouvais aussi, mon enfant, prendre à cœur le soin de ta maison et sauver tous ces biens !

a. Vers 427 : quand on eut fait l'offrande et bu tout son content...

Va donc!... Mais qui prends-tu pour te porter la torche?... Les filles auraient pu t'éclairer : tu les chasses!

Posément, Télémaque la regarda et dit :

Télémaque. – J'ai là cet étranger ; car, de si loin qu'on vienne, je n'entends pas qu'oisif, on puise à mon boisseau!

Il dit et, sans qu'un mot s'envolât de ses lèvres, la vieille alla fermer la porte du logis.

Ulysse, s'élançant avec son noble fils, emportait au trésor casques, lances aiguës et boucliers à bosses, et, de sa lampe d'or, c'est Pallas Athéna qui faisait devant eux la plus belle lumière.

A son père, soudain, Télémaque parla :

Télémaque. – Père, devant mes yeux, je vois un grand miracle. A travers le manoir, les murs, les belles niches, les poutres de sapin et les hautes colonnes scintillent à mes yeux comme une flamme vive... Ce doit être un des dieux, maîtres des champs du ciel.

Ulysse l'avisé lui fit cette réponse :

Ulysse. – Tais-toi! bride ton cœur! et ne demande rien! C'est la façon des dieux, des maîtres de l'Olympe... Mais rentrons! va dormir! je veux rester ici pour éprouver encor les femmes et ta mère ; en pleurant, elle va m'interroger sur tout.

Il dit et Télémaque, à la lueur des torches, traversa la grand-salle pour regagner la chambre où, comme tous les soirs, il s'en allait trouver la douceur du sommeil, et c'est là que, ce soir encor, il s'endormit jusqu'à l'aube divine.]

LE BAIN DE PIEDS [1]

Seul, le divin Ulysse restait en la grand-salle à méditer, avec le secours d'Athéna, la mort des prétendants

dants. Mais déjà Pénélope, la plus sage des femmes descendait de sa chambre[a], ayant pris avec elle deux de ses chambrières, qui lui mirent auprès du foyer une chaise, où la reine s'assit.

[Œuvre d'Icmalios, ce siège était plaqué d'ivoires et d'argent ; en bas, un marchepied y tenait, recouvert d'une épaisse toison. C'est là que vint s'asseoir la plus sage des femmes. Les filles aux bras blancs sortaient de la grand-salle : avec les tas de pain, les unes emportaient les tables et les coupes, que venaient de vider ces hommes arrogants ; les autres, renversant la braise des torchères, les rechargeaient de bois nouveaux pour éclairer la salle et la chauffer.

Or, Mélantho se prit à insulter Ulysse pour la seconde fois :

MÉLANTHO. – L'étranger ! penses-tu nous encombrer encore ici toute la nuit, rôdant par la maison, espionnant les femmes ?... Prends la porte, vieux gueux !... c'est assez du repas !... ou je vais, à grands coups de tison, t'expulser !

Ulysse l'avisé la toisa et lui dit :

ULYSSE. – Malheureuse, pourquoi me harceler ainsi d'un cœur plein de colère ? Je suis sale, il est vrai, et n'ai que des haillons, et je vais mendiant par la ville : que faire, quand le besoin nous tient ?... c'est le destin de tous les gueux et vagabonds... Il fut un temps aussi où j'avais ma maison, où les hommes vantaient mon heureuse opulence ; que de fois j'ai donné à de pauvres errants, sans demander leur nom, sans voir que leurs besoins ! Ah ! par milliers, j'avais serviteurs et le reste

a. Vers 54 : on eût dit Artémis ou l'Aphrodite d'or.

ce qui fait la vie large et le renom des riches. Mais le fils de Cronos, — sa volonté soit faite! — Zeus m'a tout enlevé!... Femme, prévois le jour où tu perdras aussi cet éclat qui te fait la reine de ces filles! et redoute l'humeur de ta dame irritée ou le retour d'Ulysse! il reste de l'espoir!... Admettons qu'il soit mort et ne rentre jamais : son fils est encor là! tu sais ce qu'en a fait la grâce d'Apollon ; ne crois pas que les yeux de Télémaque ignorent les crimes des servantes : ce n'est plus un enfant.

Il dit. Mais Pénélope, la plus sage des femmes, entendit et, prenant à partie Mélantho, lui dit et déclara :

PÉNÉLOPE. – Je t'y prends! quelle audace! ah! la chienne effrontée! tes crimes finiront par te coûter la tête! Tu le savais pourtant : tu m'avais entendue ; j'avais dit devant toi qu'ici, dans ma grand-salle, je veux à l'étranger parler de mon époux ; tu sais quel deuil m'accable!] [1].

Puis elle dit à l'intendante Eurynomé :

PÉNÉLOPE. – Allons, Eurynomé, apporte-nous un siège avec une toison : que l'étranger s'asseye et me parle et m'entende! je veux l'interroger.

Elle dit : en courant, la vieille alla chercher pour le divin Ulysse un siège bien poli, y mit une toison, et c'est là que s'assit le héros d'endurance, tandis que Pénélope, la plus sage des femmes, commençait l'entretien :

PÉNÉLOPE. – Ce que je veux d'abord te demander, mon hôte, c'est ton nom et ton peuple, et ta ville et ta race [2].

[Ulysse l'avisé lui fit cette réponse :

ULYSSE. – O femme! est-il mortel, sur la terre sans

bornes, qui te pourrait blâmer? Non! ta gloire a monté jusques aux champs du ciel! et l'on parle de toi comme d'un roi parfait [a], qui, redoutant les dieux, vit selon la justice. Pour lui, les noirs sillons portent le blé et l'orge ; l'arbre est chargé de fruits ; le troupeau croît sans cesse ; la mer pacifiée apporte ses poissons, et les peuples prospèrent. Aussi, dans ta maison, tu peux m'interroger sur tout ce qu'il te plaît ; mais ne demande pas ma race et ma patrie ; en me les rappelant, tu ne feras encore qu'augmenter mes souffrances : je suis si malheureux!

» Dans la maison d'autrui, il ne faut pas toujours gémir, se lamenter ; geindre sans fin n'est pas la meilleure attitude... qui sait? quelque servante agacée ou toi-même, vous finiriez par mettre au compte de l'ivresse ce déluge de larmes [1]. »

La plus sage des femmes, Pénélope, reprit :

PÉNÉLOPE. – Étranger, ma valeur, ma beauté, mes grands airs, les dieux m'ont tout ravi lorsque, vers Ilion, les Achéens partirent, emmenant avec eux Ulysse mon époux! Ah! s'il me revenait pour veiller sur ma vie, que mon renom serait et plus grand et plus beau! Je n'ai plus que chagrins : tant le ciel me tourmente [b]! Tout m'est indifférent, les suppliants, les hôtes, et même les hérauts, qui servent le public. Le seul regret d'Ulysse me fait fondre le cœur. Ils pressent cet hymen. Moi, j'entasse les ruses. Un dieu m'avait d'abord inspiré ce moyen. Dressant mon grand métier, je tissais

a. Vers 110 : qui règne sur un peuple et nombreux et vaillant.

b. Vers 130-133 : tous les chefs, tant qu'ils sont, qui règnent sur nos îles, Doulichion, Samé, Zante la forestière, et tous les tyranneaux des monts de notre Ithaque m'imposent leur recherche et mangent la maison.

au manoir un immense linon et leur disais parfois : « Mes jeunes prétendants, je sais bien qu'il n'est plus, cet Ulysse divin ! mais, malgré vos désirs de hâter cet hymen, permettez que j'achève ! tout ce fil resterait inutile et perdu. C'est pour ensevelir notre seigneur Laërte : quand la Parque de mort viendra, tout de son long, le coucher au trépas, quel serait contre moi le cri des Achéennes, si cet homme opulent gisait là sans suaire ! » Je disais, et ces gens, à mon gré, faisaient taire la fougue de leurs cœurs. Sur cette immense toile, je tissais tout le jour ; mais, la nuit, je venais, aux torches, la défaire. Trois années, mon secret dupa les Achéens. Quand vint la quatrième, à ce printemps dernier [a], ils furent avertis par mes femmes, ces chiennes, qui ne respectent rien. Ils vinrent me surprendre : quels cris ! et quels reproches ! Il fallut en finir : oh ! je ne voulais pas ! mais on sut m'y forcer [1]. Maintenant je ne sais comment fuir cet hymen ! je suis à bout d'idées. Pour le choix d'un époux, mes parents me harcèlent ; mon fils est irrité de voir manger ses biens ; il comprend ; c'est un homme ; il est en âge enfin de tenir sa maison ; il se ferait un nom par la grâce de Zeus !... Quoi qu'il en soit, dis-moi ta race et ta patrie ; car tu n'es pas sorti du chêne légendaire ou de quelque rocher.]

Ulysse l'avisé lui fit cette réponse :

Ulysse. – Digne épouse du fils de Laërte, d'Ulysse ! pourquoi tenir si fort à connaître ma race ? Oh ! je vais te répondre ! Mais crains de redoubler les chagrins qui m'obsèdent ! c'est le sort, quand on est exilé comme

a. Vers 153 : et que les mois échus ramenaient les longs jours.

moi et depuis si longtemps [a] ! Voici donc pour répondre à tes vœux et demandes.

» Au large, dans la mer vineuse, est une terre, aussi belle que riche, isolée dans les flots : c'est la terre de Crète, aux hommes innombrables, aux quatre-vingt-dix villes dont les langues se mêlent ; côte à côte, on y voit Achéens, Kydoniens, vaillants Étéocrètes, Doriens tripartites et Pélasges divins ; parmi elles, Cnossos, grand-ville de ce roi Minos [1] que le grand Zeus, toutes les neuf années, prenait pour confident. Il était mon aïeul : son fils, Deucalion au grand cœur, m'engendra et, pour frère, j'avais le roi Idoménée qui, sur les nefs rostrales, suivit vers Ilion les deux frères Atrides. Moi, qu'on appelle Aithon, j'étais le moins âgé ; il était mon aîné par les ans et la force... C'est chez nous que je vis Ulysse ; il s'en allait à Troie, quand il reçut mon hospitalité : car la rage des vents, au détour du Malée, l'avait jeté en Crète, et, mouillant dans les Ports Dangereux d'Amnisos, sous l'Antre d'Ilithyie [2], il n'avait qu'à grand-peine échappé aux rafales. Vers la ville, il monta pour voir Idoménée, son ami, disait-il, son hôte respecté. Mais, dix ou onze fois, l'Aurore avait brillé depuis qu'Idoménée était parti vers Troie, à bord des nefs rostrales.

» C'est donc moi qui, prenant Ulysse en ma demeure, le traitai de mon mieux et l'entourai de soins : j'avais maison fournie ! Pour lui et pour ses gens du reste de la flotte, je levai dans le peuple le vin aux sombres feux, les bœufs à immoler, les farines de quoi contenter tous leurs cœurs. Douze jours, ces divins Achéens nous restèrent : un grand coup de Borée, attisé par un dieu qui

a. Vers 170 : roulé de maux en maux dans les villes des hommes.

leur voulait du mal, couchait tout sur le sol et leur fermait la mer. Mais le treizième jour, comme le vent tombait, ils reprirent le large. »

A tant de menteries, comme il savait donner l'apparence du vrai! Pénélope écoutait, et larmes de couler, et visage de fondre : vous avez vu l'Euros, à la fonte des neiges, fondre sur les grands monts qu'à monceaux, le Zéphyr a chargés de frimas, et la fonte gonfler le courant des rivières; telles, ses belles joues paraissaient fondre en larmes; elle pleurait l'époux qu'elle avait auprès d'elle! Le cœur plein de pitié, Ulysse contemplait la douleur de sa femme; mais, sans un tremblement des cils, ses yeux semblaient de la corne ou du fer : pour sa ruse, il fallait qu'il lui cachât ses larmes. Quand elle eut épuisé les sanglots et les pleurs, elle dit, reprenant avec lui l'entretien :

PÉNÉLOPE. – Étranger, je voudrais une preuve à tes dires! Si ton récit est vrai, si c'est toi qui reçus là-bas, en ton manoir, mon époux avec ses équipages divins, quels vêtements, dis-moi, avait-il sur le corps? que semblait-il lui-même? et quelle était sa suite?

Ulysse l'avisé lui fit cette réponse :

ULYSSE. – Femme, après tant d'années, répondre est difficile! voilà près de vingt ans qu'il est venu chez nous, puis a quitté notre île... Pourtant le voici tel qu'aujourd'hui je le vois, cet Ulysse divin! Il avait un manteau double, teinté en pourpre, que fermait une agrafe en or à double trou : c'était une œuvre d'art représentant un chien, qui tenait entre ses deux pattes de devant un faon tout moucheté; le faon se débattait, et le chien aboyait [1] : nos gens s'en venaient tous admirer cet ouvrage! tous deux étaient en or; et le chien regardait le faon qu'il étranglait et, pour s'enfuir, les pieds du faon se débattaient... Sur son corps, il avait une robe luisante, plus mince que la peau de l'oignon le plus sec, — un rayon de soleil; nos femmes s'attroupaient pour mieux la regarder [a]!... J'ignore si, chez lui, Ulysse avait déjà ces mêmes vêtements : sur son croiseur, en route, les avait-il reçus d'un compagnon, d'un hôte? il avait tant d'amis! parmi les Achéens, combien peu l'égalaient!... C'est ainsi qu'il reçut de moi un glaive en bronze, un beau manteau de pourpre et l'une de ces robes qui tombent jusqu'aux pieds, le jour qu'avec respect, je pris congé de lui, sur les bancs du vaisseau... Un héraut le suivait, qui semblait son aîné, mais de peu : il avait, — je puis te le décrire, — le dos rond, la peau noire, une tête frisée; son nom est Eurybate; Ulysse avait pour lui des égards sans pareils et prisait ses avis plus que ceux d'aucun autre.

Il disait : Pénélope sentait grandir encor son besoin de pleurer [b]; reprenant la parole, elle lui répondit :

PÉNÉLOPE. – Mon hôte, jusqu'ici, je t'avais en pitié... Désormais, j'ai pour toi sympathie et respect : reste en cette maison!... C'est de moi qu'il avait les habits dont tu parles; je les avais tirés moi-même du trésor... Cette agrafe brillante, c'est moi qui l'avais mise; je voulais qu'il fût beau!... Dire que jamais plus, cette maison ni moi, nous ne l'accueillerons rentrant en son pays [c].

Ulysse l'avisé lui fit cette réponse :

ULYSSE. – Digne épouse du fils de Laërte, d'Ulysse!

a. Vers 236 : autre détail encore à bien mettre en ton cœur.

b. Vers 250-251 : elle avait reconnu les signes évidents que lui donnait Ulysse ; quand elle eut épuisé les pleurs et les sanglots...

c. Vers 259-260 : c'est le courroux des dieux qui fit monter Ulysse au creux de son vaisseau, pour aller visiter cette Troie de malheur : que le nom en périsse!

cesse enfin de gâter ce visage si beau et de ronger ton cœur à pleurer ton époux! Je ne te blâme pas! il est trop naturel de pleurer un époux, l'ami de sa jeunesse, à qui l'on a donné des fils de son amour, même quand ce n'est pas un émule des dieux, comme on dit qu'est Ulysse. Mais cesse de gémir et crois à ma parole, car c'est la vérité sans détour que je dis. Ulysse va rentrer : j'en ai eu la nouvelle non loin d'ici, au bon pays de Thesprotie[1] Il vit; il vous ramène un gros butin de prix, [quêté parmi le peuple. Mais son brave équipage et son navire creux, il a tout vu sombrer dans les vagues vineuses, quand, de l'Ile au Trident, il revenait, maudit de Zeus et d'Hélios. Ses gens ayant mangé les vaches de ce dieu, pas un ne réchappa de la houle des mers; seul, porté sur sa quille, Ulysse fut jeté aux bords des Phéaciens; de tout cœur, ces parents des dieux l'ont accueilli, honoré comme un dieu et comblé de cadeaux. Ils voulaient, sain et sauf, le ramener chez lui : Ulysse auprès de toi serait depuis longtemps. Mais il vit son profit à faire un long détour en quête de richesses; Ulysse n'est-il pas le plus entreprenant des hommes de ce monde? il n'a pas de rival]! Voilà ce que j'ai su par le roi des Thesprotes : sur ses libations d'adieu, en son logis, Phidon m'a fait serment que le navire était à flot, les gens tout prêts, pour ramener Ulysse à la terre natale. Mais ce fut moi d'abord que Phidon renvoya sur un vaisseau thesprote qui, pour Doulichion, le grand marché au blé, se trouvait en partance... Oui! Phidon m'a montré tout le tas des richesses que ramenait Ulysse, — de quoi bien vivre à deux pendant dix âges d'homme. Le manoir était plein de ces objets de prix. Ulysse était parti, disait-on, pour Dodone; au feuillage divin du grand chêne de Zeus, il voulait demander conseil pour revenir à la terre natale : après sa longue absence, devrait-il se cacher ou paraître au grand jour?... Crois-moi : il est sauvé; il revient; il approche; avant qu'il soit longtemps, il reverra les siens et la terre natale. Je dis la vérité : en veux-tu le serment? Par Zeus, par le plus grand et le meilleur des dieux, comme par ce foyer de l'éminent Ulysse, où me voici rendu, je dis que tu verras s'accomplir tous mes mots. Oui, cette lune-ci, Ulysse rentrera [a].

La plus sage des femmes, Pénélope, reprit :

PÉNÉLOPE. - Ah! puissent s'accomplir tes paroles, mon hôte! Tu trouverais chez moi une amitié si prompte et des dons si nombreux que chacun, à te voir, vanterait ton bonheur!... Mais moi, j'ai dans le cœur un sûr pressentiment qu'Ulysse à son foyer ne reviendra jamais et que jamais tu n'obtiendras la reconduite. Car il n'est plus ici de patrons comme Ulysse, — mais y fut-il jamais? — pour respecter un hôte et savoir lui donner le congé ou l'accueil... Mais lavez-lui les pieds et, pour lui faire un lit, mes filles, garnissez de feutres et de draps moirés un de nos cadres; je veux qu'il soit au chaud pour voir monter l'Aurore sur son trône doré [et demain, dès l'aurore, il faudra lui donner le bain et l'onction, pour que, dans la grand-salle, auprès de Télémaque, il aille prendre place et plaisir au festin. Et malheur à celui qui, d'un cœur envieux, le viendrait outrager! Ah! celui-là chez nous n'aurait plus rien à faire, si formidablement qu'il pût s'en irriter. Car, mon hôte, comment garderais-tu l'idée que, sur les autres femmes, je l'emporte en esprit, en prudence avisée, si, pour dîner en mon manoir, je te laissais dans cette sa-

a. Vers 307 : soit à la fin du mois, soit au début de l'autre.

leté et ces mauvais habits! Notre vie est si courte! A vivre sans pitié pour soi-même et les autres, l'homme durant sa vie ne reçoit en paiement que malédictions, et, mort, tous le méprisent. A vivre sans rigueur pour soi-même et les autres, on se gagne un renom que l'étranger s'en va colporter par le monde, et bien des gens alors vantent votre noblesse].

Ulysse l'avisé lui fit cette réponse :

ULYSSE. – Digne épouse du fils de Laërte, d'Ulysse! feutres et draps moirés ne me disent plus rien, depuis le jour qu'à bord d'un vaisseau long-rameur, je me suis éloigné des monts neigeux de Crète : je coucherai par terre, comme tant d'autres fois où je n'ai pas dormi. J'ai passé tant de nuits sur un lit misérable, tant de fois attendu que la divine Aurore apparût sur son trône! Et je n'ai pas, non plus, envie d'un bain de pieds : près de toi, je ne vois servir en ce logis que filles qui jamais ne toucheront mes pieds..., à moins que tu n'aies là quelque très vieille femme, au cœur plein de sagesse, que le malheur ait éprouvée autant que moi; celle-là, je veux bien qu'elle touche à mes pieds.

La plus sage des femmes, Pénélope, reprit :

PÉNÉLOPE. – Personne n'eut jamais, cher hôte [a], la sagesse et la droite raison, qu'on trouve en tes discours... Mais j'ai là une vieille, à l'esprit toujours grave, celle qui le nourrit, le pauvre! et l'éleva; ses bras l'avaient reçu, à peine mis au jour. Elle est toute cassée, sans forces; mais c'est elle qui lavera tes pieds... Allons! viens, toute sage Euryclée! lève-toi, pour lui donner le bain! C'est un contemporain de ton maître, je crois : Ulysse aurait ces pieds; Ulysse aurait ces

a. Vers 351 : j'ai vu, de tous les coins du monde, des amis venir en ce manoir.

mains! ah! la misère est prompte à vous vieillir un homme!

Elle dit; mais la vieille Euryclée, se cachant des deux mains le visage, pleurait à chaudes larmes et disait, sanglotant :

EURYCLÉE. – Ulysse! mon enfant! pour toi je n'ai rien pu! toi que Zeus exécra entre tous les humains, alors que tu servais les dieux d'un cœur fidèle! D'aucun autre mortel, le brandisseur de foudre, Zeus, reçut-il jamais autant de gras cuisseaux, d'hécatombes choisies? Et quand tu demandais, pour tant de sacrifices, une vieillesse heureuse auprès d'un noble fils, c'est à toi, à toi seul que Zeus a refusé la journée du retour!... Ah! comme toi, notre hôte, peut-être a-t-il connu, en des manoirs fameux, chez des hôtes lointains, le mépris de servantes pareilles à ces chiennes qui, toutes, te méprisent! et c'est pour éviter leur blâme et leurs affronts, que tu ne voudrais pas être baigné par elles! Mais moi, c'est de grand cœur que je veux obéir à la fille d'Icare, la plus sage des femmes, et te laver les pieds, autant pour toi que pour Pénélope elle-même, car une grande angoisse a levé dans mon cœur!... Veux-tu savoir pourquoi? je m'en vais te le dire! j'ai vu venir ici beaucoup de malheureux; mais je n'ai jamais vu pareille ressemblance de démarche, de voix, de pieds avec Ulysse [1]!...

Ulysse l'avisé lui fit cette réponse :

ULYSSE. – Tous ceux qui nous ont vus, de leurs yeux, l'un et l'autre, retrouvent entre nous la même ressemblance; mais qui peut en parler, ô vieille! mieux que toi?

Il dit et, s'apprêtant à lui laver les pieds, Euryclée s'en fut prendre un chaudron scintillant, y mit beaucoup d'eau froide, puis ajouta l'eau chaude. Ulysse était allé s'asseoir loin du foyer, en tournant aussitôt le dos à la lueur, car son âme, soudain, avait craint que la vieille, en lui prenant le pied ne vît la cicatrice qui révélerait tout

Or, à peine a ses pieds pour lui donner le bain, la vieille reconnut le maître à la blessure qu'en suivant au Parnasse les fils d'Autolycos, Ulysse avait jadis reçue d'un sanglier à la blanche défense.

[De cet Autolycos, sa mère était la fille, et ce héros passait pour le plus grand voleur et le meilleur parjure; Hermès, à qui plaisaient les cuisseaux de chevreaux et d'agneaux qu'il brûlait, l'avait ainsi doué et la bonté du dieu accompagnait ses pas.

Jadis Autolycos, au gras pays d'Ithaque, était venu pour voir le nouveau petit-fils que lui donnait sa fille. A la fin du repas, Euryclée avait mis l'enfant sur ses genoux, en lui disant tout droit :

EURYCLÉE. – Autolycos, c'est toi qui vas trouver un nom pour ce fils de ta fille, si longtemps souhaité.

Autolycos alors avait dit en réponse :

AUTOLYCOS. – Mon gendre et toi, ma fille, donnez-lui donc le nom que je m'en vais vous dire! tant de gens en chemin m'ont *ulcéré* le cœur (la terre en nourrit trop de ces hommes et femmes!) que je veux à l'enfant donner le nom d'*Ulysse* [1]! et, quand il sera grand, qu'il s'en vienne au Parnasse, au manoir maternel, où sont tous mes trésors : je lui veux en donner de quoi rentrer content!

Et c'est ainsi qu'Ulysse alla plus tard chercher ces cadeaux magnifiques. Autolycos lui-même et ses fils l'accueillirent à bras ouverts, avec les mots les plus aimables ; sa grand-mère Amphithée, le serrant dans ses bras, le baisa sur le front et sur ses deux beaux yeux. Autolycos donna l'ordre à ses vaillants fils d'apprêter le repas. Dociles à son ordre, aussitôt ils amènent un taureau de cinq ans : on l'écorche, on le pare et, membres dépecés, c'est en maîtres qu'on sait trancher menu les viandes, les enfiler aux broches, les rôtir avec soin et diviser les parts, puis, toute la journée jusqu'au soleil couchant, les cœurs sont à la joie de ce repas d'égaux. Au coucher du soleil, quand vient le crépuscule, on va goûter au lit les présents du sommeil.

Mais sitôt qu'apparaît dans son berceau de brume l'Aurore aux doigts de roses, ils se mettent en chasse : les chiens allaient devant les fils d'Autolycos, et le divin Ulysse accompagnait ses oncles... Sous le couvert des bois, on a gravi les flancs escarpés du Parnasse, et bientôt l'on atteint les combes éventées. C'est l'heure où le soleil, sortant des profondeurs de l'Océan tranquille, éclaire les campagnes. Voici les rabatteurs arrivés dans un val, et les chiens, devant eux, s'en vont, flairant les traces. Les fils d'Autolycos suivent et, parmi eux, notre Ulysse divin brandit auprès des chiens sa lance à la grande ombre.

Un sanglier géant gîtait en cet endroit, tout au fond d'un hallier, que jamais ne perçaient ni les vents les plus forts, ni les brumes humides, ni les coups du soleil et ses plus clairs rayons : l'abri était si dense que la pluie elle-même n'y pouvait pénétrer! les feuilles le jonchaient en épaisse litière... La bête entend les hommes et les chiens et les pas qui lui viennent dessus : fonçant hors du fourré, toutes soies hérissées, les prunelles en feu, elle était là, debout ; Ulysse, le premier, bondit en élevant, dans sa robuste main, le long bois de la lance dont il compte l'abattre. La bête le devance et le boute à la cuisse et, filant de côté, emporte à sa défense tout un morceau de chair, sans avoir entamé cependant jusqu'à l'os. Mais Ulysse, d'un heureux coup, l'avait frappée en pleine épaule droite : la pointe était sortie, brillante, à l'autre flanc, et la bête, en grognant, roulait dans la poussière : son âme s'envolait ! Aussitôt, pour soigner cet Ulysse divin, les fils d'Autolycos se mettent à l'ouvrage : ils bandent avec art la jambe du héros, arrêtent le sang noir par le moyen d'un charme, puis hâtent le retour au manoir paternel.

Guéri par son aïeul et ses oncles, comblé de présents magnifiques, Ulysse par leurs soins s'en revint promptement à son pays d'Ithaque, où son retour joyeux mit dans la joie son père et son auguste mère. Ils voulaient tout savoir, l'accident et la plaie : il sut leur raconter en détail cette chasse et comment il reçut le coup du blanc boutoir, en suivant au Parnasse les fils d'Autolycos [1].]

Or, du plat de ses mains, la vieille, en le palpant, reconnut la blessure et laissa retomber le pied dans le chaudron : le bronze retentit ; le chaudron bascula ; l'eau s'enfuit sur le sol... L'angoisse et le bonheur s'emparaient de la vieille ; ses yeux se remplissaient de larmes et sa voix si claire défaillait. Enfin, prenant Ulysse au menton, elle dit :

EURYCLÉE. – Ulysse, c'est donc toi !... c'est toi, mon cher enfant !... Et moi qui ne l'ai pas aussitôt reconnu !... Il était devant moi ; je le palpais, ce maître !

Elle dit et tourna les yeux vers Pénélope, voulant

la prévenir que l'époux était là... Pénélope ne put rencontrer ce regard : Athéna détournait son esprit et ses yeux.

Mais Ulysse, de sa main droite, avait saisi la nourrice à la gorge et, de son autre main, l'attirant jusqu'à lui :

ULYSSE. – Eh! quoi, c'est toi, nourrice, dont le sein m'a nourri, c'est toi qui veux me perdre, lorsque après vingt années de maux de toutes sortes, je reviens au pays?... Puisqu'en ton cœur, les dieux ont mis la vérité, tais-toi! qu'en ce manoir, nul autre ne le sache! Car moi, je t'en préviens et tu verras la chose : si quelque jour un dieu jette sous ma vengeance les nobles prétendants, tu peux m'avoir nourri, je te traiterai, moi, comme les autres femmes qui ne sortiront pas en vie de ce manoir.

La très sage Euryclée lui fit cette réponse :

EURYCLÉE. – Quel mot s'est échappé de l'enclos de tes dents, mon fils? ne sais-tu pas le cœur que je te garde?... et que rien ne m'ébranle? le caillou le plus dur, le fer ne tient pas mieux. Mais, écoute un avis et le mets en ton cœur : si les dieux quelque jour jettent sous ta vengeance les nobles prétendants, c'est moi qui te dirai, nom par nom, les servantes qui t'ont, en ce manoir, trahi ou respecté.

Ulysse l'avisé lui fit cette réponse :

ULYSSE. – Nourrice, laisse donc! pourquoi me les nommer? crois-tu que, de mes yeux, je ne saurai pas voir et connaître chacune?... Mais garde mon secret et laisse faire aux dieux!

Il disait et la vieille, à travers la grand-salle, s'en fut chercher de l'eau, car tout son premier bain était là, répandu, puis, lui lavant les pieds, les oignit d'huile fine. Ulysse alors, tirant son siège auprès du feu, se mit à se chauffer ; ses loques maintenant recouvraient sa blessure.

La plus sage des femmes, Pénélope, reprit :

PÉNÉLOPE. – Mon hôte, je n'ai plus à te dire qu'un mot. Voici l'heure où le lit va sembler agréable, quand, malgré les chagrins, on peut se laisser prendre aux douceurs du sommeil ! Moi, c'est un deuil sans fin que me donnent les dieux. Tout le jour, les sanglots et les pleurs me soulagent..., et puis, j'ai mon travail, mes femmes, la maison ; il faut tout surveiller. Mais quand revient la nuit pour endormir les autres, je reste sur mon lit : l'aiguillon des chagrins, qui m'assiègent le cœur, excite mes sanglots...

» [Fille de Pandareus, la chanteuse verdière [1] se perche au plus épais des arbres refeuillés, pour chanter ses doux airs quand le printemps renaît ; ses roulades pressées emplissent les échos ; elle pleure Itylos, l'enfant du roi Zéthos, ce fils qu'en sa folie, son poignard immola... C'est ainsi que mon cœur tiraillé se déchire : dois-je rester ici, auprès de mon enfant, tout garder en l'état, défendre mon avoir, mes femmes, ce manoir, aux grands toits, ne songer qu'aux droits de mon époux, à l'estime du peuple ? ou dois-je faire un choix et suivre l'Achéen dont les présents sans fin viendront, en ce manoir, faire le mieux sa cour ? Mon fils, tant qu'il était petit et sans calcul, m'empêchait de quitter, pour me remarier, ce toit de mon époux. Il est grand maintenant ; il entre à l'âge d'homme ; il désire ne plus me voir en ce manoir, où ses biens dévorés par tous ces gens l'irritent.]

» Mais, voyons, donne-moi ton avis sur un songe

que je m'en vais te dire... Je voyais dans ma cour mes vingt oies qui, sortant de l'eau, mangeaient le grain : leur vue faisait ma joie, lorsque, de la montagne, un grand aigle survint qui, de son bec courbé, brisa le col à toutes ; elles gisaient en tas, pendant que, vers l'azur des dieux, il remontait. Et, toujours en mon songe, je pleurais et criais, et j'étais entourée d'Achéennes bouclées, qu'attiraient mes sanglots, et je pleurais mes oies que l'aigle avait tuées... Mais sur le bord du toit, il revint se poser et, pour me consoler, prenant la voix humaine : « Fille du glorieux Icare, sois sans crainte! Ceci n'est pas un songe; c'est bien, en vérité, ce qui va s'accomplir! Les prétendants seront ces oies ; je serai l'aigle, envolé tout à l'heure, à présent revenu. Moi, ton époux, je vais donner aux prétendants une mort misérable! » Il disait ; le sommeil de miel m'avait quittée : à travers le manoir, j'allai compter mes oies ; tout comme à l'ordinaire, je les vis becqueter le grain auprès de l'auge. »

Ulysse l'avisé lui fit cette réponse :

ULYSSE. – Femme, je ne vois pas que l'on puisse donner d'autre sens à ton rêve. De la bouche d'Ulysse en personne, tu sais ce qui doit advenir : pour tous les prétendants, c'est la mort assurée ; pas un n'évitera le trépas et les Parques.

La plus sage des femmes, Pénélope, reprit :

PÉNÉLOPE. – O mon hôte, je sais la vanité des songes et leur obscur langage!... je sais, pour les humains, combien peu s'accomplissent! [Les songes vacillants nous viennent de deux portes ; l'une est fermée de corne ; l'autre est fermée d'ivoire ; quand un songe nous vient par l'*ivoire* scié, ce n'est que tromperies, simple *ivraie* de paroles ; ceux que laisse passer la *corne* bien polie nous *cornent* le succès du mortel qui les voit [1]. Mais ce n'est pas de là que m'est venu, je crois, ce songe redoutable! nous en aurions, mon fils et moi, trop de bonheur!] Mais écoute un avis et le mets en ton cœur. La voici, elle vient, l'aurore de malheur, où j'abandonnerai cette maison d'Ulysse : je vais leur proposer un jeu, celui des haches. Ulysse, en son manoir, alignait douze haches, comme étais de carène ; puis, à bonne distance, il allait se poster pour envoyer sa flèche à travers tout le rang [2]... C'est l'épreuve qu'aux prétendants je vais offrir : si l'un d'eux, sans effort, peut nous tendre cet arc et, dans les douze haches, envoyer une flèche, c'est lui que je suivrai, quittant cette maison, ce toit de ma jeunesse, si beau, si bien fourni, que je crois ne jamais oublier, — fût-ce en rêve.

Ulysse l'avisé lui fit cette réponse :

ULYSSE. – Digne épouse du fils de Laërte, d'Ulysse! chez toi, sans plus tarder, ouvre-leur ce concours! car tu verras rentrer Ulysse l'avisé avant que tous ces gens, maniant l'arc poli, aient pu tendre la corde et traverser les haches.

La plus sage des femmes, Pénélope, reprit :

PÉNÉLOPE. – En ce manoir, mon hôte, si tu voulais rester encore à me charmer, le sommeil ne saurait s'abattre sur mes yeux. Mais on ne peut toujours écarter le sommeil ; c'est pour tous les mortels que, sur la terre aux blés, les dieux ont fait la loi. Je vais donc, il est temps, regagner mon étage et m'étendre en ce lit qu'emplissent mes sanglots et que trempent mes larmes depuis le jour qu'Ulysse est allé voir là-bas cette Troie de malheur!... que le nom en périsse!...

Puissé-je reposer : toi, dors en ce logis! fais-toi par terre un lit, ou qu'on te dresse un cadre...

A ces mots, regagnant son étage brillant [a], elle rentra chez elle avec ses chambrières : elle y pleurait encore Ulysse, son époux, à l'heure où la déesse aux yeux pers, Athéna, vint jeter sur ses yeux le plus doux des sommeils.

(*CHANT XX.*) Ce fut dans l'avant-pièce que le divin Ulysse vint alors se coucher : par terre et sur la peau fraîche encor de la vache, il entassa plusieurs toisons de ces brebis que, chaque jour, offraient aux dieux les Achéens.

Quand il y fut couché, Eurynomé sur lui vint jeter une cape. Mais, songeant à planter des maux aux prétendants, il restait éveillé.

[De la salle, il voyait s'échapper les servantes, qui, chez les prétendants allant à leurs amours, s'excitaient l'une l'autre au plaisir et aux rires. Son cœur en sa poitrine en était soulevé ; son esprit et son cœur ne savaient que résoudre : allait-il se jeter sur elles, les tuer? ou, pour le dernier soir, laisserait-il encor ces bandits les avoir?...

Tout son cœur aboyait : la chienne, autour de ses petits chiens qui flageolent, aboie aux inconnus et s'apprête au combat ; ainsi jappait son âme, indignée de ces crimes [1] ; mais, frappant sa poitrine, il gourmandait son cœur :

ULYSSE. – Patience, mon cœur! c'est chiennerie bien pire qu'il fallut supporter le jour que le Cyclope, en fureur, dévorait mes braves compagnons! ton

a. Vers 601 : sans la laisser, suivait le reste des servantes.

audace avisée me tira de cet antre où je pensais mourir!

C'est ainsi qu'il parlait, s'adressant à son cœur; son âme résistait, ancrée dans l'endurance, pendant qu'il se roulait d'un côté, puis de l'autre; comme on voit un héros, sur un grand feu qui flambe, tourner de-ci de-là une panse bourrée de graisses et de sang; il voudrait tant la voir cuite tout aussitôt; ainsi, il se roulait, méditant les moyens d'attaquer, à lui seul, cette foule éhontée.]

Mais voici qu'Athéna se présentait à lui [a] et lui disait ces mots, debout à son chevet :

ATHÉNA. – Pourquoi veiller toujours, ô toi, le plus infortuné de tous les hommes?... N'as-tu pas maintenant ton foyer, et ta femme, et ce fils que pourraient t'envier tous les pères?

Ulysse l'avisé lui fit cette réponse :

ULYSSE. – Déesse, en tout cela, tes discours sont parfaits; mais ce qu'au fond de mon esprit, je cherche encore, c'est comment, à moi seul, mes mains pourront punir cette troupe éhontée, qui s'en vient chaque jour envahir ma maison! et, souci bien plus grand! si je tuais ces gens avec l'assentiment de ton Père et le tien, mon cœur voudrait savoir où me réfugier; penses-y, je te prie!

La déesse aux yeux pers, Athéna, répondit :

ATHÉNA. – Pauvre ami! les humains mettent leur confiance en des amis sans force, en de simples mortels qui n'ont pas grand esprit!... Ne suis-je pas déesse? toujours à tes côtés, je veillerai sur toi dans

a. Vers 31 : venue du haut du ciel, sous les traits d'une femme.

toutes tes épreuves et, pour te parler net, cinquante bataillons de ces pauvres mortels, pourraient nous entourer de leur cercle de mort ; c'est encore en tes mains que passeraient leurs bœufs et leurs grasses brebis. Allons! que le sommeil te prenne, toi aussi! rester toute la nuit aux aguets, sans dormir, c'est encore une gêne : tes maux sont à leur terme.

A ces mots, lui versant le sommeil aux paupières, cette toute divine remonta sur l'Olympe. Ulysse alors fut pris du sommeil, qui détend les soucis et les membres. Mais voici que, là-haut, sa femme s'éveillait et, le cœur soucieux, s'asseyait, pour pleurer, sur sa couche moelleuse. Elle pleura longtemps, pour soulager son cœur, cette femme divine! puis ce fut Artémis, qu'elle invoqua :

PÉNÉLOPE. – Fille auguste de Zeus, Artémis, ô déesse! viens me percer le cœur de l'une de tes flèches! viens me prendre la vie! [à présent, tout de suite! ou qu'ensuite les vents, par la voie des nuées, m'enlèvent et m'emportent, pour me jeter aux bords où l'Océan reflue [1]! Filles de Pandareus, les vents ainsi vous prirent! Vos parents étaient morts, enlevés par les dieux, et vous étiez restées au manoir, orphelines. La divine Aphrodite alors vous nourrissait de fromage, de miel suave et de vin doux [2] ; Héra mettait en vous, plus qu'en toutes les femmes, la beauté, la raison, et la chaste Artémis vous donnait la grandeur, et Pallas Athéna, l'adresse aux beaux ouvrages. Mais un jour Aphrodite, au sommet de l'Olympe, vint demander pour vous un heureux mariage à Zeus, le brandisseur de foudre, qui connaît le destin malheureux ou joyeux des mortels. Et c'est alors que les Harpyies vous enlevèrent pour vous remettre aux soins des tristes Érinnyes... Que tout pareillement, me fassent disparaître les dieux, les habitants des manoirs de l'Olympe! que me transperce l'Artémis aux belles boucles! mais du moins qu'en l'horreur du monde souterrain, j'aille revoir Ulysse!] pour que je n'aie jamais à contenter les vœux d'un moins noble héros! Encore est-il aux maux quelque adoucissement, quand, pleurant tout le jour sous le poids des tristesses, on a du moins les nuits où le sommeil nous prend et, nous fermant les yeux, vient nous faire oublier la vie, bonne ou mauvaise. Mais moi, le ciel m'afflige encor de mauvais songes! Cette nuit, il était à dormir près de moi! je Le retrouvais tel qu'Il partit pour l'armée! quelle joie dans mon cœur! car je croyais L'avoir en chair, non pas en songe.

Elle parlait ainsi, et l'Aurore montait sur son trône doré.

Or, la voix de sa femme en pleurs était venue jusqu'au divin Ulysse : pensif, il écouta ; son cœur se figura qu'il était reconnu, qu'elle allait apparaître, debout à son chevet... Couverture et toisons, il rassembla son lit et le posa sur l'un des fauteuils de la salle, puis emporta la peau de vache dans la cour, et, mains levées, il fit à Zeus cette prière :

ULYSSE. – Si les dieux, Zeus le père, à travers tant de maux et sur terre et sur mer, m'ont voulu ramener enfin dans mon pays, fais qu'en cette maison, un mot soit prononcé par les gens qui s'éveillent et qu'un signe de toi apparaisse au-dehors!

Sitôt qu'il eut parlé, le Zeus de la sagesse accueillit sa prière : soudain, la foudre emplit la gloire de l'Olympe, du profond des nuées, et le divin Ulysse eut de la joie au cœur et, du logis tout proche, une femme parla. Car le pasteur du peuple avait en son moulin douze femmes peinant à moudre orges et blés qui font le nerf des hommes : les onze autres dormaient, ayant broyé leur grain ; une seule n'avait pas achevé sa tâche ; elle était la plus faible. En arrêtant sa meule, ce fut elle qui dit, présage pour son maître :

SERVANTE. – O Zeus le père, ô roi des dieux et des humains! dans les astres du ciel, quel éclat de ta foudre!... Pourtant, pas un nuage!... C'est un signe de toi!... Alors, exauce aussi mon vœu de pauvre femme! fais que les prétendants, en ce manoir d'Ulysse, viennent prendre aujourd'hui le dernier des derniers de leurs joyeux festins!... Ils m'ont brisé le cœur et rompu les genoux à moudre leur farine!... qu'ils dînent aujourd'hui pour la dernière fois!

Et ce cri de la femme et la foudre de Zeus rendirent le divin Ulysse tout joyeux ; il comprit qu'il allait moudre aussi sa vengeance!

LE JEU DE L'ARC [1]

Accourue à travers le beau manoir d'Ulysse, la troupe des servantes ranimait au foyer la danse de la flamme, quand, sortant de son lit, Télémaque apparut. Cet homme égal aux dieux avait mis ses habits, passé son glaive à pointe autour de son épaule, chaussé ses pieds luisants de ses belles sandales et pris sa forte lance à la pointe de bronze. Au seuil, il s'arrêta et dit à Euryclée :

TÉLÉMAQUE. – Nourrice, qu'a-t-on fait pour bien traiter notre hôte? a-t-il trouvé chez nous le lit et le coucher?... ou l'auriez-vous laissé sans prendre soin de lui? Car je connais ma mère! et cette âme si sage est parfois étonnante pour tirer du commun des mortels la canaille et, sans égards, chasser les plus honnêtes gens.

La nourrice Euryclée lui fit cette réponse :

EURYCLÉE. – Aujourd'hui, mon enfant, ne la mets pas en cause! ce serait injustice! Du vin? il est resté à boire son content!... du pain lui fut offert, mais il n'avait pas faim! Quand l'heure fut venue du lit et du sommeil, ta mère a dit aux femmes d'aller dresser un cadre; mais il est si maudit du sort, si misérable que, pour dormir, il n'a voulu ni lit ni draps : il n'a pris que la peau fraîche encor de la vache et des peaux de moutons, pour se coucher dans l'avant-pièce où nous l'avons recouvert d'une cape.

Sur ces mots d'Euryclée, Télémaque s'en fut, à travers la grand-salle [a], rejoindre à l'agora les Achéens guêtrés.

Mais la divine vieille appelait les servantes[b] :

EURYCLÉE. – Allons vite à l'ouvrage! qu'on balaie le logis! qu'on l'arrose et qu'on mette sur les fauteuils ouvrés la pourpre des tapis! que d'autres, à l'éponge, essuient toutes les tables, puis nettoient le cratère et, dans leur double fond, les coupes en métal! mais vous, à la fontaine, allez chercher de l'eau et rentrez au plus vite! Nos prétendants ne vont pas tarder à venir; ils seront là de grand matin : c'est fête en ville.

Elle dit : à sa voix, les femmes obéirent. Pendant que vingt allaient à la Fontaine Noire [1], les autres s'empressaient au travail dans les salles.

a. Vers 145 : lance en main, avec deux lévriers à sa suite.
b. Vers 148 : Euryclée, fille d'Ops, le fils de Pisénor.

On vit alors entrer les fougueux prétendants : tout de suite, ils se mirent à bien fendre le bois. Puis on vit revenir de la source les femmes. Puis, survint le porcher, poussant trois cochons gras, l'honneur de son troupeau, que, dans la belle enceinte, il laissa pâturer ; mais lui, s'en vint tout droit complimenter Ulysse :

EUMÉE. – Est-ce d'un meilleur œil que l'on te voit ici, notre hôte ? ou gardent-ils leurs façons insolentes ?

Ulysse l'avisé lui fit cette réponse :

ULYSSE. – Eumée, puissent les dieux punir leurs infamies ! quelles impiétés trament ces bandits-là, sans ombre de pudeur, dans la maison d'un autre !

Pendant qu'ils échangeaient ces paroles entre eux, survint Mélantheus, le maître-chevrier, avec la fine fleur de ses hardes de chèvres [a]. Sous le porche sonore, il attacha ses bêtes et, s'approchant d'Ulysse, il lui dit en raillant :

MÉLANTHEUS. – L'étranger, toujours là pour quêter dans la salle et gêner les convives ! Quand prendras-tu la porte ? Décidément, je vois qu'avant de nous quitter, nos bras se tâteront : de la mendicité, tu dépasses les bornes ! Il est ailleurs qu'ici des festins d'Achéens !

Ulysse l'avisé resta sans rien répondre, muet, branlant la tête et roulant la vengeance au gouffre de son cœur. En troisième, survint alors Philoetios : commandeur des bouviers, il arrivait du bac [1], qui passe chaque jour les gens qui se présentent. Il avait amené une vache stérile avec des chèvres grasses. Sous le porche sonore, il attacha ses bêtes et, s'approchant d'Eumée, lui fit cette demande :

PHILOETIOS. – Porcher, quel est cet hôte ? C'est,

a. Vers 175 : repas des prétendants ; deux bergers le suivaient.

dans notre maison, un nouvel arrivant. De quel peuple, chez nous, peut-il se réclamer? a-t-il ici ou là famille et héritage? le pauvre homme! il a l'air d'un vrai roi, d'un grand chef! comme à rouler le monde les dieux brisent un homme et nous filent des maux, même quand on est roi!

Puis, s'approchant d'Ulysse, il lui fit un salut de la main et lui dit ces paroles ailées :

PHILOETIOS. – Salut, père étranger! que puisse la fortune un jour te revenir! aujourd'hui, je te vois en proie à tant de maux!... Ah! Zeux le père! est-il, parmi les autres dieux, plus terrible que toi? Sans pitié des mortels, que, pourtant, tu fis naître, tu les jettes en proie aux pires des souffrances... Une sueur m'a pris quand je t'ai vu, notre hôte, et mes yeux ont pleuré au souvenir d'Ulysse, car je le vois couvert de semblables haillons et courant par le monde!... s'il vit, s'il voit encor la clarté du soleil. Mais si la mort l'a mis aux maisons de l'Hadès, je veux pleurer toujours cet Ulysse éminent, qui me prit tout enfant, pour lui garder ses bœufs aux champs képhalléniotes [1]. Maintenant, son troupeau ne peut plus se compter! Jamais homme ne vit croître pareillement ses bœufs au large front... Mais, sur l'ordre d'intrus, je dois les amener ici, pour qu'on les mange!... En son propre manoir, sans pitié pour son fils, sans pensée pour les dieux et pour leur châtiment, ils ne comptent déjà que partager les biens du maître disparu! Aussi, dans ma poitrine, mon cœur tourne et retourne un projet : le voici. Du vivant de son fils, je trouverais très mal d'aller avec mes bœufs dans un autre pays, chez les gens d'autre langue; mais qu'il est plus cruel de rester à souffrir auprès des bœufs d'autrui! Ah! oui, depuis longtemps je me serais enfui chez un autre grand roi ; car il se passe ici des faits intolérables ! Mais je pense toujours à notre pauvre maître : s'il pouvait revenir et balayer d'ici les seigneurs prétendants !

Ulysse l'avisé lui fit cette réponse :

ULYSSE. – Écoute-moi, bouvier ! car tu n'as pas la mine d'un sot ni d'un vilain, et je vois qu'en ton cœur peut entrer la sagesse. Donc, écoute mon dire et mon plus grand serment[a] : si tu restes céans, je jure que céans, tu reverras Ulysse. Oui ! si tu le désires, tu verras de tes yeux la mort des prétendants qui font ici la loi.

Le maître des bouviers lui fit cette réponse :

PHILOETIOS. – Étranger, que le fils de Cronos accomplisse ce que tu nous dis là ! tu verrais ce que vaut et mon bras et ma force[b].

Pendant qu'ils échangeaient ces paroles entre eux, les prétendants tramaient la mort de Télémaque. Mais voici qu'à leur gauche apparut le présage, un aigle qui montait vers l'azur en tenant une pauvre colombe.

Amphinomos prit donc la parole et leur dit :

AMPHINOMOS. – Amis, notre projet ne réussira pas : Télémaque vivra... Ne songeons qu'au festin.

Il dit : tous d'approuver ces mots d'Amphinomos ; chez le divin Ulysse, aussitôt ils rentrèrent pour poser leurs manteaux aux sièges et fauteuils. On abattit de grands moutons, des chèvres grasses[c] ; on fit cuire, on trancha les premières grillades ; on mélangea le vin

a. Vers 230-231 : que Zeus soit mon témoin, avant tout autre dieu, et ta table, ô mon hôte, comme aussi le foyer de l'éminent Ulysse, où me voici rendu.

b. Vers 238-239 : Eumée pareillement invoquait tous les dieux pour le retour du sage Ulysse en sa demeure.

c. Vers 251 : des pourceaux gras à lard et la vache des prés.

dans le cratère; Eumée distribua les coupes, et quand Philoetios, le grand chef des bouviers, eut réparti le pain dans les belles corbeilles, ce fut Mélanthios qui servit d'échanson[a].

Dans la salle trapue, auprès du seuil de pierre, Télémaque à dessein avait mis pour Ulysse une petite table avec un pauvre siège; il l'avait installé et servi de grillades; il lui versait du vin dans une coupe d'or et lui disait ces mots :

TÉLÉMAQUE. - Reste assis maintenant à boire avec les hommes : à moi, de te garder de l'insulte et des coups des seigneurs prétendants. Cette maison n'est pas une place publique : c'est la maison d'Ulysse, et j'en suis l'héritier. Aussi bien, prétendants, modérez votre humeur! ni menaces ni coups, si vous ne voulez pas de querelle et de rixe!

Il dit; tous s'étonnaient, les dents plantées aux lèvres, que Télémaque osât leur parler de si haut.

Antinoos, le fils d'Eupithès, répliqua :

ANTINOOS. – Laissons passer le mot, si pénible qu'il soit. Vous avez entendu comment il nous menace!... Ah! le fils de Cronos, Zeus, ne l'a pas voulu : sinon, voilà longtemps déjà que nous l'aurions fait taire en son manoir, ce crieur d'agora!

Il dit; mais Télémaque écoutait impassible. Les hérauts, ce jour-là, conduisaient par la ville une sainte hécatombe vers le bois d'Apollon où, pour fêter le dieu qui lance au loin ses flèches, le peuple aux longs cheveux s'assemblait sous l'ombrage. On retira du feu les grosses viandes cuites, on y trancha les parts et l'on fut à la joie de ce festin superbe; ceux d'entre

a. Vers 256 : vers les morceaux de choix préparés et servis, ils tendirent les mains.

eux qui servaient mirent devant Ulysse un morceau tout semblable à celui qu'ils s'étaient eux-mêmes adjugé ; car le fils du divin Ulysse, Télémaque, en avait donné l'ordre.

[1] Mais Pallas Athéna ne mettait fin ni trêve aux cuisantes insultes des fougueux prétendants : la déesse voulait que le fils de Laërte, Ulysse, fût mordu plus avant jusqu'au cœur.

Parmi les prétendants, il était une brute, du nom de Ctésippos ; il habitait Samé et comptait sur ses biens immenses pour gagner la main de Pénélope, en l'absence d'Ulysse. Aux prétendants sans frein, ce fut lui qui parla :

CTÉSIPPOS. – J'ai deux mots à vous dire, ô fougueux prétendants !... L'hôte a, depuis longtemps, reçu sa part entière, et c'est fort bien ainsi ; il ne serait ni bon ni juste qu'on manquât d'égards envers les hôtes, qu'à son gré, Télémaque accueille en ce logis ! Mais je veux, moi aussi, lui faire mon cadeau, qu'il pourra reporter soit au garçon de bains, soit à quelqu'un des gens qui servent au manoir de ce divin Ulysse.

Il dit. Sa forte main avait, dans la corbeille, saisi un pied de bœuf qu'il lança contre Ulysse ; d'un simple écart de tête, Ulysse l'évita, puis sourit en son cœur, d'un rire sardonique [2] ! Le pied s'en fut taper dans l'épaisse muraille.

Télémaque aussitôt gourmanda Ctésippos :

TÉLÉMAQUE. – Ctésippos, que ton cœur tienne pour une chance d'avoir manqué mon hôte et qu'il se soit garé ! Car moi, je t'envoyais en plein cœur cette pique, et ton père aurait eu à donner le banquet, mais pour tes funérailles, et non pas pour ta noce... Je ne veux plus chez moi de ces indignités ! Je suis d'âge à tout voir ; je comprends bien des choses, et le bon et le pire ; je suis sorti d'enfance, et pourtant quel spectacle il me faut endurer ! mes moutons égorgés, et mon vin englouti, et mon pain dévoré ! sans pouvoir, à moi seul, lutter contre le nombre. Mais allons ! renoncez à ces actes de haine ou, si c'est votre plan de me tuer moi-même à la pointe du bronze, j'y verrai tout profit ! j'aimerais mieux mourir que voir s'éterniser en ce manoir si beau ces actions indignes, mes hôtes maltraités, mes femmes de service traînées au déshonneur !

Il dit. Tous se taisaient. Mais après un silence, Agélaos, le fils de Damastor, reprit :

AGÉLAOS. – Amis, quand on vous dit des choses aussi justes, à quoi bon riposter en paroles de haine [a] ? Mais veux-tu, Télémaque, un conseil d'amitié pour ta mère et pour toi ? je voudrais que votre âme, à tous deux, l'agréât ! Tant qu'un espoir restait au fond de votre cœur de voir en sa maison rentrer le sage Ulysse, nul ne trouvait mauvais que ta mère attendît et nous retînt chez toi !... c'était le bon parti !... il pouvait revenir, reparaître au logis !... Mais, aujourd'hui, c'est clair : il ne reviendra plus !... Donc va trouver ta mère, et dis-lui bien cela [b]. Alors, mangeant, buvant, tu jouiras en paix de tout ton héritage, pendant qu'elle aura soin de la maison d'un autre.

Posément, Télémaque le regarda et dit :

TÉLÉMAQUE. – Par Zeus, Agélaos ! et par les maux d'un père qui, loin de notre Ithaque, est mort ou vit errant ! ce n'est pas moi qui fais traîner ce mariage ! A ma mère, je dis d'épouser qui lui plaît et veux lui faire

a. Vers 324-325 : cessez de maltraiter et cet hôte et tous ceux qui servent au logis de ce divin Ulysse.

b. Vers 335 : d'épouser le plus noble et le plus généreux.

encor tous les cadeaux du monde! Mais comment la chasser contre sa volonté?... Dire un mot qui la force à quitter ce logis? ah! non! le ciel m'en garde!

Télémaque parlait. Mais Pallas Athéna, égarant leur raison, les fit tous éclater d'un rire inextinguible. Leurs mâchoires riaient sans qu'ils sussent pourquoi; les viandes qu'ils mangeaient se mettaient à saigner; ils voulaient sangloter, les yeux emplis de larmes.

Alors Théoclymène, au visage de dieu [1] :

THÉOCLYMÈNE. – Pauvres gens! à quel mal êtes-vous donc en proie?... de la tête aux genoux, la nuit vous enveloppe; elle noie vos visages; sous vos sanglots ardents, vos joues fondent en larmes! Je vois le sang couler aux murs, aux belles niches... Et voici que l'auvent se remplit de fantômes! Ils emplissent la cour! ils s'en vont du côté du noroît, à l'Érèbe : dans les cieux, le soleil s'éteint, et la nuée de mort recouvre tout!

Il dit : un joyeux rire accueillit ses paroles, et le fils de Polybe, Eurymaque, reprit :

EURYMAQUE. – Cet hôte fraîchement débarqué n'est qu'un fou! guidez-le, jeunes gens, vers la porte, au plus vite! qu'il aille à l'agora voir s'il fait nuit ici!

Alors, Théoclymène au visage de dieu :

THÉOCLYMÈNE. – Eurymaque, je n'ai que faire de tes guides! j'ai mes deux yeux, mes oreilles, mes deux pieds; ma tête est bien solide, et mon esprit très sain! Avec eux, je m'en vais. Car je vois arriver le malheur sur vos têtes, et nul n'échappera, nul ne s'en tirera parmi vous, prétendants, qui maltraitez les gens et tramez vos forfaits chez ce divin Ulysse.

Et le devin, sortant du grand corps de logis, s'en fut chez Piraeos, qui lui fit bon accueil. Mais tous les prétendants, se regardant l'un l'autre, taquinaient Télémaque et riaient de ses hôtes. Un de ces jeunes fats s'en allait, répétant :

LE CHŒUR. – Télémaque, on n'est pas plus malheureux en hôtes! Regarde celui-là!... un vagabond, un gueux, qui veut du vin, du pain, mais du travail, jamais! pas la moindre énergie! un poids mort sur la terre...! Et l'autre qui se lève et qui fait le devin!... Écoute-moi, voyons, et prends le bon parti : jetons ces étrangers sous les bancs d'un navire et qu'on aille en Sicile [1] en tirer un bon prix!

Il dit; mais Télémaque écoutait impassible; muet, il regardait son père, ne sachant quand il voudrait enfin mater leur impudence.

Or, la fille d'Icare, la sage Pénélope, assise en l'embrasure [2] sur sa riche escabelle, écoutait les propos de tous et de chacun, et c'était dans la salle un plantureux festin, tout de joie et de rires, pour lequel ils avaient immolé tant de bêtes! Encor quelques instants, et le souper qu'allaient leur servir la déesse et le vaillant héros n'aurait pas son pareil pour le manque de charme; mais c'est d'eux, les premiers, qu'était parti le crime.]

(*CHANT XXI.*) C'est alors qu'Athéna, la déesse aux yeux pers, vint mettre dans l'esprit de la fille d'Icare d'offrir aux prétendants l'arc et les fers polis[a3]. Par le haut escalier, la sage Pénélope descendit de sa chambre. Sa forte main tenait la belle clef de bronze à la courbe savante, à la poignée d'ivoire. Avec ses chambrières, elle alla tout au fond du trésor où le maître déposait ses joyaux avec son or, son bronze

a. Vers 4 : dans le manoir d'Ulysse, jeux et début du meurtre.

et ses fers travaillés; là se trouvaient aussi l'arc à brusque détente et le carquois de flèches, tout rempli de ces traits, d'où viendraient tant de pleurs.

[C'est en Lacédémone [1], un jour qu'en un voyage, Ulysse avait reçu ces présents d'Iphitos, l'un des fils d'Eurytos [2], semblable aux Immortels.

Tous deux, en Messénie ils s'étaient rencontrés chez le sage Orsiloque : Ulysse y réclamait la dette que ce peuple avait envers le sien; car des Messéniens, sur leurs vaisseaux à rames, avaient aux gens d'Ithaque volé trois cents moutons ainsi que leurs bergers. C'est comme ambassadeur, quoique tout jeune encore, qu'Ulysse était parti pour ce lointain voyage, député par son père et les autres doyens. Or, Iphitos cherchait ses cavales perdues, douze mères-juments et leurs mulets, sous elles en âge de travail : elles devaient, hélas! causer un jour sa perte, quand il irait trouver l'homme au cœur énergique, l'auteur des grands travaux, Héraclès [3], fils de Zeus!... En sa propre maison, sans redouter les dieux, sans respecter la table, où il l'avait reçu, où il allait l'abattre, Héraclès, l'insensé! devait tuer cet hôte, pour prendre en son manoir les juments au pied dur.

C'est elles qu'Iphitos cherchait en Messénie quand, rencontrant Ulysse, il lui donna cet arc, que le grand Eurytos jadis avait porté et qu'il avait laissé, en mourant, à son fils dans sa haute demeure. En retour, Iphitos avait reçu d'Ulysse une lance robuste avec un glaive à pointe. Ce jour avait fait d'eux les plus unis des hôtes; s'ils n'avaient pas connu la table l'un de l'autre, c'est que le fils de Zeus, auparavant, tua Iphitos, l'Eurytide, cet émule des dieux. Or, jamais le divin Ulysse n'emportait le cadeau d'Iphitos, quand, sur les noirs vaisseaux, il partait pour la guerre : il gardait au manoir ce souvenir d'un hôte et ne l'avait jamais porté que dans son île.

Elle allait au trésor [1], cette femme divine. Elle était arrivée au seuil en bois de chêne que l'artisan jadis en maître avait poli et dressé au cordeau; il en avait aussi ajusté les montants et les portes brillantes.

Aussitôt détachée la courroie du corbeau, Pénélope au panneau introduisit la clef, fit jouer les verrous et poussa devant elle : comme meugle un taureau pâturant dans les prés, le beau battant mugit sous le choc de la clef, et la porte tourna. Pénélope monta sur une planche haute [2], où les coffres dressés renfermaient les habits couchés dans les parfums.]

Pénélope étendit la main et décrocha l'arc avec le fourreau brillant qui l'entourait. Puis, s'asseyant et les prenant sur ses genoux et pleurant à grands cris, la reine dégaina du fourreau l'arc du maître, et son cœur se reput de pleurs et de sanglots.

Enfin, dans la grand-salle, elle revint auprès des nobles prétendants, ayant dans une main l'arc à brusque détente, dans l'autre le carquois[a] ; ses femmes la suivaient, portant le coffre aux fers, si nombreux et au bronze dont joutait ce grand roi.

Elle apparut alors devant les prétendants, cette femme divine, et, debout au montant de l'épaisse embrasure, ramenant sur ses joues ses voiles éclatants[b], elle prit aussitôt la parole et leur dit

a. Vers 60 : tout rempli de ces traits d'où viendraient tant de pleurs.

b. Vers 66 : debout à ses côtés, veillaient les chambrières

PÉNÉLOPE. – Écoutez, prétendants fougueux, qui chaque jour fondez sur ce logis pour y manger et boire les vivres d'un héros parti depuis longtemps! Vous n'avez pu trouver d'autre excuse à vos actes que votre ambition de me prendre pour femme! eh bien! ô prétendants, voici pour vous l'épreuve : oui! voici le grand arc de mon divin Ulysse : s'il est ici quelqu'un dont les mains, sans effort, puissent tendre la corde et, dans les douze haches, envoyer une flèche [1], c'est lui que je suivrai, quittant cette maison, ce toit de ma jeunesse, si beau, si bien fourni! que je crois ne jamais oublier, même en songe!

Elle dit et donna l'ordre au divin porcher d'offrir aux prétendants l'arc et les fers polis [2]. Eumée vint en pleurant les prendre et les offrir. Dans son coin, le bouvier pleurait aussi en revoyant l'arme du maître.

Alors Antinoos se mit à le tancer :

ANTINOOS. – Ah! les sots campagnards! pensant au jour le jour!... Ah! couple de malheur! pourquoi verser des larmes et troubler en son sein le cœur de cette femme?... Vous savez les tourments où la plonge déjà la perte de l'époux!... Si vous voulez rester à table, taisez-vous! si vous voulez pleurer, sortez! mais posez l'arc! laissez aux prétendants cette lutte anodine [3] : car cet arc bien poli, je ne crois pas qu'on puisse aisément le bander! Non! ce n'est pas ici, parmi tous ces convives, qu'Ulysse a son rival; je l'ai vu de mes yeux et toujours m'en souviens; j'étais pourtant bien jeune!

Il disait, bien qu'au cœur, il gardât l'espérance de pouvoir tendre l'arc et traverser les fers; mais c'est lui, le premier, qui goûterait des flèches envoyées par la main de l'éminent Ulysse, qu'à cette heure, assis en son manoir, il raillait en excitant les autres.

Sa Force et Sainteté Télémaque leur dit :

TÉLÉMAQUE. – Ah! misère! c'est Zeus, c'est le fils de Cronos qui me trouble l'esprit. Ma mère, cette femme à l'esprit de sagesse, me prévient qu'elle va quitter cette maison, pour suivre un autre époux, et je ris et, d'un cœur léger, me divertis!... Mais allons, prétendants! Vous avez vu le prix! est-il femme pareille en terres achéennes, dans la sainte Pylos, dans Argos, dans Mycènes[a] ? Mais vous le savez bien! pourquoi vanter ma mère ? Allons! pas de prétexte! avancez sans retard et montrez-nous comment on peut bander cet arc! car je veux essayer, moi aussi, de le tendre! si je puis le bander et traverser les fers, alors plus de tristesse! ma mère vénérée gardera ce manoir, sans aller chez un autre et sans me quitter, moi, qui serai désormais l'émule de mon père en ses plus beaux concours.

Il dit et, son manteau de pourpre rejeté, il se dressa d'un bond, ôta le glaive à pointe pendu à son épaule et, pour planter les haches, vint tracer au cordeau et creuser un fossé, dont il buttait la terre autour de chaque manche [1]. Pour tous les Achéens, ce fut une surprise de le voir disposer si bellement ces haches, dont jusqu'ici, pourtant, ses yeux ne savaient rien! Puis, montant sur le seuil, debout, il fit l'essai. Trois fois, pour bander l'arc, il ébranla la corde. Trois fois, il dut lâcher, malgré tout son espoir[b].

Il s'y reprit encore, et peut-être allait-il réussir cette fois, quand Ulysse, d'un signe, arrêta son effort [2].

Sa Force et Sainteté Télémaque leur dit :

a. Vers 109 : ou même en notre Ithaque et sur ce continent dont 'a côte noircit.

b. Vers 127 : de pouvoir tendre l'arc et traverser les fers.

TÉLÉMAQUE. – Ah! misère! en ma vie serai-je faible et lâche?... suis-je trop jeune encor pour compter sur mon bras[a]?... Mais puisque votre bras est plus fort que le mien, essayez de cet arc! poursuivons le concours!

Il dit et, sur le sol, ayant déposé l'arc, il l'appuya aux bois des panneaux joints et lisses, coucha la flèche ailée sur le joli corbeau, puis reprit le fauteuil qu'il venait de quitter.

Antinoos, le fils d'Eupithès, dit aux autres :

ANTINOOS. – De la gauche à la droite, allons! que nos amis viennent tous, à la file, en commençant du même bout que l'échanson!

Tous ayant approuvé ces mots d'Antinoos, ce fut le fils d'Oenops, Liodès l'aruspice, qui s'en vint le premier : son siège était au coin, tout près du beau cratère [1] ; seul, il avait l'horreur de leurs impiétés et leur montrait son blâme. Donc il prit, le premier, l'arc et la flèche ailée et, montant sur le seuil, debout, il fit l'essai, mais ne put tendre l'arc. A tirer sur la corde, il eut bientôt lassé ses blanches mains débiles.

Il dit aux prétendants :

LIODÈS. – Amis, ce n'est pas moi qui tendrai l'arc : à d'autres! Mais cet arc va briser et le cœur et la vie à plusieurs de nos princes! s'il est vrai que, cent fois mieux nous vaudrait mourir que vivre sans avoir enfin la récompense d'une si longue attente, après tant de journées passées en ce manoir! S'il en est dont le cœur a pu former l'espoir d'épouser Pénélope, la compagne d'Ulysse, qu'ils tâtent de cet arc! qu'ils le voient seulement! et nous verrons bientôt leurs cadeaux et leurs vœux s'en aller vers quelque autre

a. Vers 133 : et mettre à la raison qui voudrait m'outrager?

Achéenne au beau voile! Et, quant à Pénélope, c'est ou le plus offrant ou l'élu du destin qui sera son époux.

Il dit et, sur le sol ayant déposé l'arc, il l'appuya aux bois des panneaux joints et lisses, coucha la flèche ailée sur le joli corbeau, puis reprit le fauteuil qu'il venait de quitter.

Alors Antinoos se mit à le tancer :

Antinoos. – Quel mot s'est échappé de l'enclos de tes dents! C'est un mot, Liodès, terriblement cruel! j'enrage de l'entendre. Donc il faut que cet arc brise à bien des héros et le cœur et la vie, parce qu'un Liodès n'a pas pu le bander!... Si tu reçus le jour de ton auguste mère, ce n'est pas pour tirer de l'arc, lancer des flèches!... Laisse un peu! tu vas voir nos braves prétendants!

Il dit et, s'adressant au maître-chevrier :

Antinoos. – Vite, Mélantheus! ranime-nous le feu! mets auprès du foyer une grande escabelle, couverte de toisons ; puis va chercher dans la réserve un pain de suif pour que nos jeunes gens chauffent l'arc et le graissent [a]!

Il dit et Mélantheus, ranimant aussitôt la danse de la flamme, apporta l'escabeau, qu'il mit près du foyer, le couvrit de toisons, puis fut chercher le pain de suif dans la réserve. Quand on eut chauffé l'arc, les jeunes essayèrent : pas un ne le tendit ; la force leur manquait, et l'écart était grand!

Parmi les prétendants, il ne resta bientôt, avec Antinoos, que l'autre de leurs chefs, le divin Eurymaque ; leur valeur les mettait de beaucoup hors de pair.

Or, s'étant concertés, Eumée et le bouvier se déci-

a. Vers 180 : puis essayons cet arc ; achevons le concours!

daient ensemble à quitter le logis de leur maître divin. Derrière eux, le divin Ulysse se leva, sortit de la maison et déjà, de la cour, ils franchissaient les portes, quand il les rappela doucement et leur dit :

ULYSSE. – Bouvier et toi, porcher, puis-je vous dire un mot?... vaudrait-il mieux me taire?... J'obéis à mon cœur et je parle. Voyons! seriez-vous en humeur de lutter pour Ulysse, si jamais il rentrait, si tout à coup le ciel le ramenait ici?... de lui, des prétendants, auquel irait votre aide? répondez! n'écoutez que vos cœurs et vos âmes.

Le maître des bouviers aussitôt répondit :

PHILOETIOS. – Puisses-tu, Zeus le père! accorder à nos vœux que le maître revienne, que le ciel nous le rende [a].

Eumée pareillement invoquait tous les dieux pour le retour du sage Ulysse en sa demeure.

Quand il fut bien certain de connaître leurs cœurs, Ulysse, reprenant la parole, leur dit :

ULYSSE. – Eh bien! il est ici!... regardez-le!... c'est moi [b]! de tous mes serviteurs, c'est vous seuls que je vois, après tant de traverses, souhaiter mon retour! Du moins, de tous les autres, n'ai-je pas entendu un vœu pour ma rentrée! Aussi je vais vous dire en toute vérité ce que je compte faire : si quelque jour un dieu jette sous ma vengeance les nobles prétendants, je vous marie tous deux, je vous donne des biens, je vous bâtis une maison près de la mienne [1] et, pour moi, désormais, vous êtes les amis, les frères de mes fils!... Mais, tenez, s'il vous faut une marque certaine,

a. Vers 202 : tu verrais ce que vaut et mon bras et ma force.
b. Vers 208 : après vingt ans, je rentre au pays de mes pères.

vos cœurs, sans plus douter, pourront me reconnaître [a].

A ces mots, écartant ses haillons, il montra la grande cicatrice. Après l'avoir bien vue, avoir bien recherché leurs souvenirs du maître, ils jetèrent leurs bras au cou du sage Ulysse et, tout en pleurs, avec amour, ils le baisaient au front, sur les épaules, et le maître en retour les baisait tous les deux sur le front et les mains, et le soleil couchant eût encor vu leurs pleurs, si, pour les arrêter, Ulysse n'avait dit :

ULYSSE. – Laissez larmes et cris! car il ne faudrait pas que, sortant de la salle, un de leurs gens nous vît et retournât le dire... Rentrons l'un après l'autre, et non pas tous ensemble! moi d'abord, vous ensuite! Et veillez au signal! car ces fiers prétendants vont tous me refuser mon arc et mon carquois : alors, divin Eumée, à travers la grand-salle, viens m'apporter cet arc à moi-même, en mains propres ; puis tu diras aux femmes de fermer sur la salle leurs portes en bois plein et, si l'on entendait ou des cris ou des coups dans notre enclos des hommes, que pas une au-dehors ne sorte! et pas un mot! mais qu'on reste au travail!... Je te demande, à toi, divin Philoetios, de veiller au portail de la cour ; ferme-le ; mets prestement la barre et noue-la d'une corde.

Sur ces mots, il rentra au grand corps du logis et reprit l'escabeau qu'il venait de quitter, et bientôt, après lui, les deux bergers rentraient chez le divin Ulysse.

L'arc était maintenant dans les mains d'Eurymaque : il le tournait de-ci de-là, pour le chauffer à la lueur du

a. Vers 219-220 : c'est la plaie que jadis de sa blanche défense, me fit un sanglier, lorsque j'étais allé, avec les fils d'Autolycos, sur le Parnasse.

feu, mais sans pouvoir le tendre, et son cœur glorieux éclatait de colère. En frémissant, il dit enfin et déclara :

EURYMAQUE. – Que je souffre, ah! misère! et pour moi et pour tous! Ce n'est pas tant l'hymen qui cause mes regrets! Je sais, en mon dépit, bien d'autres Achéennes, soit en cette cité d'Ithaque entre-deux-mers, soit dans les autres villes... Mais voir notre vigueur dépassée de si loin par le divin Ulysse!... et que pas un de nous n'ait pu tendre son arc!... quelle honte pour nous jusque dans l'avenir!

Antinoos, le fils d'Eupithès, répliqua :

ANTINOOS. – Non! il n'en sera rien, Eurymaque! oublies-tu quelle fête, aujourd'hui, célèbre notre peuple? et tu sais de quel dieu [1]!... Comment tirer de l'arc aujourd'hui? rien à faire! mais que toutes les haches restent ainsi plantées ; personne ne viendra les enlever, je pense, en voulant pénétrer dans la salle d'Ulysse, chez le fils de Laërte!... Allons! que l'échanson nous remplisse les coupes ; que l'on fasse l'offrande, puis posons l'arc courbé! Mais pour demain, donnez au maître-chevrier l'ordre de nous fournir la fleur de ses troupeaux : en l'honneur d'Apollon, du glorieux archer, nous brûlerons les cuisses et, reprenant l'essai, finirons le concours.

Tous ayant approuvé ces mots d'Antinoos [a], la jeunesse remplit jusqu'aux bords les cratères ; pour les libations, on versa dans les coupes ; chacun fit son offrande et but tout son content. Ayant sa ruse en tête [2], Ulysse l'avisé prit alors la parole :

ULYSSE. – Écoutez, prétendants de la plus noble

a. Vers 270 : les hérauts leur versaient à laver sur les mains.

reine[a], mais d'abord Eurymaque et toi, Antinoos au visage de dieu, j'aurais une prière... Tu viens de prononcer une sage parole en disant qu'aujourd'hui, il vaut mieux laisser l'arc et s'en remettre aux dieux : demain, ils donneront la force à qui leur plaît. Mais voyons! prêtez-moi cet arc aux beaux polis ; je voudrais essayer la vigueur de mes mains, voir s'il me reste encore un peu de cette force, qui jadis se trouvait en mes membres alertes, ou si la vie errante et le manque de soins me l'ont déjà fait perdre.

Il dit ; mais le courroux des autres éclata : si le vieux allait tendre cet arc aux beaux polis!

Antinoos prit la parole et le tança :

ANTINOOS. – Mais tu n'as plus ta tête, ô le plus gueux des hôtes! Que te faut-il encore? en noble compagnie, sans le moindre travail, tu sièges au festin, tu prends de tous les plats et tu peux écouter nos dires et propos! [Jamais un étranger, un mendiant put-il entendre ainsi nos dires? Le vin au goût de miel t'a donc porté un coup? Tu n'es pas le premier qu'il ait conduit à mal, pour l'avoir engouffré sans garder la mesure. C'est le vin qui tourna l'esprit d'Eurytion[1]! Ce Centaure fameux était chez les Lapithes, dans le manoir du valeureux Pirithoos. Il laissa dans le vin sa raison ; sa folie emplit de ses forfaits la maison de son hôte. Les héros en fureur se jetèrent sur lui. On le traîna dehors, dans la rue, hors du porche ; d'un bronze sans pitié, on moissonna sur lui son nez et ses oreilles! Et lui, l'esprit toujours aveuglé, s'en alla, ne rêvant que vengeance en son cœur affolé. Il en vint cette guerre entre hommes et Centaures où, le premier

a. Vers 276 : voici ce que mon cœur me dicte en ma poitrine.

de tous, succomba cet ivrogne! Or, moi, si tu bandais cet arc, je te prédis un malheur aussi grand! ne compte plus trouver d'appuis en ce pays! au fond d'un noir vaisseau, nous t'enverrons d'où rien ne te puisse sauver[a]!] Tiens-toi tranquille et bois, sans chercher des rivaux parmi cette jeunesse!

Mais Pénélope alors, la plus sage des femmes :

PÉNÉLOPE. – Je crois, Antinoos, qu'il n'est ni beau ni juste que l'on manque d'égards à l'hôte, quel qu'il soit, que mon fils a chez lui. Mais regarde cet homme! si, grâce à la vigueur de son bras, il tendait, lui, le grand arc d'Ulysse, crois-tu qu'en sa maison, il pourrait m'emmener et m'avoir pour compagne?... Mais lui-même, en son cœur, n'eut jamais cet espoir!... Non! que pas un de vous ne s'en fasse un chagrin! vous pouvez banqueter! rien n'est plus impossible!

Eurymaque, le fils de Polybe, intervint :

EURYMAQUE. – Mais non! fille d'Icare, ô sage Pénélope! jamais nous n'avons cru qu'il pourrait t'emmener!... c'est si peu vraisemblable! Mais nous serions honteux d'entendre hommes et femmes et jusqu'au moins vaillant des Achéens nous dire : « Ah! ces gens sans vigueur! d'un héros éminent ils recherchent l'épouse et ne peuvent bander son arc aux beaux polis, alors qu'un mendiant qui passe, un vagabond, tend sans peine la corde et traverse les fers! » Voilà ce qu'on dirait pour notre déshonneur.

Mais Pénélope alors, la plus sage des femmes :

PÉNÉLOPE. – Eurymaque, tu veux que le peuple vous loue, lorsque, sans respecter la maison du héros, vous venez la manger! Où voyez-vous en tout ceci le

a. Vers 308 : chez le roi Échétos, fléau du genre humain.

déshonneur ? Non ! regardez cet hôte ! il est grand, bien bâti. Il se flatte d'avoir un père de sang noble. Allons ! donnez-lui l'arc aux beaux polis ! voyons s'il arrive à le tendre ! Pour moi, je vous le dis et vous verrez la chose : s'il tend l'arc, s'il obtient d'Apollon cette gloire, je lui donne les habits neufs, robe et manteau, un épieu bien ferré pour écarter de lui et les chiens et les hommes, un glaive à deux tranchants, les sandales aux pieds, et je le fais conduire en tels lieux que son cœur et son âme désirent.

Posément, Télémaque la regarda et dit :

TÉLÉMAQUE. – Ma mère, sur cet arc, aucun autre Achéen[a] n'a le droit, comme moi, de prêt ou de refus, selon qu'il me convient ! Personne ne pourra forcer ma volonté : si même il me plaisait d'en faire le cadeau, pour toujours, l'étranger emporterait cet arc... Mais rentre à la maison et reprends tes travaux, ta toile, ta quenouille ; ordonne à tes servantes de se remettre à l'œuvre : l'arc est affaire entre hommes, d'abord affaire à moi, qui suis maître céans[1] !

Pénélope, en tremblant, regagna son étage, le cœur rempli des mots si sages de son fils, et lorsque, à son étage, elle fut remontée avec ses chambrières, elle y pleurait encore Ulysse, son époux, à l'heure où la déesse aux yeux pers, Athéna, vint jeter sur ses yeux le plus doux des sommeils.

LE MASSACRE[2]

Or le divin porcher, ayant pris l'arc courbé, le portait vers Ulysse. Mais tous les prétendants le huaient dans la salle.

a. Vers 346-347 : qu'il régisse en seigneur les monts de notre Ithaque ou les Iles qu'on voit de l'Élide aux chevaux.

Un de ces jeunes fats s'en allait, répétant :

Le Chœur. – Misérable porcher, à qui donc t'en vas-tu porter cet arc courbé ? Attends un peu, vieux fou ! auprès de tes pourceaux, abandonné de tous, les chiens coureurs que tu nourris te mangeront, si jamais Apollon et tous les autres dieux daignent nous écouter !

Il disait. Le porcher[a] remit l'arc en sa place. Mais Télémaque alors lui cria des menaces :

Télémaque. – Vieux frère, avance donc ! va lui porter cet arc ! Il t'en cuirait bientôt d'écouter tous ces gens ! Je vais te reconduire aux champs à coups de pierres, car je suis ton cadet, mais non pas le moins fort : si j'étais aussi sûr que ma force et mon bras l'emportent sur tous ceux qui sont en cette salle, ma colère en mettrait à la porte plus d'un, car je connais leurs trames !

Il dit, et tous les prétendants en joie de rire et, contre Télémaque, leur colère perdit un peu de son aigreur. Le porcher reprit l'arc ; à travers la grand-salle, il s'en fut le remettre aux mains du sage Ulysse, puis, ayant appelé la nourrice Euryclée au-dehors, il lui dit :

Eumée. – Télémaque t'ordonne, ô très sage Euryclée, de fermer sur la salle vos portes en bois plein [1], et, si vous entendiez ou des cris ou des coups dans notre enclos des hommes, que pas une au-dehors ne sorte et pas un mot !... mais restez au travail !

Il disait : sans qu'un mot s'envolât de ses lèvres, la nourrice ferma la porte entre la salle et le corps du logis.

Le bouvier, en silence, avait quitté la salle et, le

a. Vers 367 : qu'effrayaient tant et tant de huées dans la salle.

long de l'enceinte, avait couru fermer le portail de la cour. D'un câble de byblos, qu'il trouva dans l'entrée, — c'était l'amarre d'un navire à deux gaillards, — il lia les deux barres, puis rentra dans la salle et, les yeux sur Ulysse, il reprit l'escabeau qu'il venait de quitter.

Ulysse tenait l'arc, le tournait, retournait, tâtant de-ci de-là et craignant que les vers n'eussent rongé la corne en l'absence du maître, et l'un des prétendants disait à son voisin :

LE CHŒUR. – Voilà un connaisseur qui sait jouer de l'arc !... pour sûr, il a chez lui de pareils instruments ou songe à s'en faire un !... Voyez comme ce gueux vous le tourne et retourne en ses mains misérables !

Mais un autre de ces jeunes fats s'écriait :

LE CHŒUR. — Pour son plus grand profit, qu'il réussisse en tout, comme il va réussir à nous bander cet arc !...

Or, tandis qu'ils parlaient, Ulysse l'avisé finissait de tâter son grand arc, de tout voir. Comme un chanteur, qui sait manier la cithare, tend aisément la corde neuve sur la clef et fixe à chaque bout le boyau bien tordu, Ulysse alors tendit, sans effort, le grand arc, puis sa main droite prit et fit vibrer la corde, qui chanta bel et clair, comme un cri d'hirondelle.

Pour tous les prétendants, ce fut la grande angoisse : ils changeaient de couleur, quand, d'un grand coup de foudre, Zeus marqua ses arrêts. Le héros d'endurance en fut tout réjoui : il avait bien compris, cet Ulysse divin, que le fils de Cronos, aux pensers tortueux, lui donnait ce présage... Il prit la flèche ailée qu'il avait, toute nue, déposée sur sa table ; les autres reposaient dans le creux du carquois, — celles dont tâteraient bientôt les Achéens. Il l'ajusta sur l'arc, prit la corde et l'encoche et, sans quitter son siège, il tira droit au but...

D'un trou à l'autre trou, passant toutes les haches, la flèche à lourde pointe sortit à l'autre bout, tandis que le héros disait à Télémaque :

ULYSSE. – En cette grande salle, où tu le fis asseoir, ton hôte, ô Télémaque, fait-il rire de toi ? ai-je bien mis au but ?... et, pour tendre cet arc, ai-je fait trop d'efforts ?... Ah ! ma force est intacte, quoi que les prétendants m'aient pu crier d'insultes ! Mais voici le moment ! avant qu'il fasse nuit, servons aux Achéens un souper que suivront tous les jeux de la voix et ceux de la cithare, ces atours du festin !

Et, des yeux, le divin Ulysse fit un signe et son fils aussitôt, passant son glaive à pointe autour de son épaule, reprit en main sa lance, qui dressait près de lui, accotée au fauteuil, la lueur de sa pointe.

(*CHANT XXII.*) Alors, jetant ses loques, Ulysse l'avisé sauta sur le grand seuil. Il avait à la main son arc et son carquois plein de flèches ailées. Il vida le carquois devant lui, à ses pieds, puis dit aux prétendants :

ULYSSE. – C'est fini maintenant de ces jeux anodins !... Il est un autre but, auquel nul ne visa : voyons si je pourrais obtenir d'Apollon la gloire de l'atteindre !

Il dit et, sur Antinoos, il décocha la flèche d'amertume. L'autre allait soulever sa belle coupe en or ; déjà, de ses deux mains, il en tenait les anses ; il s'apprêtait à boire ; c'est de vin, non de fin, que son âme rêvait !... qui donc aurait pensé que seul, en plein festin et parmi cette foule, un homme, si vaillant qu'il pût être, viendrait jeter la male mort et l'ombre de la Parque ?

Ulysse avait tiré; la flèche avait frappé Antinoos au col : la pointe traversa la gorge délicate et sortit par la nuque. L'homme frappé à mort tomba à la renverse; sa main lâcha la coupe; soudain, un flot épais jaillit de ses narines : c'était du sang humain; d'un brusque coup, ses pieds culbutèrent la table, d'où les viandes rôties, le pain et tous les mets coulèrent sur le sol, mêlés à la poussière.

Parmi les prétendants, quand on vit l'homme à terre, ce fut un grand tumulte : s'élançant des fauteuils, ils couraient dans la salle, et, sur les murs bien joints leurs yeux cherchaient en vain où prendre un bouclier ou quelque forte lance. Ils querellaient Ulysse en des mots furieux :

LE CHŒUR. – L'étranger, quel forfait! tu tires sur les gens!... Ne pense plus jouter ailleurs! ton compte est bon! la mort est sur ta tête!... C'est le grand chef de la jeunesse en notre Ithaque, que tu viens de tuer! Aussi, tu vas nourrir les vautours de chez nous.

Ainsi parlaient ces fous, car chacun d'eux pensait qu'Ulysse avait tué son homme par mégarde et, quand la mort déjà les tenait en ses nœuds, pas un ne la voyait!

Ulysse l'avisé les toisa et leur dit :

ULYSSE. – Ah! chiens, vous pensiez donc que, du pays de Troie, jamais je ne devrais rentrer en ce logis! vous pilliez ma maison! vous entriez de force au lit de mes servantes! et vous faisiez la cour, moi, vivant, à ma femme!... sans redouter les dieux, maîtres des champs du ciel!... sans penser qu'un vengeur humain pouvait surgir!... Vous voilà maintenant dans les nœuds de la mort!

Il disait ; la terreur les faisait tous verdir [a], et le seul Eurymaque trouvait à lui répondre.

EURYMAQUE. – Ulysse, ah! si vraiment c'est toi qui nous reviens, notre Ulysse d'Ithaque! tu peux avec raison parler aux Achéens de ces forfaits sans nombre, qu'ils ont commis dans ton manoir et sur tes champs... Mais le voilà gisant, celui qui les causa! c'est cet Antinoos qui mettait tout en branle!... Ce n'est pas tant l'hymen que rêvait son envie! il avait d'autres vues, que le fils de Cronos n'a pas favorisées : car il pensait régner sur ton pays d'Ithaque et sur ta belle ville, quand il aurait tué ton fils en trahison... Mais puisque le voilà puni par le destin, épargne tes sujets! Nous allons t'apaiser, trouver dans le pays, soit en or, soit en bronze, de quoi te rembourser tout ce qu'on a pu boire et dévorer chez toi, en t'amenant chacun l'amende de vingt bœufs. Tant que ton cœur n'aura pas eu ce réconfort, nous ne pouvons trouver que juste ta colère.

Ulysse l'avisé le toisa et lui dit :

ULYSSE. – Pour me dédommager, vous pourriez, Eurymaque, m'apporter tous vos biens, et ceux de vos familles, et m'en ajouter d'autres! mon bras continuerait encor de vous abattre tant que, de vos forfaits, je n'aurais pas tiré ma complète vengeance!... Vous n'avez devant vous que le choix : ou combattre ou chercher dans la fuite un moyen d'éviter les Parques et la mort!... Mais croyez-moi, la mort est déjà sur vos têtes : pas un n'échappera.

A ces mots, ils sentaient se dérober sous eux leurs cœurs et leurs genoux.

Eurymaque reprit à nouveau la parole :

a. Vers 43 : leurs yeux cherchaient où fuir la tombée de la mort.

EURYMAQUE. – Amis, vous l'entendez! rien ne peut arrêter ses mains infatigables ; puisqu'il tient le carquois et l'arc aux beaux polis, il va, du haut du seuil luisant, tirer ses flèches tant qu'il lui restera l'un de nous à abattre!... Ne pensons qu'à lutter!... Allons! glaives au vent! contre la pluie de mort, prenons pour boucliers nos tables [1] et, fondant sur lui tous à la fois, tâchons de le chasser du seuil et de la porte et courons vers la ville appeler au secours : cet homme aurait tiré pour la dernière fois!

A ces mots, Eurymaque avec un cri sauvage sortait son glaive à pointe [a]. Mais le divin Ulysse le prévint et tira : la flèche, sous le sein, entra dans la poitrine et courut se planter dans le foie ; Eurymaque laissa tomber son glaive et, plongeant de l'avant, le corps plié en deux s'abattit sur la table, en renversant avec les mets la double coupe ; le front frappa le sol ; le souffle devint rauque ; le fauteuil, sous le choc des talons, culbuta ; puis les yeux se voilèrent.

Alors, tirant son glaive à pointe, Amphinomos bondit pour attaquer le glorieux Ulysse et dégager la porte. Mais déjà Télémaque lui plantait dans le dos, entre les deux épaules, sa lance, dont le fer sortit par la poitrine. Amphinomos tomba ; on l'entendit donner du front contre le sol, tandis que, vers le seuil, Télémaque courait sans avoir retiré sa lance à la grande ombre, car le risque était fort que l'un des Achéens l'assaillît de son glaive ou s'en vînt l'assommer quand il se baisserait.

Il courut ; en deux bonds, il rejoignit son père et, montant sur le seuil, lui dit ces mots ailés :

TÉLÉMAQUE. – Mon père, je reviens! je vais cher-

a. Vers 80 : aux deux tranchants de bronze, il bondit vers le seuil.

cher pour toi un bouclier, deux piques, un bonnet tout en bronze qui t'entre bien aux tempes, je m'armerai moi-même et j'armerai aussi Eumée et le bouvier ; il vaut mieux nous couvrir.

Ulysse l'avisé lui fit cette réponse :

ULYSSE. – Cours, pendant que j'ai là mes flèches pour défense ; mais rapporte des armes avant que, de la porte où je vais être seul, ils ne m'aient délogé.

Il disait : Télémaque obéit à son père. Il s'en fut au trésor et, dans les nobles armes, prit quatre boucliers, quatre paires de piques, quatre bonnets de bronze à l'épaisse crinière et revint, tout courant, aux côtés de son père avec son chargement. Ce fut lui qui, d'abord, se revêtit du bronze ; puis les deux serviteurs prirent les belles armes pour s'en couvrir aussi, et leur groupe se tint autour du sage Ulysse aux fertiles pensées.

Mais lui, tant qu'il avait ses flèches pour défense, il tirait dans la salle, abattant chaque fois quelqu'un des prétendants qui tombaient côte à côte. A force de tirer, les flèches lui manquèrent. Alors, déposant l'arc contre l'un des montants de la salle trapue, il le laissa dressé au mur resplendissant, puis couvrit ses épaules d'un bouclier plaqué de cuir en quatre couches et sa tête vaillante, d'un bonnet de métal [a] ; enfin il prit en mains les deux robustes piques à la coiffe de bronze...

Or, dans le plein du mur de la salle trapue, à la pointe du seuil, s'ouvrait une poterne qui menait au couloir [1] ; mais elle était fermée de panneaux en bois plein, et le divin porcher, posté là par Ulysse, surveillait cette issue, la seule qui restât.

S'adressant à la troupe, Agélaos leur dit :

a. Vers 124 : dont l'aigrette terrible ondulait au cimier.

Agélaos. – Amis, n'aurons-nous donc personne, pour monter [1] jusqu'à cette poterne et prévenir le peuple, et crier au secours [a] ?

Le maître-chevrier, Mélantheus, répliqua :

Mélantheus. – Mais ce n'est pas possible! Regarde, Agélaos! ô nourrisson des dieux! De la porte d'honneur, qui mène dans la cour, c'est terriblement proche et l'entrée du couloir est tellement étroite [2]! un seul homme y tiendrait contre tous nos assauts, pour peu qu'il fût vaillant... Mais attendez! je vais chercher pour vous des armes [au trésor, car c'est là, ce ne peut être ailleurs, à mon avis, qu'Ulysse et son illustre fils ont déposé les armes].

Sur ce, Mélantheus, grimpant à la muraille, sortit par les larmiers [3] et, courant au trésor, y choisit douze piques, douze casques de bronze à l'épaisse crinière et douze boucliers, qu'il se hâta de rapporter aux prétendants.

Les genoux et le cœur d'Ulysse défaillirent, quand il les vit couverts de bronze et brandissant leurs longues javelines : la tâche lui semblait trop lourde! Il se hâta de dire à Télémaque ces paroles ailées :

Ulysse. – Télémaque, à coup sûr, c'est l'une des servantes qui nous vaut du logis cette lutte inégale, à moins que Mélantheus...

Posément, Télémaque le regarda et dit :

Télémaque. – Non! mon père! c'est moi! je suis le seul coupable : en quittant le trésor, je n'ai pas refermé les battants en bois plein ; je les ai laissés contre ; leur guetteur sut mieux faire!... Allons, divin Eumée, va fermer cette porte et tâche de savoir qui nous a fait le

a. Vers 134 : cet homme aurait tiré pour la dernière fois.

coup : serait-ce une des femmes ?... C'est plutôt Mélantheus, le fils de Dolios ?

Pendant qu'ils échangeaient ces paroles entre eux, le maître-chevrier retournait au trésor afin d'en rapporter encore de belles armes. Mais le divin porcher le vit et se hâta de prévenir Ulysse, — ils étaient côte à côte [1] :

EUMÉE. – Fils de Laërte, écoute ! ô rejeton des dieux, Ulysse aux mille ruses ! c'est bien celui que nous pensions, oh ! la canaille ! Le voilà qui retourne au trésor ; réponds-moi : faudra-t-il le tuer, si je suis le plus fort, ou te le ramener ici, que tu te venges de tant d'indignités commises sous ton toit ?

Ulysse l'avisé lui fit cette réponse :

ULYSSE – A nous deux, Télémaque et moi, nous tâcherons, malgré tous leurs assauts, de les tenir ici, ces nobles prétendants : vous ! courez au trésor ! jetez-le sur le dos ! liez-lui bras et jambes ! puis attachez la porte [a] : je veux l'avoir en vie pour le bien torturer !

Il dit : tout aussitôt, les autres obéirent. Arrivés au trésor, ils virent Mélantheus qui faisait tout au fond sa récolte des armes et ne pouvait les voir...

Debout, auprès des deux montants, ils l'attendirent. Le maître-chevrier, quand il revint au seuil, tenait dans une main un casque magnifique et, dans l'autre, un de ces immenses boucliers que le héros Laërte avait porté au temps de sa prime jeunesse ; mais, rouillé, craquelé, les courroies décousues, il était aujourd'hui relégué dans un coin [2].

Les deux bergers alors sautent sur Mélantheus, le tirent aux cheveux, le rejettent dedans et l'étendent à

a. Vers 175-176 : roulez-le d'une corde et le hissez en haut de l'une des colonnes, jusqu'au ras du plafond.

terre, déjà tout angoissé, puis le serrent à mort, mains et pieds attachés[a] ; un cordage était là, qui sert à le hisser au haut d'une colonne, jusqu'au ras du plafond.

C'est toi qui le raillais alors, porcher Eumée :

EUMÉE.– Te voilà bien posté maintenant pour la nuit!... veille, ô Mélantheus! C'est le lit qu'il te faut! une couche moelleuse! Ah! tu ne risques pas de laisser passer l'heure! Quand, sortant de la brume, au bord de l'Océan, l'Aurore montera sur son trône doré, n'oublie pas d'amener aux prétendants les chèvres pour le festin à préparer en ce logis!

Et, le laissant pendu en ces nœuds de la mort, les deux autres, prenant leurs armes, refermèrent la porte aux bois luisants. Auprès du sage Ulysse aux fertiles pensées, ils revinrent tous deux.

[Ils étaient en présence, tous respirant l'audace, mais quatre d'un côté, alignés sur le seuil, et, de l'autre, en la salle, une foule de braves. Or, la fille de Zeus, Athéna, vint à eux ; de Mentor, elle avait et l'allure et la voix. Ulysse, tout joyeux en la voyant, lui dit :

ULYSSE. – Sauve-nous du malheur, Mentor, et souviens-toi des services rendus par ton vieux compagnon : nous sommes du même âge!

Mais, dans son cœur, ces mots étaient pour Athéna : il avait reconnu la meneuse d'armées. Les prétendants, de leur côté, la menaçaient ; le fils de Damastor, Agélaos, du fond de la salle, s'était mis à l'apostropher :

AGÉLAOS. – Mentor, ferme l'oreille aux demandes d'Ulysse : pour sa seule défense, il veut te mettre en

a. Vers 190-191 : ils en font un paquet, selon l'ordre d'Ulysse, du héros d'endurance, de ce fils de Laërte.

lutte avec les prétendants!... Sache bien nos desseins, et qui s'accompliraient : quand on aurait tué et le père et le fils, on te tuerait sur eux, pour prix de ta conduite; ta tête en répondrait! puis, quand le bronze vous aurait ôté la vie, on prendrait tous tes biens, et chez toi et dehors ; on les mettrait au tas des richesses d'Ulysse, et tes fils ne pourraient plus vivre en ton manoir, ni ta fidèle épouse et tes filles, rester dans la ville d'Ithaque.

Il dit ; mais, redoublant de courroux, la déesse interpellait Ulysse en ces mots irrités :

Athéna. – Ulysse, n'as-tu plus de force ni d'ardeur?... Toi qui, pour les bras blancs de cette noble Hélène, neuf années sans faiblir, combattis les Troyens, qui tuas tant de gens dans la mêlée terrible et sus, par ta sagesse, enlever à Priam sa ville aux larges rues! A l'heure où te voilà en tes maisons et biens, devant les prétendants ton cœur ne sait que geindre!... Mais, mon bon! reste là, debout à mes côtés, et me regarde faire! tu verras de quel cœur, parmi les ennemis, Mentor, fils d'Alkimos, sait payer les bienfaits!

Elle dit, mais laissa la bataille incertaine : elle voulait qu'Ulysse et son fils glorieux fissent la preuve encor de leurs force et courage. Changée en hirondelle et prenant son essor, elle alla se poser sur les poutres du faîte, noircies par la fumée [1].]

Parmi les prétendants, c'était Agélaos, le fils de Damastor, qui poussait au combat tous ceux qui survivaient et luttaient pour la vie [, Eurynomos, Amphimédon, Démoptolème, et Pisandre, de la race de Polyctor, et le sage Polybe [2] ; tels étaient, désormais, ceux qui, par leur valeur primaient les prétendants] ; l'arc et sa pluie de flèches avaient couché les autres.

S'adressant à la troupe, Agélaos leur dit :

AGÉLAOS. – Amis! voici la fin! il lui faut arrêter ses mains infatigables [: Mentor a disparu : vaine fanfaronnade! en travers de la porte, il ne reste plus qu'eux]! Lançons nos longues piques [1], mais pas tous à la fois! Allons!... les six premiers! tirez!... et plaise à Zeus de nous donner la gloire d'abattre cet Ulysse! quand il sera tombé, nous nous moquons des autres!

Il dit ; suivant son ordre, les six premiers tirèrent. Ils avaient bien visé ; mais Athéna fit dévier toutes leurs piques [a].

Quand le divin Ulysse les vit manquer leur coup, il se reprit à dire, le héros d'endurance :

ULYSSE. – Mes amis, un seul mot! tirons tous dans le tas! après tant de forfaits, ces gens parlent encor d'avoir notre dépouille!

Il dit, et tous les quatre, en visant devant eux, lancent leurs javelines, et la pointe d'Ulysse perce Démoptolème, celle de Télémaque abat Euryadès, et celles du porcher et du bouvier atteignent Élatos et Pisandre [b]. Les autres prétendants reculent vers le fond. Nos gens alors s'élancent et courent retirer des morts leurs javelines. Mais à nouveau, voici que, brandissant leurs piques, les prétendants tiraient. Athéna détourna la plupart de leurs coups : une pique frappa dans l'épaisse embrasure, une autre dans le plein du panneau de la porte ; une troisième, au mur, planta sa lourde pointe, tandis qu'Amphimédon atteignait au poignet la main de Télémaque ; mais le bronze ne fit qu'égratigner la peau ; lancée par Ctésippos, une autre longue pique, en

a. Vers 257-259 : une pique frappa dans l'épaisse embrasure l'autre dans le panneau de la porte en bois plein ; une autre, dans le mur, planta sa lourde pointe.

b. Vers 269 : tous mordent la poussière en cette immense salle.

passant par-dessus le bouclier d'Eumée, lui éraillait l'épaule et, poursuivant son vol, allait tomber à terre.

Autour du sage Ulysse aux fertiles pensées, on riposte, en dardant les piques dans le tas : Ulysse cette fois, le preneur d'Ilion, atteint Eurydamas, tandis que Télémaque abat Amphimédon ; le bouvier Ctésippos, et le porcher, Polybe.

[Fier d'avoir atteint Ctésippos à la poitrine, l'homme qui paît les bœufs lui parlait en ces termes :

PHILOETIOS. – Fils de Polythersès, allons! le beau plaisant! c'est fini des grands mots et des coups de folie! laisse parler les dieux! ce sont eux les plus forts! mais reçois mon cadeau, en échange du pied que tu donnas naguère à ce divin Ulysse quêtant en son logis.

Ainsi dit le pasteur des bœufs aux cornes torses...]

Ulysse alors, courant au fils de Damastor, le tue à bout de pique ; Télémaque, en plein ventre, atteint Liocritos, un des fils d'Événor, et la pointe s'en va ressortir dans le dos.

[Il s'abat sur la face et son front bat le sol... Et voici qu'Athéna, déployant du plafond son égide qui tue, terrasse leurs courages. A travers la grand-salle, ils fuient épouvantés : tel un troupeau de bœufs qu'au retour du printemps, lorsque les jours allongent, tourmente un taon agile. Mais Ulysse et les siens, on eût dit des vautours qui, du haut des montagnes, fondent, le bec en croc et les griffes crochues, sur les petits oiseaux qui tombent dans la plaine en fuyant les nuages ; les vautours les massacrent ; rien ne peut les sauver, ni bataille ni fuite, et les hommes aussi ont leur part du gibier... C'est ainsi qu'en la salle, assaillis de partout, tombaient les prétendants, avec un bruit affreux de crânes fracassés, dans les ruisseaux du sang qui courait sur le sol [1].]

Mais, aux genoux d'Ulysse, Liodès s'est jeté : il les prend ; il supplie ; il dit ces mots ailés :

LIODÈS. – J'embrasse tes genoux, Ulysse! épargne-moi!... pitié!... Je te le jure : jamais dans ce manoir, je n'ai rien dit, rien fait pour outrager tes femmes! même, quand je voyais les autres mal agir, je mettais le holà ; mais ils continuaient de se souiller les mains sans vouloir m'écouter! et leurs folies ont mérité ce sort affreux! Vais-je tomber aussi, quand moi, je n'ai rien fait qu'être leur aruspice?... n'est-il que ce paiement pour avoir bien agi?

Ulysse l'avisé le toisa et lui dit :

ULYSSE. – C'est toi qui t'honorais d'être leur aruspice! alors, tu dus souvent prier en ce manoir pour éloigner de moi la douceur du retour et me prendre ma femme et en avoir des fils!... Ah! non! pas de pitié! pas de fuite! la mort!

Et, de sa forte main, ramassant sur le sol l'épée qu'Agélaos mourant avait lâchée, il la lui plonge au col [a].

Mais le fils de Terpès, l'aède Phémios, cherchait à éviter la Parque ténébreuse, — lui qui n'avait jamais chanté que par contrainte, devant les prétendants [2]. Tenant entre ses bras la cithare au chant clair, il restait indécis, auprès de la poterne : quitterait-il la salle? irait-il au-dehors, à l'autel du grand Zeus, protecteur de la cour, s'asseoir contre ces pierres où Laërte et son fils faisaient jadis brûler tant de cuisses de bœufs?... dans la salle, irait-il prendre Ulysse aux genoux?... Il

a. Vers 329 : sa tête, avec un cri, roule dans la poussière.

crut, tout compte fait, que mieux valait encore se jeter aux genoux de ce fils de Laërte. Donc, ayant déposé sa cithare bombée entre un fauteuil aux clous d'argent et le cratère [1], il courut vers Ulysse et lui prit les genoux et dit en suppliant ces paroles ailées :

PHÉMIOS. – Je suis à tes genoux, Ulysse, épargne-moi!... ne sois pas sans pitié!... Le remords te prendrait un jour d'avoir tué l'aède, le chanteur des hommes et des dieux! Je n'ai pas eu de maître! en toutes poésies, c'est un dieu qui m'inspire! je saurai désormais te chanter comme un dieu! donc résiste à l'envie de me couper la gorge!... Demande à Télémaque! il te dira, ton fils, que si je suis ici, si, pour les prétendants, je chantais aux festins, je ne l'ai pas cherché, je ne l'ai pas voulu! Mais, nombreux et puissants, c'est eux qui m'y forçaient.

Sa Force et Sainteté Télémaque entendit; il courut vers son père et dit en arrivant :

TÉLÉMAQUE. – Arrête! que ton glaive épargne un innocent!... Sauvons aussi Médon, le héraut! qui toujours a, dans notre demeure, pris soin de mon enfance!... pourvu que, sous les coups d'Eumée et du bouvier, il n'ait pas succombé ou ne se soit pas mis en travers de ta course!

Mais Médon l'entendit, car cet homme de sens gisait sous un fauteuil : blotti et recouvert de la peau de la vache fraîchement écorchée, il avait évité la Parque ténébreuse [2]... Il sort de son fauteuil ; il rejette la peau ; il court à Télémaque ; il lui prend les genoux et dit, en suppliant, ces paroles ailées :

MÉDON. – Cher ami, me voici! toi-même, épargne-moi! et détourne de moi la pique de ton père! il est si déchaîné! je comprends sa fureur contre ces prétendants qui lui mangeaient ses biens, chez lui, les pauvres fous, et te traitaient si mal!

Ulysse l'avisé dit avec un sourire :

ULYSSE. – N'aie pas peur! grâce à lui, te voilà hors d'affaire! Que ton salut te prouve, et va le dire aux autres! combien est préférable au crime la vertu. Mais sortez du manoir, l'illustre aède et toi! Asseyez-vous dehors, dans la cour, loin du sang! Il faut qu'en ce logis, ma besogne s'achève!

Sur ces mots, le héraut et l'aède sortirent. Ils s'en furent s'asseoir à l'autel du grand Zeus ; mais leurs yeux inquiets voyaient partout la mort. Et partout, dans la salle, Ulysse regardait si quelque survivant, ne restait pas blotti, cherchant à éviter la Parque ténébreuse. Mais tous étaient couchés dans la boue et le sang : sous ses yeux, quelle foule! on eût dit des poissons qu'en un creux de la rive, les pêcheurs ont tirés de la mer écumante ; aux mailles du filet, sur les sables, leur tas baille vers l'onde amère, et les feux du soleil leur enlèvent le souffle... C'est ainsi qu'en un tas, gisaient les prétendants.

MARI ET FEMME [1]

Ulysse l'avisé dit alors à son fils :

ULYSSE. – Télémaque, va-t'en appeler de ma part la nourrice Euryclée ; j'aurais à lui donner un ordre auquel je tiens.

Sur ces mots, Télémaque obéit à son père et, secouant la porte, il dit à la nourrice :

TÉLÉMAQUE. – Debout! et vite ici! vieille des anciens jours, qui surveilles chez nous nos femmes de service!...

Viens! mon père t'appelle ; il voudrait te parler!

Il dit et, sans qu'un mot s'envolât de ses lèvres, la vieille ouvrit la porte du grand corps de logis et, marchant sur les pas de Télémaque, entra.

Ils trouvèrent Ulysse au milieu des cadavres : il était tout souillé de poussière et de sang. On eût dit un lion qui vient de dévorer quelque bœuf à l'enclos : son poitrail et ses deux bajoues ensanglantés en font une épouvante... Des pieds au haut des bras, c'est ainsi que le corps d'Ulysse était souillé.

En voyant tous ces morts et ces ruisseaux de sang, devant un tel exploit, la vieille allait pousser la clameur de triomphe. Ulysse l'arrêta et contint son envie, puis, élevant la voix, lui dit ces mots ailés :

ULYSSE. – Vieille, aie la joie au cœur! mais tais-toi!... pas un cri! triompher sur les morts est une impiété! C'est le destin des dieux qui les tue, et leurs crimes[a] ; mais dis-moi : des servantes qui sont en ce manoir, lesquelles m'ont trahi, lesquelles sont fidèles?

La nourrice Euryclée lui fit cette réponse :

EURYCLÉE. – Mon fils, je te dirai toute la vérité. Des cinquante servantes qui sont en ce manoir et que j'avais dressées à toutes les besognes, à travailler la laine et subir l'esclavage, il en est douze en tout dont l'audace éhontée fut sans respect pour moi, pour Pénélope même... Télémaque achevait seulement de grandir ; sa mère interdisait qu'il commandât aux femmes!... Mais laisse! que je monte à l'étage brillant avertir ton épouse ; un dieu l'a fait dormir.

Ulysse l'avisé lui fit cette réponse :

a. Vers 414-416 : qu'on fût noble ou vilain, quand on les abordait, ils n'avaient pour tout homme au monde que mépris ; c'est leur folie qui leur valut ce sort affreux.

Ulysse. – Elle ?... non ! pas encore !... avant de l'éveiller, fais-moi venir ici les filles que tu vis tramer des vilenies.

Il disait : traversant la grand-salle, la vieille alla dire aux servantes de venir au plus tôt.

Mais appelant son fils, Eumée et le bouvier, Ulysse leur disait ces paroles ailées :

Ulysse. – Commencez à l'instant ! qu'on emporte les morts !... que les femmes vous aident ! et vous prendrez ensuite l'éponge aux mille trous pour laver à grande eau tables et beaux fauteuils. Quand vous aurez remis tout en ordre au manoir, de la salle trapue emmenez les servantes [a] ! faites-leur rendre l'âme à la pointe du glaive, sans en épargner une : c'est fini d'Aphrodite et des plaisirs de nuit aux bras des prétendants !

Il disait ; dans la salle, entrait déjà la troupe des filles infidèles. Poussant des cris affreux, versant des pleurs à flots, il leur fallut d'abord emporter les cadavres et ranger tous ces morts au porche de la cour, dans l'entrée de l'enceinte : Ulysse commandait et pressait la besogne ; il fallait obéir. Elles prirent ensuite l'éponge aux mille trous pour laver à grande eau tables et beaux fauteuils. Puis Télémaque, Eumée et le bouvier raclèrent tout le sol à la pelle entre les murs épais ; les femmes emportaient au-dehors cette boue.

Lorsque, dans la grand-salle, tout fut remis en ordre, on fit sortir les femmes de la salle trapue ; on entassa leur troupe en un coin de la cour, entre le pavillon et la solide enceinte : impossible de fuir !

Posément, Télémaque avait dit à ses gens :

a. Vers 442 : et dans la cour d'honneur, entre le pavillon et la solide enceinte...

TÉLÉMAQUE. – Il ne sera pas dit qu'une mort honorable ait terminé la vie de celles qui versaient l'opprobre sur ma mère et sur ma propre tête et qui passaient les nuits au lit des prétendants!

Ce disant, il prenait le câble du navire à la proue azurée et le tendait du haut de la grande colonne autour du pavillon, de façon que les pieds ne pussent toucher terre... Grives aux larges ailes, colombes qui vouliez regagner votre nid, vous donnez au filet dressé sur le buisson, et vous voilà couchées au sommeil de la mort... Ainsi, têtes en ligne et le lacet passé autour de tous les cols, les filles subissaient la mort la plus atroce, et leurs pieds s'agitaient un instant, mais très bref.

Alors Mélantheus fut sorti dans la cour. Au-devant de l'entrée, on lui trancha d'abord, d'un bronze sans pitié, le nez et les oreilles, puis son membre arraché fut jeté, tout sanglant, à disputer aux chiens et, d'un cœur furieux, on lui coupa enfin et les mains et les pieds [1].

S'étant lavé ensuite et les pieds et les mains, on rentra vers Ulysse : l'œuvre était accomplie.

Ulysse était en train de dire à la nourrice :

ULYSSE. – Pour chasser l'air mauvais, vieille, apporte du soufre et donne-nous du feu : je veux soufrer la salle. Puis va chez Pénélope et la prie de venir avec ses chambrières; dépêche-nous aussi toutes les autres femmes.

La nourrice Euryclée lui fit cette réponse :

EURYCLÉE. – Là-dessus, mon enfant, ton discours est parfait. Mais il faut te vêtir : je m'en vais t'apporter la robe et le manteau! tu ne peux pas rester avec ces seuls haillons sur tes larges épaules : on le prendrait très mal.

Ulysse l'avisé lui fit cette réponse :

ULYSSE. – C'est du feu que, d'abord, je veux en cette salle.

Sur ces mots, la nourrice Euryclée obéit. Elle apporta du feu. Elle apporta du soufre. Ulysse en imprégna salle, manoir et cour. Puis la vieille s'en fut aux grands appartements raconter la nouvelle et dépêcher les femmes [a], qui, se jetant au cou d'Ulysse et le fêtant et lui prenant les mains, couvraient de leurs baisers sa tête et ses épaules ; l'envie de sangloter, de gémir le prenait doucement, car son cœur les reconnaissait toutes. (*CHANT XXIII.*) Mais la vieille Euryclée montait chez sa maîtresse : elle riait tout haut à l'idée d'annoncer que l'époux était là ! ses genoux bondissaient ; ses pieds sautaient les marches. Elle était au chevet de la reine ; elle dit :

EURYCLÉE. – Lève-toi, Pénélope ! que tes yeux, chère enfant, revoient enfin l'objet de tes vœux éternels !... Ulysse est revenu : il est dans son manoir ! qu'il a tardé longtemps !... Mais viens ! Il a tué les fougueux prétendants qui pillaient sa maison, lui dévoraient ses biens et maltraitaient son fils.

La plus sage des femmes, Pénélope, reprit :

PÉNÉLOPE. – Bonne mère, es-tu folle, un dieu peut donc troubler la tête la plus sage ! et donner la sagesse à l'esprit le plus faux ! toi, si posée jadis, c'est un dieu qui t'égare ! Par tous ces racontars, ah ! pourquoi te jouer de ce cœur douloureux ? pourquoi me réveiller du sommeil qui mettait sur ces paupières closes un joug plein de douceur ? Je n'ai jamais si bien dormi depuis qu'Ulysse est allé voir là-bas cette Troie de

a. Vers 497 : qui sortirent de la grand-salle avec des torches.

malheur, — que le nom en périsse ! Mais, allons ! redescends ! retourne à la grand-salle ! Si, pour cette nouvelle, une autre de nos femmes m'eût tirée du sommeil, crois bien que, sans tarder, ma colère l'aurait renvoyée du manoir ! mais toi, il me faut bien excuser ta vieillesse !

La nourrice Euryclée lui fit cette réponse :

EURYCLÉE. – Mais qui se joue de toi, ma fille ? En vérité, Ulysse est de retour ! il est à la maison ! c'est comme je te dis ! C'était lui l'étranger que, tous, ils outrageaient : Télémaque savait de longtemps sa présence, mais prudemment gardait le secret de son père, pour lui donner le temps de punir ces bandits.

A ces mots, Pénélope en joie sauta du lit, prit en ses bras la vieille et, les yeux pleins de larmes, lui dit ces mots ailés :

PÉNÉLOPE. – Bonne mère, ah ! vraiment, tu ne me trompes pas ? Si, comme tu le dis, il est à la maison, comment donc a-t-il pu, à lui tout seul, abattre cette troupe éhontée ? Car chez nous, c'est toujours en nombre qu'ils étaient.

La nourrice Euryclée lui fit cette réponse :

EURYCLÉE. – Je n'ai rien vu, rien su ; je n'ai rien entendu que le fracas du meurtre ; apeurées, nous restions dans le fond de nos chambres, entre les murs épais et toutes portes closes. De la grand-salle, enfin, Télémaque, ton fils, que son père envoyait, me cria de venir. Quand je revis Ulysse, c'était parmi les morts, debout ; autour de lui, leurs cadavres pressés couvraient le sol battu... Si tu les avais vus, quelle joie pour ton cœur [a] !... On les a mis en tas aux portes de la cour ;

[a]. Vers 48 : de poussière et de sang couvert comme un lion !

il a fait un grand feu ; il a brûlé du soufre ; la salle est toute belle ; il m'envoie te chercher ; suis-moi ! que vos deux cœurs s'unissent dans la joie, après tant de souffrances !... Tes vœux de si longtemps, les voilà donc remplis : tu l'as à ton foyer ; il est vivant ; chez lui, il a pu retrouver et sa femme et son fils !... et tous ces prétendants, fauteurs de tant de maux, il a pu s'en venger en sa propre maison !

La plus sage des femmes, Pénélope, reprit :

PÉNÉLOPE. – Bonne mère, contiens tes transports et tes rires !... Le revoir au logis ! ah ! tu sais le bonheur que, tous, nous en aurions, moi surtout et ce fils, qui nous a dû le jour. Mais comment croire un mot des récits que tu fais ?... Si quelqu'un vint tuer les nobles prétendants, c'est un dieu qu'indignaient leur audace et leurs crimes ! quand on les abordait, qu'on fût noble ou vilain, ils n'avaient pour tout homme au monde que mépris ; c'est leur folie qui leur valut ce sort affreux !... Mais loin de l'Achaïe, mon Ulysse a perdu la journée du retour et s'est perdu lui-même.

La nourrice Euryclée lui fit cette réponse :

EURYCLÉE. – Quel mot s'est échappé de l'enclos de tes dents, ma fille ?... Il est ici ! il est à son foyer, celui que tu pensais n'y voir rentrer jamais... Cœur toujours incrédule, est-ce donc une preuve assurée qu'il te faut ?... Cette plaie que jadis lui fit le sanglier à la blanche défense, j'en avais vu la marque, en lui donnant le bain ; je voulais te le dire, à toi ; mais, des deux mains me prenant à la gorge, il me ferma la bouche : il avait son projet !... Viens ! suis-moi : je te mets ma propre vie en gage et, si je mens, tue-moi de la pire des morts !

La plus sage des femmes, Pénélope, reprit :

PÉNÉLOPE. – Bonne mère, je sais ta prudence achevée! mais peux-tu déjouer les plans des Éternels?... Quoi qu'il en soit, allons retrouver mon enfant : je veux voir s'ils sont morts, les seigneurs prétendants, et qui les a tués.

De l'étage, à ces mots, la reine descendit. Quel trouble dans son cœur! Elle se demandait si, de loin, elle allait interroger l'époux ou s'approcher de lui et, lui prenant la tête et les mains, les baiser.

Elle entra... Elle avait franchi le seuil de pierre : dans la lueur du feu [1], contre l'autre muraille, juste en face d'Ulysse, elle vint prendre un siège ; assis, les yeux baissés, sous la haute colonne, il attendait le mot que sa vaillante épouse, en le voyant, dirait. Mais elle se taisait, de surprise accablée.

Elle resta longtemps à le considérer, et ses yeux tour à tour reconnaissaient les traits d'Ulysse en ce visage ou ne pouvaient plus voir que ces mauvais haillons.

Son fils, en la tançant, lui dit et déclara :

TÉLÉMAQUE. – Ton cœur est trop cruel, mère! ô méchante mère! de mon père, pourquoi t'écarter de la sorte?... auprès de lui, pourquoi ne vas-tu pas t'asseoir, lui parler, t'enquérir... fut-il jamais un cœur de femme aussi fermé?... s'éloigner d'un époux quand, après vingt années de longs maux et d'épreuves, il revient au pays!... Ah! ton cœur est toujours plus dur que le rocher!

La plus sage des femmes, Pénélope, reprit :

PÉNÉLOPE. – Mon enfant, la surprise est là, qui tient mon cœur. Je ne puis proférer un mot, l'interroger, ni même dans les yeux le regarder en face! Si vraiment c'est Ulysse qui rentre en sa maison, nous

nous reconnaîtrons et, sans peine, l'un l'autre, car il est entre nous de ces marques secrètes, qu'ignorent tous les autres.

A ces mots, le divin Ulysse eut un sourire et vite, à Télémaque, il dit ces mots ailés, le héros d'endurance :

ULYSSE. – Laisse donc, Télémaque! ta mère en ce manoir veut encore m'éprouver!... Bientôt, elle pourra me reconnaître, et mieux : je suis sale, tu vois, et couvert de haillons ; son mépris la retient de voir Ulysse en moi! Mais nous, tenons conseil pour le meilleur succès : bien souvent, quand on n'a tué dans le pays qu'un homme et qui n'a pas grands vengeurs de sa mort, il faut abandonner sa patrie et les siens! Nous avons abattu le rempart de la ville, ce que l'île comptait de plus nobles garçons : qu'en penses-tu, dis-moi?

Posément, Télémaque le regarda et dit :

TÉLÉMAQUE. – C'est à toi d'y veiller, père : de par le monde, ta sagesse au conseil est, dit-on, sans égale ; il n'est pas un mortel qui pourrait y prétendre [a].

Ulysse l'avisé lui fit cette réponse :

ULYSSE. – Je vais donc t'exposer ce que je crois le mieux. Allez d'abord au bain et changez-y de robes! puis faites prendre aux femmes leurs vêtements sans tache! et, pour vous entraîner, que le divin aède, sur sa lyre au chant clair, joue quelque danse alerte. A l'entendre au-dehors, soit qu'on passe en la rue, soit qu'on habite autour, on dira : « C'est la noce! » Car il faut que la mort des seigneurs prétendants ne soit connue en ville qu'après notre départ, quand nous aurons gagné notre verger des champs [1]. Là, nous

a. Vers 127-128 : de toute mon ardeur, je saurai obéir et le cœur, je te jure, ne me manquera pas, jusqu'au bout de mes forces.

aurons le temps de chercher quel secours Zeus pourra nous offrir.

Dociles à sa voix, les autres obéirent. Ils allèrent au bain; ils changèrent de robes, firent parer les femmes, puis le divin chanteur prit sa lyre bombée et, comme il éveillait en leurs cœurs le désir de la douce musique et des danses parfaites, bientôt le grand manoir résonnait sous les pas des hommes et des femmes à la belle ceinture, et, dans le voisinage, on disait à ce bruit :

LE CHŒUR. – Un mari nous la prend, la reine courtisée!... la pauvre! déserter cette grande demeure!... n'avoir pas eu le cœur d'attendre que revînt l'époux de sa jeunesse!

Et l'on parlait ainsi sans connaître l'affaire. Mais Ulysse au grand cœur était entré chez lui [1] ; le baignant, le frottant d'huile, son intendante Eurynomé l'avait revêtu d'une robe et d'une belle écharpe ; sur sa tête, Athéna répandait la beauté [a] ; on voit l'artiste habile, instruit par Héphaestos et Pallas Athéna de toutes leurs recettes, nieller, or sur argent, un chef-d'œuvre de grâce : c'est ainsi qu'Athéna, sur sa tête et son buste, faisait couler la grâce ; sortant de la baignoire, il rentra tout pareil d'allure aux Immortels.

En face de sa femme, il reprit le fauteuil qu'il venait de quitter et lui tint ce discours :

ULYSSE. – Malheureuse! jamais, en une faible femme, les dieux, les habitants des manoirs de l'Olympe, n'ont mis un cœur plus sec [b]... C'est bien!... Nourrice, à

a. Vers 157-158 : le faisant apparaître et plus grand et plus fort, déroulant de son front des boucles de cheveux aux reflets d'hyacinthe.

b. Vers 168-170 : est-il un autre cœur de femme aussi fermé? s'éloigner de l'époux, quand, après vingt années de longs maux et d'épreuves, il revient au pays!

toi de me dresser un lit : j'irai dormir tout seul ; car, en place de cœur, elle n'a que du fer.

La plus sage des femmes, Pénélope, reprit :

PÉNÉLOPE. – Non ! malheureux ! je n'ai ni mépris ni dédain ; je reprends tout mon calme et reconnais en toi celui qui, loin d'Ithaque, partit un jour sur son navire aux longues rames... Obéis, Euryclée ! et va dans notre chambre aux solides murailles nous préparer le lit que ses mains avaient fait ; dresse les bois du cadre et mets-y le coucher, les feutres, les toisons, avec les draps moirés !

C'était là sa façon d'éprouver son époux. Mais Ulysse indigné méconnut le dessein de sa fidèle épouse [1] :

ULYSSE. – O femme, as-tu bien dit ce mot qui me torture ?... Qui donc a déplacé mon lit ? le plus habile n'aurait pas réussi sans le secours d'un dieu qui, rien qu'à le vouloir, l'aurait changé de place. Mais il n'est homme en vie, fût-il plein de jeunesse, qui l'eût roulé sans peine. La façon de ce lit, c'était mon grand secret ! C'est moi seul, qui l'avais fabriqué sans un aide. Au milieu de l'enceinte, un rejet d'olivier éployait son feuillage ; il était vigoureux et son gros fût avait l'épaisseur d'un pilier : je construisis, autour, en blocs appareillés, les murs de notre chambre ; je la couvris d'un toit et, quand je l'eus munie d'une porte aux panneaux de bois plein, sans fissure, c'est alors seulement que, de cet olivier coupant la frondaison, je donnai tous mes soins à équarrir le fût jusques à la racine, puis, l'ayant bien poli et dressé au cordeau, je le pris pour montant où cheviller le reste ; à ce premier montant, j'appuyai tout le lit dont j'achevais le cadre ; quand je l'eus incrusté d'or, d'argent et d'ivoire, j'y tendis des courroies d'un cuir rouge éclatant... Voilà notre secret!... la preuve te suffit?... Je voudrais donc savoir, femme, si notre lit est toujours en sa place ou si, pour le tirer ailleurs, on a coupé le tronc de l'olivier.

Il disait : Pénélope sentait se dérober ses genoux et son cœur ; elle avait reconnu les signes évidents que lui donnait Ulysse ; pleurant et s'élançant vers lui et lui jetant les bras autour du cou et le baisant au front, son Ulysse, elle dit :

PÉNÉLOPE. – Ulysse, excuse-moi!... toujours je t'ai connu le plus sage des hommes! Nous comblant de chagrin, les dieux n'ont pas voulu nous laisser l'un à l'autre à jouir du bel âge et parvenir ensemble au seuil de la vieillesse!... Mais aujourd'hui, pardonne et sois sans amertume si, du premier abord, je ne t'ai pas fêté! Dans le fond de mon cœur, veillait toujours la crainte qu'un homme ne me vînt abuser par ses contes ; il est tant de méchants qui ne songent qu'aux ruses! Ah! la fille de Zeus, Hélène l'Argienne [1], n'eût pas donné son lit à l'homme de là-bas, si elle eût soupçonné que les fils d'Achaïe, comme d'autres Arès, s'en iraient la reprendre, la rendre à son foyer, au pays de ses pères ; mais un dieu la poussa vers cette œuvre de honte! son cœur auparavant n'avait pas résolu cette faute maudite, qui fut, pour nous aussi, cause de tant de maux! Mais tu m'as convaincue! la preuve est sans réplique! tel est bien notre lit! en dehors de nous deux, il n'est à le connaître que la seule Aktoris, celle des chambrières, que, pour venir ici, mon père me donna. C'est elle qui gardait l'entrée de notre chambre aux épaisses murailles... Tu vois : mon cœur se rend, quelque cruel qu'il soit!

Mais Ulysse, à ces mots, pris d'un plus vif besoin

de sangloter, pleurait. Il tenait dans ses bras la femme de son cœur, sa fidèle compagne!

Elle est douce, la terre, aux vœux des naufragés, dont Posidon en mer, sous l'assaut de la vague et du vent, a brisé le solide navire : ils sont là, quelques-uns qui, nageant vers la terre, émergent de l'écume ; tout leur corps est plaqué de salure marine ; bonheur! ils prennent pied! ils ont fui le désastre!... La vue de son époux lui semblait aussi douce : ses bras blancs ne pouvaient s'arracher à ce cou.

L'Aurore aux doigts de roses les eût trouvés pleurants, sans l'idée qu'Athéna, la déesse aux yeux pers, eut d'allonger la nuit qui recouvrait le monde : elle retint l'Aurore aux bords de l'Océan, près de son trône d'or, en lui faisant défense de mettre sous le joug pour éclairer les hommes, ses rapides chevaux Lampos et Phaéton [1], les poulains de l'Aurore.

Ulysse l'avisé dit enfin à sa femme :

ULYSSE. – O femme, ne crois pas être au bout des épreuves! Il me reste à mener jusqu'au bout, quelque jour, un travail compliqué, malaisé, sans mesure : c'est le devin Tirésias qui me l'a dit, le jour que, débarqué à la maison d'Hadès, je consultai son ombre sur la voie du retour pour mes gens et pour moi... Mais gagnons notre lit, ô femme! il est grand temps de dormir, de goûter le plus doux des sommeils!

La plus sage des femmes, Pénélope, reprit :

PÉNÉLOPE. – Ton lit te recevra, dès que voudra ton cœur, puisque les dieux t'ont fait rentrer sous ton grand toit, au pays de tes pères! Mais puisqu'ils t'ont donné la pensée de me dire qu'une épreuve te reste, voyons! il faudra bien qu'un jour, je la connaisse : la savoir tout de suite est peut-être le mieux.

Ulysse l'avisé lui fit cette réponse :

ULYSSE. – Pauvre amie, à quoi bon me presser de parler? et pourquoi tant de hâte!... Je m'en vais te le dire et ne t'en rien cacher ; mais ton cœur n'aura pas de quoi se réjouir, et moi-même, j'en souffre!... Tirésias m'a dit d'aller de ville en ville, ayant entre mes bras une rame polie, tant et tant qu'à la fin, j'arrive chez les gens qui ignorent la mer [a]. Et connais à ton tour quelle marque assurée le devin m'en donna : sur la route, il faudra qu'un autre voyageur me demande pourquoi j'ai cette pelle à grains sur ma brillante épaule ; ce jour-là, je devrai, plantant ma rame en terre, faire au roi Posiaon le parfait sacrifice d'un taureau, d'un bélier et d'un verrat de taille à couvrir une truie ; puis, rentrant au logis, si j'offre à tous les dieux, maîtres des champs du ciel, la complète série des saintes hécatombes, la plus douce des morts me viendra de la mer ; je ne succomberai qu'à l'heureuse vieillesse, ayant autour de moi des peuples fortunés [1]... Voilà ce que le sort, m'a-t-il dit, me réserve!

La plus sage des femmes, Pénélope, reprit :

PÉNÉLOPE. – Si c'est à nos vieux jours que les dieux ont vraiment réservé le bonheur, espérons échapper ensuite à tous les maux!

Pendant qu'ils échangeaient ces paroles entre eux, la nourrice Euryclée, aidée d'Eurynomé, leur préparait le lit à la lueur des torches.

Quand leurs soins diligents eurent garni de doux tissus les bois du cadre, la nourrice rentra chez elle pour dor-

a. Vers 270-272 : et, vivant sans jamais saler leurs aliments, n'aient pas vu de vaisseaux aux joues de vermillon, ni de rames polies, ces ailes des navires!

mir; mais, leur servant de chambrière, Eurynomé revenait, torche en main, pour leur ouvrir la marche. Elle les conduisit dans leur chambre et revint, les laissant au bonheur de retrouver leur couche et ses droits d'autrefois[1].

FINALE [1]

LA PAIX OU CHEZ LAERTE [2]

Pendant que Télémaque, Eumée et le bouvier s'arrêtaient de danser et, renvoyant les femmes, se donnaient au sommeil dans l'ombre du manoir, les deux époux goûtaient les plaisirs de l'amour, puis les charmes des confidences réciproques. Elle lui racontait, cette femme divine, tout ce qu'en ce manoir, elle avait enduré, lorsque des prétendants la troupe détestable immolait tant de bœufs et tant de moutons gras et faisait ruisseler le vin de tant de jarres, — et tout cela pour elle! Le rejeton des dieux, Ulysse, lui narrait les chagrins qu'il avait causés aux ennemis, puis sa propre misère et toutes ses traverses. Elle écoutait ravie, et le sommeil ne vint lui clore les paupières qu'après qu'il eut fini de tout lui raconter.

[Il commença par la défaite des Kikones, puis sa visite au bon pays des Lotophages; du Cyclope, il conta les crimes et comment il avait châtié ce monstre sans pitié, qui lui avait mangé ses braves compagnons; il dit son arrivée et l'accueil empressé qu'il reçut chez Éole, puis, le renvoi, hélas! inutile, au pays, et le sort le jetant aux coups de la tempête, et ses cris déchirants sur la mer aux poissons! l'escale à Télépyle, en pays lestrygon, et le bris de la flotte et le meurtre de tous ses compagnons guêtrés et la fuite d'Ulysse, avec son noir vaisseau ; il conta tout au long la ruse de Circé et ses inventions, le voyage aux séjours humides de l'Hadès sur son navire à rames, et l'ombre du devin Tirésias de Thèbes, et tous ses compagnons de jadis retrouvés, et sa mère revue, qui l'avait enfanté et nourri tout petit, et les chants entendus des Sirènes marines, et les Pierres Errantes [1], Charybde la divine et Skylla, que personne, jamais, au grand jamais, sans souffrir, ne passa, et l'île du Soleil et le meurtre des Vaches, et le croiseur frappé de la foudre fumante, et Zeus, le Haut-Tonnant, abattant d'un seul coup tous ses nobles amis, et lui seul échappant aux Parques de la mort.

Il dit son arrivée en cette île océane où Calypso la nymphe, qui brûlait de l'avoir pour époux, l'enfermait au creux de ses cavernes et, prenant soin de lui, lui promettait encore de le rendre immortel et jeune à tout jamais, mais sans pouvoir jamais le convaincre en son cœur ; il dit son arrivée en terre phéacienne après beaucoup d'épreuves, et le cœur de ces gens l'accueillant comme un dieu, lui donnant un vaisseau pour rentrer au pays avec un chargement d'or, de bronze et d'étoffes. C'est par là qu'il finit, lorsque, domptant ses membres, le doux sommeil dompta les soucis de son cœur.]

Mais Pallas Athéna, la déesse aux yeux pers, eut alors son dessein. Quand elle crut qu'Ulysse, au lit de son épouse, avait rassasié de sommeil tout son cœur, elle éveilla l'Aurore en son berceau de brume, et, sur son trône d'or, l'aube, pour apporter aux hommes la lumière, monta de l'Océan.

Ulysse se leva de sa couche moelleuse et dit à son épouse :

ULYSSE. – Femme, nous avons eu, l'un et l'autre déjà, tout notre poids d'épreuves : mon retour te mettait dans l'angoisse et les pleurs ; loin du pays natal, Zeus et les autres dieux entravaient mes désirs et me comblaient de maux. Nous voici de nouveau réunis en ce lit, où tendaient tous mes vœux ; il faudra m'occuper des biens qu'en ce manoir, nous possédons encore, et des troupeaux que ces bandits m'ont décimés. Oh ! je saurai moi-même en ramener en prise, et beaucoup, sans compter ceux que les Achéens auront à me donner pour refaire le plein de toutes mes étables... Mais je voudrais d'abord aller à mon verger revoir mon noble père, que le chagrin torture... Je connais ton bon sens ; mais écoute un avis : au lever du soleil, le bruit va se répandre que j'ai, dans ce manoir, tué les prétendants ; regagne ton étage avec tes chambrières ! restes-y ! n'interroge et ne reçois personne !

Il dit. A ses épaules, il mit ses belles armes, fit lever Télémaque, Eumée et le bouvier, et leur fit prendre à tous un attirail de guerre. Dociles à sa voix, quand ils eurent vêtu leurs armures de bronze, la porte fut ouverte : on sortit du manoir ; Ulysse les menait ; le jour régnait déjà ; mais, d'un voile de nuit, Athéna les couvrait pour les faire évader au plus tôt de la ville [1]...

SECONDE DESCENTE AUX ENFERS [2]

(*CHANT XXIV*). [Répondant à l'appel de l'Hermès du Cyllène, les âmes des seigneurs prétendants accouraient : le dieu avait en main la belle verge d'or, dont il charme les yeux des mortels ou les tire à son gré du sommeil. De sa verge, il donna le signal du départ ; les âmes, en poussant de petits cris, suivirent...

Dans un antre divin, où les chauves-souris attachent au rocher la grappe de leurs corps, si l'une d'elles lâche, toutes prennent leur vol avec de petits cris ; c'est ainsi qu'au départ, leurs âmes bruissaient. Le dieu de la santé, Hermès, les conduisait par les routes humides ; ils s'en allaient, suivant le cours de l'Océan ; passé le Rocher Blanc [1], les portes du Soleil et le pays des Rêves, ils eurent vite atteint la Prairie d'Asphodèle, où les ombres habitent, fantômes des défunts, et c'est là qu'ils trouvèrent, près de l'ombre du fils de Pélée, près d'Achille, les ombres de Patrocle, du parfait Antiloque et d'Ajax, le plus beau par la mine et la taille de tous les Danaens ; seul, le fils de Pélée le surpassait encore. Ils entouraient Achille, quand l'ombre de l'Atride Agamemnon survint [2]. Elle était tout en pleurs et menait le cortège de ceux qui, chez Égisthe, avaient trouvé la mort et subi le destin.

Ce fut l'ombre d'Achille qui parla la première :

ACHILLE. – Atride, nous pensions que, de tous les héros, Zeus, le joueur de foudre, n'avait jamais aimé personne autant que toi : quand on sait quelle armée de braves te suivait au pays des Troyens, aux jours de nos épreuves, à nous, gens d'Achaïe ! Mais la Parque de mort avant l'heure est venue te prendre, toi aussi !... hélas, nul ne l'évite ! il suffit d'être né !... Qu'il t'aurait mieux valu subir la destinée et mourir en Troade, au milieu des honneurs, en plein commandement ! Car les Panachéens auraient dressé ta tombe, et quelle grande gloire tu léguais à ton fils! Ah! c'est pitié, la mort où t'a pris le destin!

Mais l'ombre de l'Atride en réponse lui dit :

AGAMEMNON. – O bienheureux Achille, ô toi, fils de Pélée, qui, tout semblable aux dieux, succombas loin d'Argos, là-bas dans la Troade, et pour qui sont tombés, luttant sur ton cadavre, les meilleurs des Troyens et des fils d'Achaïe!... Ah! je revois encore, dans l'orbe de poussière, ton grand corps allongé, tes chevaux délaissés, et tout ce jour de lutte, qui n'aurait pas fini sans l'orage de Zeus!... En ce soir de bataille, nous avons rapporté ton cadavre aux vaisseaux. On le mit sur ton lit ; on lava ce beau corps dans l'eau tiède ; on l'oignit.

» Sur toi, les Danaens, pleurant à chaudes larmes, coupaient leurs chevelures. Mais ta mère, sitôt qu'elle apprit la nouvelle, sortit des flots, suivie des déesses marines, et soudain, sur la mer, monta son cri divin, et tous les Achéens en avaient le frisson. Ils se seraient enfuis au creux de leurs vaisseaux, si un homme, Nestor, ne les eût retenus ; en sa vieille sagesse, il fut, comme toujours, l'homme du bon conseil [a] : « Arrêtez, Argiens! restez, fils d'Achaïe! c'est sa mère qui sort des flots, accompagnée des déesses marines! elle est venue revoir le corps de son enfant! » A ces mots de Nestor, la crainte abandonna nos grands cœurs d'Achéens. Et l'on vit se dresser autour de toi les filles du Vieillard de la Mer, qui, pleurant et criant, revêtirent ton corps de vêtements divins.

» Puis, de leurs belles voix, les neuf Muses ensemble te chantèrent un thrène en couplets alternés : parmi

a. Vers 53 : c'est pour le bien de tous qu'il prenait la parole.

les Achéens, tu n'aurais vu personne qui n'eût les yeux en larmes, tant leur allaient au cœur ces sanglots de la Muse. Là, nous t'avons pleuré dix-sept jours, dix-sept nuits, hommes et dieux ensemble.

» Au dix-huitième jour, on te mit au bûcher et, sur toi, l'on tua un monceau de victimes, tant de grasses brebis que de vaches cornues! puis tu brûlas, couvert de tes habits divins et de parfums sans nombre et du miel le plus doux. Autour de ton bûcher, pendant que tu brûlais, les héros achéens, gens de pied, gens de char, joutaient avec leurs armes : quel tumulte et quel bruit!

» Quand le feu d'Héphaestos eut consumé tes chairs, au matin nous recueillîmes tes os blanchis, qu'on lava de vin pur, qu'on oignit de parfums. Ta mère nous donna une amphore dorée, qu'elle disait avoir reçue de Dionysos [1]; mais du grand Héphaestos, cette urne était l'ouvrage. On y versa tes os blanchis, ô noble Achille, avec ceux de Patrocle, le fils de Menoeteus. Dans une autre urne, on mit les restes d'Antiloque, celui qu'après la mort de Patrocle, ton cœur honora sans rival parmi tes compagnons. Puis, pour eux et pour toi, toute la sainte armée des guerriers achéens érigea le plus grand, le plus noble des tertres, au bout du promontoire où s'ouvre l'Hellespont : on le voit de la mer ; du plus loin, il appelle les regards des humains qui vivent maintenant ou viendront après nous. Puis ta mère apporta les prix incomparables qu'elle avait obtenus des dieux pour les concours de nos chefs achéens. En l'honneur d'un héros, tu pus voir en ta vie nombre de jeux funèbres, quand, à la mort d'un roi, les jeunes gens se ceignent et s'apprêtent aux luttes ; mais ton cœur et tes yeux n'auraient pu qu'admirer ces prix incomparables que nous donnait pour toi

Thétis aux pieds d'argent!... Il fallait que les dieux te chérissent bien fort!... C'est ainsi qu'à ta mort, a survécu ton nom et que toujours Achille aura, chez tous les hommes, la plus noble des gloires!... Mais moi, qu'ai-je gagné à terminer la guerre? Si Zeus m'a ramené, c'est qu'il voulait pour moi cette mort lamentable, sous les coups d'un Égisthe! d'une femme perdue! »

Tandis qu'ils échangeaient ces paroles entre eux, Hermès, le messager rayonnant, survenait avec les prétendants qu'Ulysse avait tués. Surpris à cette vue, les deux rois approchèrent, et l'ombre de l'Atride aussitôt reconnut le fils de Mélaneus, ce noble Amphimédon [1], que jadis, en Ithaque, il avait eu pour hôte.

L'ombre d'Agamemnon, la première, parla :

AGAMEMNON. – Quel malheur en ces lieux t'amène, Amphimédon? Dans l'ombre souterraine, que veut cette levée de héros du même âge!... car, à faire en la ville une levée de princes, on n'eût pas mieux choisi! Est-ce donc Posidon qui coula vos vaisseaux, en levant contre vous le flot des grandes houles et les vents de malheur? auriez-vous succombé sous les coups d'ennemis, lorsque, sur un rivage, vous enleviez de beaux troupeaux, bœufs et moutons [a]?... Réponds à ma demande : oublies-tu que je suis ton hôte?... je m'en vante! Là-bas, en compagnie du divin Ménélas, j'étais allé chez toi, quand nous pressions Ulysse de nous suivre vers Troie sur ses vaisseaux à rames. Il nous fallut un mois de voyage outre-mer, et quelle traversée! pour décider enfin le preneur d'Ilion.

L'ombre d'Amphimédon lui fit cette réponse :

a. Vers 113 : ou dans quelque combat sous les murs, pour les femmes?

AMPHIMÉDON [a]. – Je me souviens de tout, ô nourrisson de Zeus! Tu dis vrai et je vais te répondre en tous points : écoute de nos vies le triste dénouement. Ulysse était absent, toujours absent, et nous courtisions son épouse. Elle, sans repousser un hymen abhorré, n'osait pas en finir, mais rêvait notre mort sous l'ombre de la Parque. Veux-tu l'une des ruses qu'avait ourdies son cœur [1]? Elle avait au manoir dressé son grand métier et, feignant d'y tisser un immense linon, nous disait au passage : « Mes jeunes prétendants, je sais bien qu'il n'est plus, cet Ulysse divin ; mais, malgré vos désirs de presser cet hymen, permettez que j'achève ; tout ce fil resterait inutile et perdu : c'est pour ensevelir notre seigneur Laërte ; quand la Parque de mort viendra tout de son long le coucher au trépas, quel serait contre moi le cri des Achéennes, si cet homme opulent gisait là sans suaire! » Elle disait et nous, à son gré, faisions taire la fougue de nos cœurs. Sur cette immense toile, elle passait les jours. La nuit, elle venait aux torches la défaire. Trois années, son secret dupa les Achéens. Quand vint la quatrième, à ce printemps dernier [b], nous fûmes avertis par l'une de ses femmes, l'une de ses complices ; alors on la surprit juste en train d'effiler la toile sous l'apprêt, et si, bon gré, mal gré, elle dut en finir, c'est que nous l'y forçâmes. La pièce était tissée tout entière, lavée ; elle nous la montrait ; la lune et le soleil ne sont pas plus brillants... C'est alors qu'un mauvais génie jetait Ulysse à la pointe de l'île, où vivait le porcher.

» Il y trouva son fils, qui, sur son noir vaisseau, reve-

a. Vers 121 : Atride glorieux, ô toi le chef de nos héros, Agamemnon.
b. Vers 143 : les mois étant finis et les jours s'allongeant.

nait justement de la Pylos des Sables. Ils firent contre nous leurs plans de male mort, puis revinrent tous deux en notre illustre ville. Mais Ulysse suivait, conduit par le porcher ; devant lui, Télémaque avait montré la route. Revêtu de haillons, Ulysse ressemblait au pire des vieux pauvres [a] ; personne d'entre nous, même les plus âgés, ne pouvait reconnaître ce brusque revenant! On l'accabla de mots insultants et de coups, et lui, dans son manoir, eut le cœur d'endurer les coups et les insultes. Mais, enfin réveillé par le Zeus à l'égide, il enleva avec son fils les belles armes et les mit au trésor en fermant les verrous ; le traître alors nous fit présenter par sa femme l'arc et les fers brillants, instruments de la joute, mais aussi de la mort pour nous, infortunés! Or, l'arc était si dur que nul ne put bander, tant s'en fallait, la corde!... Mais, quand aux mains d'Ulysse le grand arc arriva, nous eûmes beau crier qu'on le lui refusât, quoi qu'il en pût bien dire, Télémaque le lui envoya par Eumée.

» A peine le héros d'endurance avait-il cet arc entre les mains qu'il en tendait la corde et traversait les fers, et quelle aisance avait cet Ulysse divin! Puis, debout sur le seuil, il vida du carquois ses traits au vol rapide et, d'un œil furieux visant Antinoos, notre chef, il tira... Et ses flèches de deuil en percèrent bien d'autres! Il visait devant lui : nous tombions côte à côte! il était évident qu'un dieu guidait ses coups. Puis, à travers la salle, ils nous tuaient partout, n'écoutant que leur rage : un bruit affreux montait de crânes fracassés, dans les ruisseaux de sang qui couraient sur le sol... Et voilà, fils d'Atrée, quelle fut notre mort. Dans le

a. Vers 158 : il avait un bâton et de mauvaises loques.

manoir d'Ulysse, à cette heure, nos corps gisent sans sépulture ; les nôtres au logis ne savent toujours rien ; ils auraient de nos plaies lavé le sang noirci ; ils nous exposeraient et nous lamenteraient, dernier hommage aux morts! »

L'ombre d'Agamemnon, reprenant la parole :

AGAMEMNON. – Heureux fils de Laërte, Ulysse aux mille ruses! c'est ta grande valeur qui te rendit ta femme ; mais quelle honnêteté parfaite dans l'esprit de la fille d'Icare, en cette Pénélope qui jamais n'oublia l'époux de sa jeunesse! son renom de vertu ne périra jamais, et les dieux immortels dicteront à la terre de beaux chants pour vanter la sage Pénélope... O forfaits que trama la fille de Tyndare pour livrer à la mort l'époux de sa jeunesse ; quels poèmes d'horreur les hommes en feront! et le triste renom qu'en aura toute femme, même la plus honnête!

Tels étaient les discours qu'ils échangeaient entre eux, dans la maison d'Hadès, aux profondeurs du monde [1].]

Descendus de la ville, ils atteignaient bientôt les murs du beau domaine [2], que Laërte jadis avait pu s'acquérir à force de travail : là était sa maison, entourée des hangars où s'asseyaient, mangeaient et se couchaient les gens qu'il avait condamnés au travail de sa terre ; il avait avec lui, pour soigner sa vieillesse, une très vieille femme amenée de Sicile [3], et c'est là qu'il vivait, loin de la ville, aux champs.

Ulysse, alors, dit à ses gens et à son fils :

ULYSSE. – Vous entrerez tout droit dans la maison de pierre et, pour notre repas, vous tuerez aussitôt le cochon le plus gras ; je m'en vais aller voir ce que pense mon père, s'il me reconnaîtra, si ses yeux parleront ou ne verront en moi qu'un inconnu, après une si longue absence.

Il dit et, leur donnant son attirail de guerre, il envoya ses gens tout droit à la maison, puis courut s'informer au verger plein de fruits. Il entra dans le grand enclos : il était vide ; Dolios et ses fils et ses gens étaient loin ; conduits par Dolios, ils ramassaient la pierre pour le mur de clôture.

Ulysse dans l'enclos ne trouva que son père, bêchant au pied d'un arbre. Or, le vieillard n'avait qu'une robe sordide, noircie et rapiécée. Une peau recousue, nouée à ses mollets et lui servant de guêtres, le garait des épines, et des gants à ses mains le protégeaient des ronces ; sur la tête, il avait, pour se garer du froid, sa toque en peau de chèvre.

Tout cassé de vieillesse, le cœur plein de chagrin, il apparut aux yeux du héros d'endurance, et le divin Ulysse ne put tenir ses larmes. Il s'arrêta auprès d'un poirier en quenouille. Son esprit et son cœur ne savaient que résoudre : irait-il à son père, le prendre, et l'embrasser, et tout lui raconter, son retour, sa présence à la terre natale [a] ?... Il pensa, tout compté, qu'il valait mieux encore essayer avec lui des paroles railleuses.

C'est dans cette pensée qu'il alla droit à lui, cet Ulysse divin. Tête baissée, Laërte était là qui bêchait.

Arrivé près de lui, son noble fils parla :

ULYSSE. – Vieillard, tu te connais aux travaux du jardin : quelle tenue ! quels arbres ! vigne, figuiers, poiriers, oliviers et légumes, tu ne négliges rien..., du moins en ton verger, car, — laisse-moi te dire et ne te

a. Vers 238 : ou bien l'interroger afin de tout savoir.

fâche pas, — sur toi, c'est autre chose! Le soin te manque un peu ; quelle triste vieillesse! quelle sale misère! et quels linges ignobles! Ce n'est pas un patron qui te néglige ainsi pour punir ta paresse! A te voir, rien en toi ne trahit l'esclavage, ni les traits ni la taille! tu me sembles un roi ou l'un de ces vieillards qui n'ont plus dans la vie qu'à se baigner, manger, puis dormir à la douce. Mais allons! réponds-moi sans feinte, point par point : quel est donc ton patron! à qui donc ce verger ?... Autre chose à me dire ; j'ai besoin de savoir : est-il vrai que la terre où je suis soit Ithaque ? quand je venais ici, un passant, rencontré en chemin, me l'a dit... Oh! c'est un pauvre esprit, qui n'a su me donner aucun détail précis ni même me répondre au sujet de mon hôte... Je demandais s'il vit ou si la mort l'a mis aux maisons de l'Hadès. Mais, puisque te voilà, écoute et me comprends. Jadis, en mon pays, un homme vint chez nous que j'accueillis en hôte, comme tant d'autres gens qui me venaient de loin : jamais ami plus cher n'est entré sous mon toit! Il se disait d'Ithaque et vantait sa naissance, ayant pour père un fils d'Arkésios, Laërte. Je l'emmenai chez moi, le traitai de mon mieux et lui donnai mes soins : j'avais maison fournie! Au départ, je lui fis les présents qu'il convient, car il eut sept talents de mon bel or ouvré, sans compter un cratère à fleurs, tout en argent, douze robes, autant de manteaux non doublés [a] et, pour finir, il prit à son choix quatre femmes, parmi mes plus jolies et fines travailleuses.

Mais Laërte, en pleurant, lui fit cette réponse :

LAËRTE. – Étranger, c'est ici le pays que tu cherches ;

a. Vers 277 : tout autant de tapis, et de belles écharpes.

mais il est au pouvoir de bandits sans pudeur. Tu perdis les présents dont tu comblas cet hôte!... Ah! s'il vivait encor, si tu l'avais trouvé en ce pays d'Ithaque, cadeaux, accueil d'ami, il ne t'eût reconduit que sa dette payée ; n'est-ce pas l'équité de rendre à qui nous donne?... Mais allons! réponds-moi sans feinte, point par point : voilà combien d'années que tu reçus chez toi cet hôte malheureux? Car c'est mon fils, le pauvre! ou, du moins, il le fut! Mais, loin de tous les siens et du pays natal, les poissons de la mer l'auraient-ils dévoré?... sur terre, serait-il devenu la pâture des fauves et rapaces?... Ni sa mère ni moi, qui l'avions mis au jour, n'avons pu le pleurer et le voir au linceul!... Ni sa femme, qui lui coûta tant de présents, la sage Pénélope, ne put, comme il convient, lamenter son époux autour du lit funèbre et lui fermer les yeux, dernier hommage aux morts! Mais autre chose encor ; j'ai besoin de savoir : quel est ton nom, ton peuple, et ta ville et ta race? où donc est le croiseur qui chez nous t'amena?... ton divin équipage?... nous viens-tu, passager, sur un vaisseau d'autrui? ont-ils repris la mer, quand tu fus débarqué?

Ulysse l'avisé lui fit cette réponse :

ULYSSE. – Oui, je vais là-dessus te répondre sans feinte. Moi, je suis d'Alybas [1] où j'ai mon beau logis ; mon père est Aphidas, fils de Polypémon, qui fut roi, et mon nom, à moi, est Épérite. Je rentrais de Sicile [2] ; hors de ma route, un dieu m'a jeté sur vos bords ; mon navire est mouillé loin de la ville, aux champs... Pour Ulysse, voici quatre ans passés déjà que, dans notre pays, il est venu, le pauvre! puis en est reparti. Au départ, il avait les oiseaux à sa droite ; en le reconduisant, je l'en félicitais, et lui, tout en marchant, me disait son bonheur !... Nous avions bien l'espoir de reprendre, tous deux, ces échanges d'accueils et de brillants cadeaux !

Il disait ; la douleur enveloppait Laërte de son nuage sombre et, prenant à deux mains la plus noire poussière, il en couvrait ses cheveux blancs, et ses sanglots ne pouvaient s'arrêter. Le cœur tout remué, Ulysse commençait à sentir ses narines picotées par les larmes.

Il regarda son père ; il s'élança, le prit, le baisa et lui dit :

ULYSSE. – Mon père ! le voici, celui que tu demandes... Je reviens au pays, après vingt ans d'absence !... Mais trêve de sanglots, de larmes et de cris ! Écoute ! nous n'avons pas un instant à perdre ! Car, j'ai, sous notre toit, tué les prétendants ; j'ai vengé mon honneur et soulagé mon âme, en punissant leurs crimes.

Mais Laërte, prenant la parole, lui dit :

LAËRTE. – Si j'ai bien devant moi Ulysse, mon enfant, je ne veux me fier qu'à des marques certaines.

Ulysse l'avisé lui fit cette réponse :

ULYSSE. – Que tes yeux tout d'abord regardent la blessure que jadis au Parnasse, un sanglier me fit de sa blanche défense : c'est toi qui m'envoyas, et mon auguste mère ; car chez Autolycos, mon aïeul maternel, m'attendaient les cadeaux qu'à l'un de ses voyages, il vous avait ici promis de me donner... Une autre preuve encor ? dans les murs de ce clos, je puis montrer les arbres que j'avais demandés et que tu me donnas, quand j'étais tout petit ; après toi, je courais à travers le jardin, allant de l'un à l'autre et parlant de chacun ; toi, tu me les nommais. J'eus ces treize poiriers, ces quarante figuiers, avec ces dix pommiers ! Voici cinquante rangs de ceps, dont tu me fis le don ou la promesse ; chacun d'eux a son temps pour être vendangé, et les grappes y sont de toutes les nuances, suivant que les saisons de Zeus les font changer.

Mais Laërte, à ces mots, sentait se dérober ses genoux et son cœur : il avait reconnu la vérité des signes que lui donnait Ulysse. Au cou de son enfant, il jeta les deux bras, et le divin Ulysse, le héros d'endurance, le reçut défaillant. Mais il reprit haleine ; son cœur se réveilla ; pour répondre à son fils, il prononça ces mots :

LAËRTE. – Au sommet de l'Olympe, dieux, vous régnez encor, s'il est vrai, Zeus le père! que tous ces prétendants ont payé leurs folies et leurs impiétés. Mais voici que me prend une crainte terrible : c'est que les gens d'Ithaque sur nous vont accourir ; partout des messagers vont porter la nouvelle aux Képhalléniotes [1]!

Ulysse l'avisé lui fit cette réponse :

ULYSSE. – Laisse là ce souci! que ton cœur soit sans crainte!... Mais rentrons au logis qui borde le verger! C'est là que Télémaque, Eumée et le bouvier, envoyés devant moi, ont dû nous préparer le repas au plus vite.

Il l'emmène, à ces mots, vers la jolie maison. Ils arrivent bientôt au grand corps du logis. Ils trouvent Télémaque, Eumée et le bouvier, qui tranchaient force viandes et déjà mélangeaient le vin aux sombres feux.

Mais Laërte au grand cœur était entré chez lui. Sa vieille de Sicile au bain l'avait conduit, frotté d'huile, vêtu de son plus beau manteau. Debout auprès de lui et versant la vigueur à ce pasteur du peuple, Athéna le rendait et plus grand et plus fort que jadis aux regards.

Il quitta la baignoire, et son fils étonné, quand il le vit en face pareil à l'un des dieux, lui dit, en élevant la voix, ces mots ailés :

ULYSSE. – Oh! père, assurément, c'est l'un des Éternels qui te montre à nos yeux et plus grand et plus beau!

Laërte, posément, le regarda et dit :

LAËRTE. – Ah! pourquoi, Zeus le père, Athéna! Apollon! hier, en notre maison, pourquoi n'étais-je pas ce qu'autrefois je fus, quand, avec mon armée de Képhalléniotes, je pris au bout du cap, là-bas en terre ferme, la forte Néricos [1]? c'est moi qu'on aurait vu, l'armure sur le dos, marcher aux prétendants et nous en délivrer et, dans notre manoir, rompre bien des genoux! et la joie t'eût rempli le cœur au fond de toi [2]!

Tandis qu'ils échangeaient ces paroles entre eux, les autres achevaient les apprêts du repas ; en ligne, prenant place aux sièges et fauteuils, on se mettait à table, quand le vieux Dolios rentra avec ses fils. Le vieux les ramenait des champs, très fatigués : la vieille de Sicile, leur mère, avait couru là-bas les appeler ; tout en les élevant, c'est elle qui donnait ses bons soins au vieillard appesanti par l'âge. En revoyant Ulysse, leurs cœurs le reconnurent. Mais ils restaient debout, en proie à la surprise.

Ulysse les reçut de ses mots les plus doux :

ULYSSE. – Vieillard! prends place à table! quittez cette stupeur! Nous avons tous, depuis longtemps, grand appétit ; mais, sans toucher au pain, nous restions là, dans ce logis, à vous attendre!

Il dit ; mais Dolios, lui ouvrant les deux bras, venait droit à son maître et prenait le poignet d'Ulysse et le baisait et disait, élevant la voix, ces mots ailés :

DOLIOS. – Ami, tu nous reviens! tous nos vœux t'appelaient ; mais nous n'espérions plus!... Puisque la main des dieux te ramène, salut! sois heureux à jamais par la grâce du ciel!... Mais sans feinte réponds; j'ai besoin de savoir : la sage Pénélope sait-elle ton retour et ta présence ici? ou faut-il l'avertir?

Ulysse l'avisé lui fit cette réponse :

ULYSSE. – Elle sait tout, vieillard! ne t'occupe de rien!

Il dit et Dolios, sur l'escabeau luisant, s'assit et, comme lui, ses enfants s'empressaient autour du noble Ulysse et lui prenaient les mains et lui disaient leurs vœux ; puis, côte à côte, auprès de Dolios, leur père, ils allèrent s'asseoir.

Pendant qu'à la maison, ils faisaient ce repas, déjà la Renommée, rapide messagère, avait couru la ville. Elle allait, racontant le sort des prétendants et leur fin lamentable. Et la foule, accourue de partout à sa voix, assiégeait de ses cris, de ses gémissements, la demeure d'Ulysse. Chacun y prit ses morts pour les ensevelir. On mit sur des croiseurs les morts des autres villes ; on chargea des pêcheurs d'aller les reporter, chacun à son foyer. Puis le peuple d'Ithaque à l'agora s'en vint, le cœur plein de tristesse. Quand, le peuple accouru, l'assemblée fut complète, Eupithès se leva. Un deuil inconsolable avait empli son cœur : car le divin Ulysse, de sa première flèche, lui avait abattu son fils Antinoos.

C'est en pleurant sur lui qu'il prenait la parole :

EUPITHÈS. – Contre les Achéens, mes amis, quels forfaits n'a pas commis cet homme!... Il est parti, nous emmenant sur ses vaisseaux une foule de braves : il a perdu ses gens, perdu ses vaisseaux creux!... Il revient, et voyez! il nous tue les meilleurs des chefs képhalléniotes. Allons! Il ne faut pas qu'il s'enfuie vers Pylos ou la divine Élide, chez les rois épéens... Marchons! nous resterions à jamais décriés! jusque dans l'avenir, on dirait notre honte, si nos frères, nos fils demeuraient sans vengeurs! Pour moi, je ne saurais avoir goût à la vie ; je préfère la mort, la descente au tombeau. Non! ne leur laissons pas le temps de s'embarquer!

Il disait, et ses pleurs excitaient la pitié de tous les Achéens.

Mais le divin aède et le héraut survinrent : ils sortaient du manoir d'Ulysse, où le sommeil venait de les quitter, et chacun, à les voir au milieu de la foule, demeurait étonné.

Médon prit la parole et posément leur dit :

MÉDON. – Gens d'Ithaque, deux mots ; ce n'est pas sans l'aveu des dieux, des Immortels, qu'Ulysse a fait cela. Car j'ai vu, de mes yeux, une divinité debout auprès de lui, sous les traits de Mentor. C'était un Immortel qui tantôt l'excitait, visible à ses côtés, et tantôt, dans la salle, allait troubler les autres qui succombaient en tas.

Il disait et le peuple entier verdit de crainte.

Alors, pour leur parler, un héros se leva, le vieil Halithersès, un des fils de Mastor, qui, seul d'entre eux, voyait avenir et passé. C'est pour le bien de tous qu'il prenait la parole :

HALITHERSÈS [a]. – C'est votre lâcheté, amis, qui fit cela! Vous ne nous avez crus, ni moi ni le pasteur de

a. Vers 454 : gens d'Ithaque, écoutez : j'ai deux mots à vous dire.

ce peuple, Mentor, quand nous voulions brider les folies de vos fils!... Vous laissiez leurs forfaits s'accomplir!... Les impies! ils pillaient le domaine, ils outrageaient la femme du maître qui jamais ne devait revenir!... Mais songeons au présent! acceptez mes conseils : ne marchons pas contre eux! c'est courir, de nous-mêmes, au-devant du malheur.

Il dit ; en grand tumulte, la plus forte moitié du peuple se leva ; mais les autres, restés en séance, blâmaient l'avis d'Halithersès et, derrière Eupithès, ils s'élançaient aux armes. Toute bardée de bronze aux reflets aveuglants, une troupe se forme au-devant de la ville, dans la vaste campagne. Eupithès, l'insensé! en a pris la conduite : il espérait venger le meurtre de son fils ; mais, sans en revenir, c'est là-bas qu'il devait finir sa destinée.

Athéna dit alors à Zeus, fils de Cronos :

ATHÉNA. – Fils de Cronos, mon père, suprême Majesté! réponds à ma demande! n'as-tu pas en ton cœur quelque dessein caché? vas-tu faire durer cette guerre funeste et sa mêlée terrible?... ou veux-tu rétablir l'accord des deux partis?

Zeus, l'assembleur des nues, lui fit cette réponse :

ZEUS. – Pourquoi ces questions, ma fille, et ces demandes [a]? Fais comme il te plaira ; mais voici mon avis. Puisque les prétendants ont été châtiés par le divin Ulysse, pourquoi ne pas sceller de fidèles serments? il garderait le sceptre ; nous, aux frères et fils de ceux qui sont tombés, nous verserions l'oubli, et l'ancienne amitié les unissant entre eux, on reverrait fleurir la richesse et la paix.

a. Vers 479-480 : ne nous as-tu pas fait toi-même décréter qu'Ulysse rentrerait pour châtier ces gens?

Il dit et redoubla le zèle d'Athéna, qui partit, s'élançant des sommets de l'Olympe...

Ils avaient leur content de ce repas si doux et le divin Ulysse, le héros d'endurance, avait pris la parole :

ULYSSE. – Que l'on sorte pour voir et veiller aux approches.

Il dit, et l'un des fils de Dolios sortit, pour obéir à l'ordre.

A peine sur le seuil, voyant toute la troupe, il cria vers Ulysse ces paroles ailées :

LE CHŒUR. – Les voici! ils sont là! aux armes! et plus vite!

Il disait : se levant, tous revêtent leurs armes, les six garçons du vieux, Ulysse et les trois autres ; Laërte et Dolios prennent aussi des armes, soldats chenus, servants de la nécessité. Tout revêtus de bronze aux reflets aveuglants, ils ouvrent la grand-porte et, sur les pas d'Ulysse, ils quittent la maison. Mais la fille de Zeus, Athéna, approchait : de Mentor, elle avait et l'allure et la voix et, joyeux de la voir, le héros d'endurance appelait Télémaque. Il disait à son fils, cet Ulysse divin :

ULYSSE. – Télémaque, c'est l'heure! entre dans la mêlée! souviens-toi seulement, en cet instant des braves, de ne pas entacher le renom des aïeux ; car on a jusqu'ici vanté de par le monde leur force et leur courage.

Posément, Télémaque le regarda et dit :

TÉLÉMAQUE. – Si tel est ton désir, tu pourras voir, mon père, que, suivant tes paroles, ce cœur n'entache pas le renom de ta race.

Il dit et, plein de joie, Laërte s'écriait :

LAËRTE. – Quel jour pour moi, dieux qui m'aimez! je suis heureux! j'entends, sur la valeur, mon fils se quereller avec mon petit-fils!

Athéna, la déesse aux yeux pers, intervint :

ATHÉNA. – O fils d'Arkésios, le plus cher des amis! adresse ta prière à la Vierge aux yeux pers, à Zeus le père aussi! puis brandis et envoie ta pique à la grande ombre!

Et Pallas Athéna animait le vieillard d'une vigueur nouvelle : il invoque aussitôt la fille du grand Zeus, puis brandit et envoie sa pique à la grande ombre qui, d'Eupithès, atteint le casque aux joues de bronze ; sans repousser le coup, le bronze cède et craque ; l'homme, à grand bruit, s'effondre, et ses armes résonnent. Sur ceux du premier rang, Ulysse tombe alors avec son noble fils : du glaive et de la pique, de revers et de taille, ils frappent ; sous leurs coups, tous auraient succombé et perdu le retour, si la fille du Zeus à l'égide, Athéna, n'eût pas poussé un cri qui, tous, les arrêta :

ATHÉNA. – A quoi bon, gens d'Ithaque, cette cruelle guerre? sans plus de sang, quittez la lutte, et tout de suite!

A ces mots d'Athéna, tous ont verdi de crainte : la terreur fait tomber les armes de leurs mains ; le sol en est jonché. La voix de la déesse ne leur laissant au cœur que le désir de vivre, ils s'enfuient vers la ville. Le héros d'endurance, avec un cri terrible, se ramasse; il bondit, cet Ulysse divin, et l'on eût dit un aigle à l'assaut de l'éther. Mais le fils de Cronos, de sa foudre fumante, frappe le sol devant la déesse aux yeux pers, et, tournée vers Ulysse, la fille du dieu fort, Athéna, lui commande [a] :

Athéna. – Arrête! Mets un terme à la lutte indécise, et du fils de Cronos, du Zeus à la grand-voix, redoute le courroux!

À la voix d'Athéna, Ulysse, tout joyeux dans son cœur, obéit : entre les deux partis, la concorde est scellée par la fille du Zeus à l'égide, Athéna [b].

a. Vers 542 : fils de Laërte, écoute! ô rejeton des dieux, Ulysse aux mille ruses!

b. Vers 548 : de Mentor, elle avait et l'allure et la voix.

NOTES

PRÉFACE

Page 7.

1. Claudel a écrit ce texte — repris dans *Accompagnements* — en préface à l'édition de l'*Odyssée* illustrée par la céramique grecque parue chez Delmas en 1951.

INTRODUCTION

Page 18.

1. Pour semblable exemple voir note 3 de p. 78.

Page 23.

1. Victor Bérard a développé ses thèses dans les trois volumes de son *Introduction à l'Odyssée* (Paris, *Les Belles Lettres*, 1924).

Page 29.

1. Voir principalement dans l'œuvre odysséenne de Victor Bérard : *Les Phéniciens et l'Odyssée*, 1re édition (Paris, 1902 et 1903) repris et développés dans *Les Phéniciens et l'Odyssée*, nouvelle édition (Librairie Armand Colin, 1927) et *Les Navigations d'Ulysse* (Librairie Armand Colin 1927-1929 réédité en 1971) ; *Dans le sillage d'Ulysse, Album odysséen* (Librairie Armand Colin, 1933), avec photographies de Fred. Boissonnas.

Page 30.

1. A propos de chaque épisode, des indications plus détail lées sur ces identifications seront données dans les notes des différents chants et les cartes des planches 1-5.

Page 32.

1. Voir ci-dessous, note 1 de p. 252.

Page 36.

1. Voir V. Bérard, *La Colonisation grecque de l'Italie méridionale et de la Sicile*, 2e éd. 1957, chap. XII.

Page 39.

1. Voir notamment V. Bérard, *Les Navigations d'Ulysse*, tome I, *Ithaque et la Grèce des Achéens* et, sur les fouilles anglaises, les conclusions présentées dans l'*Annual of the British School at Athens*, XL-XLI, 1939-1945, p. 1-14.

Page 41.

1. Le lecteur trouvera une étude complète de ces indications dans *Revue des Études grecques*, 1954, p. 1-34 ; voir également le plan que nous donnons p. 49.

OUVERTURE

Page 53.

1. Sur ce titre de la première partie de l'*Odyssée*, voir ci-dessus p. 19. Le titre d'*Invocation* qui suit a semblablement été restitué par Victor Bérard, bien qu'il ne figure pas parmi les titres d'épisodes qui nous ont été conservés par les Scholies et par Eustathe.

2. La légende d'Ulysse était si célèbre que le poète n'avait pas besoin de le nommer. Son nom n'apparaîtra pour la première fois qu'au vers 21. Cette seule expression suffisait pour qu'aussitôt tous les Grecs le reconnussent.

3. Cette *Invocation* ne fait allusion qu'aux seules aventures lointaines d'Ulysse, telles qu'elles sont racontées du début du chant V au milieu du chant XIII, dans les *Récits chez Alkinoos*. De même, l'*Assemblée des Dieux* qui fait suite annonce la décision d'envoyer chez Calypso Hermès, qui ne partira qu'au chant V après un nouveau conciliabule des dieux. Les 84 premiers vers du chant I constituaient primitivement le début des *Récits chez Alkinoos* et ne furent transposés en leur place actuelle que lors de la fusion en un seul tout des différents groupes primitifs d'épisodes (Voir Introduction, p. 20-21).

4. Allusion aux autres aèdes qui, avant les poèmes homériques, avaient déjà raconté les aventures d'Ulysse et des autres héros achéens.

5. Ce titre d'épisode, que Victor Bérard restitue en cet endroit, de même que les titres *les Conseils d'Athéna* et *le Festin des Prétendants* qu'il restitue un peu plus loin, est donné par les Scholies en tête du chant I.

6. Dernier des héros achéens autres qu'Ulysse à rentrer chez lui, Ménélas était revenu à Lacédémone dans la huitième année après la prise de Troie. La présente assemblée des dieux a lieu dans la dixième année après la prise de Troie.

Page 54.

1. Le mot grec ainsi traduit, et dont dérive en français le nom des Éthiopiens, signifie à proprement parler « visage brûlé ». Le cours du haut Nil divisait ce peuple en Nègres du Couchant et Nègres du Levant. Le festin où ce passage de l'*Odyssée* nous montre Posidon venant s'attabler n'est-il pas à rapprocher d'une tradition égyptienne dont Hérodote nous a conservé le souvenir : en une prairie nommée « Table du Soleil », les Éthiopiens avaient coutume d'exposer la nuit des viandes rôties que le premier venu avait droit de manger dès le lever du soleil (Hérodote, III, 17).

2. Zeus, le roi des dieux, passait pour avoir son manoir sur la cime inaccessible du mont Olympe, comme les rois achéens avaient les leurs à Mycènes, à Pylos et Tirynthe. Haut de 2 885 mètres, l'Olympe se dresse au nord de la grande plaine thessalienne.

3. La vieille épithète ainsi traduite était obscure déjà pour les Anciens qui croyaient qu'elle signifiait : « meurtrier d'Argos », bien que la légende d'Argos, selon Aristarque, fût étrangère aux poèmes homériques.

Page 55.

1. Allusion au meurtre d'Égisthe par Oreste, qui vengea ainsi le meurtre de son père Agamemnon sept ans après la prise de Troie. Égisthe, qui tua Agamemnon à son retour de Troie avec la complicité de Clytemnestre qu'il avait séduite, était fils du frère d'Atrée, Thyeste ; il était donc le cousin d'Agamemnon.

2. Tout au long de l'*Odyssée,* Athéna sera la grande protectrice et conseillère du héros.

3. Cette expression vient de ce que l'île bombe sur la mer comme la bosse ou nombril d'un bouclier. Sur la localisation de cette île voir ci-dessous note 2 de p. 133.

4. Ces Colonnes d'Atlas deviendront plus tard les Colonnes d'Héraclès, nom sous lequel les Anciens désignaient le détroit de Gibraltar. Le mont Atlas dans l'antiquité était la montagne qui faisait face au rocher de Gibraltar, sur la rive africaine du détroit. Les *Instructions nautiques* signalent de nos jours encore aux marins que le sommet de cette montagne, appelée aujourd'hui Mont aux Singes, est d'ordinaire caché dans les nuages, tandis que le sommet du rocher de Gibraltar s'embrume rarement de pareille manière. De là vient apparemment la légende qui montrait Atlas portant le ciel sur ses épaules jusqu'au jour où Héraclès, pour un temps, vint le décharger de son fardeau, afin qu'Atlas allât chercher pour lui les pommes d'or du jardin des Hespérides, c'est-à-dire les oranges. Déjà Hérodote (IV, 184) nous parle de cette montagne dont le nom est Atlas : « Elle est étroite, ronde de toutes parts et si haute qu'il est impossible d'en apercevoir la cime, car jamais ni été ni hiver les nuages ne l'abandonnent, les gens du pays disent que c'est la colonne du ciel. »

5. Victor Bérard a voulu rendre ainsi le calembour que semblablement contient le vers de l'*Odyssée.*

6. Ainsi s'échappent de la bouche les paroles insensées, comme les bêtes folles s'échappent de leur enclos.

7. Les Anciens déjà discutaient sur le sens de cette épithète qu'ils comprenaient comme signifiant soit « celui qui secoue la terre », soit « celui qui possède la terre ».

Page 56.

1. Victor Bérard traduit ainsi le nom d' « Ogygie ».

2. De manière fort inopinée, cette délibération des dieux reste en suspens jusqu'au début du chant V et Athéna soudain fait part d'un tout autre projet qu'elle a formé, aller à Ithaque. Par cet artifice sont introduites les aventures de Télémaque en tête desquelles cette première assemblée des dieux a été transposée. Voir ci-dessus, note 3 de p. 53.

3. Les longs cheveux distinguent les « nobles » des « vilains ».

4. Sur Pylos, voir ci-dessous, note 2 de p. 84.

5. Les vers 97-98 sont ailleurs appliqués aux sandales d'Hermès. Les vers 100-101 sont empruntés à l'*Iliade* (V, 746-747). C'est la raison pour laquelle ils étaient condamnés déjà par certains critiques alexandrins et ne figuraient pas dans diverses éditions antiques, nous apprennent les Scholies, ainsi dans l'édition de Massalia (Marseille).

Page 57.

1. Sur cette île de Taphos, voisine d'Ithaque, voir l'Introduction, p. 40. A dessein Victor Bérard a traduit par « doge » un mot grec qui dans l'*Odyssée* désigne d'ordinaire les chefs de populations maritimes. Athéna porte une lance de bronze parce que la coutume, pour les Achéens de l'âge héroïque, est de toujours prendre avec eux leurs armes lorsqu'ils s'éloignent de chez eux. La pointe de la lance est de bronze car, comme le poète a soin de l'indiquer ailleurs à maintes reprises, les héros achéens en sont encore à l'âge du bronze.

2. Lorsque s'ouvre l'action de l'*Odyssée*, les jeunes nobles d'Ithaque et des îles voisines qui désirent que Pénélope choisisse parmi eux un nouvel époux ne sont que depuis peu, après neuf ans d'attente, devenus pressants et arrogants. Pour le plan du palais d'Ulysse voir ci-dessus et plan (p. 49). Les jeux de jetons étaient connus déjà à l'époque mycénienne ; on a retrouvé un damier dans les fouilles du palais de Tirynthe.

3. Le cratère — le mot même signifie : « vase à mélanger » — était un grand récipient où se faisait le mélange de l'eau et du vin. Ce mélange fait, les serviteurs venaient y puiser pour verser à boire aux convives. Le vin des anciens Grecs en effet était trop épais et trop fort en alcool pour se boire pur et l'usage était de le couper d'eau. Sur l'emplacement probable du cratère, voir plan p. 49.

4. Dans la société de l'âge héroïque, les devoirs de l'hospitalité sont religieusement respectés : l'hôte est le protégé de Zeus. La bienséance veut qu'on l'accueille sans lui poser aucune question avant qu'il se soit rassasié.

5. Sur ces lances contenues dans ce râtelier d'armes voir ci-dessous note 1 de p. 328 (XVI, 229).

Page 58.

1. L'aède, musicien et poete à la fois, prélude sur la cithare,

dont il s'accompagne encore à l'occasion dans le cours de la récitation.

Page 59.

1. La réponse d'Athéna « Tu vois... » ne se comprend que si l'on songe que l'aède expliquait du geste sa récitation. Ici, il devait montrer de la main la direction dans laquelle on était censé voir au loin son navire. Les Anciens discutaient déjà pour savoir s'il s'agissait ici de la Témésa située sur le versant tyrrhénien de l'actuelle Calabre, ou de la Tamassos de Chypre. L'une et l'autre possédaient des mines de cuivre ; les mines de la seconde étaient, à vrai dire, les plus célèbres, car le nom du cuivre vient, on le sait, de celui de Chypre. Les deux noms de Témésa et de Tamassos, selon Victor Bérard, sont à dériver d'une racine sémitique et signifient : la fonderie. Le commerce d'alors ne se fait encore que par troc, l'usage de la monnaie ne s'étant répandu qu'à partir du VIIe siècle avant J.-C. Victor Bérard a identifié ce Port de la Ravine, avec l'actuel Port Frikais, sur le rivage oriental de l'île ; cependant que le Port de la Ville était sur la rive occidentale. Voir carte, p. 43.

2. Plaisanterie d'insulaire qui revient à plusieurs reprises dans l'*Odyssée*. A tort l'archéologue allemand Dörpfeld, voulant prendre cette plaisanterie à la lettre, a imaginé qu'on pouvait accéder à Ithaque par voie de terre ; et c'est une des raisons pour lesquelles il a supposé que l'Ithaque d'Ulysse était non pas l'île qui portait ce nom dans l'antiquité classique, mais Leucade, plus au nord, qu'un isthme marécageux relie au continent (voir ci-dessus, p. 39).

Page 61.

1. Déesses des ouragans représentées comme des oiseaux à tête de femme ou des femmes ailées ; on leur attribuait l'enlèvement de ceux qui disparaissaient à la guerre ou au loin.

2. Voir ci-dessus, p. 39.

Page 62.

1. Plusieurs villes de Grèce portaient ce nom ; peut-être s'agit-il ici du premier nom de cette Corinthe où vint vivre Médée l'empoisonneuse. Certains auteurs anciens pensaient qu'il s'agissait plutôt, soit d'une Éphyre d'Élide, dans le Péloponnèse, soit d'une Éphyre de Thesprotie dans l'actuelle Épire.

2. L'expression que Victor Bérard a traduite par « croiseur »

désigne dans la langue homérique le navire rapide, long et effilé et marchant plus à la rame qu'à la voile, qui servait à la guerre et à la course, par opposition au navire de charge, au « navire rond ». Il s'agissait d'un navire avec un seul étage de rameurs (les trières à trois étages de rameurs n'apparaîtront qu'à la fin du VIe siècle avant J.-C.) et mû par vingt ou cinquante rames, c'est-à-dire dix ou vingt-cinq de chaque bord.

3. Son père est Icare, frère de Tyndare.

Page 63.

1. Littéralement : « à la tunique de bronze ». Les cuirasses composées de deux plaques de métal moulant le torse n'apparaissent en Grèce qu'à partir du VIIIe siècle av. J.-C. Auparavant, les cuirasses furent faites d'écailles de métal fixées sur une tunique de cuir ou de lin très résistant.

Page 64.

1. Ajax (il s'agit du petit Ajax, fils d'Oïlée) avait arraché la fille de Priam, Cassandre, à l'autel d'Athéna lors du sac d'Ilion. La déesse, pour punir ce sacrilège, s'était déchaînée contre les Achéens (voir *Odyssée*, III, 130 et suiv.). Le Poète suppose en ce passage que, dix ans après la guerre de Troie déjà, des aèdes, ses prédécesseurs, chantaient la Geste des héros ou, comme on verra plus loin, la Geste des dieux.

Page 65.

1. Indifféremment, selon le besoin du mètre, le Poète désigne les Grecs de l'âge héroïque sous les noms d'Achéens, d'Argiens ou de Danaens (en souvenir du roi Danaos).

Page 68.

1. Avant qu'existât la monnaie, le bœuf servait d'unité de compte. Ailleurs, dans l'*Iliade*, on voit une esclave estimée à quatre bœufs, une armure à neuf, un trépied à douze.

2. Victor Bérard traduit par « robe » le mot grec *chiton*. C'est une tunique de lin, maintenue à la taille par une ceinture. Télémaque quitte sa tunique parce que l'usage pour les héros homériques est de quitter tous leurs vêtements pour se coucher. En plus de cette tunique, le vêtement masculin, dans les poèmes homériques, consiste essentiellement en un manteau de laine, grande cape qui se porte sur la tunique pour

protéger de la pluie ou du froid. Il est complété en outre par une écharpe, teinte ou non en pourpre.

LE VOYAGE DE TÉLÉMAQUE

Page 69.

1. Les Scholies et le commentateur d'Homère Eustathe nous ont transmis pour le chant II les deux titres *L'Assemblée d'Ithaque*, et *le Voyage de Télémaque*, de même que pour le chant I ils nous ont transmis les trois titres *l'Assemblée des dieux*, *les Conseils d'Athéna à Télémaque* et *le Festin des Prétendants*. Mais tandis que ces trois derniers titres se rapportent à trois parties différentes du chant I, le premier titre du chant II *l'Assemblée d'Ithaque* est un titre d'épisode ; l'autre, *le Voyage de Télémaque*, si on prend les mots grecs dans leur sens normal, ne peut s'appliquer, semble-t-il, qu'à un groupe d'épisodes, celui des aventures de Télémaque dans les premiers chants de l'*Odyssée*. Voir ci-dessus, p. 19. Cette assemblée, qui peut être mise en parallèle avec celle du chant I de l'*Iliade*, se réunit, selon la coutume, tôt dans la matinée, sur l'agora. Elle réunit tous les guerriers, c'est-à-dire tout le peuple des hommes libres. A la différence de l'assemblée, le conseil dont il est question un peu plus loin, au vers 26, ne réunit que les chefs.

2. Cet Égyptios devait apparemment son nom à quelque voyage qu'il avait fait ou qu'il était censé avoir fait en Égypte, et qui lui valait une réputation de sagesse. Sur les rapports du monde achéen de l'âge héroïque avec l'Égypte, voir ci-dessous, note 1 de p. 105.

Page 70.

1. Cet insigne lui est remis parce qu'il va parler.

Page 71.

1. L'armement des guerriers achéens comportait des guêtres ou jambières, des « cnémides », d'où cette épithète fréquente dans les poèmes homériques.

Page 72.

1. Le tissage, et en particulier le tissage d'art, nous est présenté comme la grande occupation des femmes achéennes

de l'âge héroïque, comme la broderie le fut des femmes de notre Moyen Age (on connaît la fameuse broderie dite tapisserie de Bayeux). Des scènes figurées étaient représentées sur ces tissages savants. L'histoire de la toile de Pénélope, demeurée particulièrement célèbre, est répétée aux vers 139-156 du chant XIX et 128-146 du chant XXIV.

2. Les Prétendants, à bout de patience, n'ont commencé à presser Pénélope de faire enfin son choix qu'au printemps de l'année à l'automne de laquelle Ulysse rentre à Ithaque ; leurs banquets n'ont commencé que quelques mois avant le retour d'Ulysse.

Page 73.

1. Alcmène, femme d'Amphitryon, fut aimée de Zeus dont elle conçut Héraklès ; Tyro, fille de Salmoneus, conçut de Posidon Pélias et Oélée. Mycènes, fille d'Inachos, était l'éponyme de la ville du même nom ; l'épithète « couronnée » fait allusion aux murailles qui couronnaient l'acropole de la ville. Toutes trois appartiennent à des générations de l'âge héroïque bien plus anciennes que la guerre de Troie.

2. En renvoyant Pénélope chez son père Icare, Télémaque aurait été obligé, par la coutume, de lui rembourser la dot, composée de terres, d'objets précieux ou de provisions qu'Icare avait donnée à sa fille et à son gendre. Au moment du mariage, l'usage était que le père reçût du fiancé des cadeaux dont il sera parlé un peu plus loin au vers 196, survivance de la vente primitive de la femme à son mari, mais qu'ensuite il constituât une dot à sa fille.

Page 78.

1. De même qu'ici Télémaque, Achille, au chant I de l'*Iliade*, se retire une fois l'assemblée dissoute, pour méditer sur la grève de mer.

2. Tandis qu'au chant I c'est de Mentès qu'Athéna prend la forme, ici elle se présente sous les traits de Mentor. Les critiques ont beaucoup épilogué sur la ressemblance des deux noms.

3. La même expression reviendra quelques vers plus loin. Ces répétitions qui ne sont pas rares dans les poèmes homériques délimitent le plus souvent des interpolations, qu'elles soudent ainsi aux textes plus anciens.

Page 80.

1. Victor Bérard, en ce passage comme en d'autres, introduits par des vers analogues, indique comme interlocuteur « le chœur », parce que dans l'épos semblables personnages anonymes jouaient le même rôle que le chœur dans la tragédie de l'époque classique, en faisant connaître la commune opinion de tout un groupe.

2. Sur Éphyre, voir ci-dessus note 1 de p. 62.

3. Les vastes magasins, avec leurs grandes jarres alignées le long des murs, mis au jour par les fouilles de Sir Arthur Evans au palais de Cnossos en Crète, nous permettent d'imaginer ce trésor d'Ulysse. Les réserves qu'il contenait, or, argent, bronze, vaisselle, outils, armes, étoffes, huile, vin, céréales, etc., constituaient la fortune mobilière de tout roi achéen. Un grand nombre des tablettes inscrites en écriture mycénienne que nous possédons sont des inventaires de semblables magasins royaux.

4. Dans la dernière partie de l'*Odyssée*, ce n'est pas la vieille nourrice Euryclée qui, comme ici, fait fonction d'intendante, c'est une autre servante de la maison, Eurynomé. Cette contradiction, justement relevée par Victor Bérard, montre que le *Voyage de Télémaque* a été conçu d'abord comme un groupe d'épisodes indépendants, avant d'être intégré dans notre *Odyssée*. Voir ci-dessus, p. 20.

Page 81.

1. Primitivement, l'absence de Télémaque, comme l'indique ce passage, ne durait que peu : juste le temps d'aller à Pylos puis à Lacédémone et de s'en revenir tout aussitôt, après avoir recueilli, comme Télémaque le fait au chant IV, les indications de Ménélas. Voir ci-dessus, p. 19.

Page 82.

1. Cette manœuvre nous est décrite en plusieurs autres passages de l'*Odyssée*. Le navire est tiré à la mer et conduit à la rame jusqu'à l'entrée du port où il est mouillé. De là le départ a lieu le soir pour que le navire profite de la brise qui, en été, au coucher du soleil, souffle d'ordinaire dans les pays méditerranéens de la terre vers la mer, tandis que, dans la journée, le vent souffle généralement de la mer vers la terre, rendant alors le départ à la voile impossible.

Page 83.

1. Le mât, dans les navires homériques, n'est mis en place que lorsqu'on est en mer.

2. Titre donné par Élien ; les Scholies et Eustathe donnent pour le chant III le titre : *Arrivée de Télémaque à Pylos.*

Page 84.

1. Dès l'antiquité, on discutait sur le sens de l'expression traduite par « lac splendide » ; plutôt que l'Océan, qui est un fleuve, ou que la mer, qui serait improprement désignée ainsi, ce lac semble être les étangs et marais qui bordent la côte occidentale du Péloponnèse au sud de l'embouchure de l'Alphée. Pour un navire qui, le matin, aborde du large sur cette côte, le soleil se lève au-dessus de ces étangs.

2. Les Grecs de l'époque classique, déjà, discutaient pour savoir où localiser au juste, sur la côte occidentale du Péloponnèse cette ville de Nestor, la Pylos des Sables dont, à la différence de Tirynthe ou de Mycènes, il ne restait plus déjà de leur temps aucune trace visible. Deux localités nommées Pylos, deux « Portes » (tel est le sens du mot grec) y existaient encore, entre lesquelles se partageaient les exégètes. L'une, la Pylos de Messénie, la plus méridionale, est devenue célèbre depuis l'épisode de la guerre du Péloponnèse qui s'y déroula à la fin du ve siècle. Des fouilles récentes ont mis au jour, en ces parages, les vestiges d'un vaste palais mycénien, qui fut détruit au début du xiie siècle, en même temps que les palais de Mycènes et de Tirynthe. S'il est possible, probable même, que cette Pylos soit celle d'où, selon la tradition, le Néléide de branche cadette, Mélanthos, descendant non de Nestor mais de son frère, s'enfuit vers Athènes au moment du Retour des Héraclides (voir ci-dessous, note 3 de p. 237) cette Pylos messénienne ne saurait être la Pylos homérique, que l'*Iliade* et l'*Odyssée* donnent comme la résidence de Nestor. Cette Pylos des Sables de Nestor nous est représentée comme contiguë à l'Élide peuplée par les Épéens, et toute proche de l'Alphée (Voir *Iliade*, II, 592 ; V, 541 et suiv. ; XI, 670 et suiv.). Elle doit être cherchée plus au nord, en Triphylie, où une longue plage de sable entre l'embouchure de la Néda et celle de l'Alphée succède à la côte rocheuse de Messénie. C'est là déjà que, dans l'antiquité, Strabon la localisait. Cette plage est coupée en son milieu par l'éperon du Samicon qui ne laisse à son pied, le long de la mer, qu'un étroit

passage, de nature à expliquer ce nom de Pylos. De fait, de riches tombes à coupole mycéniennes du XVe siècle ont été mises au jour non loin de là, à Kakovatos. Mais la ville elle-même n'a pas été retrouvée. L'*Iliade* nous fait connaître le nom des neuf villes dont se composait le royaume de Nestor, Pylos, Aréné, Thryon, Aipu, Kyparissos, Amphigéneia, Ptéléon, Hélos et Dorion. La flotte que Nestor emmène contre Troie comprend neuf fois 10 vaisseaux de 50 rameurs. Semblablement neuf fois 500 hommes participent ici au sacrifice et au festin qui l'accompagne. Sur la question de Pylos et sur l'itinéraire de Télémaque dans son voyage, voir Victor Bérard, *Les Navigations d'Ulysse*, t. II, p. 157-336 et *Dans le sillage d'Ulysse*, pl. 34 et suiv.

3. Cette épithète peut s'expliquer par la couleur bleue des flots de la mer dont Posidon fut considéré comme le dieu. Mais, comme au chant suivant la coiffure de Protée, n'est-elle pas inspirée par la perruque bleue que portaient parfois les pharaons égyptiens? Sur les influences égyptiennes, voir les explications qui seront données plus loin à propos du chant IV.

Page 85.

1. Ce fils de Nestor porte le même nom que le Pisistrate qui fut tyran d'Athènes au VIe siècle. Le tyran d'Athènes devait son nom au fait que sa famille prétendait descendre de Nélée, père de Nestor. Les Néléides passaient pour avoir été chassés du Péloponnèse par l'arrivée des Doriens au moment du retour des Héraclides, c'est-à-dire bien après la guerre de Troie, et pour s'être réfugiés alors en Attique en même temps que d'autres habitants du Péloponnèse, notamment les Ioniens. L'un de ces Néléides, Mélanthos (voir note 3 de p. 237), devint alors roi d'Athènes, pour avoir avec succès aidé les Athéniens à repousser une attaque des Béotiens ; le fils de ce Mélanthos, Codros, qui lui succéda, procura, disait-on, la victoire aux Athéniens contre les Doriens du Péloponnèse qui les attaquaient, en payant de sa vie cette victoire. Soixante ans après le retour des Héraclides, les descendants de Codros dirigèrent la migration ionienne vers la côte égéenne de l'Asie Mineure.

2. Le mot grec ainsi traduit désigne, semble-t-il, une coupe dont le pied élevé et creux forme une sorte de seconde coupe renversée, par opposition au simple gobelet. Aristote, dans son *Histoire des Animaux*, compare ces « doubles coupes » aux

alvéoles opposés par leur sommet dans les gâteaux de cire que font les abeilles.

Page 86.

1. En ces temps lointains, commerce et piraterie ne se distinguaient guère et se pratiquaient alternativement, étant tous deux regardés comme des occupations également honorables. Thucydide (I, 5) et d'autres auteurs anciens ne nous disent-ils pas que « vivre de guerre et de butin est le rêve de tous les peuples encore barbares ».

Page 89.

1. Voir ci-dessus, note 1 de p. 64.
2. Le mot grec ici traduit par « sveltes » et qui signifie littéralement « à la ceinture creuse » semble évoquer les femmes à taille de guêpe, que nous montrent les statuettes ou les peintures minoennes et mycéniennes.

Page 93.

1. Lorsqu'un homme ou une femme mouraient de mort soudaine, Apollon ou Artémis était tenu pour responsable de leur mort.

Page 96.

1. Ces Kaukones passaient pour avoir habité aux temps héroïques immédiatement au sud de la Triphylie où doit être situé (voir ci-dessus, n. 2 de p. 84) le royaume de Nestor.
2. L'origine et la signification de cette épithète restent fort obscures.

Page 97.

1. C'est dans l'avant-pièce qui donne accès au mégaron ou grand-salle que les rois homériques ont l'habitude de faire coucher leurs hôtes de passage.
2. Ce titre nous a été transmis par Élien. Eustathe le donne sous la forme : *Arrivée de Télémaque à Sparte.*

Page 99.

1. La description de ce sacrifice est imitée de près, non sans un accent de parodie, lorsque Eumée sacrifie un cochon aux vers 418-436 du chant XIV ; il paraît en résulter que la compo-

sition des épisodes du *Voyage de Télémaque* est antérieure à celle de la dernière partie de l'*Odyssée*.

Page 100.

1. Les chars qui sont représentés sur les monuments égyptiens du Nouvel Empire, ou encore sur les stèles de Mycènes, les deux chevaux à demi dressés sur leur arrière-train, expliquent cette expression qui revient fréquemment dans les poèmes homériques.

2. La localisation de cette Phères, comme la localisation de Pylos, a fait l'objet de discussions. Il semble difficile qu'il ait pu s'agir de la Phères de Messénie que la haute barrière du Taygète, infranchissable pour un char, séparait de Lacédémone. Il s'agit plutôt, semble-t-il, de la Phères d'Arcadie, Aliphéra, dont le nom doit s'expliquer comme une simplification de Alphiphera, c'est-à-dire Phères de l'Alphée. Aliphéra se trouve dans la vallée de l'Alphée, vers laquelle nous oriente, de fait, la généalogie du roi Dioclès, petit-fils d'Alphée. De la Pylos triphylienne un char peut aisément y accéder, puis, par le haut bassin du fleuve et la vallée de l'Eurotas, gagner Lacédémone.

Page 102.

1. Cette entrée de Télémaque chez Ménélas est imitée de l'entrée d'Ulysse chez Alkinoos, ce qui semble indiquer que le *Voyage de Télémaque* fut composé après les *Récits chez Alkinoos*. Sans doute cette merveilleuse description est-elle pour une part le fait de la transfiguration poétique. Mais elle a pour objet aussi de faire comprendre combien Ménélas était plus riche qu'Ulysse en son tout petit royaume.

Page 104.

1. Semblablement au chant VIII, et même par deux fois dans son état actuel (voir à ce sujet nos notes relatives à ce chant), Ulysse sanglote en cherchant à dissimuler ses pleurs et, seul, son hôte s'en aperçoit. Ce passage, imité du chant VIII, semble indiquer de son côté que le *Voyage de Télémaque* fut composé après les *Récits chez Alkinoos*.

Page 105.

1. Le nom d'Égyptos dans l'*Odyssée* désigne à la fois le pays et le fleuve, plus tard appelé Nil. Les habitants de la

Vallée du Nil n'ont jamais appelé eux-mêmes leur pays l'Égypte (ils le désignaient d'un nom tout différent, Khemet, c'est-à-dire « terre noire »). Le nom grec d'Égypte passait pour venir du frère de Danaos et descendant d'Io, Ægyptos, que nous pouvons aujourd'hui identifier, semble-t-il, au dernier des Rois Pasteurs ou Hyksos de la seconde période intermédiaire, qui régna au début du XVIe siècle. Mais ce nom d'Ægyptos a sans doute pour origine le nom égyptien Hetkaptah, transcrit en babylonien Hikouptah, c'est-à-dire le château du Ka de Ptah, épithète par laquelle on désigna Memphis. L'Égypte nous est présentée ici comme un pays aux fabuleuses richesses, dont Thèbes était la grande ville. De fait, de 1580, date de l'expulsion des Hyksos, jusque vers la fin du XIIIe siècle, l'Égypte, sous le règne des Aménophis et des Thoutmès de la 18e dynastie, puis de Séti Ier et de Ramsès II de la 19e dynastie, connaît une période de grande puissance et d'extraordinaire prospérité dont la tradition épique paraît avoir conservé un lointain souvenir. Les quantités d'or dont il est question ici sont énormes. Le poids du talent homérique nous est inconnu. Mais, plus tard, le talent éginète fut de 37 kilogrammes environ, c'est-à-dire sensiblement le poids des lingots de bronze qui ont été trouvés dans le palais minoen de Phæstos en Crète. Ménélas aurait donc rapporté en lingots près de 400 kilogrammes d'or...

Page 106.

1. Ce nom désigne, comme ailleurs dans les poèmes homériques, non la ville, ni même la seule région d'Argos, mais tout le Péloponnèse.

2. Ces transferts de populations avec leurs rois étaient considérés comme chose fort normale en ces temps lointains. En ce passage encore, la pauvreté relative du royaume d'Ulysse est impliquée clairement.

Page 107.

1. Antiloque passait pour avoir été tué par Memnon, fils de l'Aurore.

Page 108.

1. Ce dieu guérisseur fut plus tard confondu avec Apollon et supplanté par Asclépios qui était regardé comme le grand dieu de la médecine aux temps classiques. Tenue par le poète comme une terre de merveilleuses richesses aux temps héroïques,

l'Égypte est présentée par lui comme la patrie des remèdes. C'est à l'Égypte que les Grecs puis les Romains passaient pour avoir emprunté nombre de remèdes, qui sont entrés et demeurés jusqu'au siècle dernier dans notre pharmacopée des simples. Voir à ce sujet Théophraste, *Histoire des Plantes*, X, 15.

Page 111.

1. Pour le chant XV, où, comme nous l'avons dit plus haut (voir p. 19), la suite du *Voyage de Télémaque* s'est trouvée transposée, trois titres nous sont donnés par les Scholies : *le Retour de Télémaque, l'Embuscade des Prétendants, l'Arrivée de Télémaque chez Eumée*. Ce sont les deux premiers de ces titres que Victor Bérard a rétablis dans la dernière partie de l'actuel chant IV.

Page 113.

1. Comme Victor Bérard l'a montré, cet îlot n'est autre que la petite île encore appelée Pharos aux temps classiques, en avant du site où, au IVe siècle avant notre ère, Alexandre fonda Alexandrie. Les indications qui suivent dans l'*Odyssée* paraissent mal correspondre à cette localisation et ont dérouté bien des chercheurs. En fait, Alexandrie n'est pas située à l'extrémité occidentale du delta comme on l'imagine souvent, mais plus à l'ouest, et c'est la raison pour laquelle tels géographes anciens la situaient non en Égypte, mais déjà en Libye. On sait que, du nom de cette île, dérive notre mot « phare », parce qu'à l'époque hellénistique une tour y fut construite au sommet de laquelle on allumait un grand feu pour guider les marins vers l'entrée du port d'Alexandrie. (Voir Victor Bérard, *Les Navigations d'Ulysse*, t. II, p. 445.)

2. C'est seulement lorsqu'ils n'ont rien d'autre à manger que les héros achéens nous sont montrés dans les poèmes homériques pêchant du poisson.

Page 114.

1. Ici Protée est présenté comme un dieu de la mer. Cependant dans Hérodote (II, 110 et suiv.), qui nous donne de la légende d'Hélène une version toute différente de l'homérique (Hélène, selon cette version, n'aurait jamais été emmenée jusqu'à Troie par Pâris et aurait été retenue en Égypte durant tout le temps de la guerre), Protée est donné comme un roi d'Égypte régnant à Memphis. Dans l'*Hélène* d'Euripide, Protée

est présenté comme le roi de Pharos. Son nom même semble n'être que la transcription de l'un des titres du Pharaon, Prouïti, « La Sublime Porte », de même que le nom de Pharaon vient d'une transcription hébraïque du titre Paraoui-Aoui, « Le Double Palais ». Les contes égyptiens qui nous ont été transmis par certains papyrus nous prouvent que, dès le deuxième millénaire avant J.-C., la magie était fort en faveur au pays du Nil, et que les Égyptiens se plaisaient à de merveilleuses histoires, dont certaines font penser aux bien plus tardifs *Contes des Mille et une Nuits.* C'est apparemment un de ces contes magnifiques de l'Égypte qui a inspiré tout cet épisode odysséen, imité par Virgile dans ses *Géorgiques* (IV, 387 et suiv.). Sur les contes égyptiens, voir G. Lefebvre, *Romans et Contes égyptiens de l'époque pharaonique* (Paris, 1949).

2. Le phoque a presque complètement disparu aujourd'hui de la Méditerranée. Mais il en existe encore, d'une race plus petite que les grands phoques des mers froides, notamment sur la côte d'Algérie, à l'ouest de Cherchel. On les voit surtout à l'époque des vendanges où il leur arrive de se traîner à terre jusqu'aux champs de vignes les plus proches de la mer pour se gorger de raisins. Dans l'antiquité, ces phoques méditerranéens étaient certainement plus nombreux.

Page 116.

1. L'ambroisie, littéralement, est la « nourriture d'immortalité ». Ce mot désigne soit la nourriture des dieux comme en V, 93, soit celle de leurs chevaux (*Iliade*, V, 777), soit enfin, comme ici, un parfum divin, ou, comme dans l'*Iliade* XVI, 680, et XXIII, 186, un onguent pour embaumer les cadavres.

2. Ces métamorphoses magiques sont fréquentes dans les contes égyptiens. Une expression du texte homérique montre clairement d'où vient l'emprunt. « Porc géant », en effet, désigne apparemment l'animal qu'à la suite des Grecs de l'époque classique nous désignons fort improprement sous le nom d'hippopotame, c'est-à-dire « cheval du fleuve », mais que les Égyptiens appelaient beaucoup plus exactement Tririt, la truie ou Taourt, la grosse.

Page 117.

1. Le fleuve encore appelé dans les poèmes homériques Égyptos et qu'à la suite des Grecs de l'époque classique nous

appelons Nil posait aux Anciens un problème embarrassant. Non seulement il ne tarit jamais, même au plus fort de l'été, bien qu'il traverse cette haute Égypte où il se passe quelquefois des années entières sans pluie ; mais c'est au moment de la plus grosse chaleur, de juillet en octobre, qu'il a sa crue, inondant tout le fond de sa vallée. C'est la raison pour laquelle les anciens Grecs, ignorant où était sa source et comment s'explique cette crue annuelle, pensaient que les eaux de l'Égypte venaient des dieux.

Page 118.

1. Il s'agit ici du petit Ajax, fils d'Oïlée, qui avait déchaîné la colère d'Athéna en arrachant Cassandre à son sanctuaire lors du sac d'Ilion. Les Pierres Gyrées étaient situées près de l'Eubée selon certains auteurs, près de Myconos selon d'autres.

2. Le Malée, le plus oriental des trois caps que pointe vers le sud le Péloponnèse, était célèbre par ses bourrasques ; mais sa mention ici pose un problème car il n'est aucunement sur la route d'Agamemnon, si du moins c'est en Argolide (voir *Odyssée*, III, 304) qu'Agamemnon aborde et trouve la mort.

Page 120.

1. Le nom de ce Rhadamante, que la légende grecque tenait pour un fils d'Europe et un frère de Minos, doit être mis, semble-t-il, en rapport avec le mot Amenti, qui désignait en égyptien le monde des morts. Voir Victor Bérard, *Les Navigations d'Ulysse*, II, p. 242.

2. Le Zéphyr, contrairement à sa réputation, est un vent du nord-ouest qui souvent en Grèce est fort loin d'être doux ; mais c'est lui qui, dans le delta du Nil, amène la fraîcheur de l'air marin ; et de ce pays du delta paraît s'inspirer cette description des Champs-Élysées. Les contes égyptiens se terminent souvent par l'annonce du bonheur éternel promis aux justes après leur mort.

Page 121.

1. Voir ci-dessus, note 1 de p. 69. Le voyage de Télémaque ne s'est trouvé prolongé, comme il l'est dans l'*Odyssée* au chant XV, que lors de la fusion des épisodes du *Voyage de Télémaque* avec ceux des *Récits chez Alkinoos* et de la *Vengeance d'Ulysse*.

Page 122.

1. Héphaestos est le dieu de la métallurgie. Sidon, dans l'*Odyssée*, est présentée comme la grande ville de Phénicie et les Phéniciens comme d'habiles artistes. L'archéologie nous a révélé que, de fait, à l'âge du bronze, les Phéniciens eurent une brillante civilisation et furent en contact avec la civilisation mycénienne. Les influences phéniciennes se feront de nouveau fortement sentir en Grèce à partir du VIIIe siècle, mais depuis la destruction de Sidon par les Peuples du Nord et de la Mer au XIIe siècle, Tyr devint la principale ville de Phénicie.

Page 123.

1. Il s'agit d'Eumée qui sera l'un des principaux personnages de l'*Odyssée* à partir du chant XIII.

Page 127.

1. Arkésios, père de Laërte.

2. Vieille épithète formulaire, de sens obscur, qu'on retrouve également dans Hésiode, *Théogonie*, 925, et qui peut-être signifie « infatigable ».

Page 128.

1. Il s'agit ici de Phères en Thessalie, et non de la Phères dont il a été question au chant III.

Page 130.

1. Cette Astéris doit être identifiée comme elle l'était déjà par les Grecs de l'époque classique avec l'îlot appelé aujourd'hui Dascalio, qui se trouve entre Ithaque et Céphalonie face à Port-Polis, « port de la ville ». Tel qu'il nous a été transmis dans les manuscrits, le vers 846 situe à tort ces ports jumeaux dans l'îlot même d'Astéris. Victor Bérard a identifié ces Ports Jumeaux avec les deux baies de Porto Viscardo sur la côte de Céphalonie, face à Astéris, et, pour cette raison, il a proposé de corriger le texte des manuscrits. Voir ci-dessus, p. 32. Ce Porto Viscardo doit son nom moderne au Normand Robert Guiscard qui mourut en cet endroit en 1085.

LES RÉCITS CHEZ ALKINOOS

Page 131.

1. Ce titre qui est indiqué par les Scholies au début du chant IX, et qui se présente comme un titre non d'épisode, mais de groupe d'épisodes, s'applique, selon Victor Bérard, à toute la partie centrale de l'*Odyssée*, et non pas seulement aux chants IX-XII.

2. Les deux titres qui nous ont été conservés par les Scholies et par Élien pour le chant V, *l'Antre de Calypso* et *le Radeau d'Ulysse*, correspondent aux deux parties de ce chant en tête desquelles Victor Bérard les restitue.

3. Mentionné dans l'*Iliade* (XX, 237), comme l'un des frères de Laomédon. L'Hymne homérique à Aphrodite (218 et suiv.), le montre enlevé par l'Aurore, qui en fait son époux et obtient pour lui l'immortalité.

4. Ce second conciliabule des dieux ne vint redoubler en tête du chant V l'assemblée du chant I que lorsque cette première *Assemblée des Dieux*, une fois remaniée, servit d'ouverture à l'*Odyssée* tout entière, après avoir été destinée primitivement à n'introduire que les *Récits chez Alkinoos* (voir ci-dessus, p. 21).

Page 132.

1. Les manuscrits de l'*Odyssée* mentionnaient tous en cet endroit la Piérie, canton de Macédoine, ce qui s'expliquait mal. Comme nous l'apprennent les papyrus, il s'agit en réalité de la Périe, c'est-à-dire d'un canton de la Thessalie, au pied de l'Olympe.

Page 133.

1. Le Maroc, où, comme on le verra, il faut avec Victor Bérard localiser la grotte de Calypso, est avec la Crète, le Liban et Chypre, l'une des régions de la Méditerranée où croissent les forêts de cèdres et, à l'époque romaine encore, il exportait le bois de thuya.

2. Les Grecs de l'époque classique ne savaient plus où localiser cette île de Calypso, qu'ils cherchaient d'ordinaire comme les autres escales lointaines d'Ulysse dans les mers italiennes, notamment dans la région de Crotone sur le golfe de Tarente. En réalité, elle doit être cherchée beaucoup plus

loin ; car au vers 55 il vient d'être dit qu'elle est au bout du monde ; pour y parvenir, Ulysse a dérivé pendant dix jours sous un vent de tempête (*Odyssée*, XII, 447-448). Lorsqu'il en revient (*Odyssée*, V, 268-280) il navigue pendant dix-sept jours avec une bonne brise de poupe en tenant toujours le nord à main gauche, c'est-à-dire en direction de l'est, avant d'arriver à Schérie, pays des Phéaciens, qui est la Corfou d'aujourd'hui. Longue est la route qu'en dix-sept jours même un simple radeau peut couvrir lorsqu'il est poussé par une bonne brise de poupe. C'est donc bien vers le couchant qu'il faut chercher l'île de Calypso, de cette fille d'Atlas. De fait, les anciens Grecs de l'époque classique (Hérodote, IV, 184, etc.) localisaient le mont Atlas sur la rive africaine de l'actuel détroit de Gibraltar. C'est là, sous un rocher abrupt, au pied même de l'antique Atlas, que Victor Bérard, en 1912, a retrouvé la grotte décrite en ce passage de l'*Odyssée*. Fait qui ne saurait s'expliquer par une coïncidence fortuite, quatre sources, précisément, y jaillissaient encore côte à côte au pied du rocher. Depuis lors, la caverne a été murée, et les sources ont été captées pour alimenter en eau la ville de Ceuta. Il est clair qu'un détail aussi caractéristique que cette grotte aux quatre sources ne saurait avoir été inventé ni s'expliquer par une simple coïncidence. A elle seule, elle suffirait à prouver les connaissances qu'avait le Poète sur le bassin occidental de la Méditerranée (voir ci-dessus, p. 30-31). Cette grotte se trouve sur la côte du continent africain, non sur une île. Ce détail, toutefois, ne doit pas arrêter, car tous les pays que visite Ulysse, le pays de Circé notamment, nous sont présentés comme une île, le poète concevant naturellement comme une île toute terre à laquelle le héros arrive par mer. Victor Bérard a pensé qu'il fallait identifier plus précisément l'île de Calypso avec l'îlot de Pérégil, où se creuse la cachette d'une profonde calanque. Le nom de Calypso, en effet, est de même racine que le verbe qui signifie en grec cacher. Ile de Calypso peut donc se traduire par Ile de la Cachette. De même que les compagnons d'Ulysse par un jeu de mots qui sera expliqué plus loin puisent l'oubli dans le Lotos au pays des Lotophages, pareillement lui-même reste sept ans caché dans l'île de la Cachette. Sur l'épisode de Calypso voir Victor Bérard, *Les Navigations d'Ulysse*, t. III et *Dans le sillage d'Ulysse*, pl. 47 et suiv.

Page 134.

1. Sur l'ambroisie, nourriture d'immortalité, voir ci-dessus, note 1 de p. 116. Quant au nectar, qui est semblablement la boisson des dieux, il semble qu'il faille en rapprocher le nom du « iin niktar », vin parfumé offert par les Sémites à leurs dieux ; car Athénée (I, 32 et II, 38) savait qu'à l'origine le nectar n'était autre qu'un vin parfumé de Babylonie.

Page 135.

1. Le chasseur Orion, jeune homme célèbre par sa beauté, fut enlevé par l'Aurore ; il devint une constellation lorsqu'il eut été tué par Artémis. Sur ce genre de mort, voir ci-dessus, note 1 de p. 93.

2. L'aventure d'Iasion et de Démèter est rappelée par Hésiode aux vers 969 et suivants de sa *Théogonie.*

Page 137.

1. Il est de nouveau question de ce grand serment des dieux dans l'épisode de Circé au vers 299 du chant X. Hésiode, aux vers 784 et suivants de sa *Théogonie,* nous apprend que si l'un des Immortels se parjurait après avoir versé l'eau du Styx, il restait gisant sans souffle pendant une année entière, et pendant neuf autres années se voyait interdire les conseils et les banquets des dieux.

2. Hésiode, dans sa *Théogonie*, nous apprend que le Styx, qui n'est qu'un bras de l'Océan, tombe d'un rocher abrupt. D'où cette expression de l'*Odyssée.*

Page 138.

1. Nourriture d'immortalité, l'ambroisie en effet rend immortel. Semblablement, dans une vieille légende babylonienne, le héros Adapa refuse le mets qui doit lui donner l'immortalité. Ulysse a refusé l'offre de Calypso qui voulait faire de lui un dieu.

Page 140.

1. Sur la différence à faire entre les navires de charge ou vaisseaux ronds et les navires de course et de guerre ou vaisseaux longs, voir ci-dessus note 2 de p. 62.

2. Certains critiques se sont plu autrefois à relever l'invrai-

semblance de cette aventure. Mais, de nos jours, les navigations solitaires d'un Alain Gerbault à travers l'Atlantique, ou mieux encore la traversée du Pacifique sur un simple radeau, tentée et réussie plus récemment, ont prouvé que semblable navigation est fort possible. Aussi bien le Poète a-t-il pris soin de nous montrer Ulysse construisant à lui seul non pas un navire, ce qui eût été invraisemblable, mais un radeau, ce qui restait dans les limites du possible. Si Ulysse navigue en tenant l'Ourse à sa gauche, il fait donc route d'ouest en est ; et puisqu'il navigue dix-sept jours avant d'arriver à Schérie, il faut chercher le pays de Calypso très loin vers le couchant dans le bassin occidental de la Méditerranée.

Page 141.

1. Voir note 7 de p. 55.

2. Cependant qu'Ulysse, touchant à la terre phéacienne, atteint le seuil occidental du monde achéen, Posidon revenant d'Éthiopie, où il banquetait comme il est dit au début du chant I, arrive au mont Solyme, qui au sud-ouest de l'Asie Mineure constituait le seuil oriental du monde grec aux temps classiques encore.

3. Le Zéphyr, c'est-à-dire le vent de l'ouest ou du nord-ouest, est généralement en Grèce et surtout en Asie Mineure un vent violent, bien différent de ce qu'il est réputé être. Sur cette réputation, voir ci-dessus, note 2 de p. 120.

Page 142.

1. Cadmos, fondateur de la Cadmée, acropole de Thèbes de Béotie, passait pour avoir quitté Thèbes à la fin de sa vie avec sa femme Harmonie et s'être retiré en Illyrie chez les Enchéléens. Ino avait recueilli Dionysos à la mort de Sémélé et pour cette raison fut frappée de folie par Héra jalouse ; elle se jeta alors dans la mer et devint la déesse marine Leucothéa.

Page 144.

1. Sur la côte Nord du Péloponnèse existait une ville nommée Égées avec un sanctuaire célèbre de Posidon. Une autre ville de ce nom qui avait, elle aussi, son temple de Posidon est également mentionnée sur la côte occidentale de l'île d'Eubée.

Page 146.

1. L'île des Phéaciens, Schérie, à laquelle Ulysse en dix-sept jours est arrivé de chez Calypso sur son radeau, et vers laquelle il est ramené par le vent du nord, le Borée, après en avoir été éloigné par la tempête, est identifiée déjà par les Grecs de l'époque classique avec l'île appelée alors Corcyre et aujourd'hui Corfou. De fait, une nuit de navigation suffira à un navire phéacien pour le ramener en Ithaque. La côte occidentale de Corfou, sur le canal d'Otrante, est une falaise de roche déchiquetée que festonnent des écueils et où la mer par gros temps se brise avec fureur. Cette côte répond bien à la description qui vient d'être faite de la côte phéacienne. Peu de refuges s'y offrent aux navigateurs : ce sont d'abord deux anses bien closes de part et d'autre d'une presqu'île où Victor Bérard propose de localiser la ville phéacienne. C'est ensuite, plus au sud, une petite baie, ourlée en son fond par une plage de sable fin, où se jette une rivière qui descend en cascades vers la mer. C'est en cette baie, nommée Ermonais, que selon Victor Bérard il faut imaginer Ulysse prenant terre. Voir Victor Bérard, *Les Navigations d'Ulysse*, t. IV, chap. 1er.

Page 148.

1. Titre donné par les Scholies et par Eustathe pour le chant VI.

2. Sur la localisation de Schérie, voir note de la p. 146 ; et sur celle du pays des Cyclopes, voir ci-dessous, note 4 de p. 193. Victor Bérard propose d'identifier cette Hauteville des Phéaciens, Hypérie pour lui donner son nom grec, avec le site de la future Cumes à l'orée de la grande plaine de Campanie. Une tradition qui n'est attestée que postérieurement à l'*Odyssée* voulait que les frères des Phéaciens fussent demeurés en Italie et qu'ils y eussent été les premiers fondateurs de Crotone, bien avant que, vers la fin du VIIIe siècle, la ville fût à nouveau colonisée par les Grecs : Croton, l'éponyme de Crotone, passait pour être le propre frère d'Alkinoos. Nombreux sont les passages de l'*Odyssée* qui nous montrent des prédécesseurs ou des parents des Achéens, tels Éole, Circé ou Calypso, établis sur les rivages du bassin occidental de la Méditerranée. Ce passage en revanche est la seule allusion à un retour d'une partie d'entre eux d'ouest en est. Mais ce retour de Nausithoos

d'Italie vers Schérie s'insère dans le cadre d'autres traditions transmises par des auteurs plus récents, qui nous montrent un retour partiel des « Pélasges » d'Italie vers le monde grec. Dans le nord de la mer Égée, les Tyrrhènes-Pélasges de Lemnos, parents des Tyrrhènes-Étrusques d'Italie, étaient de ce nombre.

3. Tel était en effet dans l'idée d'un Grec le rôle de tout chef qui fondait une ville nouvelle en pays lointain. On le voit, notamment, lors du grand mouvement de colonisation des VIIIe-VIe siècles.

Page 149.

1. Ces lavoirs sont, comme on verra plus loin, les cascades de la petite rivière à la bouche de laquelle a abordé Ulysse. La ville des Phéaciens est donc à chercher loin de cette baie dont l'identification est assez sûre. Aucune découverte archéologique n'a jusqu'à présent permis de localiser avec certitude cette ville d'Alkinoos. Lorsqu'à la fin du VIIIe siècle des colons corinthiens vinrent fonder Corcyre, ils s'établirent sur la côte orientale de l'île et l'un des deux ports de leur établissement portait le nom de Port d'Alkinoos ; le roi phéacien était en outre l'objet d'un culte de la part des Corcyréens. Toutefois cette localisation répond mal à ce que l'*Odyssée* nous dit au vers 177 du chant XIII, d'une haute montagne qui domine la ville et sous laquelle Posidon menace de l'ensevelir. Pour cette raison Victor Bérard a songé à chercher son emplacement sur la côte occidentale de l'île, à l'endroit appelé aujourd'hui Palaiocastrizza.

Page 150.

1. A dessein Victor Bérard a traduit ainsi un mot qui d'ordinaire signifie équiper, « armer » un navire. Les Phéaciens nous sont présentés comme un peuple non de terriens, mais de marins.

2. Le char de voyage et de guerre, dans les poèmes homériques, est attelé de deux chevaux, mais les chariots, les voitures de charge, montés tantôt sur deux, tantôt sur quatre roues, sont attelés de mules. Ainsi dans l'*Iliade* Priam pour s'en aller chercher le corps de son fils Hector monte lui-même sur un char tiré par des chevaux, en emmenant, pour emporter la rançon et ramener le cadavre, une voiture tirée par des mules.

Page 151.

1. Les sources toujours peu abondantes dans les pays grecs ne pouvaient suffire pour laver le linge, il fallait pour cela aller à la rivière ; le petit fleuve qui, après avoir drainé les eaux de la plaine intérieure de l'île, vient déboucher à l'anse d'Ermonais, où Victor Bérard a proposé de localiser la plage d'Ulysse, ne tarit jamais, même au plus fort de l'été. Au moment où se passe l'action, en automne, l'eau devait y être abondante.

2. La chaîne du Taygète, qui sépare la Laconie de la Messénie, et celle de l'Érymanthe en Arcadie étaient fameuses dans l'antiquité par leur gros gibier ; on connaît la célèbre légende du sanglier d'Érymanthe.

3. Mère d'Artémis et d'Apollon.

4. Les Grecs considéraient une haute taille non seulement comme une condition de la beauté, mais encore comme un signe de divinité. Lorsque, dans l'*Iliade* (XVIII, 519), le bouclier d'Achille nous est décrit, le Poète précise que les hommes y sont représentés un peu plus petits que les dieux.

Page 152.

1. Le lion n'avait pas encore entièrement disparu des terres helléniques à l'âge des héros, d'où la légende d'Héraclès maîtrisant le lion de Némée. Lions ou lionnes sont figurés assez souvent dans l'art de l'époque mycénienne, à la fameuse Porte des Lionnes de Mycènes notamment.

Page 153.

1. C'est à Délos que Léto passait pour avoir mis au monde Apollon et Artémis ; et cette petite île des Cyclades fut célèbre dans toute l'antiquité par son sanctuaire d'Apollon. Au temps de Cicéron on y montrait encore un palmier qui passait pour être celui d'Ulysse.

2. Voir note 1 de p. 56.

Page 154.

1. Les Phéaciens sont présentés comme habitant à l'extrême limite du monde civilisé, au-devant des grandes étendues de la terrible mer du Couchant.

Page 155.

1. Au vers 399 du chant XIII, il est dit qu'Ulysse est blond,

de même que sont censés l'être la plupart des héros achéens. Si cette comparaison porte sur la couleur même des cheveux, il y aurait là une contradiction.

Page 156.

1. Le petit fleuve qui se jette dans la baie d'Ermonais draine auparavant la vaste plaine de Ropa où les habitants de la Corfou d'aujourd'hui ont encore leurs champs d'oliviers et de blé.

2. Victor Bérard a proposé de reconnaître le site de la ville des Phéaciens à Palaiocastrizza, sur une petite presqu'île entre deux ports bien clos. Sur le chemin qu'il faut suivre en venant de la plaine de Ropa, on trouve une première source que mentionne un peu plus loin le Poète lorsqu'il parle du bois d'Athéna ; et une autre au bord même de la mer serait celle où le chant suivant nous montre une petite fille venant chercher de l'eau.

Page 157.

1. Tout ce passage était regardé comme une addition dès l'antiquité parce que ces paroles paraissaient mal répondre au portrait de Nausicaa que fait par ailleurs le Poète.

Page 158.

1. Sur la disposition des grand-salles homériques, voir p. 41-42.

2. Ce vers nous montre les femmes ayant en Phéacie une place beaucoup plus importante que dans la Grèce des temps classiques. Semblablement dans la Crète minoenne la femme paraît avoir joué un rôle de premier plan. Faut-il y voir une survivance de coutumes matriarcales, dont les traces subsistaient aux temps classiques dans le bassin égéen, notamment en Lydie et en Lycie?

3. Voir ci-dessus, note 2 de p. 127 (IV, 762).

Page 159.

1. Titre donné par les Scholies et par Eustathe pour le chant VII.

2. Le nom qui est ainsi traduit était considéré par certains Anciens comme une invention du Poète. Victor Bérard avec raison y a vu une orthographe archaïque du nom de l'Épire,

au large de laquelle se trouvait l'antique Corcyre, l'actuelle Corfou.

Page 160.

1. Si l'on prend à la lettre cette indication, il faut tenir pour interpolés les vers 56-79, où il apparaît qu'Alkinoos est l'oncle d'Arété, non son frère. Semblable mariage entre oncle et nièce est mentionné dans l'*Odyssée* en XI, 237. Des mariages entre frère et sœur, comme celui qui semble impliqué ici, se retrouvent dans l'*Odyssée*, au vers 7 du chant X pour les enfants d'Éole, et, parmi les dieux, Héra était représentée à la fois comme sœur et épouse de Zeus. On sait, d'autre part, que ces mariages entre frère et sœur furent fréquents chez les pharaons égyptiens, pour mieux conserver ainsi la pureté du sang divin de la lignée royale. Pour les Grecs de l'époque classique toutefois, un mariage entre frère et sœur ne pouvait manquer de paraître choquant. Sans doute est-ce la raison pour laquelle les vers 56-79 sont venus s'insérer en cette place.

Page 161.

1. Eurymédon qui régnait sur un peuple de géants à l'extrémité de la terre, causa par ses violences sa propre ruine et celle de son peuple : on racontait qu'il avait violé Héra encore enfant et en eut Prométhée, ce qui déchaîna contre lui la colère de Zeus.

2. Sur l'acropole d'Athènes, à l'emplacement de l'ancien palais d'Érechtée et des autres rois d'Athènes à l'âge héroïque, s'élevait aux temps classiques encore le vieux et très vénéré sanctuaire d'Athéna appelé pour cette raison Érechtéion.

3. De cette description du palais d'Alkinoos s'inspire au chant IV la description du palais de Ménélas. Sans doute faut-il en ce passage faire la part de la transfiguration poétique et du désir de mieux marquer le caractère merveilleux de ce lointain peuple phéacien. Mais pour une part aussi la splendeur des palais minoens et mycéniens répond à la description odysséenne.

4. Les fouilles ont permis de retrouver dans les palais mycéniens non seulement de grandes fresques figurées dont il n'est pas ici question, mais des fragments de décoration en émail bleu foncé.

Page 162.

1. Héphaestos en même temps qu'un dieu forgeron était un dieu orfèvre.

2. Voir note 1 de p. 120 et voir note 3 de p. 141.

Page 163.

1. Victor Bérard a expliqué dans son *Introduction à l'Odyssée* (t. II, p. 171) les raisons pour lesquelles tout ce passage, où le désir d'émerveiller est plus sensible encore que précédemment, lui paraît être une interpolation.

Page 164.

1. Attitude de suppliant.

Page 166.

1. Ce passage, tenu pour une interpolation par Victor Bérard, paraissait déjà malséant aux Anciens.

Page 169.

1. Faut-il s'étonner de la hâte avec laquelle Alkinoos offre à Ulysse de devenir son gendre? C'est là, en vérité, un thème fréquent dans les vieilles légendes, comme le remarque le scholiaste : Bellérophon, Tydée et bien d'autres héros de passage épousent ainsi la fille du roi local. En pleine époque historique encore, en 600 avant J.-C., ne voit-on pas le chef de la colonie phocéenne qui vient s'établir à Marseille choisi d'emblée pour époux par la princesse Gyptis?

2. C'est le lendemain de son arrivée au palais, semble-t-il, qu'Ulysse devait repartir dans la narration primitive, avant que la réception phéacienne du chant VIII, qui se surajouta, ne vînt le retarder d'un jour.

3. Le voyage de Rhadamanthe dont il est ici question est par ailleurs inconnu dans la légende

Page 170.

1. Le titre de *Réception phéacienne* nous est donné par Eustathe pour le chant VIII. Mais ce chant, sous sa forme actuelle, est presque tout entier constitué par une longue interpolation qui, du vers 93 au vers 531, raconte les Jeux célébrés par les Phéaciens, et qui s'est grossie elle-même d'une surinterpolation, *les Amours d'Arès et d'Aphrodite*, du vers 266 au vers 369. Cette

double interpolation mise à part, le début et la fin de ce chant VIII paraissent avoir constitué le commencement de l'épisode *Kikones et Lotophages*, dont le titre ne nous est donné par Eustathe qu'au début du chant IX en même temps que *le Cyclope*. C'est ce titre de *Kikones et Lotophages* que Victor Bérard propose de restituer en tête de ce chant en cette place.

Les marques de cette double interpolation sont nombreuses. Aux vers 317-318 du chant VII, Alkinoos avait promis à Ulysse de le reconduire le lendemain même, et tel est encore apparemment son dessein dans les premiers vers de notre chant VIII ; ensuite, la longueur des jeux l'oblige à différer d'un jour le départ d'Ulysse ; mais cette seconde journée est si vide que quelques vers, au début du chant XIII, suffisent à la narrer. Le chant VIII, surtout, dans sa forme actuelle, présente une répétition choquante ; car, deux fois, aux vers 72 et suivants, d'une part, et 499 et suivants, d'autre part, l'aède Démodocos chante, cependant qu'Ulysse se met à pleurer sans pouvoir cacher ses larmes à Alkinoos. On peut y voir la trace d'une de ces sutures maladroites dont d'autres interpolations plus courtes fournissent maint exemple. Cet épisode des jeux semble avoir été introduit à cette place pour être dans l'*Odyssée* le pendant des jeux donnés par Achille sur la tombe de Patrocle au chant XXIII de l'*Iliade*.

Page 171.

1. Cette expression implique que, primitivement, comme l'annonçait la fin du chant précédent, Ulysse devait repartir de Phéacie le jour même.

Page 172.

1. Sur cette manœuvre, voir ci-dessus, note 1 de p. 82.

2. L'aède qui est au service d'Alkinoos nous est présenté comme un aveugle, Homère semblablement l'était, si l'on en croit la tradition. Sans doute n'est-ce pas là coïncidence fortuite.

Page 173.

1. En ce passage, comme précédemment au chant I, on voit un aède chanter dès le temps de la guerre de Troie les exploits des Achéens, comme si l'origine des chants épiques d'où sortiront l'*Iliade* et l'*Odyssée* remontait à l'âge des héros même

2. Pytho est un autre nom, plus ancien, de Delphes.

3. Ces premiers pleurs d'Ulysse entendant le récit de l'aède, maladroitement répétés à la fin du chant VIII dans sa forme actuelle, devaient à l'origine introduire directement la narration qu'Ulysse faisait de ses aventures (voir ci-dessus note 1 de p. 170.

Page 174.

1. Par ces traductions, Victor Bérard a cherché à rendre la couleur de ces noms phéaciens, qui tous avaient un sens pour les Grecs d'autrefois, et qui tous indiquaient que les Phéaciens étaient un peuple de marins.

2. Course, saut, lutte, disque et boxe sont les cinq épreuves du pentathlon tel qu'il était pratiqué aux temps classiques dans les concours d'Olympie. Si l'on en croit ce passage, ce pentathlon existait déjà aux temps héroïques. On doit évidemment songer à un possible report dans le passé, de coutumes plus tardives, contemporaines de l'époque à laquelle a été composé cet épisode interpolé. Il faut noter toutefois que la tradition faisait remonter aux temps légendaires la fondation des grands jeux panhelléniques. L'année 776, en effet, marque le début de l'ère des Olympiades, c'est-à-dire le moment à partir duquel les Olympiades commencèrent à servir de repère chronologique, peut-être parce que l'usage de l'écriture alphabétique permit à partir de ce moment de conserver de manière exacte les listes des olympioniques, mais les concours olympiques passaient pour exister depuis l'âge des héros.

3. Cette comparaison en elle-même est obscure, mais elle s'éclaire si on la rapproche des vers 352-354 du chant X de l'*Iliade* où une autre comparaison oppose la tirée plus rapide des mulets à celle, plus lente, des bœufs au labour.

Page 175.

1. On voit ici que le commerce est tenu pour une occupation peu honorable. Sur la piraterie voir ci-dessus, note 1 de p. 86. Cette opposition entre le vrai marin et ce que nous appellerions le commissaire du bord semble impliquer que, dès cette époque, tout navire de commerce avait, à côté de son capitaine, son « écrivain », usant de l'écriture pour tenir le compte de la cargaison. Faut-il rappeler que, dès l'époque mycénienne, la plupart des tablettes inscrites en écriture syllabique que nous possédons sont des inventaires de magasin?

Page 177.

1. En parlant ainsi, Ulysse qui n'a pas voulu encore se faire connaître, se trahirait. C'est une des raisons pour lesquelles les vers 219-228 paraissent être une interpolation.

2. Œchalie, dont Eurytos était roi, était localisée tantôt en Thessalie, tantôt en Messénie, tantôt en Eubée, Eurytos était fils de Mélanée, lui-même archer remarquable, que son adresse faisait passer pour fils d'Apollon.

Page 179.

1. Cet épisode doit être considéré comme une surinterpolation à l'intérieur de ce chant VIII dont la plus grande partie est elle-même une addition (voir ci-dessus, note 1 de p. 170). Il était déjà tenu pour bâtard dans l'antiquité. Les Scholies faisaient remarquer, aux vers 380 et suivants du chant XVIII de l'*Iliade*, que l'épouse d'Héphaestos est, non pas Aphrodite, mais Charis. Le ton ironique qui caractérise tout au long ce conte fort irrévérencieux pour les Immortels, distingue au demeurant très nettement ces vers 266-369 des épisodes les plus anciens de l'*Odyssée.*

2. Lemnos, dont aux temps classiques encore la principale ville se nommait Héphaestia, était considérée comme la résidence préférée d'Héphaestos.

3. Dans l'île de Cythère, et à Paphos en Chypre, se trouvaient les principaux sanctuaires d'Aphrodite aux temps classiques. Mais cette épithète de Kythérée ne figure dans tous les poèmes homériques qu'en ce passage et au vers 193 du chant XVIII de l'*Odyssée* qui, lui-même, paraît interpolé.

Page 180.

1. Héphaestos était boiteux. L'explication généralement donnée de son infirmité était qu'ayant pris le parti de sa mère Héra dans une dispute qu'elle avait avec Zeus au sujet d'Héraclès, il fut jeté par Zeus du haut de l'Olympe dans l'île de Lemnos où il fut recueilli par les Sintiens. Une autre tradition qui se trouve également dans l'*Iliade* voulait qu'il fût boiteux de naissance.

2. Sur les cadeaux que le fiancé faisait à son futur beau-père avant le mariage, voir ci-dessus, note 2 de la p. 73.

Page 183.

1. Ces cadeaux des Phéaciens en cette place font double

emploi avec ceux qui sont donnés à Ulysse au début du chant XIII, cadeaux d'autant moins vraisemblables qu'Ulysse n'a pas encore révélé qui il est.

Page 185.

1. Indice entre bien d'autres de cette interpolation maladroite qu'est la *Réception phéacienne* : le langage que tient ici Arété implique qu'elle a déjà entendu Ulysse raconter sa mésaventure après son départ de chez Éole ; mésaventure qui ne sera narrée qu'au chant X. Quant à ce lourd coffre, nous voyons, autre invraisemblance, une servante le porter à elle seule et sans peine jusqu'au navire aux vers 66-69 du chant XIII, qui sont apparemment des vers surajoutés, et il n'en est plus question par la suite, ni lorsque Ulysse est débarqué sur la plage d'Ithaque, ni lorsqu'il fait, aux vers 217-220 du chant XIII, l'inventaire des cadeaux qu'il rapporte chez lui.

Page 186

1. Cette ultime entrevue si courte, mais si dense et pleine de tact, d'Ulysse et de Nausicaa, peut soutenir la comparaison avec les plus beaux passages de l'*Iliade* et de l'*Odyssée*. La question se pose de savoir si elle a été reprise d'un épisode plus ancien des *Récits chez Alkinoos* ou si elle est due à l'auteur de cette longue addition de la *Réception phéacienne*.

Page 187.

1. Sur cet épisode final de la guerre de Troie, auquel Ménélas déjà, aux vers 271 et suivants du chant IV, a fait allusion voir ci-dessus, note 1 de p. 64.

Page 188.

1. Sur ces pleurs qu'Ulysse verse à nouveau, comme déjà aux vers 83 et suivants du chant VIII, voir note 1 de p. 170

Page 189.

1. Cette indication, reprise plus loin au chant XIII, a conduit Victor Bérard, comme nous l'avons dit, à chercher le site de la ville phéacienne à Palaiocastrizza. Voir ci-dessus note 2 de p. 156.

Page 190.

1. La coupure entre les chants VIII et IX est tout à fait

factice, puisque Ulysse au début du chant IX répond à une question posée par Alkinoos à la fin du chant VIII. Sur la division de l'*Odyssée* en chants, voir ci-dessus, p. 16. On sait que Virgile s'inspirant de cet exemple fera semblablement commencer au livre II de son poème le récit qu'Énée entreprend sur la demande que lui en a faite Didon à la fin du livre précédent.

2. Virgile s'est inspiré directement de ce passage lorsque au début du livre II de son *Énéide* il a écrit : *Infandum regina jubes renovare dolorem...*

3. Voir ci-dessus, note 1 de p. 173.

4. Le Nérite doit être identifié, semble-t-il, avec le massif qui occupe la moitié méridionale d'Ithaque et le Néion avec celui qui occupe la moitié septentrionale. Sur les autres îles du royaume d'Ulysse, voir ci-dessus, p. 39.

5. Cette indication qui fait d'Ithaque, dans le petit archipel dont Ulysse est roi, la dernière île du côté du noroît, c'est-à-dire du nord-ouest, est une des raisons pour lesquelles l'Allemand Dörpfeld voulut identifier l'Ithaque homérique avec Leucade. Cette thèse a été justement combattue et réfutée par Victor Bérard dans ses *Navigations d'Ulysse*, t. I.

Page 191.

1. L'Ismaros est une montagne de la côte méridionale de Thrace sur la mer Égée où les Anciens étaient unanimes à localiser le peuple des Kikones.

2. A l'âge des héros, le cheval, qui n'a fait son apparition que depuis peu (depuis le début du XVIe siècle), en Grèce comme en Égypte, n'est d'ordinaire employé que comme un animal de trait, attelé par paires à un char. Il ne sert qu'exceptionnellement de monture, et la cavalerie ne commencera que bien plus tard à être employée dans les combats.

La légende des Centaures de Thessalie, mi-chevaux mi-hommes, conserve, pour la génération qui précède la guerre de Troie, le souvenir de l'étonnement et de l'effroi qu'inspirèrent à leurs contemporains en Grèce ces premiers cavaliers.

3. Le texte des manuscrits que Victor Bérard a fort justement corrigé indique qu'Ulysse perd chez les Kikones 6 hommes pour chacun de ses navires. Cette correction résout une difficulté autrement insoluble car, alors qu'un navire homérique compte normalement un équipage de 52 hommes (voir *Odyssée*,

VIII, 35), nous voyons Ulysse, aux vers 203-209 du chant X, venir chez Circé avec les 45 autres hommes de son navire, après en avoir perdu 6 chez le Cyclope ; ce qui ne serait pas possible s'il en avait déjà perdu une première fois 6 chez les Kikones

Au demeurant, on voit mal comment, dans les vers suivants, Ulysse, reprenant la mer en toute hâte, aurait eu le temps d'appeler trois fois chacun des 72 compagnons qu'aurait ainsi perdus sa flotte de 12 navires (ce nombre de 12 est rappelé un peu plus loin au vers 159 de ce chant IX).

Page 192.

1. Sur les célèbres bourrasques du cap Malée, voir ci-dessus, note 2 de p. 118. Le Borée, vent du nord, entraîne Ulysse vers le sud au-delà de Cythère, qui marquait en cette direction l'extrême limite du monde achéen. Ulysse est désormais dans le grand inconnu de la mer du Couchant, mer des monstres et de l'épouvante dans laquelle il va errer dix ans durant.

2. Le pays des Lotophages, c'est-à-dire des mangeurs de lotos, était d'ordinaire localisé par les Anciens sur la côte de l'actuelle Tripolitaine et de l'actuel Sud-Tunisien ; et cette première escale d'Ulysse dans la mer du Couchant était, de manière plus précise, identifiée par Strabon avec l'île de Djerba, identification qui a été suivie par Victor Bérard. Sous le nom de lotos, les Anciens désignaient plusieurs végétaux différents. Le lotos d'Égypte était un nénuphar. Le lotos dont parle ici le poète était identifié par les Grecs de l'époque classique avec un arbuste de Libye dont le fruit était de la grosseur d'une olive et devenait pourpre en mûrissant. Ce fruit, nous apprennent Hérodote et Polybe, avait la saveur sucrée de la figue et de la datte et pouvait soit se manger tel quel, soit servir à préparer une sorte de vin. A en juger d'après la description qui nous en est donnée, il semble que ce lotos corresponde au micocoulier (*Celtis australis*) plutôt qu'au jujubier lotier (*Zizyphus lotus*), mais on doit se demander si le palmier dattier, dont le fruit est aujourd'hui encore la principale nourriture des habitants de cette région, ne fut pas plutôt à l'origine de cette légende. De même que ces mangeurs de lotos se distinguent des « mangeurs de pain » que sont les Achéens et que doivent être à leurs yeux tous les hommes civilisés, de même aujourd'hui le pays du palmier et des dattes dans le sud de la Tunisie se distingue des terres à blé de la Tunisie du Nord.

Page 193.

1. Les différentes escales d'Ulysse nous montrent tour à tour les différents dangers qui guettent les navigateurs dans les mers inconnues, dangers qu'à leur tour connaîtront bien plus tard les marins de notre Renaissance et du début des Temps modernes, jusqu'à Cook et au-delà, lorsqu'ils exploreront les routes des océans. Autant que les attaques des populations barbares inhospitalières, le navigateur doit redouter les pays où les hommes de ses navires reçoivent un accueil si bienveillant et qui a pour eux tant d'attraits qu'ils ne veulent plus en repartir.

2. De même que chez Calypso Ulysse reste caché pendant 7 ans dans l'île de la Cachette, de même, par un autre jeu de mots, ses compagnons puisent l'oubli dans le lotos. Le jeu de mots porte sur les mots lotos et léthé qui signifie oubli. Victor Bérard dans sa traduction a voulu donner une idée de ce calembour par un autre jeu de mots portant sur dattes et date.

3. Par « Yeux Ronds » Victor Bérard a traduit le mot grec dont la transcription française est Cyclope. Les Cyclopes, on le sait, étaient représentés comme des monstres qui n'avaient qu'un seul œil. Mais si l'on reconnaît, comme nous verrons qu'il convient de le faire, un volcan dans le Cyclope, l'œil rond des cratères volcaniques a dû contribuer à la formation de la légende. Ici commence l'épisode qui fut dans l'antiquité et qui reste de nos jours la plus populaire de toutes les aventures d'Ulysse.

4. Les anciens Grecs de l'époque classique, qui, sans hésiter, avaient reconnu dans le Cyclope un volcan, et qui ne doutaient pas que ces lointaines escales d'Ulysse ne correspondissent effectivement à des paysages bien réels, avaient pensé, depuis Thucydide jusqu'à Virgile, qu'il s'agissait de l'Etna qui est en activité aujourd'hui comme il l'était déjà dans l'antiquité. Pour cette raison, des îlots tout proches de la côte orientale de Sicile, non loin de Catane, avaient reçu dans l'antiquité le nom de rochers des Cyclopes. Rien toutefois, ni dans ces îlots ni dans la côte qui leur fait face, ne répond à la description, si précise pourtant, que l'*Odyssée* nous donne du pays des Cyclopes.

Victor Bérard a découvert qu'en réalité la terre des Yeux Ronds doit être cherchée en une autre zone volcanique de l'Italie méridionale, sur le golfe de Naples. Là, avant son terrible réveil de 79 après J.-C., qui ensevelit sous ses cendres et sous ses laves Pompéi et Herculanum, le Vésuve resta au repos durant toute l'antiquité : il n'était jusqu'alors qu'une montagne couverte de forêts. En revanche, à l'entrée du golfe de Naples et sur sa rive septentrionale, les volcans d'Ischia et de la région de collines appelée pour cette raison Champs Phlégréens, qui sont aujourd'hui au repos ou, comme la Solfatare, en demi-sommeil, eurent des périodes d'activité dans l'antiquité comme encore aux Temps modernes : peu après 474 avant J.-C., les habitants d'Ischia, alors appelée Pithécusses, furent momentanément chassés de leur île par une éruption ; et, au XVIe siècle de notre ère encore, le Monte Nuovo surgit brusquement du sol non loin de Pouzzoles. C'est là, semble-t-il, qu'il faut chercher le pays des Cyclopes. L'Ile Petite dont il est ici question peut être reconnue dans la Nisida d'aujourd'hui dont le nom vient d'un mot grec ancien signifiant Petite Ile. Nisida est un ancien volcan dans le cratère duquel la mer a pénétré par une brèche étroite, formant ainsi un port naturel bien abrité, tel que l'*Odyssée* le décrit ici et en décrit un autre, avec un formulaire identique, dans l'épisode de Circé. Nisida est à faible distance du cap Pausilippe. Lui faisant face de l'autre côté du golfe de Naples, se trouve une autre île, plus grande, appelée dans l'antiquité Caprée et aujourd'hui Capri, dont le nom indique qu'elle était considérée, elle aussi, comme une île aux Chèvres : la grande Ile aux Chèvres par opposition à la petite. D'où la chasse aux chèvres qui est narrée ici dans le poème. Sur l'épisode du Cyclope, voir Victor Bérard, *Les Navigations d'Ulysse*, t. IV, p. 118 et suiv.

Page 194.

1. Semblable source ne se retrouve plus à l'entrée du port de Nisida, soit qu'elle ait disparu avec le temps comme il arrive souvent en terrain volcanique, soit que le Poète ait à tort transposé dans cette île même la source qui jaillit sur la côte voisine de cette île, et près de laquelle, au VIIe siècle avant J.-C., la colonie grecque de Parthénopè fut fondée avant que naquît Naples, la « Nouvelle Ville », deux siècles plus tard.

Page 195.

1. Ce titre qui nous est donné avec celui de Kikones et Lotophages par Eustathe est indiqué séparément dans Élien.

Page 196.

1. Faisant face à Nisida, se dresse la haute falaise du cap Pausilippe. Dans une petite baie ourlée d'une plage de sable, un étroit vallon vient déboucher ; quand on remonte ce vallon qui bientôt s'élargit en forme de cour, on découvre aujourd'hui encore l'entrée d'une énorme et profonde caverne qui répond à la description de l'antre du Cyclope dans l'*Odyssée*. Cette caverne est une longue galerie, plus ou moins taillée ou retaillée de main d'homme dans le tuf tendre de la colline. Elle se prolonge de nos jours par une galerie beaucoup plus basse qui débouche de l'autre côté de la montagne. Nombreuses sont, dans cette région des Champs Phlégréens, ces grottes et ces galeries naturelles ou aménagées par les hommes, qui servent encore parfois d'habitation ou d'étable. L'une de ces galeries au sommet de la colline de Cumes est l'antre de la fameuse Sibylle.

2. Semblable description indique clairement que dans ce « pic forestier » qui n'a rien d'un homme, qui rote, vomit et lance des pierres, il faut reconnaître un volcan comme l'avaient bien compris déjà les Anciens de l'époque classique. Cependant que les Cyclopes sont présentés dans l'*Odyssée* comme un peuple sans foi si lois, plus tard, la légende dont on trouve un écho dans Théocrite a fait de Polyphème un tout autre personnage, amoureux de la nymphe Galatée.

3. Ce nom signifiait peut-être tout simplement « prêtre », car chez les Étrusques d'Italie, qui sont, on le sait, originaires d'Asie Mineure et dont la langue s'apparente à d'autres parlers préhelléniques du bassin égéen, le mot *marun* a ce sens.

Popg 197.

1. Le vin que fabriquaient les anciens Grecs était beaucoup plus concentré et plus fort en alcool que nos vins d'aujourd'hui et ne pouvait se boire pur. On le mélangeait toujours avec de l'eau ; d'ordinaire cependant on y mêlait moins d'eau qu'on n'en mêle ici pour ce vin exceptionnel. Le nom du cratère, qui signifie littéralement « vase à mélanger », vient de ce qu'il servait à faire ce mélange.

Page 198.

1. Sur le commerce et sur la piraterie, voir ci-dessus, note 1 de p. 86.

Page 202.

1. C'est ce nom, on va le voir, qui permettra à Ulysse de se sauver, une fois qu'il aura eu l'astuce d'aveugler le Cyclope sans le tuer, afin de ne pas rester emprisonné dans la grotte.

Page 203.

1. Cette scène est représentée notamment sur la fresque d'une tombe étrusque de Tarquinies, du IVe siècle avant J.-C. Voir Fr. Weege, *Etruskische Vasenmalerei*, p. 28.

2. En ces vers 391-394, que Victor Bérard tient pour une interpolation, mention est faite du fer dont l'usage était connu au temps où furent composés les poèmes homériques mais ne se répandit qu'après l'âge héroïque.

Page 204.

1. Le Cyclope apparemment enlève le rocher pour permettre d'entrer à ses frères qu'il avait appelés, mais qui sont repartis.

Page 205.

2. Ce titre, joint à celui de *Circé*, est indiqué par les Scholies et par Eustathe pour le chant X, cependant qu'Élien mentionne à part l'épisode de *Circé*.

Page 206.

1. Flanquant Nisida, deux rochers se voient encore qui portent le nom d'Aiguille du Levant et d'Aiguille du Couchant. Victor Bérard pense que ces deux rochers doivent être mis en rapport avec les deux énormes blocs que Polyphème est censé avoir envoyés l'un en avant, l'autre en arrière du navire d'Ulysse.

Page 208.

1. Sur l'épithète « coiffé d'azur » voir ci-dessus note 3 de p. 84. Ces vers 518-536 expliquent comment Ulysse, pour avoir aveuglé le fils de Posidon et avoir blasphémé contre lui, est poursuivi désormais par la haine tenace du dieu de la mer jusqu'à son arrivée chez les Phéaciens. Mais les Anciens déjà s'étonnaient qu'Ulysse ait pu blasphémer de la sorte sans que Posidon le traitât comme il avait traité déjà Ajax pour des

paroles bien moins impies, et on s'étonne aussi qu'il ait pu se vanter de tels blasphèmes devant ces Phéaciens qui se disaient aussi parents de Posidon et l'adoraient plus que tout autre dieu.

Page 209.

1. Depuis longtemps fort important pour l'étude de la légende d'Ulysse dans la mer du Couchant, l'épisode d'Éole a depuis 1949 une portée plus grande encore en raison des découvertes archéologiques faites alors dans les îles Lipari.

Plus directement que les autres personnages des *Récits chez Alkinoos*, Éole, en effet, par sa généalogie se rattache à la mythologie grecque. Cette mythologie connaissait plusieurs Éole, dont l'un, éponyme des Éoliens, était un des fils d'Hellen, éponyme des Hellènes, et dont l'autre, petit-fils du précédent, était celui qui d'ordinaire était identifié à l'Éole odysséen et passait pour être venu de Grèce s'établir dans l'archipel des îles Éoliennes ou Lipari, où il fut accueilli par Liparos, fils d'Auson, et lui succéda dans la royauté de l'archipel.

Les Anciens étaient unanimes à localiser le royaume d'Éole dans les îles qu'ils appelaient Éoliennes, et que nous appelons aujourd'hui Lipari, au large de la côte septentrionale de Sicile, et lorsqu'une colonie de Cnidiens et de Rhodiens, en 580 avant J.-C. vint s'établir dans l'archipel, elle trouva les îles occupées encore par quelque 500 habitants qui passaient pour être les descendants des compagnons d'Éole (Diodore, V, 9).

Comme l'a indiqué Victor Bérard dans *Les Navigations d'Ulysse*, t. IV, p. 195 et suiv., plusieurs particularités géographiques sont de nature à expliquer la légende d'Éole roi des Vents. Dans l'antiquité classique comme de nos jours, la capitale de l'archipel était la plus grande de ses îles, appelée autrefois Lipara et aujourd'hui Lipari. Mais, aux temps héroïques, l'île la plus importante semble avoir été la plus septentrionale de tout le groupe, Stromboli qui est un volcan toujours en activité ; ou du moins c'est Stromboli qui paraît avoir principalement inspiré la légende odysséenne. Le cratère de Stromboli, en effet, rejette des pierres ponces très légères qui flottent sur l'eau et que les courants et les vents entraînent parfois fort loin, jusque sur les côtes de Corse ou de Provence. De là, semble-t-il, vient la légende de l'île flottante que passait pour habiter Éole. D'autre part, cependant que par temps calme Stromboli ne laisse échapper de son cratère qu'une légère fumée, le volcan se couvre de sombres nuées quand la tempête se prépare ; ce qui permet encore aux habitants de l'île de présager le temps. De là viendrait que la fable ait fait d'Éole le Maître des Vents et que, tantôt accueillant, tantôt farouche, il chasse brutalement Ulysse de son île, après l'y avoir d'abord bien reçu. Quant à la « côte de bronze, infrangible muraille », qui encercle l'île, l'origine peut en être cherchée dans les roches volcaniques sombres et fort dures dont sont en partie constituées les îles de l'archipel. Sur les fouilles archéologiques exécutées dans cet archipel, à Panarea, puis à Lipari, voir ci-dessus, p. 36. L'importance des îles Lipari à l'époque de la pierre polie et encore à l'âge du bronze tient aux gisements d'une obsidienne très dure nommée liparite qui y firent pendant des siècles l'objet d'une exploitation très active, ainsi qu'en témoignent les amoncellements d'éclats qu'on y a retrouvés, d'où la richesse attribuée à Éole par l'*Odyssée*.

Page 210.

1. Sur ces mariages entre frère et sœur, voir nos remarques ci-dessus à la note 1 de p. 160. Les légendes de plusieurs de ces fils d'Éole nous ont été transmises par les mythographes anciens ; elles se localisaient tout autour des îles Lipari, soit à l'extrême pointe de l'Italie méridionale, soit sur la côte septentrionale et orientale de Sicile. Leurs noms passaient pour être : Astyochos, Xuthos, Androclès, Pheræmon, Iocastos, et Agathyrnos.

2. Autant que sa généalogie, cet intérêt qu'Éole porte à la guerre de Troie montre qu'il n'est pas étranger au monde achéen, que semblablement le Cyclope ou Circé paraissent bien connaître.

3. L'histoire de l'outre cousue, ou du coffre fermé et qu'il ne faut pas ouvrir, est un thème bien connu de tous les folklores.

Page 212.

1. Dans ce pays merveilleux, les jours sont si longs et les nuits si courtes qu'un même homme en vingt-quatre heures peut faire paître successivement un troupeau de bœufs et un de moutons, gagnant ainsi double salaire. Faut-il voir là une

allusion aux longues journées d'été et au soleil de minuit de l'Extrême-Nord ? On se l'est demandé. Mais cette indication isolée ne laisse pas, en vérité, d'être assez vague.

Page 213.

1. Victor Bérard a proposé de localiser le pays des Lestrygons sur la côte sarde du détroit qui sépare la Corse de la Sardaigne et de reconnaître leur port dans le golfe étroit et profond, appelé aujourd'hui « Port du Puits » ou Porto Pozzo ; quant au nom même des Lestrygons, il a proposé de l'expliquer par la Pierre Colombière. Voir à ce sujet *Les Navigations d'Ulysse*, t. IV, p. 224 et suiv.

2. Non loin de l'entrée de Porto Pozzo se trouve un cap bien connu encore des marins d'aujourd'hui, en raison d'un amer qui permet de l'identifier à première vue. Il est appelé cap de l'Ours parce qu'un rocher le surmonte qui, vu de la mer, ressemble étrangement à un ours. De ce cap vient, selon Victor Bérard, le nom de la source de l'Ours dont parle l'*Odyssée*. L'accueil que réservaient au « héros d'endurance » les géants lestrygons ou le terrible Cyclope est tout l'inverse de celui qu'a trouvé son équipage au délicieux pays des Lotophages.

Page 214.

1. Ce massacre des compagnons d'Ulysse semble inspiré de la pêche sanglante du thon qui se pratique encore beaucoup dans ces parages. C'est la raison pour laquelle Victor Bérard a traduit le mot poisson du texte grec par le mot français thon.

2. Ce nom peut être rapproché de celui d'Aia en Colchide, pays du frère de Circé Aiétès. Selon Victor Bérard, il ne serait qu'un doublet sémitique de Circé, « l'Épervière ». Sur l'épisode de Circé, voir *Les Navigations d'Ulysse*, t. IV, p. 281 et suiv.

3. La généalogie de Circé est non moins intéressante que celle d'Éole et la rattache directement au monde mythologique grec. Après avoir régné sur Corinthe, le fils du soleil, Aiétès, frère de Circé, passait pour s'être réfugié en Colchide à l'extrémité orientale du Pont-Euxin, actuelle mer Noire, où, de la magicienne Hécate, il eut pour fille Médée. C'est en Colchide, on le sait, que Jason et les Argonautes iront à la conquête de la Toison d'Or. Une autre sœur de cet Aiétès, était Pasiphaé, qui fut l'épouse de Minos.

4. Ici, comme précédemment dans l'épisode du Cyclope, cette formule est employée pour indiquer l'accès d'un port dont l'entrée est étroite. Le nom de Circé était porté dans l'antiquité par le promontoire Circæum, qui s'appelle encore aujourd'hui Monte Circeo, à mi-chemin entre l'embouchure du Tibre et le golfe de Naples. C'est une ancienne île rocheuse qu'a rattachée au rivage de l'Italie l'immense plaine basse des Marais Pontins. Victor Bérard a montré comment la description odysséenne répond de manière fort précise aux caractéristiques du paysage autour du Monte Circeo. Une vaste lagune appelée aujourd'hui Cala dei Pescatori s'étend au nord-ouest du promontoire, séparée de la mer par une mince dune de sable. Un émissaire fort étroit fait communiquer avec la mer cette lagune où Ulysse a dû venir abriter son navire.

Page 215.

1. Une petite rivière, appelée aujourd'hui Rio Torto, coule au pied de la guette. Si les cerfs ont disparu de ces parages, les buffles domestiques viennent, encore aujourd'hui, s'abreuver en troupeaux à ce fleuve.

Page 216.

1. Ici comme en d'autres endroits, tout pays où Ulysse est venu par voie de mer est tenu par le Poète pour une île, bien qu'en vérité il s'agisse d'une partie du continent de la péninsule italienne. En ce cas particulier, cependant, signalons que, vu de la mer, le Monte Circeo a tout l'air d'une île, parce que la côte des Marais Pontins est à peine perceptible.

Du haut du Monte Circeo, on voit s'étendre au loin l'immense plaine basse des Marais Pontins, qui jusqu'en 1930, avant qu'elle ne soit défrichée, était couverte de forêts et de maquis. Le théâtre de l'épisode de Circé est double ; l'endroit où Ulysse aborde au pied de la guette d'une part ; et d'autre part, au-delà des bois et des maquis de la plaine, la maison de Circé où se déroulera la fin de la scène.

Page 217.

1. Sur le navire d'Ulysse il n'y a plus que 46 hommes depuis que le Cyclope en a dévoré 6. Le navire portait au départ 52 hommes : 50 rameurs, le pilote, et Ulysse enfin, faisant fonction de capitaine. Les pentéco- restentores, qui

ront seules employées par les Grecs comme navires de guerre jusqu'à l'invention des trirèmes à la fin du VIe siècle, comptaient semblablement 25 rames de chaque bord. Voir ci-dessus, note 2 de p. 62.

2. Dans la plaine même, où la pierre de construction manque, les habitations de bergers et de bûcherons n'étaient d'ordinaire, jusqu'au début du XXe siècle, que des huttes de bois dont le type n'avait, au demeurant, pas beaucoup évolué depuis l'époque où nous en trouvons des représentations dans les urnes cabanes du début de l'âge du fer en Italie (IXe-VIIIe siècle av. J.-C.). En revanche, au-delà de la plaine, au pied des Monti Lepini, derniers contreforts de l'Apennin, la pierre de construction est abondante. C'est là, dans un vallon appelé aujourd'hui Val San Benedetto qu'il faut, selon Victor Bérard, chercher la demeure de pierre de Circé. En cet endroit, le culte d'une déesse des fauves, Feronia, succédant au culte de la magicienne qui transformait ses hôtes en lions et en loups, quand elle ne les changeait pas en pourceaux, se conserva jusqu'à l'époque romaine.

Page 220.

1. Sur ce grand serment des dieux auquel il est déjà fait allusion aux vers 184-186 du chant V de l'*Odyssée*, voir ci-dessus note 1 de p. 137.

2. Ici, comme en d'autres passages des poèmes homériques, la langue des dieux est opposée à la langue des hommes (voir *Odyssée*, V, 334 et XII, 61 ; *Iliade*, XIV, 291 et XX, 74).

Page 223.

1. Le rituel d'affranchissement des esclaves encore en usage à l'époque romaine dans le sanctuaire de Feronia présente avec ce passage de frappantes analogies qu'a relevées Victor Bérard. Ce rituel que nous rapporte Servius dans son commentaire au vers 564 du livre VIII de l'*Énéide* était le suivant : lorsque les esclaves s'étaient assis sur une pierre dans le temple, on leur couvrait la tête d'un bonnet en peau de bête qu'on leur retirait ensuite lorsqu'ils se relevaient hommes libres. Ainsi les affranchis de Feronia perdaient leurs poils de bêtes en devenant libres, comme les compagnons d'Ulysse perdent leurs soies en redevenant des hommes.

2. Au pied du Monte Circeo, face à la mer, s'ouvrent encore

plusieurs grottes, dont l'entrée est toujours fort basse. C'est là qu'on peut imaginer les compagnons d'Ulysse allant cacher leurs agrès sur le conseil de la magicienne.

Page 224.

1. Sur cette comparaison que Victor Bérard considère comme une interpolation, voir son *Introduction à l'Odyssée*, II, p. 213 et suiv.

2. Le scholiaste et Eustathe précisent qu'Euryloque avait épousé la sœur d'Ulysse, Ktiméné. Cette Ktiméné est mentionnée plus loin dans l'*Odyssée* (XV, 363) où Eumée raconte qu'elle fut sa compagne dans son enfance.

Page 225.

1. Pour le chant XI, les Scholies nous ont transmis deux titres qui sont *L'Évocation des Morts* ou plus exactement *La Consultation des Morts* d'une part ; *La Scène des Morts* ou *Au Pays des Morts* d'autre part. Le premier de ces titres n'implique pas un voyage aux Enfers. C'est au contraire le mort que dans semblable scène on fait remonter des Enfers en l'évoquant pour le consulter. C'est ainsi que dans Hérodote (V, 92-93), Mélissa est évoquée par les envoyés de Périandre qui se sont rendus pour ce faire au pays des Thesprotes (actuelle Épire). Là coulait un fleuve Achéron près duquel se trouvait un oracle des morts. A ce titre correspond la première partie du chant XI où, consultant l'oracle des morts, Ulysse, à l'entrée de l'autre monde, évoque l'ombre de Tirésias, et celle de sa propre mère Anticleia. Seule cette première partie du chant XI semble avoir appartenu à la rédaction la plus ancienne de cet épisode dont Victor Bérard pense que primitivement le début se trouvait en cette place. Par la suite, cet épisode s'est grossi d'une descente aux Enfers, comparable à celle que Virgile à son tour introduira dans son *Énéide*. C'est à cet épisode ainsi grossi que répond le titre plus général de *Au Pays des Morts*.

Page 226.

1. A l'époque classique encore, les Grecs, comme plus tard les Romains, ne naviguent pas durant la mauvaise saison. Ayant passé chez Circé l'automne et l'hiver, Ulysse remet son navire à la mer au printemps.

Page 227.

1. D'après cette indication, c'est le Borée, c'est-à-dire le vent du nord, qui portera le navire d'Ulysse de chez Circé jusqu'au pays des morts, chez le dieu des Enfers, Hadès. Comme on verra aux vers 11 et suivants du chant XI, la navigation vers le sud durera une journée.

Un jour de navigation vers le sud en longeant la côte italienne depuis le Monte Circeo conduit dans les parages du golfe de Naples. Au temps d'Auguste encore, on se souvenait qu'un très ancien oracle des Morts avait existé là, près du lac Averne, non loin du lac appelé dans l'antiquité Acherusia. L'historien Éphore, dont le témoignage est rapporté par Strabon (V, 4, 5) et Diodore de Sicile (IV, 22) nous disent que cet oracle est celui-là même que consulta Ulysse. Dans l'*Énéide*, c'est là que Virgile situe l'entrée des Enfers jusqu'où il conduit son héros. Dans ses *Navigations d'Ulysse* (IV, p. 346 et suiv.), Victor Bérard propose d'identifier le Petit Promontoire mentionné en X au vers 509 avec le cap de Baïes, par opposition au Grand Promontoire que constitue en avant de lui le cap Misène. Quant à l'Océan qu'Ulysse doit traverser pour arriver au pays des Kimmériens, on sait que d'ordinaire est désigné sous ce nom le grand fleuve qui passait pour encercler toute la terre. D'où le rôle qu'il joue en ce passage pour séparer le monde des Vivants du monde des Morts. Victor Bérard a proposé de l'identifier avec l'émissaire du lac Lucrin, sinon avec le lac Lucrin lui-même, qui donnait accès dans l'antiquité au lac Averne. Ce paysage, depuis le XVIe siècle, a été profondément modifié par l'apparition du Monte Nuovo (voir ci-dessus, note 4 de p. 193). Des sources chaudes et des émanations sulfureuses, notamment dans le cratère voisin de la Solfatare, subsistent encore et le paysage irréel et figé du lac Averne, avec ses saules et ses peupliers, est bien fait pour suggérer la terre des Morts. Comme on le voit, la terre des Morts est toute proche du pays des Cyclopes. C'est là une nouvelle preuve que le Poète, comme nous avons déjà eu l'occasion de le signaler, ne paraît avoir eu de ces pays qu'une connaissance indirecte.

2. Fleuves des Enfers.

3. D'un intérêt particulier est le rituel ainsi décrit pour l'évocation des Morts, avec la triple libation qu'il est d'usage de faire aux défunts.

Page 228.

1. Le devin Tirésias jouait dans le cycle thébain, une génération avant la guerre de Troie, le même rôle que Calchas dans le cycle troyen. On le voit aux Enfers continuer à prédire l'avenir.

Page 230.

1. Les Kimmériens ou Cimmériens, aux temps archaïques et classiques, étaient un peuple qui habitait sur le littoral septentrional du Pont Euxin, actuelle mer Noire, d'où ils vinrent faire des incursions en Asie Mineure au VIIIe siècle. La présence de leur nom ici s'explique sans doute par le fait qu'ils passaient pour être un peuple des pays du Nord, donc des pays de la nuit. D'autre part, si l'on en croit Strabon (V, 4, 5), Éphore déjà pensait que la légende des Cimmériens qui vivent dans une éternelle nuit, devait être mise en rapport avec les grottes et les longues galeries creusées dans le tuf volcanique de cette région des Champs Phlégréens.

Le nom des Cimbres qui attaqueront, du temps de Marius, les possessions romaines n'est qu'une autre forme du nom des Cimmériens.

2. Ces vers ont été imités à deux reprises par Virgile, dans les *Géorgiques* (IV, 471 et suiv.), et dans l'*Énéide* (VI, 306 et suiv.), mais les critiques alexandrins les tenaient pour une interpolation.

Page 231.

1. Un papyrus d'Oxyrhynchos (no 412), qui nous a conservé un fragment de Julius Africanus, rhéteur du IIIe siècle de notre ère, nous apprend que, dans certains exemplaires de l'*Odyssée*, une longue invocation de 30 vers s'intercalait ici, où Ulysse faisait appel à différents dieux égyptiens tels Anubis, Phtha, etc. C'est un des exemples les plus caractéristiques des interpolations qu'à juste titre les critiques alexandrins avaient éliminées de leurs éditions et qui, pour cette raison, ne figurent plus dans le texte de la vulgate de l'*Odyssée*.

2. Le Poète représente le monde des Morts comme se trouvant très loin du côté du nord-ouest, du noroît. Les Égyptiens déjà situaient vers le couchant le pays des Morts.

Page 232.

1. L'homme qui n'a pas reçu de funérailles n'a pas accès au pays d'Hadès. Faute d'accomplir ce rite nécessaire pour son compagnon, Ulysse s'attirerait la colère des dieux. Le rite de l'incinération auquel il est fait allusion ici, comme en d'autres passages des poèmes homériques, n'est pas le rite en usage en Grèce à l'époque mycénienne. En ce temps-là, ainsi que l'archéologie nous l'apprend, seule l'inhumation est en usage dans l'Hellade. Mais, à Troie, dès le XVe siècle, la coutume est de brûler les cadavres. En Grèce, l'usage de l'incinération ne se répandra progressivement qu'au début de l'âge du fer, à partir du XIIe siècle. Il semble donc qu'on se trouve là en face d'un anachronisme du Poète qui reporte aux temps héroïques un usage de l'époque à laquelle lui-même vécut.

Page 233.

1. Le Cyclope Polyphème.

2. Il s'agit en vérité, comme on verra, de la Sicile, qui est bien une île aux trois pointes et qui pour cette raison sera appelée plus tard Trinacria ou Triquetra, c'est-à-dire île du triangle. Mais pour le Poète ou pour sa source, il s'agit d'une île dardant vers la mer trois caps parallèles, comme le fait la Chalcidique ou le Péloponnèse ; d'où le nom d'île du Trident qu'il lui donne ici ; nouvel indice que le Poète n'a pas une connaissance personnelle de ces mers lointaines. Voir ci-dessus, p. 3.

3. C'est sur le char du Soleil, son père, que Circé passait pour être venue de Colchide en Italie.

4. Au moment où parle Tirésias, en effet, c'est-à-dire sept ans avant le retour d'Ulysse, rien ne s'est encore passé dans son palais à Ithaque, où les prétendants ne viendront que bien plus tard presser Pénélope de choisir l'un d'entre eux pour se remarier.

Page 234.

1. Dans la *Télégonie*, composée pour faire suite à l'*Odyssée*, était rapportée la légende dans laquelle Télégonos, fils d'Ulysse et de Circé, vint jusqu'en Ithaque pour y faire du butin et y tua son père sans le savoir.

Page 237.

1. Ayant consulté Tirésias, qui l'a renseigné sur le chemin du retour, et ayant appris de sa mère Anticleia ce qui en son absence s'est passé dans son royaume et dans son manoir, Ulysse sait tout ce qu'il doit savoir et peut donc repartir. Le long passage qui va du vers 225 au vers 626 du chant XI n'est pas nécessaire à la marche du poème. Insensiblement, d'autre part, l'aventure d'Ulysse change de caractère : jusqu'alors il est resté à l'entrée, mais en dehors du monde infernal d'où il évoque les morts pour les consulter ; maintenant, nous le voyons visiter ce monde infernal, qu'aux vers 536 et suivants ou 568 et suivants il contemple de ses yeux. Victor Bérard considère que cette seconde partie du chant XI, qui répond au second des titres transmis par les Scholies (voir ci-dessus note 1 de p. 225) est une adjonction qui s'est elle-même grossie de passages surajoutés. Elle se décompose comme suit : du vers 225 au vers 332 un *Catalogue des Dames du temps jadis* ; du vers 333 au vers 564 la *Rencontre d'Ulysse avec ses anciens compagnons d'armes* ; enfin, du vers 565 au vers 626, un *Catalogue des Héros et Damnés* qui paraît être l'addition la plus récente. De fait, cette longue adjonction de 400 vers contraste avec la sobriété puissante de la conversation d'Ulysse avec Tirésias, et avec l'émotion poignante de son entretien avec sa mère. Mais évidemment cette peinture du monde infernal et ces allusions à tant de légendes devaient plaire beaucoup aux auditeurs antiques.

2. L'accumulation des faits par laquelle se signale le passage suivant caractérisait aussi les poèmes du cycle épique composés pour raconter les événements légendaires qui précédaient ou suivaient ceux racontés par l'*Iliade* et l'*Odyssée*.

3. Crétheus était le fondateur d'Iolcos en Thessalie, où après sa mort, Pélias devint roi, cependant que Nélée s'établit dans le Péloponnèse à la Pylos des Sables. La place faite ici à cette légende s'explique sans doute par le fait que des Néléides, après le retour des Héraclides, devinrent rois en Attique, puis, de là, dirigèrent la migration ionienne vers cette Ionie asiatique où les poèmes homériques passaient pour avoir été composés et semblent effectivement l'avoir été.

4. Énipée, fleuve de Thessalie.

Page 238.

1. Asopos, fleuve de Béotie.

2. D'après une scholie, Zéthos et Amphion auraient fondé Thèbes, antérieurement à Cadmos. Mais la tradition la mieux établie était que Cadmos fonda d'abord la Cadmée, Acropole de Thèbes, et que plus tard seulement la ville fut fortifiée par Zéthos et Amphion. Le vers 276 qui désigne sous le nom de fils de Cadmos les gens de Thèbes semble impliquer que l'auteur de ce passage suivait cette dernière version de la tradition.

3. Épicaste, plus connue sous le nom de Jocaste. Nous avons ici une allusion à la célèbre légende d'Œdipe.

Page 239.

1. Sur cette coutume, voir ci-dessus, note 2 de p. 76.

2. Ville de Béotie sur les bords du lac Copaïs, dont les habitants aux temps héroïques passaient pour avoir été les Minyens.

3. Phylaké, ville de Thessalie.

4. Il s'agit du devin Mélampous. Après avoir été retenu pendant un an par Iphiclès, il fut relâché en raison des prédictions qu'il sut lui faire : Mélampous, dont un serpent avait purifié les oreilles avec sa langue, avait acquis, de ce fait, le don de comprendre le langage des animaux ; alors qu'il se trouvait depuis un an en prison chez Iphiclès, il entendit les vers qui rongeaient le bois d'une poutre du toit s'entretenir entre eux et dire que bientôt la poutre céderait. Il demanda donc à changer de prison et, bientôt après, le plafond s'écroula. Iphiclès, découvrant par là les dons prophétiques de son prisonnier, lui donna les troupeaux que Mélampous convoitait afin d'obtenir de Nélée, à ce prix, la main de Péro pour son frère Bias.

5. Léda était fille du roi d'Étolie Thestios, auprès de qui s'était réfugié Tyndare, qui fut roi de Lacédémone avant Ménélas. Léda mit au monde non seulement les Dioscures, Castor et Pollux dont il est ici parlé, mais Hélène, qui devint la femme de Ménélas.

6. L'*Iliade* elle aussi, aux vers 237-244 du chant III, parle de la légende des Dioscures. En ce passage de l'*Odyssée*, les vers 300 et 301 semblent n'être qu'une copie des vers 237 et 243 du chant III de l'*Iliade* ; c'est un des indices entre d'autres qui donnent à penser que l'*Odyssée* est postérieure à l'*Iliade*. De Zeus, les deux frères ont reçu le privilège de conserver leur corps dans l'autre monde et de revenir un jour sur deux parmi

les vivants, en passant l'autre chez les morts. Plus tard la légende se précisa : Pollux, qui était fils de Zeus et non de Tyndare, obtint de partager avec son frère l'immortalité et, dès lors, ils passèrent alternativement un jour aux Enfers et un jour parmi les dieux.

7. Iphimédéia était la fille de Triops, roi de Thessalie.

8. Selon l'*Iliade* (V, 385), ces deux héros enfermèrent le dieu Arès dans une jarre de bronze pendant 13 mois.

Page 240.

1. Il s'agit d'Apollon. Les vers 315-316 où l'on voit, contrairement à la conception homérique ordinaire, les dieux résider non sur l'Olympe même, mais plus haut encore dans le ciel, ont été imités par Virgile dans ses *Géorgiques* (I, 281).

2. Les vers 321-325 sont considérés par Victor Bérard comme une interpolation tardive, parce que Dionysos ne figure nulle part dans les vers authentiques du poème. Phèdre est fille de Minos et femme de Thésée ; Procris est fille du roi d'Athènes Érechtée et femme de Céphalos, qui la tua par erreur dans une chasse ; Ariane, sœur de Phèdre, fut abandonnée dans l'île de Dia ou Naxos par Thésée qu'elle avait guidé dans le Labyrinthe du Minotaure. Selon une version de la légende, elle y épousa Dionysos ; selon une autre tradition, à laquelle le vers 325 fait ici allusion, Dionysos, amoureux d'Ariane mais évincé par Minos, se vengea en accusant Ariane de sacrilège auprès d'Artémis.

3. Maira était fille du roi de Tirynthe, Prœtos, et Clymène était mère d'Iphiclès. Quant à Ériphyle, en raison des cadeaux qu'elle avait reçus de Polynice, elle obligea son mari Amphiaraos à participer à l'expédition contre Thèbes, où il savait qu'il devait trouver la mort.

4. En ces vers on reconnaît la maladroite suture d'une longue interpolation ; car comment Ulysse peut-il parler d'aller dormir, fait remarquer Victor Bérard, alors qu'il était convenu (voir VII, 317-318) qu'il repartirait le jour même. Ulysse, de fait, comme on verra plus loin, sera retenu chez Alkinoos un jour de plus (voir ci-dessus note 1 de p. 170). Mais ici, le récit reprend immédiatement après cette courte diversion.

Page 242.

1. Allusion à Clytemnestre et à ses crimes.

2. La légende connaissait deux versions du meurtre d'Agamemnon, soit dans le manoir d'Égisthe, soit dans son propre palais. Dans Eschyle (*Agamemnon*, v. 1380 et suiv.) Clytemnestre elle-même est présentée comme ayant frappé Agamemnon. Dans l'*Odyssée*, c'est Égisthe qui est son meurtrier avec la complicité de Clytemnestre (voir ci-dessus III, 194 ; IV, 91 et 534).

Page 246.

1. Cette indication est précieuse par la conception qu'elle implique de la vie de l'au-delà. La survie de l'âme pour le Poète n'est qu'un pâle reflet de l'existence terrestre, dont le défunt conserve le souvenir et surtout le regret. L'ombre d'Héraclès porte toujours de glorieuses armes, Minos rend toujours la justice aux Enfers comme il le faisait dans son royaume, et le grand Ajax n'a rien oublié de la rancune qu'il a vouée à Ulysse ; mais ils ne sont plus que des ombres sans consistance ni force. Seul, Tirésias a conservé toute sa lucidité. Les paroles d'Achille indiquent bien qu'il ne s'agit aucunement pour l'auteur de ce passage et ses contemporains d'une survie heureuse et glorieuse.

2. C'est dans cette île de l'archipel que, selon la tradition, Néoptolème, aussi appelé Pyrrhos, fut élevé.

Page 247.

1. Le roi de Mysie, Eurypyle, est le dernier chef venu au secours des Troyens. En ce nom de Kétéens, qui n'apparaît qu'en cet endroit dans les poèmes homériques, on s'est demandé s'il ne fallait pas reconnaître les gens de Khéta ou Hittites ; on sait que l'empire hittite fut puissant dans le centre de l'Asie Mineure au XIVe et encore au XIIIe siècle avant J.-C., avant de s'effondrer à la fin de ce siècle sous la poussée des grandes invasions qui marquent la fin de l'âge du bronze dans l'Orient méditerranéen.

Astyoché, mère d'Eurypyle, avait reçu de Priam des cadeaux pour envoyer son fils à la guerre. Comme on le voit, tout ce passage de l'*Odyssée* porte un jugement particulièrement sévère sur le rôle des femmes.

2. Cette prime d'honneur n'était autre qu'Andromaque, femme d'Hector, qu'il emmenait comme captive.

3. D'après l'*Histoire naturelle* de Pline, la coutume était

encore à l'époque romaine de déposer des asphodèles dans les tombes.

4. Lorsque Ulysse et Ajax se disputèrent les armes d'Achille, les Achéens, racontait la *Petite Iliade* composée par Leschès, avaient fait écouter par des espions les conversations des Troyennes, qu'inspirait Athéna, pour savoir lequel des deux guerriers avait fait le plus de mal à la ville de Priam. Dans l'*Éthiopide* d'Arctinos de Milet, les armes furent attribuées sur la décision de captives troyennes qui dirent lequel des deux, à leur avis, avait été le plus funeste à leur patrie. La *Petite Iliade* et l'*Éthiopide* sont deux des poèmes du cycle épique rédigés du VIIIe au VIe siècle pour compléter l'*Iliade* et l'*Odyssée*. Ajax n'ayant pu obtenir les armes d'Achille se suicida.

Page 248.

1. Le roi de Crète Minos, fils de Zeus et d'Europe, nous est montré ici rendant la justice entre les morts comme il l'avait rendue de son vivant entre ses sujets. Une tradition plus tardive, ignorée des poèmes homériques, voulait que Minos, son frère Rhadamanthe et Éaque eussent été chargés de juger les âmes à leur arrivée aux Enfers.

Page 249.

1. Tityos fut abattu par les flèches d'Apollon et d'Artémis, enfants de Léto. Le supplice qu'il endure aux Enfers d'après ces vers passait pour avoir été infligé aussi à Prométhée.

2. Ce supplice fut infligé à Tantale, père de Pélops, parce qu'il avait ravi du nectar et de l'ambroisie à la table des dieux.

Page 250.

1. Il s'agit d'Eurysthée qui dans la légende imposa à Héraclès ses douze travaux.

2. Victor Bérard (voir ci-dessus note 1 de p. 225) pense que le vers 627, restitué en cette forme, faisait suite immédiatement, dans la version primitive de cet épisode, au vers 224 avant que ne vînt s'y ajouter la simple interpolation des vers 225-627.

3. Son regard avait le pouvoir, disait-on, de changer les hommes en pierres.

Page 251.

1. Le titre qui nous est donné par les Scholies et par Eustathe pour le chant XII est : *Les Sirènes, Charybde et Skylla et Les Bœufs du Soleil.*

2. Sur ce rituel d'incinération, complété par l'élévation d'un tertre de terre sur l'emplacement du bûcher, voir ci-dessus, note 1 de p. 232. Aux temps classiques encore, on montrait un prétendu tombeau d'Elpénor près du promontoire Circæon, actuel Monte Circeo (voir Ps. Scyl. 8 ; Théoph., *Hist. Plant.*, V, 8, 3).

Page 252.

1. Sur les Sirènes, voir Victor Bérard, *Les Navigations d'Ulysse*, t. IV, p. 373 et suiv. Les Anciens localisaient les Sirènes sur la côte tyrrhénienne de l'Italie, au sud du golfe de Naples. Là existait encore aux temps classiques, à l'extrémité de la presqu'île de Sorrente, un temple des Sirènes qui était en grande vénération dans toutes les populations d'alentour. Au sud de cette presqu'île, d'autre part, trois rochers gardèrent jusqu'à l'époque romaine le nom d'îles Sirénuses. Les Grecs de l'époque classique se représentaient les Sirènes comme des oiseaux à tête de femme, non comme des femmes à corps de poisson. Les petites figurines de terre cuite découvertes au cours des fouilles du sanctuaire d'Héra Argeia, à neuf kilomètres au nord de Posidonia-Paestum, attestent que, dès l'époque archaïque, la légende des terribles chanteuses était localisée en ces parages.

L'*Odyssée*, à en juger par l'emploi non du pluriel, mais du duel aux vers 52 et 167 du chant XII, ne connaît encore que deux Sirènes. Mais une version plus tardive de la légende les montre plus nombreuses et voulait que, de dépit, après le passage d'Ulysse, elles se fussent, du haut de leur rocher, précipitées dans la mer : à l'une d'elles dont le corps passait pour avoir été rejeté par la mer en cet endroit, la colonie grecque de Parthénopé, qui fut fondée au VIIe siècle près du site de la future Naples, devait son nom ; cependant que les Sirènes Leucosia et Ligeia faisaient l'objet d'un culte en deux points de la côte tyrrhénienne de l'Italie au sud de la presqu'île de Sorrente. Dans les mêmes parages, le promontoire Molpé, près du cap Palinouros, actuel Palinuro, passait pour devoir son nom également à une sirène. Or en cet endroit existe une grotte visible de la mer seulement où sont entassées d'incroyables quantités d'ossements fossilisés, dont l'éclat blanchâtre tranche sur la brèche plus sombre de la paroi rocheuse ; ce qui laisse à supposer que, même un détail tel que les ossements blanchissants de la plage des Sirènes, n'est pas, contrairement à ce qu'on aurait pu penser, une invention du Poète (voir *Mélanges d'Archéologie et d'Histoire de l'École française de Rome*, 1954, p. 7 et suiv.).

Page 253.

1. Cette scène est représentée de façon fort amusante sur un vase attique de Ve siècle avant J.-C. (Furtwängler-Reichold, *Griechische Vasenmalerei*, pl. 124.)

2. Comme l'a montré Victor Bérard (*Les Navigations d'Ulysse*, t. IV, p. 390 et suiv.), des deux routes que mentionne Circé, la première est celle qui contourne la Sicile par l'ouest, cependant que la seconde est celle qui passe par le détroit de Messine. Victor Bérard identifie les deux Planktes décrites en ce passage du poème avec deux roches de forme très caractéristique qui se dressent dans la passe entre Lipara et Vulcano, dans l'archipel des îles Lipari. L'une, Pietra Lunga, est fort haute ; cependant que l'autre, Pietra Menalta, bien plus basse, est généralement couverte d'oiseaux de mer. Déjà Apollonios de Rhodes (IV, 924) savait qu'il fallait localiser les deux Planktes dans ces parages.

3. Certains critiques ont tenu pour suspects ces vers qui, de fait, pourraient s'exciser sans peine du contexte. Mais cette condamnation est incertaine. Aussi bien n'est-ce pas la seule allusion qui est faite dans l'*Odyssée* à la légende des Argonautes et Circé au chant X n'est-elle pas présentée comme la sœur d'Aiétès? Lorsque Jason et les Argonautes eurent ravi la Toison d'Or au roi de Colchide Aiétès, sur la rive orientale de l'actuelle mer Noire, la légende voulait que la route du Bosphore leur eût été barrée par Aiétès à leur retour, et qu'ils fussent revenus en Grèce par une route partiellement fluviale et partiellement maritime. Selon une des traditions concernant le navire Argô, Jason remonta, à son bord, l'Istros, l'actuel Danube, et gagna l'Adriatique par un autre petit fleuve appelé aussi Istros. Mais une autre tradition lui faisait remonter l'un des fleuves de l'actuelle plaine russe, puis redescendre un autre

fleuve, dont les sources étaient voisines, vers la Baltique, et regagner la mer Égée, en suivant les côtes par le détroit de Gibraltar et la mer Tyrrhénienne, où Médée aurait visité au passage sa parente Circé. Cet itinéraire, bien que le plus long et en apparence le plus invraisemblable, est en vérité le seul géographiquement possible : au Moyen Age, il fut emprunté à plus d'une reprise par des marins normands qui, partis pour Jérusalem par le détroit de Gibraltar, revenaient vers la Baltique par la mer Noire et les fleuves de Russie. C'est au cours de ce retour par cet itinéraire le plus long que le navire Argô est censé avoir échappé à ces Planktes, confondues ici avec les Symplégades.

4. Dès l'antiquité, l'identification de cette seconde route ne faisait aucun doute pour les Grecs de l'époque classique, qui situaient Skylla et Charybde de part et d'autre du détroit de Messine, Skylla sur la rive italienne, Charybde sur la rive sicilienne. Victor Bérard (*Les Navigations d'Ulysse*, t. IV, p. 390 et suiv.) a repris cette localisation qui s'explique par la configuration même du détroit. Cependant que la rive sicilienne est basse, la rive italienne du détroit de Messine est bien plus élevée. Le rocher qui, aux temps classiques encore, s'appelait en cet endroit Skyllæon et porte aujourd'hui encore en italien le nom de Scilla, est cependant bien moins haut, naturellement, que ne le laisserait supposer ici le Poète. Par vent du nord-ouest le flot vient se briser en hurlant à son pied. Mais la côte italienne n'a pas les dangereux tourbillons qui caractérisent la côte sicilienne lui faisant face.

Page 254.

1. Le monstre effrayant aux douze pieds et aux six cous géants armés d'autant de gueules menaçantes peut être sorti de la seule imagination du Poète. Mais quelque pieuvre géante aux immenses tentacules ne fut-elle pas à l'origine de la légende? Au siècle dernier encore nos marins racontaient des histoires de pieuvre géante, dont les tentacules allaient s'attacher jusqu'au sommet des mâts et que parfois des dessins naïfs représentaient avec une tête au bout de chacun de ces tentacules. Semblables poulpes de grande dimension paraissent bien, de fait, avoir existé, et sans doute les poulpes n'ont-ils que huit tentacules, mais deux d'entre eux au moins restent d'ordinaire attachés au rocher lorsque les poulpes attaquent leur proie. Ajoutons

que la pieuvre est un des animaux le plus souvent figurés sur les vases mycéniens et minoens, où parfois elle est représentée avec dix tentacules.

2. A tort le Poète imagine Charybde comme un écueil. Les *Instructions nautiques* signalent encore aux marins d'aujourd'hui le danger des tourbillons que forment les courants du détroit au long de la côte sicilienne.

Page 255.

1. Sur l'île du Trident et la légende du Soleil, voir ci-dessus notes 2 et 3 de p. 233. Sur la localisation de cet épisode voir ci-dessous note 1 de p. 259.

Page 256.

1. Si la plage aux ossements des Sirènes se trouve, comme nous l'avons indiqué plus haut, au cap Palinouros, ce calme soudain qui arrête le navire d'Ulysse en pleine course ne doit-il pas être rapproché du nom même du cap Palinouros qui vient de ce qu'en cet endroit le vent souvent change de direction.

Page 257.

1. De même qu'en réalité la distance qui sépare le pays de Circé du rivage des Sirènes est considérablement plus grande que ne semble l'imaginer le Poète, de même une très longue journée de navigation au moins sépare le rivage des Sirènes de Charybde et Skylla. Sur ces erreurs de perspective, voir ci-dessus, note 1 de p. 130 et note 1 de p. 227.

Page 258.

1. Strabon (I, 2, 15-16) rapporte que de son temps encore on harponnait l'espadon dans le détroit, tout comme on voit ici Ulysse tenter de harponner Skylla, depuis l'avant de son navire. Cette pêche se pratique encore de nos jours de même manière en ces parages.

Page 259.

1. Le théâtre de l'épisode des *Vaches du Soleil*, dernière aventure d'Ulysse avant son arrivée chez Calypso, doit être cherché, comme l'a bien vu Victor Bérard (*Les Navigations d'Ulysse*, t. IV, p. 406 et suiv.) sur la côte sicilienne du détroit, au sud de Charybde. C'est là qu'une scholie de l'*Odyssée* (XII, 301) indique déjà qu'il convient de le localiser.

Page 261.

1. Ce Port-Creux doit être reconnu dans Messine, dont le port est abrité par un long môle naturel en forme de faucille auquel la ville dut son premier nom de Zancle (ce mot signifiait, nous est-il dit, « faucille » en langue sicule). Le Poète savait qu'en cet endroit une source, qui existe encore aujourd'hui, offrait une aiguade aux marins de passage.

Page 262.

1. Le Notos est le vent du sud et l'Euros un vent du sud-est. Tant que soufflent Notos et Euros, Ulysse ne peut reprendre la mer ; car c'est un vent d'ouest qu'il lui faudrait pour aller en Ithaque. L'alternance des vents du nord et des vents du sud dans ces parages du détroit de Messine explique l'arrêt forcé d'Ulysse au Port-Creux.

Page 264.

1. Lorsque les vents du sud et du sud-est se sont apaisés, une bourrasque du Zéphyr, vent du nord-ouest, cause la perte du navire d'Ulysse, que le Notos, soufflant à nouveau, ramène vers le détroit et vers Charybde.

Page 269.

1. Ce port de Phorkys doit être identifié avec l'immense rade de Port-Vathy, tout au fond de laquelle se trouve la capitale de la Thiaki moderne. Cette rade est un sûr abri pour les navires d'aujourd'hui, mais était beaucoup trop profonde pour les navires du temps des héros ; c'est la raison pour laquelle le Poète ici nous la montre déserte. Voir Victor Bérard, *Les Navigations d'Ulysse*, t. I, p. 273 et suiv.

Page 270.

1. Cette grotte n'est pas celle qui a été récemment explorée sur la rive de Port-Polis en Ithaque (voir ci-dessus, l'Introduction, p. 40). Il faut l'identifier avec une autre grotte de l'île, au-dessus de la baie de Dexia, à l'entrée de la rade de Port-Vathy. Mais, contrairement à ce que paraissent indiquer ces vers du poème, cette grotte n'est pas toute proche de la mer. Cependant l'intérieur, tapissé de stalactites, répond assez exactement à la description du poète. Voir Victor Bérard, *Les Navigations d'Ulysse*, t. I, p. 281 et 334-336.

Page 271.

1. Victor Bérard (*Les Navigations d'Ulysse*, t. IV, p. 23-33 et 41-45) a proposé de reconnaître ce vaisseau pétrifié dans le rocher triangulaire du Karavi au nord-ouest de Corfou.

Page 272.

1. Voir ci-dessus, note 1 de p. 189.

LA VENGEANCE D'ULYSSE

Page 273.

1. Eustathe et les Scholies donnent pour le chant XIII le titre *Départ d'Ulysse de Phéacie et Arrivée en Ithaque* : ce double titre marque bien les deux parties différentes dont est constitué le chant XIII. Cependant que les 185 premiers vers du chant, qui ont dû être remaniés en plusieurs points, après l'addition de la *Réception phéacienne* du chant VIII (voir ci-dessus note 1 de p. 170) marquent la fin des lointaines aventures d'Ulysse, une nouvelle partie du poème que Victor Bérard a désignée sous le nom de *La Vengeance d'Ulysse* commence avec la seconde partie de ce chant depuis le vers 185. Mais les vers 185 et suivants montrent bien que cette troisième partie de l'*Odyssée* a été composée pour être la suite des deux premières.

Page 274.

1. Les vers 200-208 sont considérés comme une interpolation par Victor Bérard, parce qu'ils font double emploi avec les vers suivants, et que le vers 209 commence par une interjection qui d'ordinaire ne figure qu'au début d'un discours.

Page 275.

1. Au chant XIV, au chant XVII et au chant XIX, semblablement, Ulysse racontera d'autres aventures imaginaires.

Page 276.

1. Ici, comme précédemment, c'est Sidon qui est présentée comme la grand-ville des Phéniciens, bien qu'au temps où fut composé cet épisode de l'*Odyssée*, Tyr fût devenue depuis le XIIe siècle avant J.-C. la principale ville des Phéniciens et

la métropole de leurs lointaines colonies (voir ci-dessus, note 1 de p. 122).

Page 278.

1. En ce passage comme en d'autres de l'*Odyssée* et de l'*Iliade* il est clair que l'aède ou le rhapsode devaient accom pagner de gestes leur récitation.

2. Sur cette grotte des nymphes, voir ci-dessus note 1 de p. 270. Deux noms de montagnes, Nérite et Néion, sont indiqués dans l'*Odyssée* à propos d'Ithaque. La Thiaki moderne, de fait, est constituée par deux massifs montagneux que relie un isthme étroit et lui-même assez élevé. Victor Bérard pense que le Nérite est le plus méridional des deux et le Néion le plus septentrional (voir carte, p. 43).

Page 280.

1. Le haut plateau rocheux qui occupe toute la moitié sud d'Ithaque se termine au sud-est par des falaises qui offrent au pied de leurs abrupts d'assez bons abris sous roche, protégés du Borée, c'est-à-dire du vent du nord. C'est là que Victor Bérard localise la Pierre du Corbeau, cependant que non loin de là la source Parapigadi, toujours utilisée par les habitants d'alentour, paraît être la source Aréthuse du poète.

Page 281.

1. Ulysse en ce passage, comme ailleurs Ménélas ou Achille, est présenté comme blond. Mais au vers 231 du chant VI, Athéna déroule sur son front des boucles d'hyacinthe. Si cette comparaison porte sur la couleur, il y aurait contradiction. Cette indication a été reprise au vers 158 du chant XXIII.

2. Ce titre est donné par les Scholies et par Eustahte pour le chant XIV.

Page 282.

1. Cette description rappelle les enclos qu'aujourd'hui encore les bergers de Grèce dans les montagnes construisent pour leurs troupeaux. Voir Fr. Chamoux, *Revue des Études Grecques*, 1952, p. 281 et suiv.

Page 285.

1. Là encore, l'aède devait accompagner d'un geste sa

récitation pour désigner au loin la ligne de la grande terre qu'il est censé montrer à son hôte et que, de fait, on peut fort bien apercevoir d'Ithaque.

2. Ithaque étant une île rocheuse n'avait pas de pâturages pour le gros bétail et n'était même pas assez vaste, si l'on en croit ce passage, pour que tout le petit bétail d'Ulysse y trouvât sa nourriture. Les possessions qu'Ulysse avait sur le continent en face de ces îles sont aussi mentionnées au vers 635 du chant II de l'*Iliade*, dans le *Catalogue des Vaisseaux*.

Page 288.

1. Ce groupe de vers, qui portent dans l'un de nos bons manuscrits, la marque des vers surajoutés, est considéré par Victor Bérard comme n'étant pas ici à sa place.

2. Sur cette plaisanterie d'insulaire qui, à tort prise à la lettre par Dörpfeld, l'a conduit à chercher l'Ithaque d'Ulysse en Leucade, voir ci-dessus, note 2 de p. 59.

Page 290.

1. De même que précédemment au chant XIII, Ulysse invente à nouveau ici, de toutes pièces, une aventure imaginaire qu'il reprendra presque mot pour mot au chant XVII. Cette aventure imaginaire ne vaut pas seulement par sa verve et son entrain ; comme nous aurons occasion de le voir, elle est intéressante encore parce que, même si elle n'est pas vraie, elle doit être vraisemblable pour pouvoir être crue de celui qu'elle est destinée à tromper.

Page 290.

1. Comme l'indique ce vers, la Crète, à l'époque de la guerre de Troie, est considérée comme une partie intégrante de la Grèce achéenne.

2. Comme précédemment le nom d'Égyptos désigne, dans l'*Odyssée*, le fleuve comme le pays, qui l'un et l'autre en égyptien portaient des noms tout différents. Notez que, contrairement à la coutume des premiers navigateurs grecs qui préféraient caboter au long des côtes, le navire de ce prétendu Crétois coupe droit à travers la haute mer vers l'Égypte.

Page 291.

1. De tout temps, le delta du Nil a été une proie tentante

pour les pirates, et bien souvent au cours de son histoire, il eut à en connaître les raids et les razzias, surtout aux époques où l'Égypte n'était pas défendue par un gouvernement fort. C'est un de ces raids qu'imagine ici Ulysse. Dès le XIVe siècle avant J.-C., mais surtout aux XIIIe et XIIe siècles, les textes égyptiens nous parlent à maintes reprises des incursions que les Peuples du Nord et de la Mer font dans le delta, tantôt par terre, tantôt par mer. Cependant que l'archéologie atteste dès le XIVe siècle, à l'époque de Tell-el-Amarna, sous le règne d'Aménophis IV, de nombreuses importations de poteries mycéniennes en Égypte, les documents du règne de Minephtah, successeur de Ramsès II, mentionnent, à la fin du XIIIe siècle, des Akaiouash, dont le nom est apparemment une transcription de celui des Achéens. A ce moment, la puissance égyptienne est déjà bien ébranlée. D'une incursion dans le delta que doit alors repousser le Pharaon, une narration nous est donnée qui doit être mise en regard de ce passage de l'*Odyssée :* « Les voilà qui arrivent avec leur chef. Ils passent leur temps sur la terre à combattre pour rassasier leur panse chaque jour et c'est pourquoi ils viennent au pays d'Égypte chercher leur subsistance... Les archers de Sa Majesté firent rage six heures durant parmi les barbares que l'on passa au tranchant du glaive. Alors leur chef eut peur. Son cœur défaillit. Il se mit à courir de toute la vitesse de ses jambes pour sauver sa vie. » (Voir Victor Bérard, *Les Navigations d'Ulysse*, t. II, p. 377 et suiv. ; Maspero, *Histoire ancienne de l'Orient*, t. II, p. 433 et suiv.) Certains modernes ont supposé que ces Akaiouash du règne de Minephtah sont les Achéens mêmes de la Grèce à l'époque de la guerre de Troie. Mais, outre que chronologiquement le fait paraît impossible pour les raisons que nous avons exposées plus haut, il faut noter que ces Akaiouash attaquent l'Égypte non en venant de la mer, mais en venant de Libye, où ils se sont entre-temps établis, et en compagnie d'autres Libyens.

2. Nombreux sont, parmi les prisonniers faits sur les Peuples du Nord et de la Mer par les Pharaons aux XIIIe et XIIe siècles, ceux qui sont établis par eux en Égypte comme cultivateurs ou surtout sont employés comme mercenaires dans leur armée. Là encore, le récit homérique est parfaitement vraisemblable.

3. Sur les Phéniciens, voir ci-dessus, note 1 de p. 122. Les rapports entre Égypte et Phénicie furent particulièrement

étroits à l'époque du Nouvel Empire thébain, du XVIe au XIIe siècle avant J.-C., durant lequel la Phénicie fut pour un long temps soumise à la domination égyptienne.

4. C'est-à-dire le début de la saison navigante : en hiver, dans l'antiquité, on ne se risquait pas sur mer.

Page 292.

1. Les Thesprotes habitaient la région plus tard appelée Épire.

2. A Dodone en Épire existait un oracle de Zeus presque aussi célèbre dans le monde grec que celui d'Apollon à Delphes. Les prêtres de Zeus interprétaient le bruit du vent dans les feuilles des chênes. Voir *Iliade*, XVI, 234.

Page 293.

1. Sur Doulichion, voir ci-dessus, p. 39-40.

Page 295.

1. Il s'agit apparemment de la falaise abrupte qui se voit encore à l'extrémité sud-est d'Ithaque, et qui, précédemment, a été désignée sous le nom de Pierre du Corbeau. C'est à son pied qu'il faut, semble-t-il, localiser la cabane d'Eumée.

2. Ce titre d'épisode que Victor Bérard restitue en cette place nous a été transmis par Élien.

Page 296.

3. On relève dans ce passage une imitation manifeste du sacrifice fait par Nestor aux vers 412 et suivants du chant III.

Page 297.

1. La scène de l'arrivée d'Ulysse se passe, rappelons-le, au début de la mauvaise saison.

Page 299.

1. Eustathe et les Scholies donnent pour le chant XV ce titre en même temps que *L'Embuscade des Prétendants* et *L'Arrivée de Télémaque chez Eumée*. Ce chant XV qui reprend les aventures de Télémaque et l'embuscade que lui dressent pour son retour les prétendants, au point où le récit en est resté au chant IV, fait la suture entre *Le Voyage de Télémaque* et *La Vengeance d'Ulysse* (voir ci-dessus, p. 444).

Nous avons déjà dit combien un séjour aussi prolongé de

Télémaque chez Ménélas est invraisemblable et comment cette invraisemblance est devenue une nécessité lorsque les épisodes du *Voyage de Télémaque*, des *Récits chez Alkinoos* et de *La Vengeance d'Ulysse* furent fondus en un seul ensemble.

Page 306.

1. Sur le roi Dioclès et sur Phères, voir ci-dessus, note 2 de p. 100.

Page 307.

1. Du vers 222 au vers 286 s'insère ici un long récit relatif à l'arrivée inattendue d'un certain Théoclymène, dont la généalogie nous sera indiquée en détail. Cette digression, de même que les autres passages, qui, plus loin, se rapporteront à Théoclymène, est peu utile à la marche de l'action principale. Comme en d'autres passages semblables de l'*Odyssée*, on notera en 217 et 287 la répétition d'un même vers qui délimite le passage ajouté.

2. Allusion est faite ici à la légende de Mélampous : le frère de Mélampous, Bias, était tombé amoureux d'une fille de Nélée, Péro, que son père ne voulait lui donner que s'il lui ramenait les troupeaux de Phylakos. A la demande de Bias, Mélampous se chargea de ce rapt et réussit dans son entreprise après avoir dû rester un an prisonnier de Phylakos. Selon une autre version de la légende, c'est Mélampous lui-même, et non Bias, qui était tombé amoureux de Péro. Nous avons déjà fait allusion à cette légende dans la note 4 de la p. 239. Mais en ce passage du chant XI les troupeaux appartiennent non à Phylakos, mais à Iphiclès que la légende lui donnait pour fils.

Page 308.

1. Sur cette légende à laquelle il est déjà fait allusion dans l'*Odyssée* au vers 326 du chant XI, voir ci-dessus, note 3 de p. 240.

Page 309.

1. Quittant la Pylos de Nestor qui, comme nous l'avons indiqué (voir ci-dessus note 2 de p. 82, doit être localisée en Triphylie, sur la côte occidentale du Péloponnèse, le navire de Télémaque longe la côte nord-ouest du Péloponnèse après avoir doublé le cap Phéia, puis il se dirige vers les îles

Pointues, qui doivent être localisées de l'autre côté de l'entrée du golfe de Corinthe, à l'embouchure de l'antique Achélôos. Voir Victor Bérard, *Les Navigations d'Ulysse*, t. II, p. 262-271. Puis Télémaque oblique vers l'ouest pour aborder comme Athéna le lui a recommandé, au sud d'Ithaque. Il échappe ainsi aux prétendants qui le guettent plus au nord dans la passe entre Ithaque et Samé.

Page 310.

1. Le Poète nous ramène maintenant à la cabane d'Eumée où Télémaque et Ulysse vont se retrouver puis se reconnaître.

2. Tandis qu'au vers 2 du chant III le ciel est dit « de bronze », ici comme au vers 565 du chant XVII, il est dit « de fer ». Voir également *Iliade*, V, 504.

Page 312.

1. Ce passage, comme de manière plus générale tous les chants XIV et XV de l'*Odyssée*, nous fournit des indications précieuses sur la vie de chaque jour, sur les rapports entre maîtres et serviteurs, sur l'économie agricole de l'âge héroïque, telle du moins que se la représentait le Poète, indications d'autant plus intéressantes qu'elles sont plus rares et plus partielles dans le reste des poèmes homériques.

Page 313.

1. A tort certains commentateurs modernes ont pensé que cette Syros devait être identifiée avec Syracuse en Sicile, et Ortygie avec la petite île côtière de ce nom, où Archias s'établit d'abord au VIIIe siècle lorsqu'il vint fonder Syracuse. Comme Victor Bérard l'a bien montré dans ses *Phéniciens et l'Odyssée* (nouvelle édition. I, p. 221 et suiv.), et comme les Anciens le pensaient déjà (voir notamment Strabon, X, 5, 8, et les Scholies à l'*Odyssée*, XV, 403), il s'agit en réalité de l'île encore appelée Syros dans l'antiquité classique et aujourd'hui Syra, dans l'archipel de la mer Égée ; quant au nom d'Ortygie, qui signifie l' « île aux Cailles », il fut porté par plusieurs localités du monde hellénique, et en particulier par la petite île voisine de Délos, qui est voisine de Syros et devint très célèbre à l'époque grecque classique et à l'époque romaine, tant en raison de son sanctuaire d'Apollon que comme marché (ce fut pendant un temps l'un des grands mar-

chés d'esclaves du monde méditerranéen). Syros, au contraire, qui, aux temps classiques, n'avait pas grand renom, a retrouvé aux temps modernes, aux XVIIe, XVIIIe et même XIXe siècles parmi les « Échelles du Levant », une importance que ce passage de l'*Odyssée* semble lui attribuer pour l'époque mycénienne. Plus encore que le vers 171 du chant III qu'il confirme, ce passage apporte un témoignage du plus grand intérêt en ce qui concerne le lieu de composition de l'*Odyssée* : car Syros n'est au-delà de Délos vers le couchant que pour un observateur placé sur la côte égéenne de l'Asie Mineure ou dans quelque île voisine, c'est-à-dire dans cette Ionie asiatique qui passait pour être la patrie d'Homère. Pour un observateur placé à Ithaque comme l'est Eumée, Syros se trouverait en deçà et non au-delà d'Ortygie.

2. Voir ci-dessus, note 1. de p. 93.

Page 314.

1. Sur les Phéniciens, sur l'importance qu'eurent en leur pays Sidon et, à partir du XIIe siècle, Tyr, ainsi que sur les rapports qui existèrent entre Phéniciens et Grecs à différentes périodes, voir ci-dessus, note 1. de p. 122. Sur les marins de Taphos et la localisation de cette île, voir note 1. de page 57. Tout ce passage, les histoires de pirates et d'enlèvements qu'on y trouvera racontées, sont bien de nature à étonner un lecteur d'aujourd'hui. Mais ce genre d'aventures fut monnaie courante dans le monde antique, où il paraissait normal qu'un homme libre, s'il était enlevé par des pirates ou fait prisonnier à la guerre, devînt par là esclave au pays de son ravisseur ou de son vainqueur. N'oublions pas qu'aux XVIIe et XVIIIe siècles encore on en trouve un écho jusque dans les comédies de Molière ou dans les contes de Voltaire, — les prises de navire et les enlèvements par les pirates barbaresques furent fréquents en Méditerranée, et leurs derniers raids en Italie méridionale se situent même dans la première moitié du XIXe siècle. C'est tout semblablement qu'aux temps légendaires, la belle Io, si l'on en croit la version de la légende que rapporte Hérodote, se fit enlever en Argolide par des marins phéniciens.

Page 315.

1. Ce séjour prolongé s'explique par le fait que le com-

merce, jusqu'à l'invention de la monnaie aux VIIe-VIe siècles avant notre ère se faisait par troc.

Page 316.

1. Parmi les baies abritées que compte Ithaque, c'est dans le petit golfe de Port-Saint-André, ourlé en son fond d'une plage de sable et de graviers, qu'il faut reconnaître le Port de Télémaque, à l'extrémité méridionale de l'île ; sur le conseil d'Athéna, Télémaque aborde là pour être sûr d'échapper à l'embuscade que lui ont tendue les prétendants. De là, le navire, remontant vers le nord l'étroit bras de mer qui sépare Ithaque de Samé (Céphalonie), atteint le port de la ville, Port-Polis. (Voir *Les Navigations d'Ulysse*, I, p. 276-278, 324 et 350, et *Dans le sillage d'Ulysse*, pl. XIV.)

2. Du vers 508 au vers 546, s'insère à nouveau ici, comme dans la première partie du chant, une longue digression relative à Théoclymène, qui est sans grande utilité pour l'action principale.

Page 318.

1. De Port-Saint-André, au sud d'Ithaque, où il faut imaginer que Télémaque aborde, on monte facilement, par la longue ravine d'un torrent, vers le plateau au pied duquel il faut localiser la cabane d'Eumée et l'enclos de ses porcs.

2. Le titre traduit ici par *Fils et Père*, qui est donné par les Scholies et par Eustathe pour le chant XVI, est littéralement *Reconnaissance d'Ulysse par Télémaque*. Cette reconnaissance est la première de celles qui vont se succéder désormais jusqu'à la fin du poème.

Page 327.

1. D'après ce passage, les prétendants n'auraient pas été moins de cent huit. Mais ce nombre, en vérité, est tout à fait invraisemblable à plusieurs égards. D'abord parce que la grand-salle, le *mégaron* des palais mycéniens, tel qu'il nous est connu par les fouilles de Mycènes ou de Tirynthe, n'aurait jamais pu contenir semblable foule : il s'agit de salles rectangulaires qui ont une dizaine ou une douzaine de mètres de côté, dont le centre est occupé par un foyer entre quatre colonnes et qui, en conséquence, ne pouvaient contenir qu'une quarantaine ou une cinquantaine de convives au grand ma-

ximum. Ensuite et surtout, parce que l'exploit d'Ulysse, déjà remarquable s'il a en face de lui trente ou quarante prétendants, devient inconcevable s'il en a plus d'une centaine. Aussi bien la tradition qui nous est rapportée par le Pseudo-Dictys de Crète était-elle qu'il y avait seulement une trentaine de prétendants ; et nous verrons plus loin que c'est un nombre de cet ordre qui résulte du massacre au chant XXII (voir ci-dessous, note 1 de p. 421). Telle expression même de ce passage « les cinquante-deux seigneurs levés par Doulichion », imitation maladroite des vers 35-36 du chant VIII, semble confirmer que ce passage est interpolé ; car au chant VIII il s'agit bien de « lever » un équipage de rameurs, mais il n'a pu être question de « lever » des prétendants à Doulichion.

Page 328.

1. Sur ces vers 281-298, voir Victor Bérard, *Introduction à l'Odyssée*, t. III, p. 206. Comme souvent il arrive, ce passage que Victor Bérard considère comme interpolé est limité en tête et en fin par la reprise d'une même expression. Ces vers paraissent avoir été rajoutés, lorsque tous les épisodes qui constituent aujourd'hui l'*Odyssée* furent fondus en un seul ensemble. Aux vers 127-129 du chant I, en effet, on voit dans la grand-salle Télémaque déposer la lance d'Athéna-Mentès à un râtelier d'armes où étaient rangées nombre d'autres lances, celles du valeureux Ulysse. Ce passage et les vers 1-50 du chant XIX eurent pour objet d'expliquer comment les prétendants ne purent s'emparer de ces armes, lors du massacre. Au vers 29 du chant XVII au contraire, on voit Télémaque accoter sa lance à la haute colonne avant de franchir le seuil de pierre de la grand-salle. Il laisse donc sa lance contre l'une des colonnes de l'entrée, à la différence de ce qui est indiqué aux vers 125-129 du chant I.

Page 331.

1. Dans l'*Odyssée* actuelle, les prétendants se trouvent avoir eu à guetter et croiser ainsi pendant un mois. Mais dans *Le Voyage de Télémaque* tel qu'il semble avoir été primitivement conçu par le Poète (voir l'Introduction, p. 18-19) l'absence du fils d'Ulysse ne durait que quelques jours, et il n'y avait pas là d'invraisemblance.

Page 333.

1. Les vers 409-451 sont considérés par Victor Bérard comme une interpolation. Voir *Introduction à l'Odyssée*, I, p. 325-334. En revanche, il pense qu'après le vers 405 un présage défavorable, tel que celui qu'on lit aujourd'hui aux vers 242-246 du chant XX, faisait suite au discours d'Amphinomos et en était la conclusion.

Page 335.

1. Ce titre a été tiré par Victor Bérard du début du résumé du chant XVII. Les Scholies et Eustathe donnent le titre de : *Rentrée de Télémaque à Ithaque* que l'on retrouve déjà sous une forme presque identique : *Retour de Télémaque* parmi les trois titres donnés par les Scholies et Eustathe pour le chant XV.

2. Ce passage de l'*Odyssée* est l'un de ceux qui indiquent le plus clairement que le retour d'Ulysse à Ithaque se situe non dans la belle saison, mais déjà au début de la saison froide. Un peu plus loin, aux vers 190-191, Eumée précise qu'on est à un moment de l'année où le soir tombe vite et amène le froid.

3. La ville en effet se trouvait à l'autre extrémité d'Ithaque. Il fallait donc plusieurs heures pour s'y rendre.

Page 338.

1. En cet endroit, comme dans les nombreux autres passages de l'*Odyssée* où elle revient, cette formule indique qu'il s'agit d'un repas improvisé, qui est pris sur les réserves.

Page 339.

1. Ce passage est repris des vers 333-346 du chant IV.

Page 341.

1. Les fouilles exécutées à Ithaque par les archéologues de l'école anglaise d'Athènes ont permis de retrouver dans les parages de Port-Polis les vestiges de deux sources antiques. L'une, près de Stavros, semble correspondre à cette fontaine maçonnée sur le chemin qui conduit à la ville. Une autre, un peu plus loin, semble correspondre à la Fontaine Noire (le Poète désigne ainsi les trous d'eau par opposition aux filets d'eau claire qui jaillissent de la roche, comme c'est

le cas pour cette source maçonnée) où s'approvisionnent les servantes du palais d'Ulysse au vers 158 du chant XX.

Page 346.

1. Les palais mycéniens avaient d'ordinaire à l'entrée de leur mégaron ou grand-salle un seuil surélevé. Un mendiant pouvait s'y accroupir.

Page 348.

1. Est-il besoin de relever l'intérêt de ces vers qui indiquent clairement quels sont, dans l'esprit du Poète, les « techniciens » et les hommes d'art que, dans la société de l'époque, on ne pouvait songer à toujours recruter sur place comme c'était le cas pour les autres métiers? Le Poète y compte les aèdes, et en d'autres passages de l'*Odyssée* il leur fait semblablement la place belle ; aussi bien n'était-il lui-même qu'un de ces aèdes.

2. Ce passage et l'indication donnée plus haut qu'Ulysse mendie de gauche à droite conduisent, semble-t-il, à imaginer la disposition des prétendants autour de la salle, le dos au mur et ayant chacun une table individuelle devant eux, comme nous l'avons fait dans le schéma de la p. 49 ainsi que l'ordre même dans lequel ils sont assis.

Page 349.

1. Le récit qui suit résume celui qu'Ulysse a déjà fait à Eumée au chant XIV. Voir notre commentaire à la note 1 de p. 290. De Crète en Égypte, il est précisé, en ce premier récit, qu'il ne fallait pas moins de cinq jours de mer ; cette traversée pendant laquelle on n'aperçoit aucune terre devait paraître effectivement longue pour des marins qui préféraient caboter de cap en cap ou d'île en île, en ne perdant jamais des yeux le rivage.

2. Ces derniers vers (442-444) ne se retrouvent pas dans la première version du récit au chant XIV. Ils semblent avoir pour objet d'introduire dans l'*Odyssée* l'ancêtre d'une des dynasties qui régnaient sur l'un des petits royaumes de Chypre. Si l'on en croit la tradition, plusieurs royaumes achéens furent fondés à Chypre au lendemain même de la guerre de Troie notamment par Teucros, frère du grand Ajax, et Agapénor, chef des Arcadiens sous les murs d'Ilion. Ces dynasties se maintinrent en plusieurs villes chypriotes jusqu'aux temps

classiques, et, de fait, les fouilles nous ont montré qu'aux XIVe et XIIIe siècles la civilisation mycénienne prit pied dans l'île et y prospéra. C'est à Chypre, d'autre part, que l'un des auteurs du cycle épique qui composèrent des poèmes pour raconter les événements légendaires antérieurs ou postérieurs à l'*Iliade* et à l'*Odyssée*, Stasinos, composa ses *Chants cypriens*.

Page 355.

1. Lorsque se termine le chant XVII, la première journée d'Ulysse en son palais paraît près de s'achever : Antinoos l'a insulté et frappé ; Pénélope a demandé à Eumée de le lui amener pour qu'elle l'interroge ; Ulysse a refusé de venir tout de suite chez la reine, mais il doit la voir dès que le soir viendra, aussitôt après le départ des prétendants ; Eumée, sa tâche accomplie, rentre à sa porcherie, tandis que le soir tombe. La journée semble donc toucher à son terme et les prétendants n'ont plus qu'à se retirer à leur tour pour permettre la première entrevue d'Ulysse et de Pénélope. Cette entrevue, toutefois, n'aura lieu qu'au chant XIX. Entre la fin du chant XVII et le début du chant XIX s'interposent les 428 vers du chant XVIII qui se répartissent en quatre scènes :

1° Le pugilat d'Ulysse et d'Iros, du vers 1 au vers 157 ;
2° L'apparition de Pénélope, du vers 158 au vers 303 ;
3° Les insultes de Mélantho, du vers 307 au vers 345 ;
4° Le coup d'Eurymaque, du vers 346 au vers 428.

Tout ce chant est considéré par Victor Bérard comme une interpolation qui s'est surajoutée aux épisodes primitifs de *La Vengeance d'Ulysse*. Nous indiquerons plus loin comment les épisodes 2, 3 et 4 de ce chant ne sont que des répétitions ou imitations d'autres scènes de l'*Odyssée*. Quant au *Pugilat* lui-même, il comporte une impossibilité majeure, qui n'avait pas échappé déjà aux commentateurs anciens. Lorsque les deux mendiants se préparent à lutter, ils se troussent jusqu'aux reins et Ulysse montre à tous ses grandes et belles cuisses. Comment peut-il le faire sans se trahir, sans que la cicatrice de la blessure que lui fit jadis le sanglier du Parnasse le fasse aussitôt reconnaître de tous? Cette cicatrice de sa cuisse, en effet, est un signe si infaillible qu'Euryclée n'hésitera pas un instant lorsqu'elle l'apercevra en lavant les pieds du mendiant. Pas un instant non plus, au chant XXII, aucun des prétendants n'hésitera à reconnaître à ce signe Ulysse, quand, au début du massacre, il se sera débarrassé de ses haillons sur le seuil de la grand-salle.

Sur le *Pugilat*, voir Victor Bérard, *Introduction à l'Odyssée*, t. I, p. 310.

Page 357.

1. De manière tout à fait exceptionnelle, on voit ici le foyer qui occupe le centre de la grand-salle servir à la préparation des viandes destinées au festin : dans le reste du poème les viandes sont cuites ailleurs que dans la grand-salle et apportées toutes prêtes. Quant au repas du soir en vue duquel ces boudins sont censés être préparés, il n'aura jamais lieu ; aussi bien les prétendants viennent-ils de passer la journée entière à banqueter.

Page 361.

1. Cette seconde partie du chant XVIII, du vers 158 au vers 303, reprend le thème de l'apparition de Pénélope devant les prétendants, comme on le trouve déjà traité au chant I et au chant XVI. Mais l'attitude de Pénélope en ce passage et la manière dont elle provoque les cadeaux des prétendants ne laissent pas d'étonner. Non moins surprenante est la manière dont Ulysse approuve que sa femme, fardée par Athéna, vienne ainsi accroître la convoitise des prétendants. Eustathe croyait nécessaire d'expliquer que Pénélope use de pareils procédés pour que son fils et son mari puissent admirer l'adresse de ses manœuvres. Cette scène des cadeaux paraît avoir été rajoutée parce qu'au chant XI Tirésias fait savoir à Ulysse que déjà les prétendants font leurs présents à Pénélope. Voir Victor Bérard, *Introduction à l'Odyssée*, t. I, p. 310.

Page 362.

1. C'est-à-dire Aphrodite qui avait à Cythère, comme en Chypre à Paphos, un sanctuaire réputé.

Page 363.

1. En dehors des raisons exposées dans l'avant-dernière note, cette allusion faite par Télémaque au pugilat d'Ulysse et d'Iros conduit à tenir ce passage comme le précédent pour une interpolation.

Page 364.

1. Aux temps héroïques, le cheval est d'ordinaire présenté comme n'étant à la guerre qu'un animal de charrerie, non une monture.

Page 366.

1. Cette troisième partie du chant XVIII (vers 307-345), comme la précédente, est imitée d'un autre passage de l'*Odyssée* : les insultes de Mélantho font penser aux insultes de son frère Mélantheus, aussi appelé Mélanthios au chant XVII, et d'autres nouvelles insultes seront à nouveau proférées par Mélantho aux vers 75-85 du chant XIX. Les vers 304-306 eux-mêmes sont imités des vers 421-423 du chant I; mais au chant I ils annoncent, comme il est logique, la fin de la journée et le départ des prétendants, cependant qu'ici ils introduisent de nouvelles scènes surajoutées.

Page 367.

1. Plus directement encore que la précédente, cette quatrième partie du chant XVIII (vers 346-428) s'apparente à un autre passage de l'*Odyssée*, et l'escabeau qu'Eurymaque lance contre Ulysse rappelle de près le tabouret dont Antinoos l'a atteint. De plus, aux vers 284 et suivants du chant XX, on voit Ctésippos lancer contre Ulysse un troisième projectile, un pied de bœuf. Voir Victor Bérard, *Introduction à l'Odyssée*, I, p. 316 ; et ci-dessous note 1 de p. 400.

Page 368.

1. Semblable défi serait possible dans les plaines d'Élide ou de Messénie, mais se conçoit mal dans la rocailleuse Ithaque, qu'Ulysse lui-même a fort bien caractérisée en d'autres passages du poème.

Page 370.

1. Les cinquante premiers vers du chant XIX nous montrent Télémaque et Ulysse enlevant les armes qui se trouvent dans la grand-salle. Sur ce passage voir nos remarques, note 1 de p. 328. Les vers 1-2 qui sont repris mot pour mot aux vers 51-52 sont, ici comme ailleurs, l'indice d'une interpolation.

Page 371.

1. Les Scholies donnaient pour le chant XIX trois titres :

Entretien d'Ulysse et de Pénélope, le *Bain de pieds*, *Reconnaissance d'Ulysse par Euryclée*. Ce sont là trois titres différents pour un même épisode dont Victor Bérard situe ici le début parce que, comme nous venons de le dire, les cinquante premiers vers du chant XIX lui paraissent une interpolation.

Page 373.

1. Sur la description du siège sur lequel s'assied Pénélope et sur les insultes qu'à nouveau Mélantho adresse au mendiant, voir *Introduction à l'Odyssée*, I, 319 et II, 174. Victor Bérard les considère comme une interpolation.

2. Cette question précise est reprise au vers 163 et c'est alors seulement qu'Ulysse y répond. Entre-temps, il a d'abord éludé la demande et fourni à Pénélope l'occasion de raconter à nouveau la fameuse histoire de la toile. Cette reprise de la même question, ici comme en tant d'autres endroits de l'*Odyssée*, a paru à Victor Bérard la marque d'un passage interpolé.

Page 374.

1. A une question précise, Ulysse répond ici par des compliments et une fade description de la royauté heureuse, qui rappelle les vers 225-235 d'Hésiode dans *Les Travaux et les Jours* et semble s'en inspirer. Or *Les Travaux et les Jours* sont certainement postérieurs aux parties les plus anciennes des poèmes homériques et ne datent, semble-t-il, que de la fin du VIIIe siècle.

Page 375.

1. Cette histoire de la toile de Pénélope revient à trois reprises dans l'*Odyssée* actuelle aux vers 93-110 du chant II, en ce passage, et enfin aux vers 128-146 du chant XXIV. Anciens et Modernes tiennent pour inauthentique cette troisième répétition. Au chant II, en revanche, ce récit est à sa place dans la bouche des prétendants qui, devant l'Assemblée du peuple d'Ithaque, viennent exposer leurs griefs contre Pénélope et prouver sa duplicité. Ici, au contraire, on peut à bon droit s'étonner que, spontanément et sans raison précise, Pénélope vienne elle-même se vanter de sa ruse et se confie si imprudemment à un étranger dont elle ne connaît pas même le nom, à un mendiant. Aussi bien avons-nous indi-

qué ci-dessus (note 2 de p. 373) les autres raisons qu'on a de tenir tout ce passage pour une addition au texte primitif.

Page 376.

1. Cette Crète aux quatre-vingt-dix villes est l'île qui sous le règne de Minos avait dépassé en richesse et en puissance, si l'on en croit la tradition, tous les autres royaumes de l'Hellade. Les fouilles, et notamment celles de Cnossos, ont montré le bien-fondé de cette tradition : la civilisation crétoise atteignit son apogée au Bronze récent aux XVIe-XVe siècles. L'indication relative aux populations de la Crète toutefois, pose un problème à cause de la mention des Doriens : ne s'agit-il pas des Doriens qui colonisèrent l'île après s'être emparés de la plus grande partie du Péloponnèse, bien plus tard que l'époque de la guerre de Troie? L'adjectif tripartite appliqué aux Doriens s'explique par les trois tribus en lesquelles se divisaient primitivement tous les peuples doriens.

2. Ilithyie est la déesse de l'accouchement.

Page 377.

1. Le Poète semble décrire ici une intaille qu'il a vue. Était-ce un bijou de son temps? Nous savons aujourd'hui par les fouilles que l'âge des héros connut aussi cet art, et nous possédons nombre de pierres gravées de l'époque mycénienne.

Page 379.

1. Le mendiant reprend ici le récit fait à Eumée au chant XIV (vers 320-335) touchant la présence d'Ulysse chez les Thesprotes. Mais si les vers 287 et suivants reprennent presque mot pour mot les indications du chant XIV, les vers 273-286 sont de nature à surprendre : Ulysse y parle de l'île du Trident et des Phéaciens, comme si Pénélope les connaissait : de plus, Ulysse y fait allusion à la colère conjuguée d'Hélios et de Zeus, qui est mentionnée au chant XII dans les vers 374-390 déjà condamnés par Aristarque. Pour cette raison Victor Bérard tient les vers 273-286 pour une interpolation.

Page 382.

1. Sans hésiter le chien Argos a reconnu son maître. Eu-

ryclée n'a vu qu'une ressemblance, cependant que Pénélope ne s'est encore aperçue de rien.

Page 383.

1. Victor Bérard a cherché ainsi à rendre dans sa traduction un jeu de mots du texte grec.

Page 385.

1. Ce long passage des vers 394-466, que Victor Bérard (*Introduction à l'Odyssée*, I, p. 457) tient pour une interpolation, ne laisse pas de paraître au lecteur d'aujourd'hui une digression non seulement inutile, mais encore mal venue, qui suspend le récit en un moment critique. On peut sans difficulté l'exciser du contexte. Un grave problème se pose à son sujet. Nous savons par Platon (*République*, I, 334 B) que, de son temps déjà, cet épisode figurait dans l'*Odyssée* qu'il lisait. Un texte d'Aristote, en revanche, dans la *Poétique* au chapitre VIII, a été interprété en des sens contradictoires. Victor Bérard et nombre d'autres héllénistes ont considéré qu'Aristote, louant en ce passage Homère de ne jamais s'écarter de son sujet, le félicite de n'avoir raconté ni la chasse sur le Parnasse, ni la folie simulée par Ulysse lors du rassemblement des guerriers pour la guerre de Troie. Plus récemment, Jules Labarbe (*Homère et Platon*, p. 268 et suiv.) a proposé de comprendre qu'Aristote félicitait le Poète de n'avoir pas narré à l'occasion de la chasse sur le Parnasse la folie simulée d'Ulysse. Cette dernière interprétation, grammaticalement séduisante, soulève toutefois deux difficultés : la première vient de ce que cette chasse sur le Parnasse est une digression et qu'Aristote, en ce cas, choisirait bien mal son exemple; la seconde, plus grave, est qu'on ne voit pas comment, à propos de la chasse sur le Parnasse, le Poète aurait pu introduire la folie, même comme une digression.

Page 387.

1. Tout ce passage semble à Victor Bérard avoir été interpolé pour introduire dans le poème la légende fameuse de la fille de Pandareus, qui fut transformée en rossignol par Zeus lorsqu'elle eut tué par erreur le fils qu'elle avait eu de Zéthos. Sur Zéthos, voir le vers 262 du chant XI. Virgile a imité ce passage dans ses *Géorgiques*, IV, 511-515.

Page 389.

1. Victor Bérard a cherché ainsi à rendre deux calembours du texte grec. Sur ces calembours qui furent fort goûtés dans l'antiquité (Platon, *Charmide*, 173 ; Horace, *Odes*, III, 27-41 ; Virgile, *Énéide*, VI, 893), voir les indications de Victor Bérard, *Introduction à l'Odyssée*, II, p. 137.

2. Sur le concours de l'arc, voir ci-dessous nos indications note 3 de p. 403.

Page 390.

1. Cette comparaison avec la chienne semble imitée des vers de Simonide d'Amorgos (VII, 34). Une autre comparaison aux vers 24-27 se détache d'elle-même entre la répétition d'un même mot qui sert à l'introduire comme il arrive souvent. Ces deux comparaisons sont, semble-t-il, la raison d'être de tout ce passage, qui est considéré par Victor Bérard comme une interpolation.

Page 392.

1. C'est-à-dire dans le monde des Morts. Tout ce passage a été condamné par différents commentateurs. La légende de Pandareus à laquelle il est fait ici allusion n'est pas celle dont il est parlé à la fin du chant précédent (vers 518-523). Pandareus ayant volé un chien d'or, œuvre d'Héphaestos, dans le temple de Zeus en Crète, les dieux le punirent, ainsi que sa femme, sur-le-champ ; et ses filles, certaines au moins sinon toutes, eurent à subir, pour le crime de leur père, un châtiment différé.

2. Ce mélange est analogue au breuvage que prépare Circé en X, 234.

Page 394.

1. Le titre fourni pour le chant XX par les Scholies, mais qui en vérité paraît assez singulier, est *Avant le massacre*. Le titre d'épisode que Victor Bérard propose de restituer en cet endroit est donné par les Scholies et Eustathe pour le chant XXI.

Page 395.

1. Voir ci-dessus, note 1 de p. 341.

Page 396.

1. La rocailleuse Ithaque n'avait pas de prairie pour faire paître des troupeaux de bœufs ; elle ne pouvait nourrir que les porcs et les chèvres d'Ulysse.

Page 397.

1. La grande île qui s'allonge immédiatement à l'ouest d'Ithaque et qui s'appellera aux temps classiques Képhallénie et aujourd'hui Céphalonie, est d'ordinaire désignée dans l'*Odyssée* sous le nom de Samé (voir ci-dessus, p. 39).

Page 400.

1. Le passage qui commence ici vient répéter pour la troisième fois la scène du tabouret et de l'escabeau que, respectivement, Antinoos et Eurymaque ont précédemment lancés contre Ulysse. On notera, d'autre part, que Ctésippos prend le pied de bœuf qu'il va brandir dans une corbeille. Or, d'ordinaire, ces corbeilles ne sont destinées à contenir que le pain ; les viandes sont déposées devant les convives sur des tables qui sont ensuite lavées à l'éponge. Au demeurant, les os ne sont pas habituellement servis aux festins. Ils sont brûlés, couverts de graisse, en offrande aux dieux. Ce passage peut donc, à bon droit, paraître suspect.

2. Les Anciens expliquaient ce mot « sardonique » en le mettant en rapport avec le nom de la Sardaigne, ce rapport était d'ailleurs fort confusément expliqué. S'il en est ainsi, ce serait là un anachronisme, le nom de la Sardaigne étant par ailleurs inconnu dans le poème.

Page 402.

1. Ici comme précédemment, dans les autres passages où il apparaît dans le poème, l'intervention de Théoclymène peut se détacher aisément du contexte où elle paraît être venue se surajouter ; et, même ici, elle ne présente pas un intérêt essentiel à la marche de l'action principale. Au demeurant, dans ce passage, Théoclymène se trouve prendre la parole dans la grand-salle du palais sans que nous sachions quand et comment il y est revenu et où il a passé la nuit ; or, d'ordinaire, le Poète ne manque jamais d'indiquer, lorsqu'un de ses héros quitte la scène puis y revient, ce qu'il est devenu dans l'intervalle. Enfin, les vers 351-357 contiennent plus d'une expres-

sion qui ne figure nulle part ailleurs dans le poème et dont le sens même est incertain.

Page 403.

1. Nous avons vu que l'île du Trident, où paissent les bœufs du Soleil, n'est autre que la Sicile, et nous avons indiqué que ce nom même d'île du Trident implique que le Poète n'a de cette île qu'une connaissance indirecte (voir ci-dessus note 2 de p. 233). Ce nom de Sicile serait donc ici un anachronisme de même qu'au chant XXIV (vers 211, 366 et 389) qui, comme nous verrons, se présente comme une addition tardive au poème primitif. Mais il faut noter qu'une menace semblable se retrouve aux vers 85 et 116 du chant XVIII et 308 du chant XXI et qu'en ces trois passages il s'agit d'envoyer quelqu'un dont on veut se débarrasser chez le roi Échétos, non en Sicile. Cette mention de la Sicile, en ce vers 383 du chant XX, peut donc provenir simplement d'une correction faite pour introduire le nom de cette île dans l'*Odyssée* et satisfaire ainsi la vanité des nombreux Grecs qui, à partir du VIIe siècle, colonisèrent les côtes de la Sicile et de l'Italie méridionale.

2. L'expression du texte grec, qui est assez imprécise, n'indique pas de manière sûre où se trouve Pénélope en ce moment ; il s'agit sans doute de sa chambre ou d'une pièce des appartements privés, mais nous avons dit plus haut les raisons pour lesquelles tout ce passage est suspect d'être une interpolation.

3. Aux vers 572 et suivants du chant XIX, dans sa première entrevue avec le mendiant, sous les haillons de qui se cache Ulysse, Pénélope a fait part de son projet de choisir pour époux celui des prétendants qui égalerait Ulysse dans le maniement de son arc. La déesse Athéna lui suggère ici de passer à l'exécution. C'est en vue de ce concours qu'elle va maintenant chercher au trésor l'arc, les flèches, et enfin les fers de hache nécessaires à l'épreuve. Ce concours de l'arc va fournir à Ulysse le moyen de se venger des prétendants en les massacrant tous avec la seule aide de Télémaque et de deux serviteurs fidèles.

Le Poète n'a pas éprouvé le besoin de donner sur ce jeu de l'arc des indications précises, sans doute parce que ces renseignements, qui seraient pour nous modernes indispensables, étaient superflus pour ses auditeurs, chacun d'eux sachant au juste de quoi il s'agissait. Pour autant que nous la pouvons reconstituer, l'épreuve était double. Il s'agissait d'abord de tendre, puis de bander l'arc : le tendre en le courbant de manière à accrocher au bec destiné à la recevoir (*Odyssée*, XXI, 138) l'extrémité de la corde qui restait libre au repos ; car lorsque l'arc ne servait pas, il était détendu afin qu'il ne se fatigue pas inutilement et conserve toute sa puissance ; puis le bander, c'est-à-dire ajuster la flèche sur la corde, et tirer à soi cette corde en l'écartant de l'arc. On tirait sur la corde avec les trois doigts médians de la main droite en serrant entre l'index et le médius la flèche dont l'encoche était ajustée sur la corde. Cette première partie de l'épreuve était loin d'être la moins difficile, car il ne s'agissait pas d'un arc ordinaire en bois, mais d'un arc d'un type particulier et, au demeurant, d'une robustesse exceptionnelle, d'un de ces arcs dans la fabrication desquels, comme on verra plus loin, entraient des lames de corne de mouflon et qui, au repos, étaient courbés en sens inverse de celui dans lequel ils l'étaient une fois tendus. Il s'agissait ensuite d'envoyer la flèche à travers douze fers de hache alignés. Ces fers de hache étaient apparemment fichés par le tranchant, soit sur une levée de terre, soit sur des pieux plantés verticalement en terre (peut-être tout simplement les manches de ces haches), en une file bien droite que le Poète compare, au vers 574 du chant XIX, à l'alignement des étais de navire. La flèche devait passer successivement par l'œil (c'est-à-dire par le trou où passe d'ordinaire le manche) de chacun des fers de hache qui, en conséquence, ne devaient pas être emmanchés. Pour réussir, il fallait envoyer la flèche droit au centre du premier œil de hache (voir vers 422 du chant XXI), et assez fort pour que la trajectoire soit parfaitement tendue.

Page 404.

1. Dans ce passage, la Messénie, dont le nom n'apparaît pas ailleurs dans les poèmes homériques, est tenue pour une partie de la Laconie. Préfiguration de la conquête de la Messénie par les Spartiates au VIIIe siècle avant J.-C., ce qui semble impliquer que nous nous trouvons en présence d'une interpolation.

2. Eurytos, le roi d'Œchalie, passait pour être un archer remarquable (voir *Odyssée*, VIII, 224 et *Iliade*, II, 596).

3. On comprendrait mal, si ce passage n'était interpolé, comment Ulysse a pu rencontrer une future victime de cet

Héraclès que le vieux Nestor passait pour avoir connu dans son enfance. Or Nestor était beaucoup plus âgé qu'Ulysse.

Page 405.

1. Les grands magasins avec leurs énormes jarres destinées à contenir le vin et l'huile, qui ont été mis au jour par les fouilles de Sir Arthur Evans à Cnossos en Crète, nous permettent d'évoquer ce « trésor » où Ulysse, comme les autres rois achéens, conservait tous ses biens mobiliers : réserve de nourriture, de vêtements, d'outils, d'armes, et lingots de métal. Pour reconstituer la scène, voir le plan, p. 49.

2. Il s'agit apparemment d'un plancher surélevé destiné à mettre les coffres à l'abri de l'humidité.

Page 406.

1. Sur ce jeu de l'arc, voir ci-dessus, note 3 de p. 403.

2. Ce vers, comme précédemment les vers 3 et 61, paraît bien impliquer que, comme il convenait pour le concours, les haches étaient démanchées. Le mot de fer sert à désigner la partie en métal de la hache, parce que du temps du Poète elle était en fer (nous disons semblablement encore aujourd'hui un fer de hache). Mais en vérité, à l'âge des héros, c'est-à-dire à la fin de l'Age du Bronze, le fer ne pouvait pas encore être employé à cet usage.

3. Le sens du mot grec traduit ainsi par Victor Bérard est incertain, les commentateurs anciens nous donnant à son sujet des indications contradictoires.

Page 407.

1. La question se pose de savoir où Télémaque aligne les fers de hache en creusant ce fossé. A l'intérieur de la grand-salle? Mais la chose paraît difficile, car le sol de la grand-salle est fait de terre battue sinon de dalles de pierre, et on voit mal où ces haches pourraient être alignées puisque le centre de la salle est occupé par un foyer où le feu est allumé ; ajoutons que semblable exercice de tir à l'intérieur de la salle risquait d'être fort dangereux pour les convives qui y étaient attablés, pour peu qu'une flèche fût déviée de son but ; enfin, lors du massacre, ces fers de hache ne semblent pas être dans la grand-salle puisque les prétendants ne songent pas à s'en servir comme de projectiles contre Ulysse. Il faut imaginer

plutôt, semble-t-il, que les haches sont alignées dans la cour face à l'entrée de la grand-salle. Du seuil de cette salle on peut ainsi tirer, comme le fera Ulysse, à travers les fers. Victor Bérard a compris en ce passage, bien que le grec ne soit pas formel sur ce point, que ce sont les manches des haches qui sont fixés en terre, et non directement les fers. Voir ci-dessus, note 3 de p. 403.

2. Le texte grec précise : « releva la tête en arrière ». Chez les Grecs d'autrefois comme encore chez ceux d'aujourd'hui, tel est le signe de la dénégation, cependant qu'on baisse la tête comme nous le faisons en France pour dire oui.

Page 408.

1. Il s'agit du cratère près de l'entrée, où l'échanson faisait le mélange du vin et de l'eau (voir ci-dessus, note 3 de p. 57) avant d'y puiser pour servir à boire aux convives. Dans le plan de la p. 49, nous avons essayé de reconstituer la disposition des convives dans la salle du festin. Les prétendants sont alignés dos au mur tout autour de la salle en ordre hiérarchique, depuis Liodès l'aruspice, qui, à côté du cratère, est le moins estimé des prétendants, jusqu'à Eurymaque et Antinoos, à l'autre bout, qui en sont les chefs. Chacun des prétendants a devant lui sa petite table individuelle. Télémaque, en sa qualité de maître de maison, doit avoir son siège et sa table près du foyer central, cependant qu'Ulysse avait été installé par lui près de la porte, sans doute du côté opposé au cratère. C'est de là que nous le verrons bientôt tirer la flèche à travers les douze haches.

Page 410.

1. Ces promesses répondent aux vœux les plus chers de tout serviteur ; voir à ce sujet les vers 62 et suivants du chant XIV.

Page 412.

1. Il a été dit, plus haut, au chant précédent, que ce jour-là se célébrait à Ithaque une fête en l'honneur d'Apollon, le dieu-archer.

2. Le plan d'action d'Ulysse semble s'être lentement élaboré dans sa tête, depuis le moment où Pénélope lui a fait part de son projet : le concours de l'arc. C'est la raison pour laquelle,

tout à l'heure, il a arrêté Télémaque lorsqu'il était sur le point de tendre l'arc. Son désir, en effet, n'est pas tant de chasser les prétendants que de s'en venger.

Page 413.

1. Le centaure Eurytion ayant été invité aux noces de Pirithoos, roi des Lapithes, voulut faire violence à la mariée Hippodamie ; et telle fut l'origine, disait-on, du fameux combat entre Centaures et Lapithes, qui se situait dans l'âge des héros une génération environ avant la guerre de Troie. Les Centaures étaient représentés comme des monstres mi-hommes mi-chevaux : ce mythe des Centaures doit apparemment être mis en rapport avec l'arrivée du cheval introduit en Grèce au XVIe siècle avant J.-C. Durant tout l'âge héroïque, le cheval fut une bête de trait attelée au char, non une monture. Les Centaures de Thessalie durent être les premiers cavaliers.

Page 415.

1. Télémaque, après le signe de tête que lui a fait tout à l'heure son père, commence à deviner le plan d'action d'Ulysse, et sentant que bientôt on en viendra aux mains, il éloigne sa mère.

2. Ce titre d'épisode, que Victor Bérard restitue en cette place, nous est donné par les Scholies pour le chant XXII.

Page 416.

1. Cette porte qui conduit des appartements privés vers la grand-salle ne saurait ouvrir directement sur elle ; car, en la fermant et la verrouillant, Euryclée aurait aussitôt éveillé la méfiance des prétendants, qui en fait, dans le poème, ne remarquent rien. C'est une des raisons pour lesquelles nous avons proposé dans le plan de la p. 49 de la situer sur le couloir dont nous allons trouver bientôt mention. Aussi bien Eumée a-t-il appelé au-dehors la nourrice pour lui faire part de l'ordre qu'il lui transmet. Eumée croit nécessaire d'attribuer à Télémaque l'ordre qu'en fait, au vers 235, il a reçu d'Ulysse, car il ne sait pas qu'Euryclée connaît déjà l'identité du mendiant.

Page 421.

1. Comme nous l'avons dit, il s'agit de petites tables individuelles que chaque convive a devant lui. Le problème qui

se pose aux prétendants est le suivant, et de là vient que l'exploit d'Ulysse, tout en restant remarquable, n'est pas absolument impossible si on tient compte de la valeur exceptionnelle du héros et de la panique. Ulysse est seul, mais il occupe l'entrée d'une salle qui n'a pas d'autre issue normale, si ce n'est une petite porte secondaire, d'ailleurs close, dont nous aurons bientôt à parler et qu'il prend soin de faire garder aussi. De la sorte, les prétendants se trouvent pris comme dans une nasse, car Ulysse a sur eux l'avantage de disposer d'une arme qui frappe de loin. Les prétendants, au contraire, sont nombreux, mais ils n'ont que leur épée, c'est-à-dire une arme de corps à corps. Or ils ont reflué vers le fond de la salle où la peur les retient et les paralyse. Quant au nombre des prétendants, il ne saurait avoir été aussi grand que l'indiquent les vers 247-255 du chant XVI et la tradition rapportée par le Pseudo-Dictys, selon laquelle ils n'auraient été que trente, a beaucoup de chances d'être près de la vérité. C'est approximativement à ce chiffre de trente qu'on arrive en analysant les indications qui sont fournies par la scène du massacre. Dans la première partie de la scène, Antinoos et Eurymaque sont percés par les flèches d'Ulysse et Amphinomos est abattu d'un coup de lance par Télémaque, puis, cependant que Télémaque court au trésor pour y chercher des armes, Ulysse tient seul en respect tous ses adversaires grâce à son arc, et tire alors toutes les flèches de son carquois, dont aucune ne manque son but. Or il ne semble pas qu'un carquois ait contenu plus de dix-huit ou vingt flèches. Dans la première partie du massacre donc, en tenant compte de la flèche qui a traversé les haches, d'une part, et de l'homme abattu par la lance de Télémaque, d'autre part, quelque dix-huit ou vingt prétendants ont pu être masssacrés. Le chevrier Mélantheus, alors, réussit à gagner le trésor et il en rapporte douze armures complètes, qui suffisent apparemment à équiper ce qui reste de prétendants, puisque, lorsqu'il s'en retourne une seconde fois au trésor, il ne songe plus qu'à s'armer lui-même (vers 142-185). De fait, les prétendants tirent en deux salves successives onze lances contre Ulysse et ses trois compagnons, le cœur ayant manqué à l'un des combattants — sans doute le peureux Liodès — qui ne tire pas (vers 248-259 et 272-280) ; Ulysse et ses trois compagnons, de leur côté, tirent deux fois quatre lances et abattent ainsi huit adversaires (vers 265-271 et 281-284). Ils s'élancent alors dans la salle contre les derniers prétendants, ce qui implique qu'ils ne sont plus nombreux. Agélaos, Liocritos et Liodès succombent alors, tandis que l'aède Phémios et le héraut Médon sont épargnés. On est donc conduit à dénombrer ainsi une trentaine de prétendants, si l'on fait exception du grand carnage anonyme qui intervient aux vers 296-309 mais qui présente tous les signes d'une addition au poème primitif. Cette addition fut apparemment introduite au chant XXI lorsque le dénombrement des cent huit prétendants fut de son côté rajouté dans l'interpolation du chant XVI.

La victoire d'Ulysse et de ses trois compagnons contre cent huit adversaires serait tout à fait invraisemblable. Leur victoire sur une trentaine d'adversaires seulement ne l'est pas. Est-il besoin d'attirer l'attention sur le soin que le Poète a toujours pris de ne jamais se détacher entièrement des réalités et des vraisemblances?

Page 422.

1. L'emplacement et la nature même de cette poterne ont été longuement discutés par les commentateurs d'Homère, de nos jours comme déjà dans l'antiquité. Sur les raisons qu'on peut avoir de situer cette petite porte et ce couloir qui longe la grand-salle aux places que nous indiquons sur notre plan de la p. 49, nous renvoyons le lecteur à notre article de la *Revue des Études grecques*, 1954, p. I sqq. Notons que des dispositions comparables à celles qui semblent résulter du texte de l'*Odyssée* ont été effectivement retrouvées dans les ruines de certains édifices mycéniens. Dans toute cette scène, il convient de remarquer une fois encore quel soin le Poète a pris de préciser et de justifier tous les déplacements et les gestes de ses personnages et d'expliquer ainsi comment les prétendants n'ont pu échapper à leur destin.

Page 423.

1. « Monter » ne doit pas forcément être pris ici à la lettre. Car, à plusieurs reprises, le Poète emploie des verbes signifiant « descendre », lorsque ses personnages entrent, s'enfoncent dans le palais, et, en revanche, des verbes signifiant « monter ». lorsqu'ils en ressortent.

2. Il s'agit de l'entrée du couloir sur l'avant-pièce de la grand-salle. C'est là qu'Ulysse a posté Eumée qui, tout en

surveillant cette issue, reste tout à côté d'Ulysse et pourra plus loin converser avec lui.

3. Le sens du mot grec que Victor Bérard a traduit ici par « larmier » est incertain. Ce mot signifie « ouverture ». S'agit-il de larmiers, de fenêtres, de lucarnes? Il est difficile de le préciser. Aussi bien est-ce sans doute intentionnellement que le Poète a employé ici un terme vague, laissant à ses auditeurs imaginer ce que bon leur semblerait. Il s'agit en tout cas d'une issue imprévue, les deux issues normales étant la porte et la poterne mentionnées auparavant.

Page 424.

1. Voir à ce sujet la fin de la note 2 de p. 423.

2. Nous avons expliqué plus haut pourquoi, après avoir apporté douze armures pour les douze combattants qui restent avec lui dans le camp des prétendants, Mélantheus, à ce second voyage, ne songe plus qu'à s'armer lui-même.

Page 426.

1. Sur cette intervention si peu efficace d'Athéna sous les traits de Mentor et les raisons que Victor Bérard a eues de la tenir pour une interpolation, voir son *Introduction à l'Odyssée,* t. I, p. 368.

2. Des cinq combattants ici nommés, quatre sont parmi les dix prétendants dont le poète signale la mort aux vers 265-295. Rien, en revanche, n'est précisé pour Eurynomos ; il ne figure pas au tableau des victimes, il n'est pas non plus nommé parmi les épargnés et nous avons dit plus haut (note 1 de p. 421) la raison pour laquelle le grand carnage anonyme des vers 296-309 doit être tenu pour une interpolation. Ce passage-ci peut donc être également tenu pour suspect.

Page 427.

1. Désormais les prétendants, eux aussi, ont des armes de jet, cependant qu'Ulysse a enfin épuisé ses flèches.

Page 429.

1. Sur ce passage apparemment interpolé, voir nos remarques ci-dessus, note 1 de p. 421.

2. Ici, comme en d'autres passages déjà, on notera avec amusement le faible que marque le Poète pour ses collègues les aèdes.

Page 430.

1. L'aède Phémios qui se trouve près de la poterne est en même temps près du cratère dans lequel, à l'entrée de la salle, les échansons faisaient le mélange de l'eau et du vin. Cette indication est précieuse pour qui veut essayer de reconstituer le plan de la grand-salle au moment du massacre. C'est un des détails qui conduisent à penser que le Poète avait bien en tête une disposition précise des lieux dont il fait le théâtre des derniers épisodes de l'*Odyssée.*

2. Après le drame intense du massacre, on notera les détails comiques que le Poète, à propos de Phémios et surtout à propos de Médon, se plaît à introduire dans la fin de la scène.

Page 431.

1. Ce titre, ou plus littéralement *Reconnaissance d'Ulysse par Pénélope,* est donné par les Scholies et Eustathe pour le chant XXIII.

Page 434.

1. Ce déchaînement de cruauté, qui contraste avec la délicatesse des sentiments dont font preuve en d'autres occasions les héros et héroïnes de l'*Iliade* et de l'*Odyssée,* n'est pas une exception dans les poèmes homériques. Qu'on songe à la manière dont Achille venge dans l'*Iliade* la mort de Patrocle.

Page 438.

1. Le soir est venu, et la grand-salle n'est éclairée que par la lueur du foyer qui en occupe le centre.

Page 439.

1. De cette indication est sortie toute la seconde partie du chant XXIV qui porte les marques d'une addition au poème primitif.

Page 440.

1. Jusqu'alors Ulysse était resté dans la cour, dans l'avant-pièce et dans la grand-salle, c'est-à-dire dans la partie du

palais qui était ouverte à tous les gens venant du dehors, dans la « réception » comme nous dirions aujourd'hui. Il entre maintenant dans la partie de son palais qui constitue les appartements privés du maître du logis. D'où cette expression.

Page 441.

1. Pour terminer la longue histoire des aventures d'Ulysse où l'homme aux mille tours a su déjouer tant de pièges, le Poète a voulu que son héros se laissât prendre à la ruse innocente d'une épouse qui demeurait méfiante parce qu'elle était trop fidèle.

Page 442.

1. Pénélope, évidemment, ne peut choisir un meilleur exemple pour prouver la réserve et la prudence qui s'imposent à une épouse quand un étranger vient dans sa maison.

Page 443.

1. Ces noms signifient : « le lumineux » et « le brillant ».

Page 444.

1. Voir ci-dessus, note 1 de p. 234.

Page 445.

1. Une scholie de ce vers 296 du chant XXIII, qui nous a été conservée dans plusieurs manuscrits de l'*Odyssée* (Venetus-Marcianus, Vindobonensis, Harleianus et Ambrosianus) nous apprend que les deux grammairiens Aristophane de Byzance et Aristarque, qui furent, à l'époque alexandrine, les deux principaux érudits à s'occuper des poèmes homériques, considéraient qu'ici se terminait l'*Odyssée* véritable. Il est vrai que d'autres commentateurs d'esprit plus conservateur, dont Eustathe se fit l'écho, reprochaient à Aristophane de Byzance et Aristarque de vouloir ainsi écourter le récit en tenant pour bâtarde toute la fin de l'*Odyssée*. Il est certain, toutefois, que, lorsque Ulysse revenu à Ithaque s'est vengé des prétendants et s'est fait reconnaître en dernier lieu par Pénélope, l'action principale est à son terme, et nous verrons plus loin, que, de fait, la dernière partie du chant XXIII et tout le chant XXIV qui sont d'une qualité tout autre que les passages indubitablement authentiques de l'*Odyssée* portent la marque d'additions et de remaniements.

FINALE

Page 447.

1. Sous le titre général de *Finale* Victor Bérard a groupé les différents morceaux de la dernière partie de l'*Odyssée* qui, faisant pendant à ceux de l'*Ouverture*, lui paraissent être venus se surajouter au poème primitif, au-delà du vers 296 du chant XXIII que les critiques alexandrins Aristophane de Byzance et Aristarque comme nous venons de dire, tenaient pour le dernier de l'*Odyssée* authentique. Ces morceaux sont *La Paix* ou *Chez Laërte* (XXIII, 297-309, 344-372 ; XXIV, 205-548) ; *Résumé de l'Odyssée* (XXIII, 310-343) ; *Second Voyage chez les Morts* (XXIV, 1-204). Ces deux derniers morceaux semblent de date beaucoup plus récente que le premier.

2. Le titre *Chez Laërte* nous est donné par Élien et le titre *La Paix* nous a été transmis par plusieurs manuscrits et par Eustathe pour le chant XXIV de l'*Odyssée*, en même temps que le titre d'un autre épisode, *Seconde Descente aux Enfers*. Victor Bérard pense que l'épisode *Chez Laërte* commence dès le vers 297 du chant XXIII et se termine à la fin du chant XXIV, mais que deux additions ultérieures, *Résumé des Aventures d'Ulysse* (XXIII, 310-343) et la *Seconde Descente aux Enfers* (XXIV, 1-204) sont venues s'y insérer.

Après la reconnaissance d'Ulysse par Télémaque, par son chien Argos, par la vieille Euryclée, par le porcher et le bouvier et par Pénélope, une dernière reconnaissance sembla nécessaire, celle d'Ulysse par son père ; il fallait aussi expliquer comment l'entente se rétablit entre Ulysse et ses sujets après le massacre des prétendants, d'où cet épisode *Chez Laërte*.

Page 448.

1. Ce très médiocre résumé de l'*Odyssée*, du vers 310 au vers 343, qui peut se détacher sans peine du contexte, ne se signale pas seulement par des maladresses de forme, il contient même des inexactitudes : ainsi Ulysse n'est pas passé par les Pierres Errantes, par les Planktes, mais a choisi l'autre route indiquée par Circé : celle de Charybde et Skylla. Ces trente-trois vers étaient condamnés par le grammairien Aristarque.

Page 449.

1. Le récit s'interrompt brusquement ici pour être repris

plus loin, comme nous verrons, au vers 205 du chant XXIV. Dans l'intervalle s'interpose la *Seconde Descente aux Enfers.*

2. Les vers 1 à 204 du chant XXIV auxquels correspond l'un des titres donnés par les Scholies pour ce chant : *Seconde Descente aux Enfers* racontent l'arrivée dans l'autre monde des âmes des prétendants. Le grammairien Aristarque dans l'antiquité pour prouver l'inauthenticité de ces deux cent quatre vers faisait valoir les raisons suivantes :

1° Nulle part ailleurs dans les poèmes homériques Hermès n'a le nom ni le rôle de Conducteur des Ombres, non plus qu'il n'y est appelé dieu du Cyllène ; ce titre figure en revanche dans l'Hymne dit homérique à Hermès, certainement postérieur à l'*Iliade* et à l'*Odyssée.*

2° Les ombres des prétendants descendent aux Enfers, alors que leurs corps gisent encore sans sépulture dans le manoir, ce qui est contraire à la croyance, ailleurs attestée dans les poèmes homériques, que l'ombre d'un défunt ne descend dans l'autre monde que lorsque la flamme a consumé le cadavre.

3° Les neuf Muses ne sont pas mentionnées dans le reste des poèmes homériques.

Page 450.

Pour ne rien dire d'autres impossibilités ou absurdités.

1. Le Rocher Blanc est indiqué ici, apparemment, comme une étape bien connue sur le chemin de l'autre monde qui se trouve au-delà de l'Océan. On a proposé de l'identifier avec l'extrémité méridionale de Leucade, au nord d'Ithaque : c'est de ce promontoire blanc que la poétesse Sapho passait pour s'être, bien plus tard, précipitée dans la mer.

Pourquoi cet épisode de la *Seconde Descente aux Enfers,* qui interrompt si fâcheusement le récit, fut-il inséré en cette place? On en trouve, semble-t-il, la raison dans ce que nous savons de la *Télégonie* d'Eugammon de Cyrène. Du VIIIe au VIe siècle furent composés les poèmes du Cycle Épique, pâles reflets des poèmes homériques, destinés à raconter les événements antérieurs et postérieurs à ceux que narraient l'*Iliade* et l'*Odyssée.* Le plus récent de ces poèmes du Cycle fut la *Télégonie* qu'Eugammon de Cyrène écrivit au VIe siècle pour faire suite à l'*Odyssée* et dont le héros était le fils d'Ulysse et de Circé, Télégonos. Cette *Télégonie,* en deux chants, ne nous est connue que par un court résumé de Proclos. Le premier chant racontait l'ensevelissement des prétendants, puis comment Ulysse s'était rendu en Élide, et en Thesprotie, où, de la reine Callidicé, il eut un fils, Polypoetès. Le second chant mettait en scène Télégonos : venu à la recherche de son père, Télégonos débarque, sans le savoir, à Ithaque et, sans l'avoir reconnu, tue Ulysse. Après quoi, averti de son erreur criminelle, il emporte le corps d'Ulysse et emmène avec lui Pénélope et Télémaque chez Circé, qui les rend tous immortels. Le mariage de Pénélope avec Télégonos et de Télémaque avec Circé clôt ce singulier poème.

La Descente aux Enfers des prétendants doit apparemment s'expliquer par leur ensevelissement sur lequel s'ouvrait la *Télégonie.*

2. Agamemnon ayant été assassiné par Égisthe dès son retour de Troie (voir ci-dessus note 1 de p. 55), il y a dix ans déjà que son ombre a dû rejoindre dans l'autre monde celle d'Achille tombé devant Troie, lorsque cet entretien est censé avoir lieu. On comprend par là l'absurdité de cette conversation dans laquelle Achille accueille Agamemnon aux Enfers et où il apprend de lui comment il a été enterré.

Page 452.

1. Ce dieu du vin n'est pas mentionné ailleurs dans les poèmes homériques.

Page 453.

1. Amphimédon est un des prétendants, mais non des principaux (voir XXII, 242, 277, 284). Si, comme les autres prétendants, il appartient à la génération trop jeune pour être partie contre Troie lorsque Ulysse rassembla ses guerriers, on peut s'étonner avec les Anciens qu'il ait pu accueillir chez lui les Atrides avant le départ de l'expédition achéenne.

Page 454.

1. Cette ruse est racontée ici pour la troisième fois (voir ci-dessus, note 1 de p. 72).

Page 456.

1. Ici se termine cet épisode surajouté tardivement, dont la médiocrité ne peut échapper à celui qui le lit même dans une traduction. Le récit reprend tout aussitôt, sans la moindre ransition, où il en était resté à la fin du chant XXIII. Si bien

qu'un lecteur inattentif pourrait croire qu'il s'agit toujours des ombres des prétendants et des autres héros achéens, lorsqu'en vérité il est question d'Ulysse, de Télémaque et de leurs deux fidèles serviteurs.

2. C'est dans la partie la plus septentrionale d'Ithaque, qui n'est pas très éloignée de l'emplacement présumé du palais d'Ulysse et de la ville de l'âge héroïque, et qui est plus fertile que le reste de l'île, que Victor Bérard a proposé de localiser, vers la baie d'Aphalais, ce domaine de Laërte.

3. Sur l'anachronisme que constitue la mention de cette « vieille de Sicile », voir ci-dessus, note 1 de p. 403.

Page 459.

1. Les Scholies de l'*Odyssée* identifiaient Alybas avec la ville plus tard appelée Métaponte sur le golfe de Tarente, en Italie méridionale.

2. Sicanie, qui figure à cet endroit dans le texte grec, est, comme nous l'apprend Hérodote (VII, 170), un nom plus ancien de la Sicile, mais, comme au vers 421, cette mention de la Sicile est un anachronisme (voir ci-dessus, note 1 de p. 403). Le peuple des Sicanes, d'où vient ce nom, passait pour avoir habité l'île avant qu'à leur tour ne viennent s'y établir les Sicules.

Page 461.

1. Sur les Képhalléniotes, voir ci-dessus l'Introduction, p. 39-40.

Page 462.

1. Une ville de ce nom, mentionnée par Thucydide (III, 7), existait encore aux temps classiques à Leucade, immédiatement au nord d'Ithaque.

2. Dans cette dernière partie de l'*Odyssée*, on notera ici, comme précédemment aux vers 336-344, des détails émouvants et qui ne sont pas indignes des meilleures parties du poème. Cependant, à la fin du chant, l'action se précipite, les incidents se succèdent d'une façon hâtive qui n'est pas coutumière dans les parties les plus anciennes de l'*Odyssée*, mais qui, en revanche, est comparable au faire des poètes du Cycle Épique, car ces poèmes du Cycle, pour autant qu'ils nous sont connus par les résumés de Proclos, semblent s'être signalés par un maladroit entassement d'événements.

INDEX

établi par René Langumier

LA VENGEANCE D'ULYSSE

DU MÊME AUTEUR

Dans la même collection

ILIADE. *Préface de Pierre Vidal-Naquet. Traduction de Paul Mazon.*

L'ANTIQUITÉ DANS *FOLIO*

APULÉE. L'ÂNE D'OR OU LES MÉTAMORPHOSES. *Préface de Jean-Louis Bory. Traduction de Pierre Grimal.*

ARISTOPHANE. THÉÂTRE COMPLET (2 volumes). *Préface et traduction de Victor-Henry Debidour.*

Tome I : LES ACHARNIENS. LES CAVALIERS. LES NUÉES. LES GUÊPES. LA PAIX.

Tome II : LES OISEAUX. LYSISTRATA. LES THESMOPHORIES. LES GRENOUILLES. L'ASSEMBLÉE DES FEMMES. PLUTUS.

JULES CÉSAR. GUERRE DES GAULES. *Préface de Paul-Marie Duval. Traduction de L.-A. Constans.*

ESCHYLE. TRAGÉDIES : LES SUPPLIANTES. LES PERSES. LES SEPT CONTRE THÈBES. PROMÉTHÉE ENCHAÎNÉ. ORESTIE. *Préface de Pierre Vidal-Naquet. Traduction de Paul Mazon.*

EURIPIDE. TRAGÉDIES COMPLÈTES (2 volumes). *Préface et traduction de Marie Delcourt-Curvers.*

Tome I : LE CYCLOPE ALCESTE. MÉDÉE. HIPPOLYTE. LES HÉRACLIDES. ANDROMAQUE. HÉCUBE. LA FOLIE D'HÉRACLÈS. LES SUPPLIANTES. ION.

Tome II : LES TROYENNES. IPHIGÉNIE EN TAURIDE. ÉLECTRE. HÉLÈNE. LES PHÉNICIENNES. ORESTE. LES BACCHANTES. IPHIGÉNIE À AULIS. RHÉSOS.

HÉRODOTE. L'ENQUÊTE (2 volumes). *Préface et traduction d'Andrée Barguet.*
Tome I : Livres I à IV.
Tome II : Livres V à IX.

HOMÈRE. ODYSSÉE. *Préface de Paul Claudel. Traduction de Victor Bérard.*

HOMÈRE. ILIADE. *Préface de Pierre Vidal-Naquet. Traduction de Paul Mazon.*

LONGUS. DAPHNIS ET CHLOÉ, suivi d'HISTOIRE VÉRITABLE de LUCIEN. *Préface de Kostas Papaïoannou. Traduction de Pierre Grimal.*

OVIDE. L'ART D'AIMER, suivi des REMÈDES À L'AMOUR et des PRODUITS DE BEAUTÉ POUR LE VISAGE DE LA FEMME. *Préface d'Hubert Juin. Traduction d'Henri Bornecque.*

PÉTRONE. LE SATIRICON. *Préface d'Henry de Montherlant. Traduction de Pierre Grimal.*

SOPHOCLE. TRAGÉDIES : LES TRACHINIENNES. ANTIGONE. AJAX. ŒDIPE ROI. ÉLECTRE. PHILOCTÈTE. ŒDIPE À COLONE. *Préface de Pierre Vidal-Naquet. Traduction de Paul Mazon.*

SUÉTONE. VIES DES DOUZE CÉSARS. *Préface de Marcel Benabou. Traduction d'Henri Ailloud.*

TACITE. HISTOIRES. *Préface d'Emmanuel Berl. Postface de Pierre Grimal. Traduction d'Henri Goelzer.*

Impression Bussière à Saint-Amand (Cher),
le 5 mars 1990.
Dépôt légal : mars 1990.
1er dépôt légal dans la collection : décembre 1972.
Numéro d'imprimeur : 877.
ISBN 2-07-036254-X./Imprimé en France.

48636